뉴 리터러시 교육

저서는 2013년도 정부재원(교육과학기술부)으로 한국연구재단의 지원을 받아 연구되었음.
[NRF-2013-S1A5B5A02-과제번호]

창의·융합적 인재로 양성하는 차세대 3Rs 리터러시 교육

뉴 리터러시 교육

김지숙 지음

도서출판 동인

책을 펴내며

"공부 잘하는 아이는 책을 많이 읽는다"라고 말한다. 그런데 책을 '많이' 읽어야 공부를 잘하게 될까? 아니면 책을 '잘' 읽어야 공부를 잘하게 될까? 학부모들이 자녀들을 공부를 잘하도록 키우려고 '많이 시키고, 빨리 시키며' 경쟁하는 것을 흔히 본다. 많이 시키고 빨리 시키면 공부 잘하는 아이가 된다고 생각하는 듯하다.

디지털 지식 정보 세상에서는 읽을거리, 즉 '정보'가 없어서, 그리고 '정보'를 몰라서 공부 못하는 사람은 별로 없어 보인다. 아마 정보를 잘못 알고, 잘못 이해해서 공부를 못하게 되는 경우가 더 많다. 결국 공부를 잘하고 못하는 문제는 정보의 양의 문제가 아니라 정보의 질의 문제인 것 같다. 본서가 전하고자 하는 말은 "빨리 시키지 마라"는 말이 아니다. "적게 시키라"는 말은 더더욱 아니다. 특정한 기준과 원칙하에서 정보를 제대로 받아들일 수 있는 능력을 갖추게 하자는 말이다. 디지털 정보화시대에 넘쳐나는 다양한 매체 정보를 제대로 찾아 분석하고 평가하여 비판적, 융합적, 그리고 창의적으로 읽어내는 기준을 갖고 있는 사람으로 키우는 것이 이 시대에 꼭 필요한 리터러시 교육이라는 점을 강조한다. 부모나 교사들이 많이 가르치려고, 빨리 가르치려고 비싸게 지불한 다양한 지식들이 자녀들이 살아가는 데 독이 될 수도 있기 때문이다.

세상에 떠도는 '공부 잘하는 방법'에 관한 정보는 누가 만들까? 교육학자들이 만들까? 사교육 기관 학원 관계자들이 만들까? 아니면 동네 엄마들이 만들까? 교육 시장에 유통되고 있는 정보들은 대부분 어떤 의도가 있기 마련이다. 부모나 학생들이 정보를 잘못 찾아 올바르지 못한 정보를 받아들이면 학습에 방향을 못 잡고 잘못된 정보에 속게 된다. 누가 어떤 의도로 만든 정보인지, 어느 누구에게서 나온 정보인가를 제대로 판단하는 일이 공부 잘 할 수 있는 매우 중요한 학습전략일 것이다. 특히 디지털 지식 정보화 사회에서는 넘쳐나는 정보를 비판적이고 융합적이며 창의적으로 읽어내는 능력이 공부 잘하기 위한 매우 중요한 '리터러시 학습전략'이라 하겠다.

디지털 지식 정보화 사회에서 공부를 잘하기 위해서는 어떤 학습전략이 필요할까? 점수를 따려고 무조건 암기를 하거나 정해진 하나의 정답을 고르는 문제풀이 공부보다는, 문제가 무엇이고, 무슨 답을 찾아야 하고, 왜 이런 답을 찾아야 하는지에 대해 스스로 묻고, 읽고, 생각하고, 표현하는 리터러시 학습전략이 중요하다. 왜냐하면, 문제가 뭔지를 제대로 알아야 올바른 답을 찾을 수 있기 때문이다. 그래서 문제가 무엇인지를 먼저 알고 나서 답을 찾도록 도와주고 이끄는 리터러시 교육이 되어야 한다. 뭐가 문제인지도 모르면서 답을 찾으라고 한다면 암기해서 답은 찾을지 모르지만, 결국 정답만 찾고 잊어버리는 지식이 될 수 있다.

학생들이 얻는 지식이 세상을 살아가는 데 쓸모없는 지식이 되기를 원하는 교사나 부모는 없을 것이다. 학생들이 얻는 지식이 앞으로 세상을 살아가는 데 자산이 되길 원한다면, "왜, 무엇을, 어떻게 교수학습해야 학생들이 앞으로 써먹을 수 있는 공부가 될 수 있고, 학생들에게 오래 남는 공부가 될 수 있을까?"를 생각해야 한다. 결국 학업성취는 그 성과의 유용성과 반영구성에 달려있기 때문이다. 나중에 써먹을 수 있는 공부, 오랫동안 남는 공부를 위해서는 묻고, 찾고, 쓰는 읽기를 하라고 권하고 싶다. 그러지 않은 내용파악용 읽기는 학생들이 느끼고 생각할 기회를 막는다. 디지털 지식 정보화 시대에 넘쳐나는 다양한 정보를 비판적으로 읽고, 융합적으로 탐구하고, 창의적으로 표현하도록 이끄는 초등학교 리터러시 교육을 위해서는 이제 미래형 리터러시 교수학습 방법이 필요해졌다.

얼마 전 친구가 '신기한 마술'(?)이라는 스마트 애플리케이션 하나를 보내줘 내려받았다.

> 1) 두 자리 숫자를 마음속에 결정하세요. (예 : 54)
> 2) 두 자리 숫자에서 각 자리 수를 빼보세요 (예 : 54-5-4=45)
> 3) 아래 표에서 결과 값과 같은 숫자에 해당하는 그림을 찾아보세요.
> 4) 결과 값과 같은 숫자에 해당하는 그림을 찾으시고 집중해서 그 그림을 기억하세요.
> 5) 그리고 파랑색 정사각형을 터치하세요.

그대로 따라 해보니, 내가 마음속으로 정한 숫자에 대해 아무 힌트나 말도 하지 않았는데 컴퓨터가 내가 마음먹고 생각하고 있는 그림을 알아맞히는 것이었다. 인문계 출신인 나에게는 그야말로 신기한 마술이었다.

알고 보니 해답은 바로 '$10x + y - x - y = 9x$'라는 인수분해 원리에 있었다.

써먹을 수도 없는 인수분해라고 생각했을지 모르지만 인수분해 풀이과정은 세상을 살아가는 데 필요한 삶의 지혜를 준다. 이 과정에는 같은 것을 더하고 덜하면서 공통점을 찾고, 부등호 양쪽의 균형을 만들면서 무의미에서 의미를 찾는 '창의적 사고'를 이끌어주는 다음과 같은 삶의 지혜와 건강한 배움이 있다.

1) 등식으로 균형을 맞추는 지혜
2) 같은 것을 더하고 빼고, 순서를 바꾸어도 같다는 나눔과 더함의 진리
3) 공통을 찾아 분류해내는 힘
4) 공통점을 대처하는 힘

인수분해 학습에서 중요한 것은 답을 내는 결과보다 왜 이러한 답이 나올 수 있는지를 풀어 설명해주는, 답을 찾는 풀이과정이 더 중요하다. 인수분해 풀이과정에는 이 같은 삶의 진리와 지혜가 녹아있기 때문에 초·중·고 교육과정에서 인수분해가 그렇게 중요하게 다루어지는 것이다.

어떤 사람은 "수학이 인생을 살아가는 데 기본원리"라고 말한다. 또 어떤 사람은 "아무 짝에 도 써먹을 데 없는 수학공부를 왜 하는지 모르겠다"라고 말한다. 그럼에도 초·중·고등학교에서 수학을 왜 그리도 중요하게 다루는 것일까? 수학은 바로 **추상의 학문**이기 때문이다. 수학은 추상적 인 것들 간의 연결을 이끌어내는 문제해결 과정을 요하는 학문이다. 수학문제 풀이과정처럼, 다양 한 매체 정보들을 읽을 때도 마주치게 되는 궁금한 문제들을 해결하기 위해 비판적 사고와 추상의 원리를 적용해서 제대로 이해하고, 제대로 해석해서, 제대로 활용할 줄 알도록 이끌어주는 공부가 바로 뉴 리터러시 교육이다.

변화무쌍한 21세기 디지털 매체 세상에서는 보이지 않은 추상의 원리를 세상 삶에 적용하는 능력을 요구한다. 왜냐하면 가르치는 사람들조차도 미래에 발생할 수 있는 다양한 문제들에 대해 많은 지식이 없기 때문이다. 생각해보면, 과거 60년대 생물교사들은 DNA/RNA에 대해 잘 몰랐 다. 그리고 옛날에 배운 사실이나 진리가 지금은 다르게 해석되듯이, 지금 가르치는 것이 미래에 도 똑같은 지식일지는 아무도 장담하지 못한다. 그래서 어른들은 우리가 이미 알고 있는 것을 이제 내려놓는 연습부터 해야 할지도 모르겠다. 이제는 학생들에게 가르치려 하기보다, 학생들이 살아가면서 닥칠 문제를 해결할 수 있는 힘을 길러줘야 할 때다. 아무도 모르게 미래에 닥쳐올 문제들에 학습자가 스스로 해결방법을 찾아낼 수 있도록 문제해결력을 길러주는 교육이 더욱 절실해지고 있다.

다양한 매체 읽기 리터러시 교육이 중요해진 디지털 정보시대에서 무엇보다 읽기능력이 강 화된 초등학교 주제통합 교과목 수업에서는 교사가 제기한 문제들에 답을 가르치는 교육을 제공 하기보다는, 학생들이 스스로 자신의 삶과 관련된 문제를 제기하고, 그에 대한 답을 스스로 찾아 가는 과정이 중시되는 미래형 리터러시 교수학습 방법과 전략이 더욱 절실해지고 있다. 이러한 학습과정에서 필요한 비판적 사고력, 융합적 탐구력, 창의적 표현력, 그리고 문제해결 능력을 길 러주는 것이 초등학생들에게 필요한 올바른 미래형 '리터러시 교육'이며 묻고, 찾아, 읽고, 쓰는

뉴 리터러시 교육이라 할 수 있다.

지금까지는 학생들에게 빨리 답을 내라며 결과를 다그치는 교육을 해왔다. 결과를 다그치는 교육은 학생들에게서 추상의 힘이나 사고의 기회를 막아버린다. 추상의 힘은 안 보이는 것을 보이게 하는 '창의 교육'이다. 이것은 '보이지 않은 생각을 보이도록 표현하는 교육'을 이끈다. 21세기 지식 경쟁사회를 살아갈 초등학생들에게 길러주어야 할 힘은 보이지 않는 것을 보이게 만드는 '추상하는 창의력'과 앞으로 마주치게 될 문제들을 해결하는 힘, '문제해결력'이 될 것이다.

지금까지 초등학교 교육은 문제지 풀이교육을 해왔다. 문제제기와 문제해결 과정은 소홀히 하고 결과인 답만 찾는 문제지 풀이교육에서는 학생들이 결과만을 얻기 위해 답을 암기해버린다. 암기는 답을 찾는 가장 빠르고 효과적인 방법이기 때문이다. 심지어는 아무런 죄의식도 없이 부정행위를 해서라도 답을 찾아내려고만 한다. 많이 가르치고 암기된 결과만 점검하는 교육을 하고 있는 교사나 학부모는 학생들이 생각할 수 있는 기회를 막는 위험한 범법 행위를 하는 것과 비슷하다. 그리고 교육의 근본 목적을 이행치 않은 직무유기를 하고 있는 것이다. 암기된 결과나 답만 요구하는 교육은 학생들에게도 오랫동안 남는 교육이 될 수 없다. 결과만을 요구하는 공부는 시험 점수 따기 외에는 별로 쓸 일이 없다. 중간 문제해결 과정이 없는 교육, 해결과정이 없는 공부 방법은 학생들에게 생각이 없는 배움을 줄 수 있다. 학생들이 만들어낼 수 있는 창조의 힘을 빼앗아버린 의미 없는 지식이 될 수 있다. 초등학교 리터러시 교육은 글 속에 있는 지식을 배우는 교육을 넘어, 글을 통해 상상력과 문제해결력을 키워주는 교육이 되어야 한다.

디지털 지식 정보화 시대에 다양한 매체 읽기 텍스트는 모르는 단어나 문장과 내용이 섞여있다. 더욱이 전혀 경험해보지 못한 상황이나 문제들이 제시되고 있다. 다양한 매체 읽기를 해야 하는 디지털 정보사회에서는 이러한 어려움을 해결할 수 있는 문제해결력 같은 미래형 리터러시 능력이 필요하다. 이러한 뉴 리터러시 능력은 생소한 것이 아니고 지금까지 학생들이 해왔듯이 글을 읽는 동안 마주치는 다양한 문제들을 해결하기 위해 자신의 사전지식과 경험을 사용하여 학습자가 주도적으로 문제해결을 해내는 능력 같은 것이다. 뉴 리터러시 교육은 바로 묻고, 찾고, 읽고, 쓰면서 남과 다르게 생각하고 이해해가는 문제해결식 탐구읽기 과정을 요구한다. 이러한 문제해결식 탐구읽기 과정에서 학습자들은 금을 깨듯 주옥같은 자신의 생각을 창의적으로 만들어 내는 힘을 갖게 된다. 따라서 디지털 정보화 사회에서는 초등학생들의 추상적 사고력과 문제해결력을 키워주기 위해 다양한 매체 읽기를 통한 묻고, 찾고, 읽고, 쓰는 뉴 3Rs 리터러시 교육을 해야 한다. 뉴 3Rs 리터러시 교육은 무엇을 배워야 하는가의 문제가 아니라, 비판적 사고와 문제해결력을 키우기 위해 지식을 어떻게 사용하는가에 초점을 두는 과정을 중시하는 교수학습 방법이라 할 수 있다. 다시 말해, 궁금한 문제에 대한 문제해결을 위해 '읽고-탐구하고-쓰는 3Rs Reading, Researching, wRiting 뉴

리터러시 교수학습 과정'을 이끈다. 이것이 바로 질문을 통한 비판적 읽기Reading 리터러시, 융합적 경험학습을 통한 탐구Researching 리터러시, 자기 스토리로 표현하는 창의적 쓰기wRiting 리터러시로 이끄는 Q/S 기반 문제해결식 차세대 뉴 3Rs 리터러시 교수학습 모델이다.

그동안 뉴 리터러시에 관한 출판물들은 ICT 기술적 관점에서 기술기반 뉴 리터러시 교육을 다루었다면, 본서는 뉴 리터러시를 초등학교 교실 수업현장으로 옮기고 교육적 관점에서 교사들과 학생들의 미래 리터러시 교육방향과 실제 교수학습 방법과 전략을 제시하고 있다. 이러한 뉴 3Rs 리터러시 교수학습 방법과 전략 사용을 통해 주제관련 인쇄 매체 읽기와 디지털 매체 읽기를 넘나들며 교과목의 언어학습과 내용학습의 통합과 국어학습과 영어학습의 통합을 이끌어내는, 우리나라 초등학교 주제통합 수업에서 뉴 리터러시 교수학습이 실현되길 진심으로 바란다. 그 결과 초등학교 주제통합 수업이 학생들의 비판적 사고력, 융합적 탐구력과 창의적 표현력, 그리고 문제해결력을 키우는 21세기 창의·융합적 인재양성의 장이 되길 간절히 기대한다.

본서는 초등학생들의 뉴 리터러시 교육에 특별한 애정을 가진 초등(영어)교육 전문가가 한국연구재단의 지원을 받아 세계 OECD 국가들의 PISA 평가결과에 따른 교육정책 동향, 미국의 주공통핵심성취기준이라는 CCSS, 뉴 리터러시 교육 관련 많은 사례연구들, 저자의 언어 리터러시 교수학습 방법과 전략에 대한 오랜 현장경험과 성공사례, 그리고 성공적인 연구결과를 바탕으로 6하 원칙의 질문에 답을 찾아가듯 정리하는 초등학교 뉴 리터러시 교육에 대한 기본서라 할 수 있다. 특히 본서는 기술발달에 따른 급변하는 교육환경의 변화에 맞도록 초등학교 교육현장에서 사용 가능한 뉴 3Rs 리터러시 교수학습 모델을 소개한다. 이러한 점에서 본서가 읽기능력이 강화된 초등학교 주제통합 수업에서 창의·융합적 인재양성을 위한 뉴 리터러시 교육의 실현을 위해 노력하고 있는 교사들과 학부모님들께 실용적인 지침서가 될 수 있다면 큰 기쁨일 것 같다.

끝으로 본서가 정보전달 방식의 설명체로 기술되어 읽으신 분들에게 약간의 무례함을 느끼게 하지 않을까하는 우려가 있다. 하지만 설명의 간결함을 위함이지 본심이 아니라는 점을 양지해 주시기 바란다. 무엇보다 본서 출간을 위해 도움을 주신 많은 분들께 진심으로 감사드린다. 먼저, 뉴 리터러시 교육에 대한 많은 아이디어를 나눠주신 『미국의 리터러시 코칭』의 저자, 양병현 교수님께 감사드린다. 또한 참고자료의 번역과 검색 등 연구에 실질적인 도움을 준 서울대학교 지능형 융합정보시스템 대학원에 재학 중인 John Yang 군께도 감사드린다. 무엇보다 본서를 기꺼이 출간해주신 도서출판 동인의 이성모 사장님과 민계연 씨에게 깊은 감사를 드린다.

2014년 6월
저자 씀.

추천의 글

┌─────────────── 미래형 창의적 교육법, '뉴 3Rs 리터러시 교육' ───────────────┐

└─── 창의·융합적 교육은 질문을 통한 문제해결식 뉴 3Rs 리터러시 교육으로 바꿔보자 ───┘

다양한 매체 읽기를 통한 문제해결식 뉴 리터러시 교육은 아는 것으로 모르는 문제를 해결하는 능력이 길러질 수 있는 공부방법이다. 다양한 매체 읽기를 통한 뉴 리터러시 학습방법으로 제대로 공부한 학생들은 닥쳐올 세상에서 마주치는 다양한 문제들을 해결할 방법을 안다. 하지만 답만 강요하고 답을 가르치는 교육은 문제해결 과정에서 겪을 수 있는 비판적, 융합적이고 창의적 사고의 기회를 빼앗아버린다. 이러한 교육은 금을 깨듯 문제의 답을 찾아내는 건강한 배움의 경험을 학습자로부터 뺏는 것이다. 그래서 다양한 매체 읽기를 제대로 할 줄 알아야 한다. 초등학교에서 문제해결식 '뉴 리터러시 교육'이 필요한 이유는 학생들이 스스로 재미있게 문제해결 방식을 찾아가는 과정을 통해 다양한 읽기에서 스스로 금을 깨는 능력을 길러주기 때문이다.

공부를 잘한다는 것은 하나의 답을 찾는 것이 아니다. 공부는 문제해결 과정을 통해 학생들이 많은 다른 문제를 생각하고 만드는 기회가 있어야 한다. 그 과정은 여러 다양한 답을 찾도록 하는 기회를 주는 것이다. 다양한 매체 읽기를 통한 문제해결식 뉴 리터러시 교육은 다양한 읽기를 통해 무엇을 생각하고, 무엇을 찾아, 어떻게 표현해내는가를 배우는 과정이라 할 수 있다. 이는 공부를 값싸고 가치 있게 할 수 있는 방법이다. 여기에 바로 묻는 읽기, 탐구 읽기, 쓰는 읽기를 통한 문제해결식 '뉴 3Rs 리터러시 교수학습' 방법이 제안된다.

'뉴 3Rs 리터러시 교육'은 "좋은 대학 가려면, 이렇게 암기하면 된다."라는 단기효과를 위한 교수학습 방법이 아니다. 차라리 "이렇게 공부 하니까, 결국 공부가 쉬워지고 성적도 잘 나오고, 원하는 대학을 가게 되더라." 그리고 "이렇게 공부했더니 나중에 대학 갈 때도, 취직할 때도 평생 써먹는 지식이 되더라."라는 평생 리터러시 교육 방법이다. 어떤 방법을 선택하는가는 부모와 교사들의 몫이다. 하지만 부모나 교사는 뉴 3Rs 리터러시 코치가 되어야 한다. 아이가 어디가 아슬아슬한지를 물어보거나, 엄마는 왜 그렇게 생각하는지를 말하고, 자녀들의 생각이 대단한 생각이라고 칭찬해주는 올바른 학습코칭이 부모와 교사들에게 주어진 책무라 할 수 있다.

최근 '뉴 리터러시 교육'은 흥미롭고 다양한 매체의 글을 제대로 읽어내는 교육 즉, 인쇄기반 책뿐 아니라 디지털 매체 정보를 읽게 하는 교수학습 활동으로서 다양한 매체 읽기활동을 통한 학생들의 재미와 즐거움을 생명으로 하고 있다. 그러려면 우선 부모나 교사는 학생들이 읽기를 하는 동안 암기를 유도하는 장학퀴즈 식 '과시용 독서'를 시키지 말아야 한다. 다양한 매체를 오가며 흥미로운 글을 읽을 때, 학생들은 스스로 궁금한 문제를 즐겁게 해결해내고 자신만의 답을 찾아가는 비판적이고 융합적이며 창의적인 읽기를 즐겁게 할 수가 있다.

교사나 학부모는 자신들이 알고 있는 것을 이제 내려놓아야 한다. 교사나 학부모가 아는 것이 자녀들에게 더 이상 도움이 되는 지식이 아닐 수 있기 때문이다. 그 정도 지식은 인터넷에서 더 잘 가르쳐줄 수가 있다. 교사나 학부모도 미래에 어떤 일이 일어날지 잘 모른다. 이제 어른으로서 자신의 삶의 지식이나 원칙을 내려놓고, 자녀들이 미래의 삶을 살아가기 위해 어떤 능력을 갖추어야 하는지, 그러한 능력을 갖추기 위해 어떠한 방식으로 어떻게 도움을 주어야 하는지에 관심을 가져야 할 때다.

다시 말해 교사교육과 부모교육은 자신의 지식을 내려놓는 일부터 시작해야 할 것 같다. 그리고 나서 자녀들을 위해 무엇을 해야 하고, 어떻게 도와야 하는지를 새롭게 배워야 할 것 같다. 본서는 이러한 답을 찾고자 하는 교사와 학부모에게 올바른 방향과 방법을 제시해준다. 모든 부모와 교사들이 학생들의 올바른 창의적 읽기 방법을 즐겁게 이끌어주는 뉴 3Rs 리터러시 코치가 되길 바라는 간절함으로 본서를 추천한다.

2014년 6월
『미국의 리터러시 코칭』 저자
양병현

Contents

책을 펴내며 • 5
추천의 글 • 10

I   들어가며 • 15

II   왜(Why) : 뉴 리터러시 교육이어야 하는가? • 29

Unit 01.   왜 뉴 리터러시 교육이어야 하는가?
  01   뉴 리터러시란? • 31
  02   뉴 리터러시 교육환경으로의 변화 • 44

Unit 02.   왜 초등학교에서 뉴 리터러시이어야 하는가?
  01   창의·융합적 인재로 양성하는 초등학교 뉴 리터러시 교육 • 52
  02   초등학교 주제통합 학습에서 뉴 리터러시 교육 • 62

III   누가(Who) : 뉴 리터러시 교육은 누가 코칭하는가? • 73

Unit 01.   초등학교 뉴 리터러시 교육은 누가 코칭해야 하는가?
  01   뉴 리터러시 코칭이란? • 75
  02   뉴 리터러시 전문코치로서 교사 • 81
  03   뉴 리터러시 학습코치로서 부모 • 86

Unit 02.   초등학교 뉴 리터러시 교육은 어떻게 코칭해야 하는가?
  01   공부 잘하게 해주는 뉴 리터러시 코칭 • 93
  02   뉴 3Rs 리터러시 교사코칭 내비게이션 • 99
  03   뉴 리터러시 교사코칭에 관한 연구들 • 112

IV 무엇(What) : 뉴 리터러시 교육은 무엇이 다른가? • 121

Unit 01. PISA 읽기 리터러시는 무엇이 다른가?

01 PISA 읽기 리터러시 평가 의의와 대책 • 123
02 PISA 읽기 리터러시 평가내용과 성취기준 • 127
03 PISA 읽기 리터러시 문항분석을 통한 뉴 리터러시 교육 • 136

Unit 02. 초등학교 뉴 리터러시 교육은 무엇이 다른가?

01 미국의 CCSS와 초등학교 뉴 리터러시 교육 • 157
02 초등학교 주제통합 교과 리터러시 교육은 무엇이 다른가? • 165
03 초등학교 뉴 리터러시 교수학습에 관한 연구사례와 참고자료들 • 176

Unit 03. 초등학교 뉴 리터러시 수업은 무엇이 다른가?

01 초등학교 뉴 리터러시 교육에서 수준을 나누는 기준 • 190
02 초등학교 뉴 리터러시 교육에서 논픽션 읽기 • 196

V 어떻게(How) : 뉴 3Rs 리터러시 교육은 어떻게 다른가? • 205

Unit 01. 뉴 3Rs 리터러시 교수학습은 어떻게 실행하는가?

01 뉴 3Rs 리터러시 교수학습 모형 개발 I • 207
02 뉴 3Rs 리터러시 교수학습 모형 개발 II • 214
03 뉴 3Rs 리터러시 교수학습 3가지 접근방법 • 222

Unit 02. 뉴 3Rs 리터러시 핵심은 궁금해 하는 Questioning

01 뉴 3Rs 리터러시 교수학습 질문전략 • 233
02 뉴 3Rs 리터러시 교수학습 피드백 전략 • 241
03 스토리 동화 읽기에 적용한 뉴 3Rs 리터러시 교수학습 질문전략 • 249

Contents

Unit 03. 뉴 3Rs 리터러시 과정은 생각하는 Reading

01   뉴 3Rs 읽기 리터러시 교수학습에서 길러야 할 역량 • 268
02   주제통합 수업에서 필요한 뉴 3Rs 읽기 리터러시 전략 • 276
03   STEAM 접근의 뉴 3Rs 읽기 리터러시 전략 • 286
04   영어읽기 수업에 적용한 뉴 3Rs 읽기 리터러시 실제 • 306

Unit 04. 뉴 3Rs 리터러시 문제해결은 협업하는 Researching

01   뉴 3Rs 리터러시 교수학습 탐구과정 • 319
02   뉴 3Rs 리터러시 교수학습 탐구전략 • 328
03   뉴 3Rs 리터러시 교수학습 탐구실제 • 334

Unit 05. 뉴 3Rs 리터러시 소통은 창조하는 wRiting

01   뉴 3Rs 쓰기 리터러시 교수학습 전략 • 359
02   뉴 3Rs 쓰기 리터러시 교수학습 실제 • 369

VI 나가며 • 383

부록 • 393
참고문헌 • 399

I. 들어가며

뉴 리터러시 교육의 배경

전 세계 국가들은 인터넷 기술의 빠른 발달과 글로벌 시대의 급변하는 상황에 대처할 창의·융합적 인재양성_{STEAM : Science(과학), Technology(기술), Engineering(공학), Arts(예술), Mathematics(수학) 분야를 융합한 인재교육}을 위한 교육정책들을 준비하고 있다. 이와 관련하여 21세기 급변하는 교육환경에서 창의·융합적 인재양성을 위해 초등학교에서도 점차 주제통합 교과학습을 지향하며 사회변화에 맞춘 다양한 디지털 정보를 취급하는 능력개발을 중요시하고 있다. 예외 없이 우리나라도 초등교육 정책의 일환으로 2013년부터 초등학교 1·2학년을 시작으로 읽기 리터러시가 강조된 주제통합 교과과정으로 변화되었고 2014년에는 3·4학년, 2015년에는 5·6학년으로 점차 확대되고 있다. 하지만 초등학교 주제통합 교육이 이미 2년차를 맞고 있음에도 초기 실행의도와는 다르게 여전히 교과서 기반 활동에 초점을 둔 교사 의존도가 높은 수업이 이루어지고 있다. 안타깝게도, 초등학교 교사들은 주제통합 교과서로 그들이 익숙한 전통적 교사주도 방식으로 정보를 제시하고 암기위주의 교과서 기반 교사주도 교수학습 방법을 수업에 적용하면서 전통적인 교수학습과 무엇이 어떻게 달라야 하는지에 대한 혼란을 겪으며 구체적 방안도 없는 교실 수업을 시도하고 있다. 이는 초등학교 주제통합 교실수업에서 무엇이 어떻게 이루어져야 하는가에 대한 실질적이고 구체적인 교수학습 모델이 제시되지 못하고 있기 때문이다. 이 경우, 초등학교 주제통합 교실수업이 고학년으로 확대되어 갈수록 시대변화를 반영하지 못하고 더욱 혼란이 예상되고 있다.

21세기 디지털 지식 정보화 사회에서 학생들이 창의·융합적 인재로 성장되기 위해서는 초등학교에서도 주제통합 학습을 위해 다양한 디지털 정보를 취급하는 능력개발이 점차 중요해졌다.

하지만 디지털 정보화 시대에 넘쳐나는 다양한 정보에 대해 초등학생들의 발달단계 특성상 정보조직화 능력이 부족하거나 학습자 중심의 주도적 학습에 몰입하는 것이 사실상 어렵다. 때문에 초등학교 교사들의 정보선정 및 정보제공의 역할과 디지털 시대를 반영한 미래형 리터러시 교수학습 방법과 전략이 초등학교 교실수업에서 더욱 중요하게 작용하고 있다.

21세기에 인터넷은 정보, 소통, 그리고 독해력을 위한 매체로 빠르게 정의되어 왔다*The New Literacies Research Team*, 2007. 이러한 시대를 반영한 읽고 쓰는 문식활동으로서 21세기 리터러시는 세상 사람들과 의사소통을 위해 정보를 비판적으로 읽고 쓰며, 이를 일상에서 사용하는 사회적 개념으로 이해되고 있다. 특히 읽기 리터러시는 초등학생들에게 호기심과 재미, 그리고 상상하는 독해활동이며, 초등학생들이 다양하고 새로운 세상에 들어갈 수 있도록 활짝 열린 대문과도 같다. 그런데 중요한 사실은 읽기 리터러시 대상인 많은 책들이 인터넷 기반 디지털 매체 정보로 대처되며 점차 일상에서 활용되고 있다는 사실이다.

인터넷 기반 디지털 정보화 세상으로의 변화는 초등학교 주제통합 교실수업에서도 학생들에게 인쇄기반 책 읽기 리터러시 능력과 함께 디지털 매체 정보 읽기 리터러시 능력을 요구한다. 하지만 이 두 능력은 다른 리터러시 양상과 구조를 가진다. 때문에 인쇄기반 책 읽기 리터러시에 능숙한 학생들이 항상 디지털 매체 정보 읽기 리터러시에도 능숙한 것은 아니라는 연구들이 있다 Coiro, 2007. 이렇듯 21세기에 필요한 읽기 리터러시 스킬은 인쇄 매체 읽기 능력뿐 아니라 디지털 매체 정보 읽기 리터러시 능력을 갖추길 점차 요구한다 Coiro & Dobler, 2007. 디지털 매체 정보 읽기 리터러시 스킬은 종이 페이지 읽기에서 스크린 읽기로 옮겨지면서 전통적인 인쇄 매체 책 읽기 리터러시 교수학습 방법에 대해 재점검이 필요해지고 있다. 그리고 디지털 매체 정보 읽기 리터러시에서 필요한 다양한 디지털 매체 정보를 찾고, 다양한 정보를 넘나들며 바르게 읽어내고, 평가하고, 분석하고, 통합하여, 재창조하는 새로운 읽기 리터러시 능력을 위해 무엇이, 어떻게 교수학습 되어야 하는가에 대한 관심이 높아지고 있다.

▌ 뉴 리터러시 교육의 필요성

21세기 지식정보화 사회에서는 각 국가나 개인의 생존과 번영을 위해 창의·융합능력과 문제해결능력을 중요해지고 있다는 점에 대해 모든 국가들이 공감하고 있다. 이러한 21세기에 필요한 역량을 어떻게 가르치고 평가할 것인가에 대해 최근 몇 년간 국제적인 연구가 이루어져 왔다.

최근 우리나라 초등학교 교육정책도 교과 간 경계를 넘나드는 창의·융합적 인재양성STEAM의 일환으로 주제통합 교과학습을 강조하고 있다. 특히 2013년부터 실시하고 있는 초등학교 주제통합 교과서에 읽기가 강화된 점은 초등학교 교과학습 전반을 통합하는 읽기 리터러시 교육이 초등교육의 중심이 되어야 한다는 점을 말해주고 있다. 그리고 21세기 교육환경은 인터넷 기술의 발달로 인쇄기반 책 읽기를 넘어 디지털 매체 자료들을 접하고 읽을 기회가 점점 증가하고 있다. 따라서 인터넷 매체를 통해 넘쳐나는 정보는 기존의 인쇄 매체 읽기와 쓰기에 초점을 둔 전통적인 3RsReading, Writing, Arithmetic 교육에 대한 재점검이 필요한 시점이라는 인식을 촉발시키고 있다.

최근 OECD 참가국뿐 아니라 전 세계 국가들의 교육정책은 PISAOECD 국제학업성취도평가 : The Programme for International Student Assessment가 제시한 각국 학생들의 리터러시 성취 수준을 국제적으로 비교한 결과를 토대로 국가별 교육정책의 변화를 추구하고 있다. PISA는 국제적 학문 공동체들의 합의하에 이끌어진 교육의 방향성을 제시하는 평가 틀frame과 문항을 구체적으로 제시해주고 있다. 가장 최근 PISA 평가는 2012년 5월 시행된 PISA 2012로, 그 결과는 2013년 12월에 공개된 바 있다. 하지만 PISA 2012는 주 영역이 수학 리터러시로, 읽기 리터러시 평가와 관련된 정보는 극히 제한적으로 제공될 수밖에 없다. 따라서 초등학교 주제통합 학습에서 모든 교과목의 기본이 되는 다양한 매체 읽기 리터러시 교육내용과 교수학습 방향 제시를 위해 읽기 리터러시가 주 영역이었던 PISA 2009 읽기 평가결과와 PISA 2012의 이론적 전제를 구체화한 평가 틀 및 문항, 그리고 차세대 평가인 PISA 2015의 평가양상에 주목하는 것이 의미 있다고 본다. 이를 통해 국제사회가 21세기의 사회인에게 요구하는 다양한 매체 읽기 리터러시의 특성과 문항을 고찰해보는 것은 초등학교 읽기 리터러시 교수학습 내용과 방법을 구체화하는 데 도움이 될 것이다.

PISA는 사람들이 세상을 살아가는 데 가장 기본이 되는 능력인 읽기, 수학과 과학 리터러시 영역에 대한 각국 교육 체제의 성과를 점검하고자 하는 국제 학업성취도 평가시스템이다. 그 중 모든 교과목 성과에 영향을 미치게 되는 읽기 리터러시 능력에 대한 평가는 학생들이 디지털 정보화 사회에서 살아가는 데 필요한 실생활 능력인 다양한 매체 읽기 리터러시 능력을 갖추고 있는지를 측정하고 있다. 특히 PISA 2015는 협업에 의한 문제해결능력 평가를 통해 세상에 소개될 예정이다. PISA 역량 평가의 결과에 따른 국제비교는 앞으로 각국의 교육정책 방향에 적지 않은 영향을 끼칠 것으로 보인다. 이에 초등학교 주제통합 교육과정에서 모든 교과목 중 가장 핵심인 읽고 쓰는 리터러시 교육에 대한 구체적이고 실제적인 교수학습 방법에 대한 논의를 위해 PISA의 읽기 리터러시 평가에 대한 보다 세심한 관심을 가져야 할 필요가 있다.

또한 최근 미국의 주공통핵심성취기준Common Core State Standards, 이후 CCSS은 미국이 미국 초·

중·고 공립학교에서 영어와 수학과목에 관해 새롭게 설정한 주공통핵심성취기준이다. 이는 K-12의 각 학년을 마쳤을 때 습득해야 할 지식과 기능을 제시하고 있는 학습목표라 할 수 있다. CCSS는 원래 초·중·고 교육과 대학교육을 연결하는 시스템으로 초·중·고교 학생들이 고교 졸업 후 대학진학과 직업세계로 나가기 위해 갖출 지식과 역량의 기준을 정한 것이다. CCSS는 오바마 2기 행정부가 공교육 공약으로 2010년 다양한 분야의 전문가가 참여하여 미국의 모든 주가 일관성 있게 학년별 교수학습이 이루어지도록 제시된 학습기준이며 평가 시스템이라 할 수 있다. 그리고 디지털 정보화 사회의 교육환경 변화를 반영하여 특히 영어 리터러시와 교과목 리터러시를 구분하고 논픽션과 다양한 정보 읽기와 쓰기를 교과목과 연계해서 학생들의 깊은 이해력과 고차원적 사고력을 평가하려는 성취기준이라 할 수 있다. 이는 현재 44개 주, 콜롬비아 특별구, 4개의 영역territories이 자발적으로 가입을 한 상태다.

그런데 CCSS는 특정 과목인 영어와 수학에 걸쳐 시행하는 것을 목표로 한다. 특히 영어의 경우는 기본적인 읽기와 쓰기 능력 외에 학생들의 높은 사고력과 깊은 이해력을 평가하며 타 교과목과 연계학습을 강조한다. 무엇보다 풍부한 논픽션과 정보제공성 교재를 통한 읽기와 쓰기 활동은 텍스트 지식기반 학습에서 증거기반 고차원적 사고학습으로 타 과목과의 연계학습 효과를 높이고자 하는 취지를 포함한다. 따라서 CCSS는 지식기반knowledge based의 단순 암기학습보다는 스킬이나 수행기반skill or performance based 학습을 통해 종합적으로 사고하는 습관이 형성된 학생들에게 유리한 평가 시스템이라 할 수 있다.

ICT 기술발달에 따른 교육환경의 변화로 인한 세계 여러 국가들의 교육정책에 발 맞춰 우리나라도 초등학교 교사들을 대상으로 수차례 걸쳐 ICTInformation and Communication Technology : 정보통신기술 리터러시에 대한 교육이 이루어져 왔다. 하지만 주로 기술적인 면을 강조하고, 각 요소가 개별적으로 교육되고 있다김경희 외, 2010. 그 결과 초등학교 교실수업에서는 많은 ICT 활용수업이 이루어져 왔고 지금도 우수한 인프라를 갖추고 선도적 위치에서 다양한 ICT 기술이 활용되고 있다. 그리고 최근에는 SNS를 통한, 즉 소셜 네트워크를 기반 한 21세기에 필요한 기술들이 초등교육에도 일부 도입되고 있다. 초등학교 주제통합 교실수업에서 교과내용과 SNS를 통합해 읽기와 쓰기를 연결하며, 교과목 간 주제통합 리터러시 학습을 시도하려는 노력이 보이기도 한다.

하지만 초등학교 교실수업에서 ICT 기술이 왜, 어떻게 교실수업에 도입되어야 하는지에 대한 교육환경의 변화에 대응한 체계적인 ICT 활용수업이 이루어지지 못하고 있는 실정이다. 특히 초등학교에서 가장 중요한 읽고 쓰는 리터러시 교육에 대한 원칙이나 기본지식이 부족한 상태에서 교실에 ICT 컴퓨터를 도입하는 데 초점을 맞추는 전시성 ICT 활용수업이 이루어지고 있다는 비판도 있다. 중요한 점은 초등학교 교실수업에 ICT 기술을 도입하는 자체가 중요한 것이 아니라 초등학교에서 가장 중요한 읽고 쓰는 리터러시 교육을 위해 ICT 기술을 어떻게 효과적으로 활용할 수 있는가가 더욱 중요하다. 왜냐하면 기술의 발달로 인해 변화된 교육환경에서도 리터러시 능력은 초등교육 교육과정의 핵심이기 때문이다.

이러한 교육환경의 변화에 따라 초등학교 주제통합 교실수업도 많은 변화와 노력을 기울여 왔음에도 불구하고 여전히 교사 의존도가 높은 교과서 중심의 교실수업이 이루어지고 있다. 따라서 초등학교 주제통합 수업은 사실상 창의·융합적 인재 양성을 위한 전 세계 교육정책에 부응하고 있지 못하는 실정이다. 따라서 초등학교 주제통합 교실수업에서도 창의·융합적 인재 양성을 위해 비판적 사고력, 융합적 탐구력과 창의적 표현능력을 길러주는 실질적인 교수학습 내용과 방법이 필요해지고 있다. 그리고 초등학생들이 일상에서 자연스럽게 노출되고 있는 다양한 디지털 매체 정보와 주제통합 학습에서 접하게 되는 인쇄 매체 정보를 통합하고 생활화하도록 이끄는 교육환경 변화에 맞는 다양한 매체 읽기 리터러시 교육이 더욱 관심을 받고 있다. 따라서 다양한 매체 읽기 리터러시 교육을 통한 비판적 사고력, 융합적 탐구력과 창의적 표현능력을 기를 수 있는 미래형 리터러시 교수학습 방법이 교실수업에서 절실히 요구되고 있다.

최근 사회적으로 디지털 매체를 접목한 뉴 리터러시를 강조하는 것은 인터넷 기술의 발달로 글을 표현할 공간이 확대되고, 넘쳐나는 정보들로 걸러지지 않은 잘못된 글을 접할 수 있는 기회가 훨씬 많아졌기 때문일 것이다. 인터넷 세상에서 자신의 목적에 맞는 적정한 정보를 찾아, 비판적 사고로 읽어낼 수 있는 힘, 주제관련 다양한 정보를 넘나들며 통합하고 융합하는 탐구과정, 그리고 읽어낸 지식을 자신의 가치와 언어로 재창조하여 표현해내는 힘, 즉 다양한 매체 기반의 뉴 리터러시 능력이 중요하게 고려된 것이다. 또한 사회가 민주화되고, 표현의 자유가 확대되고 인터넷 발달로 인해 글을 쓸 수 있는 기회와 공간이 확대되면서 남의 글을 읽고 자기의 생각을 글로 쓴다는 것이 사회적으로 중요해졌다. 반면에 그동안 학생들은 자기의 생각이나 이야기를 글로 표현할 기회도 적었으며 자기의 견해, 사고, 판단을 귀담아 들어줄 사회적 공간도 없었던 것이 사실이다. 사회가 필요하다고 느끼지 않았으니 자신의 생각이나 의사를 전달할 만한 리터러시 도구와 능력을 가질 필요도 없었을 것이고 필요성도 별로 느끼지 못했다고 본다.

PISA는 만 15세 이상의 학생들을 대상으로 글로벌 시민으로 살아가는 데 필요한 기본적인 읽기 리터러시 능력을 평가하고 있다. 그리고 기술발달로 인한 교육환경의 변화와 관련해 PISA 2009에서는 처음으로 디지털 매체 읽기 능력을 평가한 바 있다. 또한 CCSS는 초·중·고교 학생들이 대학과 장래직업에 대해 준비하도록 논픽션과 다양한 정보읽기와 쓰기를 교과목과 연계하는 고차원적 사고력을 강조하고 있다. 이후 초등학교 교사들을 위한 21세기 미래형 읽기 리터러시 교수학습 방법에 대한 필요성이 대두되고 있다김경희 외, 2010. 이에 본서는 초등학교 교사들을 위한 협업적이며 문제해결식 미래형 뉴 리터러시 교육을 설계하는 데 중요한 시사점을 제공하고자 한다. 결국 본서는 디지털 정보화 시대에 초등학교 뉴 리터러시 교육에 대한 이해와 새로운 도전의 기회를 제공하게 될 것으로 보인다.

인터넷 기술발달과 더불어 교육환경의 변화로 인해 초등학교는 학생들이 디지털 매체 정보에 효과적으로 접근할 수 있는 교수학습 방법에 대한 새로운 모색이 필요하다. 더욱이 초등학교는 다양한 교과를 통합하는 수업을 위해 인쇄 매체 정보 읽기와 디지털 매체 정보 읽기를 연결하여 언어학습과 내용학습을 통합하는 데 필요한 뉴 리터러시 능력을 절실하게 요구하고 있다. 그리고 21세기 창의·융합적 인재들에게 필요한 비판적 사고력, 융합적 탐구력과 창의적 표현력을 길러주는 실질적인 교수학습 방법의 모색이 절실한 실정이다. 이러한 상황에서 긍정적인 점은 우리나라 초등학교 교실수업 환경은 인쇄 매체 정보 읽기와 디지털 매체 정보 읽기를 연결하는 뉴 리터러시 교수학습 방법을 실현할 수 있는 교수학습 여건을 갖추고 있다는 점이다. 따라서 초등학교 주제통합 교과목 수업에서 주제관련 인쇄 매체 읽기와 디지털 매체 정보 읽기를 넘나들며 언어학습과 교과목 내용학습을 통합하는 뉴 리터러시 교육이 실현될 수 있는 구체적이고 실용적인 미래형 뉴 리터러시 교수학습 모델이 제공된다면, 초등학교 주제통합 수업이 더욱 효과적으로 운영되고, 지금의 혼란이 크게 줄어들 것으로 사료된다.

창의·융합적 인재양성을 위한 국가 교육정책과 기술발달로 인한 디지털 정보화 시대에 교육환경의 변화를 고려한다면, 초등학교 교육과정에서 가장 중점적으로 다루어져야 할 리터러시 교육이 무엇인지에 대한 연구가 중요하다. 그리고 초등학교 주제통합 학습에서 학생들이 꼭 익혀야 할 리터러시 능력이 무엇인지를 알아보는 과제가 시급해지고 있다. 이를 위해서 21세기에 필요한 다양한 매체 정보 리터러시 스킬이 20C에서 필요했던 인쇄 매체 정보 리터러시 스킬과 무엇이 같고 다른지를 알아보는 것도 필요하다. 무엇보다 21세기 창의·융합적 인재가 갖추어야 하는 비판적 사고력, 융합적 탐구력과 창의적 표현력을 길러주기 위해 초등학교 주제통합 교과학습에서는 왜, 누가, 무엇을, 어떻게 교수학습해야 하는지에 대한 논거와 협업적이며 문제해결식 뉴 리터러시 교수학습 모델이 필요해지고 있다.

뉴 리터러시 교육의 목적

본서는 많은 연구들이 제언하고 추후 연구 분야로 제시하고 있는 디지털 지식 정보화 시대 창의·융합적 인재를 양성하기 위해 인쇄 매체 읽기 리터러시와 디지털 매체 읽기 리터러시를 초등학교 주제통합 교수학습에서 어떻게 통합할 것인가에 대한 내용과 방법을 제시하는 데 그 목적이 있다. 구체적으로는 초등학교 교사들이 어떤 준비를 해야 하는지와 초등학교 주제통합 수업에서 이루어질 수 있는 뉴 리터러시 교수학습 방법에 대한 실제 적용 가능한 모델을 제시하는 데 목적을 둔다. 이에 본서는 글로벌 시대 국가 경쟁력 강화에 적합한 창의·융합적 인재 양성을 위한 대안으로 초등학교 주제통합 리터러시 교수학습 모형개발과 그에 따른 교사의 역할에 대한 두 측면을 집중적으로 연구하고자 한다. 그래서 초등학교 교육현장의 교사들이 부딪히고 있는 초등학교 현안문제들을 해결해주는 지침서가 되고자 한다.

21세기 IT기술 발달로 인해 디지털 지식 정보화 사회로의 변화와 PISA 결과 또는 CCSS 표준에 따른 국제적 교육정책 수립 측면에서 볼 때, 본서는 초등교육 주제통합 교실수업이 적용할 수 있는 뉴 리터러시 교수학습 방안 및 교사역할에 관한 실용적인 자료가 될 것이다. 이와 관련해 본서는 국제적 교육정책 방안인 창의·융합적 인재 양성을 위해 초등학교 주제통합 교과목 학습에서 추구하는 학생들의 비판적 사고력, 융합적 탐구력과 창의적 표현력을 중시하는 교수학습 모형개발을 제시하고 현장교사들에게 실제적인 도움이 될 수 있는 뉴 리터러시 교수학습 방법을 마련하고자 한다. 이를 위해 초등학교 뉴 리터러시 교수학습 모델을 위한 구성요인과 교수학습 방법을 이끌어낼 근거자료는 OECD가 주관하고 시행하고 있는 PISA 보고서와 CCSS 기준을 근거로 한 '읽기 리터러시'reading literacy 관점에 초점을 둘 것이다. 왜냐하면 PISA 평가와 CCSS 기준은 미래 사회가 요구하는 읽기 리터러시 능력의 관점에서 비판적 사고력, 융합적 탐구력과 창의적 표현력을 갖춘 창의·융합적 인재양성을 위한 구체적인 지표를 제시하고 있기 때문이다. 이를 바탕으로 본서는 인쇄 매체 읽기와 디지털 매체 정보 읽기를 넘나들며 언어학습과 교과목 내용학습을 통합한 교수학습 모형에서는 무엇이 어떻게 같고 달라야 하는지, 그리고 뉴 리터러시 교육은 누가 무엇을 어떻게 코칭해야 하는지를 논의할 것이다. 이어 다양한 매체 읽기를 통한 교과통합 학습이 가능한 초등학교 고학년초등 4~6학년의 주제통합 학습에서 적용 가능한 문제해결식 뉴 리터러시 교수학습 모형과 그에 따른 교사의 역량을 제시하는 데 목표를 둔다.

뉴 리터러시 행위는 이미 문화적 현상이고 사용하는 집단의 가치관과 태도를 반영한다. 뉴 리터러시 행위는 단순히 개인의 인지적 기능이 아니라 사회적 현상으로 인식되고 있다. 따라서 뉴 리터러시 개념을 교육적으로 반영하려면 초등학교 주제통합 수업현장의 뉴 리터러시 교수학습 활동을 교육적 관점에서 재해석하고, 문제해결식 뉴 3Rs 리터러시 교수학습 모델이 주제통합 수업에서 실제적으로 구현되어야 한다. 그리고 초등학생들을 시대가 요구하는 창의·융합적 인재로 양성할 수 있도록 교사들의 뉴 리터러시 역량을 갖추게 하는 것이 본서의 목적이라 하겠다.

뉴 리터러시 교육의 과제

우리나라 교육정책인 창의·융합적 인재 양성을 위해 비판적 사고력, 융합적 탐구력, 창의적 표현력이 자연스럽게 길러질 수 있도록 초등학교 주제통합 수업에서 문제해결식 뉴 리터러시 교육의 실현을 위한 과제는 다음과 같다.

1) **왜** 초등학교 뉴 리터러시 교육은 달라져야 하는가?
2) **누가** 초등학교 뉴 리터러시 교육을 이끌어야 하는가?
3) **무엇이** 초등학교 뉴 리터러시 교육에서 다루어져야 하는가?
4) **어떻게** 초등학교 뉴 리터러시 교육이 실행되어야 하는가?

본서 소개

본서는 21세기 급변하는 교육환경 상황에서 창의·융합적 인재로 성장하기 위해 초등학생들이 반드시 갖추어야 할 뉴 리터러시 능력에 대한 교수학습 내용과 방법을 제시하는 데 목적이 있다. 그리고 뉴 3Rs 리터러시 교육이 창의·융합적 인재로 양성되는 적정한 교수학습 과정이며 방법이라는 점을 사례연구, OECD의 PISA 평가, 오바마 행정부의 교육정책 기준인 CCSSCommon Core State Standards : 공동핵심 국가 표준, 현장교사들과의 논의, 그리고 20여년 이상 공·사교육 기관에서 언어 리터러시 교육에 대한 저자의 현장경험을 바탕으로 제안한다.

초등학교 시기의 학생들이 반드시 갖추어야 할 능력은 바로 3RsReading(비판적 독해력), wRiting(창의적 쓰기표현력), aRithmatic(추상적 수리연산력) 능력이라 할 수 있다. 그 중에서 읽고Reading 쓰는wRinting 리터러시 능력은 모든 학문의 근본이며 교과학습의 성패에 지대한 영향을 미칠 수 있다. 그런데 20세기에 읽고 쓰는 리터러시 능력은 학부모나 교사가 권해준 인쇄기반 책을 잘 읽어내면 되었다.

이때 책을 잘 읽는다는 능력은 책 속에 작가가 전하고자 하는 메시지가 무엇인지를 제대로 파악해내는 능력과 작가가 전하고자 하는 내용의 줄거리를 잘 요약해내는 능력을 갖추면 뛰어난 리터러시를 갖춘 학생으로 인정되었다. 그런데 21세기에 요구되는 읽고 쓰는 리터러시 능력은 이러한 능력만으로는 부족할 수 있다.

21세기에 필요한 리터러시 능력은 무엇보다 자신이 무슨 자료를 원하는지를 명확히 아는 문제제기 능력, 넘쳐나는 디지털 매체 정보들 사이에서 자신이 원하는 정확한 자료를 찾아내는 ICT 활용과 정보추적 능력, 어느 정보가 가장 적정한 정보인지를 검토하고 평가해 낼 수 있는 비판적 읽기능력, 혹은 다양한 정보들을 넘나들며 자신이 찾고자 하는 정보를 만들어내는 분석/종합하는 융합적 탐구능력, 그리고 이를 자신의 생각을 담아 독창적으로 표현하는 쓰기를 통한 창의적 소통능력이 필요하게 된다. 다시 말해 21세기에는 주어진 인쇄 매체 정보에 대한 이해하는 독해력뿐 아니라, 스스로 필요한 디지털 매체 정보를 찾아 비판적으로 읽어, 자신의 생각을 담아 창의적으로 표현해내는 문제해결식 '뉴 리터러시 능력'이 필요해지고 있다.

그런데 문제는 디지털 매체 정보의 대부분이 영어로 쓰여 있어, 초등학교 학생들이 미래 디지털 세상에서 잘 살아가기 위해 갖추어야 할 읽고 쓰는 뉴 리터러시 능력은 '국어'뿐 아니라 '영어'로도 가능해야 한다는 점이다. 이제 초등학교 교사들은 급변하는 디지털 매체 시대에 맞춘 읽고 쓰는 뉴 리터러시 교육을 준비해야 하고, 특히 이를 국어교과 수업뿐 아니라 영어교과 수업에서도 교수학습 해야 하는 과제를 안고 있다. 또한 교사들은 이러한 뉴 리터러시 교육을 초등학교 주제통합 교과수업 활동으로 자연스럽게 녹여내고 이끌어야 할 책임을 갖게 되었다. 이를 위해 초등학교 교사들의 뉴 리터러시 교수학습 내용과 방법에 대한 연구와 실제가 시급해지고 있다.

이를 위해 본서는 초등학교 교사들이 주제통합 교과목 수업에서 쉽게 적용 가능한 뉴 3Rs 리터러시 교수학습 모델을 제시하고 있다. 하지만 아무리 좋은 교수학습 모델도 과정이 복잡하고 방법이 어려우면 실제 교실수업에서 적용하기 힘들다. 교실수업의 실제적인 상황을 고려하여 뉴 3Rs 리터러시 교수학습 모델은 어떤 주제통합 교과수업에서도 적용하기 쉽도록 3단계 교수학습 과정과 전략을 취하고 있다. 따라서 주제통합 교과수업의 뉴 3Rs 리터러시 교수학습 모델에서 제시하는 3단계 교수학습 과정과 활동을 따르다보면 초등학교 학생들이 문제해결식 뉴 리터러시 능력에 자연스럽게 익숙해질 수 있다.

뉴 3Rs 리터러시 교수학습 모델은 1)비판적 사고활동을 이끄는 묻는 읽기Reading 2)융합적 탐구활동을 이끄는 탐구읽기Researching 3)창의적 표현력을 이끄는 쓰는 읽기wRiting라는 3단계 리터러시 교수학습 과정을 거치게 된다. 본서는 이러한 3Rs 교수학습 과정에서 학생중심의 적극적 참여 학습을 이끌고 학습자의 동기를 극대화하기 위해 독창적인 교수학습 전략을 구체적으로 다루고 있다. 첫 번째 전략은 바로 문제해결 방식에 초점을 둔 질문전략이다. 두 번째 전략은 학습코칭 철학에 기반을 둔 피드백 전략이다. 세 번째 전략은 경험학습에 기반을 둔 탐구전략이다.

본서는 21세기 급변하는 교육환경 상황에서 초등학교 리터러시 교사들이 갖추어야 할 뉴 리터러시 능력과 이를 실제 수업에 적용할 수 있는 뉴 3Rs 리터러시 교수학습 방법과 전략을 제시하는 내비게이션이라 할 수 있다. 이러한 점에서 본서는 창의·융합적 인재양성을 위해 인위적으로 따라야 하는 뉴 리터러시 교수학습 방법을 제시하는 책이 아니다. 차라리 기술변화로 인한 교육환경의 변화와 급변하는 디지털 정보시대가 요구하는 뉴 리터러시 교육의 필요에 따른 적절한 교육원칙과 학습이론에 맞는 교수학습 과정과 방법을 따르면, 학생들의 비판적 사고력, 융합적 탐구력, 그리고 창의적 표현력이 자연스럽게 길러지고, 창의·융합적 인재로 성장될 수 있다는 학습자 주도적 순리적 교수학습 과정과 방법을 알리는 기본서라 할 수 있다.

본서는 초등학교 주제통합 학습에서 뉴 리터러시 교수학습 모형과 교사의 역할에 대한 제안을 포함한다. 따라서 본서는 초등학교 주제통합 교실수업이 더 이상 혼란이 없도록 도와주는 실제적인 교수학습 방안을 제공하고 있다는 점에서 유의미한 길잡이가 될 수 있다. 특히 본서는 초등학교 주제통합 교과학습에서 쉽게 적용할 수 있도록 뉴 3Rs 리터러시 교수학습 방법과 전략에 대한 구체적인 예시와 실제를 보여준다. 따라서 시대가 요구하는 창의·융합적 인재 양성을 위해 노력하시는 모든 교사나 학부모님들에게 본서는 실용적이며 효율적인 지침서라 할 수 있다. 이후 뉴 리터러시 교수학습 모형이 초등학교 주제통합 교실수업현장에서 유익한 교수학습의 길잡이가 되기 위해서는 문제해결식 뉴 3Rs 리터러시 교수학습 방법과 전략을 초등학교 교실 수업현장에서 실제 적용하여 긍정적인 학습 성과에 대한 검증과 다양한 연구가 주어지길 기대한다.

이를 위해 본서는 각 장마다 다음과 같은 구체적인 내용을 담는다.

I장은 **들어가며** 라는 주제로 뉴 리터러시 교육에 대한 배경, 필요성, 그에 따른 뉴 리터러시 교육의 목적 및 내용, 그리고 중심용어와 본서에서 다루지 못한 제한점을 제시한다.

II장은 **왜(Why?) 초등학교에서 뉴 리터러시 교육이어야 하는가?** 라는 주제로 21세기의 문식환경 변화로 인해 왜 새로운 리터러시 교육에 대한 필요성이 대두되는지에 대한 당위성을 제시한다. 그리고 인터넷은 이제 읽기 리터러시를 위한 중심적 환경이라는 점을 설명하기 위한 근거를 제시한다. 또한 다양한 매체 읽기 리터러시를 통한 비판적 사고력, 융합적 탐구력과 창의적 표현력을 갖춘 창의·융합적 인재로 길러주는 뉴 리터러시 교육을 정의하고 이와 관련된 연구들을 리뷰한다. 이와 관련하여 초등학교 리터러시 교육이 달라져야 하는 논거를 제시하고 독자를 설득한다.

III장은 **누가(Who?) 초등학교 뉴 리터러시를 이끌어야 하는가?** 라는 주제로 초등학교 뉴 리터러시 교수학습을 교사들에게 각인시키고, 이와 더불어 미래 교사들이 갖추어야 할 교사의 전문성과 역할에 대한 제안을 한다. 그리고 교사나 학부모들이 학교에서나 집에서 국제 교육정책에 맞는 창의·융합적 인재에게 필요한 비판적 사고력, 융합적 탐구력과 창의적 표현력을 기르기 위해 문제해결식 뉴 리터러시 코칭을 어떻게 해야 하는지에 대한 팁을 제공한다.

IV장은 **무엇(What?)이 초등학교 리터러시 교육에서 달라져야 하는가?** 라는 주제로 PISA 읽기 리터러시 영역인쇄 매체 정보 읽기 리터러시와 디지털 매체 정보 읽기 리터러시에서는 어떤 리터러시 능력을 요구하는지를 살펴본다. 그리고 이를 통해 초등학교 주제통합 교수학습에서 학생들의 읽기 리터러시 능력을 기르기 위해 무엇을 교수학습 해야 하는지에 대해 논의한다. 이를 구체화하기 위해 PISA 2009 읽기 리터러시 문항을 분석하고 PISA 2015 평가양상을 추론하며 학생들의 뉴 리터러시를 위한 성취기준을 제공한다. 그리고 미래 건강한 시민으로 성장하기 위해 미국의 CCSS가 추구하는 각 학년별 학습기준과 미래 학교교육의 동향에 대해 살펴본다. 또한 인터넷 기술의 발달로 인한 문식환경의 변화와 더불어 초등학교 리터러시 교육은 무엇을, 즉 어떤 능력을 교수학습해야 하는지를 구체적으로 논의한다. 그리고 초등학교 뉴 리터러시 교육을 위해 향후 무엇이 가장 필요할 것인가에 대해 다양한 사례연구를 통해 검토한다.

V장은 **어떻게(How?) 초등학교 리터러시 교육은 달라져야 하는가?** 라는 주제로 초등학교 주제통합 학습이 뉴 리터러시 교육을 어떻게 수행해야 하는지에 대한 실질적인 교수학습 모델을 제시한다. 특히 이 모델은 그동안 많은 연구들에서 실제 적용해온 상보적 교수모델을 기반으로 한층 더 발전된 모델이라 할 수 있다. 무엇보다 이 모델은 21세기에 필요한 비판적 사고력, 융합적 탐구력과 창의적 표현력을 위해 인쇄 매체 정보 읽기와 디지털 매체 정보 읽기를 통합하고 언어학습과 내용학습을 연결하는 문제해결식 뉴 리터러시 교육학습 유형이라 할 수 있다. 그리고 우리나라 초등학교 주제통합 수업에서 간단하게 적용 가능할 수 있는 3RsReading, Researching, wRiting라는 3단계묻는 읽기, 탐구 읽기, 쓰는 읽기 뉴 리터러시 교수학습 과정을 기반으로 창출된다. 특히 뉴 리터러시 교수학습에서 쉽게 적용 가능한 차세대 뉴 3Rs 리터러시 교수학습 모델을 구체적으로 소개한다. 세부적으로 문제해결식 뉴 3Rs 교수학습 모델에서 사용할 수 있는 Q/S 질문전략과 3Rs 탐구전략 검토하기(review), 심사숙고하기(reflect), 대응하기(react)을 구체적인 예시를 통해 제시한다. 그리고 다음으로 4단계 탐구읽기읽기(read), 보기(watch), 묻기(ask), 행하기(do) 학습과정과 전략적 쓰기과정을 제공해 학생들의 문제해결식 뉴 3Rs 리터러시 교육을 구체화한다.

Ⅵ장은 **나가며** 라는 주제로 본서의 내용을 요약하고, 본서에서 이끌어내지 못한 추후 연구로 남기게 된 점들에 대해 제언을 한다.

용어 설명

본서에서 사용되고 있는 용어에 대한 정의는 다음과 같다.

1) 리터러시, 뉴 리터러시와 뉴 리터러시 교육에 대한 정의 및 개념은 I −Unit 01 −01에서 구체적으로 제시되고 있다.
2) 뉴 리터러시 코치와 코칭에 대한 정의는 I −Unit 01 −01에서 규정되고 있다.
3) 뉴 리터러시 코칭은 1)과 2)의 정의를 통합한, 학습자의 뉴 리터러시의 성장과 성과를 이끌어주는 코치가 제공하는 교수학습 과정 및 지원이라 정의한다.

본서에서 다하지 못한 아쉬운 점

본서는 전 세계 교육정책 동향에 대한 많은 사례연구와 저자의 언어 리터러시 교육에 대한 오랜 현장경험을 바탕으로 급변하는 교육환경 변화를 고려한 초등학교 주제통합 수업현장에서 실제 적용가능한 문제해결식 뉴 3Rs 리터러시 교수학습 모델을 제시한다. 그리고 초등학교 주제통합 학습에서 뉴 리터러시 교수학습을 위한 교사의 역할에 대한 제안을 포함한다. 이러한 점에서 본서는 초등학교 학생들의 미래 교육에 대해 고민하는 초등학교 초보 교사나 부모들에게 유용한 지침서가 되길 기대한다. 또한 본서가 초등학교 주제통합 교실수업에 더 이상 혼란이 없고, 학생들에게 뉴 리터러시 교수학습을 도와주는 실제적인 교수학습 지침서를 제공한다는 점에서 유의미한 교수학습 자료가 될 것이라 기대된다. 하지만 뉴 리터러시 교수학습 모형이 초등학교 주제통합 교실수업현장에서 한층 더 유익한 교수학습 방법으로 자리매김 되기 위해, 본서는 주제통합 교과서에 기반을 둔, 보다 구체적인 수업안과 학습활동을 제시해야 하는 과제를 남긴다. 그리고 초등학교 교실 수업현장에서 실제 적용한 학습 성과나 교육 관련자의 반응에 대한 검증결과를 제시해야 할 필요가 있어 보인다. 따라서 추후 연구는 뉴 3Rs 리터러시 교수학습 모형을 실제 초등학교 주제통합 교실수업에 적용한 실제적인 연구가 주어지길 기대한다.

II. 왜(Why) : 뉴 리터러시 교육이어야 하는가?

Unit 01.

왜 뉴 리터러시 교육이어야 하는가?

01. 뉴 리터러시란?
02. 뉴 리터러시 교육환경으로의 변화

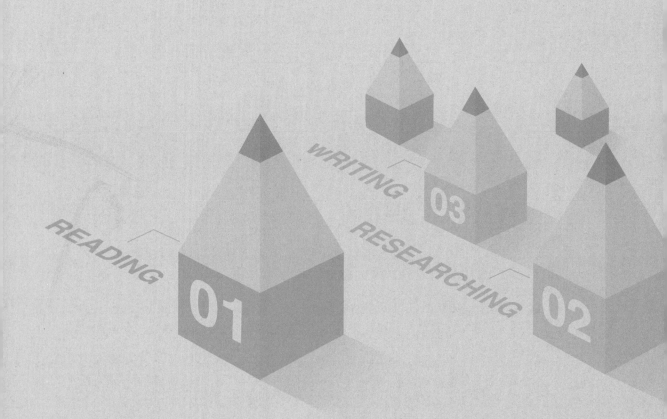

01. 뉴 리터러시란?

▋ 뉴 리터러시는 날개를 달았다.

디지털 테크놀로지의 발달로 리터러시 교육환경의 변화는 초등학생들에게 필요한 리터러시 교육과도 무관할 수는 없다. Bolter2010는 21세기 뉴 미디어 사회를 '후기 인쇄시대'라 규정한 바 있다. 그리고 읽고 쓰는 리터러시 환경변화는 인터넷이나 디지털 매체 정보의 생산과 전달 방식의 변화를 이끌게 한 테크놀로지 발달 때문이라고 강조하였다.

인터넷과 디지털 미디어 발달로 인해 엄청난 정보가 생산되고 전달하는 방식도 달라졌다. 이로 인해 사람들의 삶의 방식과 의사 소통방식, 그리고 사람들의 사회적 관계에도 상당한 변화를 초래하고 있다. 따라서 이러한 변화들에 대응하기 위한 교육적 관심이 시급하게 고려되고 있다.

디지털 매체 발달로 인한 정보생성이나 정보전달 수단의 변화로 21세기에 필요한 리터러시 능력은 인쇄기반 시대의 리터러시 능력과는 마땅히 구별되어야 한다. 따라서 많은 연구들이 21세기에 필요한 '리터러시'literacy 능력에 대해 재개념화 작업을 하고 있다. 그리고 이러한 연구들은 21세기에 필요한 리터러시 능력을 전통적인 '3Rs 리터러시'와 구분하여 '뉴 리터러시'New Literacy 로 명명하고 있다.

위키피디아Wikipedia, the free digital encyclopedia는 리터러시 개념을 '읽고 쓸 수 있는 능력'을 의미한다고 간략하게 개념화하고 있다. 그리고 리터러시는 '자신의 이름이나 지식, 그리고 관심사를 읽고 쓸 수 있는 능력이며, 문자언어로 조리 있게 쓰고, 비판적으로 생각하는 능력이다'라고 규정되고 있다. 이러한 능력이 없는 사람을 우리는 '문맹자'라고 부른다. 리터러시에 대한 정의는 특정한 공동체나 사회문화의 상징체제를 포함하면서 변화하고 발전해오고 있다. 그러므로 리터러시는 개인이나 공동체의 발전을 위해 지역의 사회문화적 상징 체제를 이해하고 사용하는 데 필요한 복잡한 능력이라 할 수 있다. 기술기반 사회에서 리터러시 개념은 알파벳이나 숫자 시스템, 그리고 디지털 매체 텍스트 읽기까지를 포함하면서 그 의미가 확장된다. 이러한 리터러시 능력은 사람들의 필요, 욕구와 교육에 따라 다양한 사회와 문화적 환경에 따라 다양하게 정의되고 있다.

전통적으로 리터러시는 '3Rs'라는 학교 내 읽기Reading, 쓰기wRiting, 그리고 산수aRithmetic 교육 프로그램에 기초한 '기본 능력'Basic Skills을 언급하는 용어이다. '3Rs'란 말은 오랜 역사를 가지고 있다. 위키피디아에 따르면 3Rs는 읽기Reading, 쓰기wRiting, 그리고 산수aRithmetic에서 3개 영어단어의 약자라고 정의한다. 3Rs에서 3개 'R' 단어Reading, wRiting, aRithmatic에서 첫 강세 음을 따 사용된 용어이다. 그런데 흥미롭게도 교육을 받은 사람은 기본 2단어는 R로 시작하지만 3번째 '계산하다'는 의미를 가진 단어는 'R'로 시작하지 않는다. 그래서 빅토리아 시대 '암산'이란 의미의 '계산하다'Reckoning라는 단어의 'R'를 사용하는 것이 더 맞다는 주장도 있다.

3Rs 기원은 이전에도 사용된 적이 있지만, 'the Three Rs'라는 말이 최근 영어교육 체제에서 자주 등장하는 리터러시, 너머러시나 ICT의 기능적 스킬과 비슷한 의미의 용어로 처음 인용된 것은 1795년 윌리엄 커티스 경Sir William Curtis의 연설로 알려져 있다. 이후 이 용어가 가진 의미와 아이디어는 현대에 들어 읽고 쓰는 리터러시 교육에서 사용하게 된 것이다. 그리고 리터러시 교육은 일반적으로 단어나 글을 매개로 표현되고 있는 아이디어를 이해하는 능력으로 의미된다. '뭔가를 해낸다'는 의미를 함축하는 리터러시literacy를 표현할 다른 단어를 찾기는 사실상 어렵다. 리터러시를 다른 우리말 단어로 번역하여 '문식력'이나 '문해력', 또는 '소양' 등으로 사용하면 본래의 의미가 축소되고 혼란을 줄 수 있다. 따라서 본서는 리터러시에 대한 의미전달에 오해를 막기 위해 번역하지 않고 학계에서도 통용되고 일상에서 자주 사용되고 있는 'Literacy'라는 원어발음 그대로 '리터러시'라고 표기하고자 한다.

읽고 쓰고 셈하는 전통적인 3R's는 바람직한 초등교육을 유지하고 교육의 생명력을 가진 기초적 핵심요인으로 오랫동안 지지를 받아왔다. 하지만 시대의 변화와 더불어 교육도 변화를 원하고 있다. 사회현상과 기술변화에 따라 생활방식과 더불어 교육의 목표가 달라져야 한다는 필요성은 늘 제기된다. 이와 더불어 학생들의 사고와 생활방식도 변화하고, 교육환경과 교수학습 방법을 개선해야 한다는 목소리가 점점 커지고 있다. 이와 관련하여 읽고 쓰는 리터러시 교수학습 방법에 대한 연구 또한 새롭게 이루어지고 있다. 무엇보다 기초교육에 충실한 미래형 리터러시 교육내용과 교수학습 방법이 수립되어야 한다는 목소리가 점차 높아지고 있다.

PISA는 학교 교육과정에 근거한 지식보다는 실생활에 필요한 능력, 즉 지식을 상황과 목적에 맞게 활용할 수 있는 기본적인 '리터러시 능력'을 강조한다. PISA 평가에서 읽기 리터러시는 수학이나 과학 리터러시와 더불어 현대 사회의 구성원으로서 개개인이 사회적 역할을 수행하는 데 반드시 필요한 자질이라고 정의하고, 다음과 같이 그 개념을 정의한다김경희 외, 2010.

> 리터러시는 '자신의 목적을 성취하고 지식과 잠재적 능력을 계발하며 사회에 참여하기 위해, 다양한 텍스트(written text)를 이해·활용하고, 이를 바탕으로 성찰하며 다양한 텍스트 읽기 활동에 참여하는 능력'이다.

PISA 2009과 2012에는 디지털 매체 읽기 리터러시에 대한 평가를 따로 시행하였고, 그 결과는 2010년과 2013년에 발표한 바 있다. PISA 보고서가 설명하듯, 읽기 리터러시는 다양한 상황에서 개개인의 성장과 발달을 위한 중요한 역할을 할 뿐 아니라, 각 개인의 발전을 위한 핵심적인 도구로 사용되기도 한다. 또한 읽기 리터러시는 개개인이 사회적 구성원으로 사회적 행위나 의미 구성에 참여하는 방법에도 영향을 미친다. 따라서 읽기 리터러시에 대한 정의는 변화하는 사회적 환경과 더불어 변화된다. 전통적인 읽기 대상은 인쇄 매체 기반 텍스트 위주였지만 최근 매체 환경의 급격한 변화로 인해 읽기 리터러시 대상이 디지털 매체컴퓨터, PDA, 모바일 폰, ATM 등로 변화하고 있다. 여기에는 텍스트 외에도 문자, 그래프, 그림 등 다양한 도상 형식graphic form으로 표현되는 제반의 다양한 디지털 텍스트를 포괄한다. 이러한 읽기환경의 변화로 인한 읽기 대상의 다양하고 복잡한 양상은 기존의 인쇄 매체 읽기와는 다른 읽기 능력을 요구하고 있다.

디지털 환경의 변화와 더불어 21세기에 요구하는 리터러시(Literacy) 능력도 변화하고 있다. 그것이 바로 뉴 리터러시(New Literacy) 능력이다.

먼저, 전통적 리터러시 교육목표에 대한 패러다임 변화를 살펴보는 것이 뉴 리터러시를 이해하는 데 도움이 될 것으로 보인다. 전통적 리터러시의 2가지 패러다임은 기능적 리터러시가 비판적 리터러시로 이동한 것으로 정리할 수 있다.

전통적 개념의 기능적 리터러시 교육의 목표는 바로 글자를 터득하는 해독능력이었다. 기능적 리터러시는 읽고 쓰는 리터러시 교육의 핵심이었으며, 리터러시는 학습자가 개인의 성장 및 사회에서 역할수행을 위한 실질적이고 기본적인 힘이다. 이것은 리터러시의 의의와 역할을 제한적으로 인식해온 전통적 리터러시 패러다임의 입장이라 할 수 있다. 하지만 전통적인 리터러시는 디지털 기술의 발달로 뉴 리터러시의 중요성에 대한 인식과 리터러시 교육에 대한 강화 및 체계화를 가져오게 된 계기를 마련해주고 있다.

이 같은 뉴 리터러시 개념이라 할 비판적 리터러시는 리터러시를 사회문화적 실천으로 보는 관점이다. 이러한 패러다임의 변화는 교육환경에서 학습자를 반성적/비판적인 주체로 일깨워주는 계기가 되고 있다. 1980년대 후반 이후 새롭게 등장한 이러한 대안적 패러다임의 변화는 전통적 리터러시라 할 기능적 리터러시의 역기능과 한계를 인식시켜 주었고, 기능적 리터러시 교육이 초래하는 문제점을 제기하고 대안을 모색하는 데 기여하고 있다.

역사적으로 미국에서 리터러시가 교육적 관점에서 사용하게 된 계기는 미국 교육정책의 반성과 대안으로 나타난 것이다. 미국 학교에서 리터러시 교육이 본격화된 몇 가지 계기가 있다. 먼저, 1960년대 Freire의 비판적 교육이론이 나타나면서 '단어'word 해독 중심 읽기 리터러시에서 점차 비판적 '세상'world 읽기에 관심을 갖게 되었다. 또한 1970년대 미국에서 대규모 성인대상 리터러시 실태조사와 1983년 '리터러시 위기'literacy crisis 보고서에서 학교가 리터러시를 갖춘 인력 양성에 실패했다는 점을 지적하였다. 이후 미국의 공교육에서 리터러시 교육의 중요성이 새로운 차원으로 더욱 강조되었다. 이후 1980-1990년대 구성주의에 입각한 사회문화적 접근방식에 대한 연구 성과들이 축척되면서 심리언어학적 기능으로 접근해 오던 읽기 리터러시 학습이 점차 사회문화적이며 실천적 리터러시 관점에 주목하는 계기를 마련해주었다.

미국의 공교육에서 진행된 리터러시 교육의 기본 목표는 바로 한사람의 학생도 뒤처지지 않도록 하는 데'No Child Left Behind' : 학습부진아 없애기 있다. 미국의 리터러시 교육은 학생들이 무엇을 읽고 무엇을 어떻게 표현하는가에 대한 리터러시의 기본 개념인 리터러시 교육의 본질읽고 쓰기과 근원성에서 출발하고 있다. 그럼에도 미국의 초등교육 리터러시 교수학습은 원만한 사회 구성원 배출을 위해 매우 중요한 미래의 자산으로 여긴다. 하지만 우리나라 초등학교 리터러시 교육은 사회구성원으로서 살아가는 데 가장 필수적인 읽고 쓰는 리터러시 교육의 기본을 소홀히 한 채, 시험 성과나 점수 결과만을 중시하는 리터러시 교육이 여전히 이루어지고 있어 안타깝다. 또한 리터러시 교육의 기본이 확고하지 못한 채 ICT 기술로 포장한 초등학교 ICT 리터러시 교육이 미래형 리터러시 교육으로 강조되고 있는 실정이다.

뉴 리터러시에 대한 정의는 목적 지향적이며 사회적 기능에 따라 달라질 수 있다.

초등학교 리터러시 교육의 목표는 문자 해독능력을 넘어 사회구조나 현상을 비판적으로 읽고 재생산해내는 소양과 능력을 갖추는 데 있어야 한다. 비판적Critical이라는 단어를 가끔 부정적 사고로 오해하는 사람들이 있다. 비판적 사고라는 용어해석에서 생긴 오해인 듯 보인다. 비판적 사고는 전형적이며 객관적인 해석이 아니라, 자신의 경험과 아이디어에 따라 새롭게 재해석하려는 학습자의 고차원적 사고 작용이라 할 수 있다. 이제 초등학교 리터러시 교육은 글로벌 사회의 구성원으로 살아가는 데 필요한 개인의 능력을 개발하는 데 초점을 두어야 하며, 미래 사회를 움직이는 능력을 개발하는 데 초점을 맞추어야 할 것이다. 뿐만 아니라 초등학교 리터러시 교육은 건강한 시민의식을 갖게 하는 기초능력, 즉 사회적 능력을 기르는 데 두어야 한다.

최근 디지털 기술의 발달로 인해 변화되어가는 리터러시의 형태는 사회의식, 소위 소셜 네트워크 의식 때문에 뉴 리터러시로의 변화를 요구한다. 뉴 리터러시는 반드시 디지털 기술의 사용을 포함해야 한다는 것을 의미하는 것은 아니다. 뉴 리터러시David Buckingham에 의해 1993년 학술논문에서 처음으로 언급됨는 전통적인 리터러시 연구 분야에서도 비교적 새로운 영역이다. 뉴 리터러시에 대한 정의는 여러 학자들에 의해 개념화되고 변화 및 발전되고 있다. 예를 들어, 뉴 리터러시에 대한 정의는 말하는 사람이 언제, 어디서, 어떤 입장에서 어떤 매체를 사용하여 말하는가에 따라 달라지기도 하고, 듣는 사람의 입장에 따라서도 달라진다. 왜냐하면 새로운 기술력과 이에 따른 새로운 사회적 작용이 미래형 리터러시 능력을 끊임없이 빠르게 변화시키고 있기 때문이다. Leu, O'Byrne, Zawilinski, McVerry와 Everett-Cacopardo2009는 뉴 리터러시에 대한 이러한 변화무쌍한 동향을 심리언어학적 특성으로 설명해준다. 그리고 Gee와 Hayes2012나 Lankshear와 Knobel 2011, 또한 Kalantzis와 Cope2011는 뉴 리터러시를 반드시 추구해야 할 사회적 실현이며 사회문화적 특성이라 강조한다. 이들이 강조한 뉴 리터러시는 세상에서 행해지는 뭔가를 얻고자 하는 목적 지향적goal-directed이며 사회적인 리터러시를 의미한다.

이렇듯, 뉴 리터러시 개념이 다양화됨에 따라, 학자들 또한 뉴 리터러시를 언급할 때 사용하는 용어도 다양하다. 예를 들어, 학자들에 따라서는 21세기 리터러시21st century literacies, 인터넷 리터러시internet literacies, 디지털 리터러시digital literacies, 새로운 미디어 리터러시new media literacies, 멀티 리터러시multi literacies, 정보 리터러시information literacy, ICT 리터러시ICT literacies, 그리고 컴퓨터 리터러시computer literacy 등으로 조금씩 다르게 표현하지만 기본적으로는 정보기술과 소셜 네트워크의 발달로 개개인의 사회적 능력을 공통분모로 하고 있다.

▌뉴 리터러시 의미를 정당화하는 2가지 이론적 접근이 있다.

첫째, 인지심리학cognitive psychology, 심리언어학psycholinguistics, 스키마 이론schema theory, 메타인지metacognition, 구성주의constructivism 같은 인지적 언어습득과정에 의한 디지털 텍스트에 포함되어 있는 인지적이며 사회적 과정에 초점을 둔 심리언어학적 접근이다Coiro & Dobler, 2007.

뉴 리터러시 분야의 대가인 Donald Leu는 이러한 심리언어학적 관점에 따라 뉴 리터러시 변화 및 존재의 이유를 다음과 같은 4가지 특징으로 정의한다.

1) 뉴 리터러시는 새로운 기술과 이에 속한 리터러시 과제들을 효과적으로 해결하기 위해 새로운 기술과 전략의 사용을 요구한다.
2) 뉴 리터러시는 점점 증가하는 글로벌 사회에서 시민, 경제 및 개인적 참여를 이끌어내는 결정적 요소이다.
3) 뉴 리터러시는 말하는 사람이나 듣는 사람들의 상황에 따라 다르게 해석되는데 새로운 기술이 등장하고 옛 기술이 사라지듯 리터러시도 변한다. 그래서 읽기와 쓰기 같은 리터러시 교육에서 가장 중요한 것은 '뉴 리터러시를 가르치는 것'이 아니라, 학생들이 살아가는 동안 접하게 될 '뉴 리터러시를 어떻게 꾸준히 배우고 경험하는지'를 가르치는 것이다.
4) 뉴 리터러시는 '다양한 유형, 다양한 방식, 다양한 국면'이 있다.

사람에 따라 다르게 해석되는 뉴 리터러시에 대한 멀티적 해석은 뉴 리터러시를 이해하고 분석하고 적용하는 데 폭넓은 자유로움을 준다. 뉴 리터러시에 대한 사람들의 다각적인 관점과 오랜 연구를 통해 뉴 리터러시에 대한 정의는 끊임없이 변화하고 있다. 또한 이어지는 새로운 발견들은 다양한 관점에서 재연구를 통해 재정의되기도 한다. 이러한 변화과정에서도 일관성 있는 패턴이 있고, 광범위하고 일반화 시킬 수 있는 뉴 리터러시 이론이 개념화된다고 보는 것이 심리언어학적 관점이다.

둘째, 사회적 실제에 초점을 둔 사회적 실용주의적 관점이다. Lankshear와 Knobel2011에 의하면 'new literacies'는 소통을 위해 디지털 환경에 참여하여 문자로 쓰인 텍스트 매체를 통해 의미있는 콘텐츠를 생성하고 소통하고 협상하는 새로운 사회적 인식방식이라고 정의한다. 이러한 사회적 실용주의적 관점에서 'new'는 디지털 매체 환경에서 리터러시에 대한 2가지 특징을 가진다. 하나는 정보를 생성하고, 공유하고, 접근하고 상호작용하는 수단으로서 디지털 기술을 사용한다는 특징이다. 뉴 리터러시는 종이 위에 타이핑하는 리터러시 활동이라기보다는 스크린이나 위성을 포함한 미래형 리터러시 개념이다. 인쇄된 자료보다는 디지털 코드로 표현된 다양한 정보를 포함하는 개념이다. 사회적 실용주의적 관점에서 뉴 리터러시의 또 다른 특징은 참여적 의미로서 협조, 분배, 그리고 참여라는 특성을 가진다.

뉴 리터러시에 대해 무엇을 어떻게 정의할 수 있을까?

디지털 기술의 발달은 리터러시에도 많은 변화를 이끈다. 그리고 새로운 기술은 많은 잠재성을 갖기 때문에 뉴 리터러시에 대해 정의를 내리는 것은 매우 조심스럽다. 또한 이러한 변화가 매우 빠르게 일어나기 때문에 생명을 가진 뉴 리터러시의 정의를 한다는 것은 더욱 조심스럽다.

뉴 리터러시에 대한 새로운 접근은 ICT 기술을 활용하는 기술적 능력뿐만 아니라, 문제해결 능력을 포함한다는 사회적 관점으로 볼 수도 있다. 이러한 관점은 국내외 연구기관들이 규정한 뉴 리터러시에 관한 개념이다. 교육인적자원부와 한국교육학술정보원은 ICT 관련 뉴 리터러시에 대해 "컴퓨터 기술은 도구가 되고 궁극적으로는 그 도구를 이용하여 문제를 해결하는 능력을 의미하고 있다."라고 정의한다. 그리고 이준 외2002나 김혜숙 및 진성희2006는 "건전한 정보 윤리 의식을 가지고, 정보통신 기술을 활용하여, 필요한 정보가 무엇인가를 인식하고, 적정한 곳에 접근하여 찾아 가공하고 효과적으로 활용함으로써 문제를 해결하는 능력"이라 하였다. 하지만 이러한 정의들은 개개인이 정보를 비판적으로 평가하는 뉴 리터러시 측면에서 정의되지 못한 아쉬움이 있다.

이렇듯 뉴 리터러시에 대한 폭넓은 의견들을 한마디로 정의하기는 쉽지 않지만 뉴 리터러시의 두드러진 특징을 알아봄으로써 뉴 리터러시에 대한 정의를 대신하고자 한다.

1) 빠른 변화는 바로 뉴 리터러시의 정의적 요소 중 하나이다.

뉴 리터러시라고 불리는 것은 새롭게 보이기 때문에 뉴 리터러시가 아니라, 정보나 소통의 새로운 기술이 규칙적으로 등장하고, 사람들이 뉴 리터러시가 사용되는 새로운 방식을 규칙적으로 개선하고 새롭게 구축하기 때문에 뉴 리터러시라 할 수 있다. 꾸준히 변화하는 뉴 리터러시의 동력은 교실수업에서 교사교육까지 뉴 리터러시 교육 전반에 변화를 이끈다. 따라서 이러한 변화를 받아들이고 정보나 소통을 위한 새로운 기술의 사용방법을 학습하는 것은 뉴 리터러시의 결정적인 요인이 될 것이다. 뉴 리터러시는 디지털 매체 변화에 따라 규칙적으로 재정의될 수 있다.

유용한 정보를 제공하기 위해 끊임없이 변화하는 뉴 리터러시 특성을 고려하여 평가 시스템을 개발해야 하는 것도 뉴 리터러시에 대한 또 다른 도전이다.

2) 뉴 리터러시는 전통적인 리터러시를 더욱 단단하게 해준다.

뉴 리터러시는 전통적 리터러시를 완성 짓게 하고 더 튼튼하게 구축하도록 해준다. 읽고 쓰는 것은 뉴 리터러시에서도 역시 중요한 요인이 되고 있다. 하지만 뉴 리터러시의 사용방식에는 많은 변화가 있다. 예를 들어, 전통적 읽기는 어휘지식을 요구하지만, 뉴 읽기 리터러시는 정보를 추적·평가하고 사용하는 새로운 전략을 요구한다. 전통적 쓰기는 스펠링 지식을 요구하지만, 뉴 쓰기 리터러시는 텍스트를 구조화하는 새로운 전략과 추가적인 미디어를 더 요구한다.

3) 뉴 리터러시는 지식의 새로운 형식을 요구한다.

변화하는 기술이 새로운 의미를 구축하기 위해 다른 환경과 자원을 포함하고, 또한 이러한 기술을 활용하고 소통하기 위해 또 다른 전략적 지식을 요구한다. 네트워크 정보와 소통을 위한 새로운 기술은 복잡하며 계속 변화한다. 그리고 새로운 기술의 효과적인 사용을 위해 새로운 전략이 꾸준히 요구된다. 이렇듯 뉴 리터러시는 풍부하고 복잡한 네트워크 환경에서 효과적인 정보사용에 필요한 전략적 지식을 끊임없이 요구하게 된다. 따라서 이러한 전략적 지식은 뉴 리터러시 교육에서 매우 중요해진다.

4) 뉴 리터러시는 정보에 대한 비판적 읽기를 포함하고, 사회문화에 대한 새로운 정의를 제공한다.

네트워크 정보기술은 사람들이 다양한 정보를 생성하거나 변화하도록 이끈다. 뉴 리터러시는 학생들이 더 비판적으로 읽도록 요구하며, 학생들이 전에 경험해왔던 것보다 정보수집 방식이나 사회문화적 정보사용에 대해 새로운 영감을 갖게 해준다. 그래서 네트워크 ICT 내에서 비판적 읽기 기술을 개발하도록 이끄는 것은 뉴 리터러시의 또 다른 중요한 점이다.

5) 뉴 리터러시는 광범위하게 사회적으로 구축된다.

Labbo와 Kuhn1998은 뉴 리터러시가 전통적인 리터러시보다 사회적 환경변화에 의존한다고 강조한다. 모든 학생들이 정보사용과 소통을 위한 새로운 기술에 전문가가 되는 것은 불가능하다. 네트워크 환경에서 정보자원은 생각보다 훨씬 폭넓고 복잡하다. 또한 ICT 기술도 끊임없이 변화하기 때문에 어떤 사람도 리터러시 기술에 대해 모든 것을 알 수는 없다. 이렇듯 기술이 매우 빠르게 변화하기 때문에 모든 학생들이 리터러시 능력을 갖도록 교수학습 하는 것 또한 무모한 일일 수 있다. 하지만 앞으로 세계시민으로 살아가는 데 유용한 것이 무엇인지에 대해 우리는 잘 안다. 그래서 교수학습을 통해 학생들에게 뉴 리터러시에 대한 새로운 지식을 알려야 한다.

왜냐하면 디지털 원주민으로 학생들은 뉴 리터러시에 대한 기대이상의 능력을 갖추고 새로운 방향으로 부단히 움직이고 있기 때문이다.

어떤 학생은 하이퍼미디어를 사용하는 최선의 전략을 알고 있고, 다른 학생은 새로운 비디오 컨퍼런스 기술을 사용할 최선의 방법을 알 수도 있다. 교사들은 한 학생이 알고자 하는 것을 다른 학생들로부터 서로 협력해서 배울 수 있는 방법을 지원해야 한다. 그리고 교사는 학생들의 요구에 부응할 뉴 리터러시의 핵심기술을 이해하는 확고한 수준을 갖추어야 한다. 이러한 기술과 전략을 갖추기 위해서 교사들은 각 분야의 전문가들로부터 필요한 정보를 얻고자 인터넷 워크숍이나 유사한 협력적 세미나 등도 참여해야 한다Leu et, al, 2007a.

지금까지 전통적인 리터러시의 사회적 의미구축은 대부분 기술자체에 초점을 두었다. 하지만 뉴 리터러시에 대한 새로운 기술은 세상과 연결을 추구하기 때문에 학생들이 생성한 텍스트를 다른 사람이 어떻게 이해하는지를 폭넓게 경험할 기회를 가질 필요가 있다. 뉴 리터러시는 학생들이 생성한 텍스트를 다른 사람들과 상호적으로 폭넓게 해석하고 인식하도록 요구한다. 학생들이 다양한 사람들을 이해할 수 있는 기회는 정보나 소통을 위해 네트워크 기술을 효과적으로 사용할 때 가능해진다. 따라서 이를 위해 무엇보다도 네트워크 기술을 교실수업에서 실천적이고 상호 비판적으로 활용하는 학습 환경의 구축이 뉴 리터러시 교육의 중심이 되어야 한다.

6) 뉴 리터러시에서 또 다른 특별한 기회를 제공해주는 것은 바로 학습자의 흥미와 동기이다.

학생들은 뉴 리터러시로부터 훨씬 동기부여 되고 흥미를 갖는다는 연구가 있다Reinking, in press; U.S. Congress, 1995. 새로운 리터러시 학습환경이 학생들을 훨씬 동기부여하게 한다. 다시 말해, 학생들의 학습을 지원하기 위해 정보기술이나 소셜 네트워크 등을 학습활동에 포함하는 뉴 리터러시 수업이 학생들을 훨씬 더 동기부여하고, 학생들에게 특별한 학습기회를 제공한다는 말이다. 이처럼 뉴 리터러시는 학생들에게 건강하고 즐거운 배움의 경험을 이끌어준다고 하겠다. 뉴 리터러시에 흥미를 가진 학생들은 전통적인 리터러시에 별로 관심을 갖지 못할 수도 있다. 따라서 교사는 읽고 쓰는 기본적인 리터러시와 뉴 리터러시를 어떻게 통합하여 학생들의 교수학습을 지원할 것인가에 관심을 가져야 할 필요가 있다. 따라서 뉴 리터러시를 위해 필요한 네트워크된 정보와 소통 기술을 어떻게 지원할 것인가는 뉴 리터러시 교육에서 매우 중요한 요소가 되고 있다Reinking, in press.

7) 뉴 리터러시 교육에서 교사의 역할은 점점 더 중요해지고 있다.

인터넷 자료는 증가하고 있다. 교사 역할은 학생들의 학습경험을 조정하는 일이다. 뉴 리터러시 교사들은 전통적인 인쇄 매체 학습에서보다도 학생들을 위해 훨씬 풍부하고 다양한 학습경험을 하게 해준다. 뉴 리터러시 교육환경에서 교사는 풍부하고 다양한 정보하에서 학생들에게 보다 많은 학습경험을 제공할 수 있다. 그래서 뉴 리터러시 교육에서는 교사교육이 매우 중요한 자산이 되고 있다. 하지만 뉴 리터러시는 꾸준히 변화하기 때문에 새로운 교사교육도 꾸준히 필요하게 될 것이다. 하지만 전문 리터러시 교사양성에 대한 요구가 아무리 있다고 해도 교육체제는 결코 변하지 않을지도 모른다. 또한 교사교육 프로그램도 이러한 변화에 반응하지 않을지도 모른다. 하지만 뉴 리터러시 학습 환경에서는 디지털 원주민인 학생과 디지털 이민자인 교사와의 세대 간 차이를 극복하기 위해 교사교육에 대한 더 많은 노력이 필요해지고 있다.

8) 최근 많은 국가들은 뉴 리터러시에 많은 투자를 하고 있다.

글로벌 경쟁을 위해 많은 국가들이 미래 시민을 준비시키기 위해 리터러시 표준을 재설정하고, 교육과정에 정보 읽기와 소통을 어떻게 녹여낼 것인가를 위해 노력하고 있다. 이러한 노력의 일환으로, 미국은 교육정책에 관한 문제해결을 위해 제한적이긴 해도 연방정부가 매해 2천억 달러 이상 인터넷 연결을 지원하고 있다. 오스트리아는 국가적 교육과정에 기술을 통합하여 리터러시 수준을 올리고 효과적인 리터러시 교실수업 운영을 위해 국가 망 사이트를 개발하고 있다. 뉴질랜드는 국가적 차원에서 기술을 교육과정에 녹여내기 위해 국가 망을 개발하고 있으며 뉴 리터러시 표준을 만들고 있다. 러시아는 교육과정에 기술을 통합함으로써 리터러시 교육을 성공적으로 이끄는 데 관심을 집중하고 있다. 아일랜드도 비슷한 국가 교육정책이 실시되고 있다. 이렇듯 교육환경의 변화에 따라 각 국가들의 교육쟁점이 바뀌면서 이에 대응하는 차원에서 국가 교육정책을 변화시키고 있다. 왜냐하면 각 국가들은 정보기술을 바탕으로 한 사회적 능력을 강조하는 뉴 리터러시가 학생들에게 매우 중요하다고 인식하기 때문이다.

뉴 리터러시가 무엇이고 뉴 리터러시의 발달을 어떻게 지원할 것인지에 대해 논의할 필요가 있다. 뉴 리터러시는 교사들에게 정보기술 이상의 훨씬 많은 것을 배워야 한다고 요구하고 있다. 뉴 리터러시의 사회적 기능으로의 변화는 초등학교 학생들이 자신들의 미래를 위해 무엇을 어떻게 준비하도록 이끌어야 하는지를 고민하게 해준다. 새로운 기술과 다양한 교육 매체도 이제는 뉴 리터러시 교육을 어떻게 잘 지원할 수 있을지에 대한 방법의 변화에 초점을 맞춰야 한다. 많은 교사나 학생들은 인쇄 매체 정보인 책을 통해 읽기 경력을 쌓아온 사람들이다. 디지털 사회에 준비시키기 원한다면 교사와 학생들이 함께 뉴 리터러시 학습 환경과 학습활동의 변화를 선도적으로 주도해야 한다.

이러한 뉴 리터러시에 대한 개념을 기반으로 뉴 리터러시를 정의하기 위해 다음과 같은 질문에 답을 찾아보기를 제안한다.

1) 리터러시에 대한 어떤 새로운 형식과 기능을 접하고 있는가?
2) 리터러시 미래를 위해 아이들은 무엇을 어떻게 준비해야 하는가?
3) 왜 우리는 뉴 리터러시가 유용한가?
4) 왜 다른 나라에서도 뉴 리터러시에 대한 연구나 노력을 기울이고 있는가?
5) 읽고 쓰는 전통적인 리터러시는 뉴 리터러시와 무엇이 어떻게 다른가?
6) 뉴 리터러시를 수업에 적용하기 위해 어떤 것들을 변화하고 결정해야 하는가?
7) 어떠한 모습의 새로운 교수학습이 이루어져야 하는가?

한편, 국외 ETS2006에서도 뉴 리터러시에 대한 정의로 "지식기반 사회에서 기능하기 위해, 디지털 테크놀로지나 의사소통도구, 네트워크 등을 이용하여 정보에 접근하고, 정보를 관리, 통합, 평가, 제작하는 능력"이라는 새로운 관점을 반영하고 있다Markauskaite, 2007. 하지만 뉴 리터러시에 대한 개념은 어디서나 같은 방식으로 정의되지는 않는다Handbook of Research on New Literacies, 2008. 뉴 리터러시는 블로그, 이메일 등 인터넷이나 다른 소통 기술을 통해 디지털 매체 읽기 리터러시 학습 스킬로 사용된다. 뉴 리터러시는 인터넷을 사용한다는 의미가 아니라 전통적 리터러시보다 매우 다양한 가치를 추구하며, 지식의 사회적 역할에 우선순위를 두고, 기술변화의 민감성에 대처하는 동력으로 정의된다. 뉴 리터러시는 전통적인 리터러시보다는 참여, 협조와 분배라는 특성을 가진 지식의 사회적 능력에 초점을 둔 일상의 삶과 연계한 탐구방법과 전략으로 정의될 수 있다. 이렇듯, 뉴 리터러시는 기존의 리터러시와는 분명한 차이가 있어 보인다. 기존의 리터러시는 주어진 글을 잘 읽고, 글의 내용을 제대로 이해하는 능력에 초점을 두었다면, 뉴 리터러시는 주어진 지식을 효과적으로 활용하는 스킬과 문제를 해결하고, 지식을 새로운 동력으로 창조해내는 능력에 초점을 둔다고 하겠다.

본서에서 추구하는 뉴 리터러시는 과거의 기본적인 3Rs 리터러시 스킬을 중시하며 미래 건강한 시민으로서 갖추어야 할 4Cs Critical Thinking, Communication, Collaboration, Creativity 역량을 갖추고, 지금의 사회 환경의 변화와 교육정책 등을 고려한, 사람들이 삶을 지탱하기 위해 갖추어야 할 기본이 되는 스킬이다. 특히 다른 다양한 미디어를 활용하면서 다양한 디지털 매체 정보를 읽고, 자신의 비판적 시각으로 해석하고, 자신의 읽기 목적에 맞는 정보를 취사선택하고 가공하여, 자신의 언어로 재창출해내는 능력을 의미한다고 할 수 있다.

> **뉴 리터러시 교육에서는 무엇이 필요하고, 어떻게 적용하는지에 대한 실제를 논함에 있어서 본서는 '뉴 리터러시 교육'을 다음과 같이 정의한다.**

　　뉴 리터러시 교육은 살아있는 생명체 같다. 학습자의 특성, 학습 환경, 학습매체 및 학습방법 등에 따라 변화할 수 있다. 그래서 뉴 리터러시 교육을 한마디로 정의하기는 쉽지 않다. 하지만 분명한 점은 뉴 리터러시 교육은 읽고 쓰고 셈하는 전통적인 3Rs 기본능력을 강화하며, 디지털 매체 교육환경의 변화에 따라 21세기에 건강한 시민으로서 갖추어야 할 4Cs 스킬을 다양한 매체 정보를 읽고 쓰는 미래형 리터러시 교수학습 과정으로 녹아내고자 한다. 그래서 전 세계 국가들의 교육정책에서 추구하는 창의·융합적 인재를 양성하는 미래형 리터러시 교육모델이라 하겠다.
　　본서에서 뉴 리터러시 교육이 추구하는 바는 다음과 같다.

뉴 리터러시 교육 모형 개발을 위한 근거

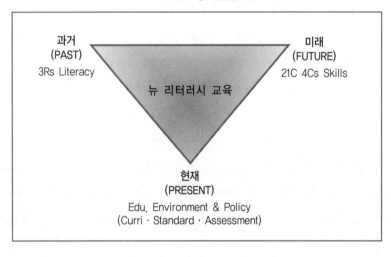

　　뉴 리터러시 교육은 과거 3Rs 리터러시 스킬을 기본으로 하고, 미래 건강한 시민으로써 갖추어야 할 4Cs 역량을 교육과정에 자연스럽게 녹여내기 위해, 지금의 인터넷 기술발달, 사회 및 교육 환경의 변화와 그에 따른 전 세계 교육정책 등을 고려하여 학생들이 올바른 삶을 살아가도록 공교육이 지원하고 이끌어야 할 가장 기본 되는 교육이라 할 수 있다.

1) 뉴 리터러시 교육은 전통적 3Rs 리터러시 개념의 읽기와 쓰기능력을 디지털 매체 읽기에 연결시켜 교수학습 활동을 지원하고, 창의·융합적 인재에게 필요한 비판적 사고력, 융합적 탐구력, 창의적 표현력을 길러주는 미래형 교수학습 전략이며 그 과정이다.

2) 뉴 리터러시 교육은 읽기 과정에서 학생들의 비판적 사고와 창의적 사고를 독창적인 자기 표현으로 이끌기 위해 질문과 피드백 전략 같은 Q/S 기반 문제해결 방식을 접목시킨 미래형 리터러시 교수학습 방법이다.

3) 뉴 리터러시 교육은 초등학교 주제통합 교육에서 인쇄 매체 읽기와 디지털 매체 읽기를 연계한 온·오프라인의 매체 교육환경을 접목한다. 특히 전통적 3Rs의 기본 리터러시 기술이 디지털 매체를 통해 활용되고, 학습자가 직접 참여하는 탐구학습이 일어나는, 교실 학습 환경과 인터넷 학습 환경의 통합을 이루어내는 미래형 리터러시 교육과정이다.

4) 뉴 리터러시 교육은 인쇄기반 3Rs 리터러시 능력과 디지털 기반 뉴 리터러시 능력의 같고 다른 점을 상호 보완한다. 특히 인쇄 매체 읽기와 디지털 매체읽기를 넘나들며, 언어 학습과 교과 간 내용학습을 통합하고, 국어학습과 영어 학습을 연결하며 새로운 정보와 지식을 창출해 낼 수 있는 창의·융합적 인재양성을 목적으로 한 교수학습 모델을 취한다.

5) 뉴 리터러시 교육은 매체 자체보다는 매체가 전달하는 콘텐츠에 초점을 두고 질문하면서 읽기, 탐구하면서 읽기, 그리고 창의적으로 쓰기 위한 3단계 리터러시 교수학습 과정을 거치면서 학생들의 사회적 능력을 길러내기 위한 문제해결식 교육을 이끄는 미래형 리터러시 교수학습 전략을 취한다.

02. 뉴 리터러시 교육환경으로의 변화

| 2020년을 위한 뉴 리터러시 교육환경을 대비하지 못하면 학생들의 미래는 어둡다.

21세기 세계 글로벌 시민으로 살아가기 위해 필요한 핵심역량을 갖추기 위해 초등학교 리터러시 교육에서 감당해야 할 가장 중요한 것은 무엇일까? 기술과 사회 환경의 변화에 따라 읽고 쓰는 리터러시 교육환경의 패러다임이 어떻게 변화되어 왔는지를 알아보는 것은 초등학교 리터러시 교육의 미래를 예측할 수 있는 유익한 자료가 될 수 있을 것으로 보인다.

디지털 세상이 우리 삶 속 깊숙이 파고 들어오면서 전통적인 리터러시 교육을 위협하고 있다. 읽기와 쓰기라는 리터러시 환경이 변화되고 발달함에 따라 글을 쓰는 사람과 쓰인 글을 읽은 사람들은 앞으로 어떤 능력을 갖추어야 하는가를 예측해볼 수 있다. 이러한 예측은 앞으로 초등학교 리터러시 교육방향과 교수학습 전략에도 의미 있는 일이 될 수 있다. 왜냐하면 지금까지 우리가 알았던 리터러시 교육과는 사뭇 다른 리터러시 교육에 대한 새로운 설계를 해야 할지도 모르기 때문이다.

오늘날 초등학교 리터러시 교육에서 가장 중요한 것은 무엇일까? 이 질문에 대부분의 교육자들은 디지털 원주민digital natives이 아니라 디지털 이민자digital immigrants 관점으로 디지털 세상에서 리터러시 교육을 이야기할 수밖에 없다. 왜냐하면 그들은 디지털 세상에서 자라지 않았기 때문에 디지털 세상이 낯설고 부담스러운 대상일 수 있기 때문이다. 하지만 디지털 이민자로서 디지털 원주민들을 대상으로 교수학습을 이끌기 위해서 디지털 매체 정보 읽기 리터러시에 대해 하나씩 천천히 배우고 익힐 수밖에 없다. 결국 교육자들은 전통적 리터러시의 세계와 디지털 리터러시 세계에 발을 담그고 디지털 원주민들 앞에서 미래형 교수학습 활동을 이끌어야 할 입장에 서있다.

　　디지털 기술을 활용하는 디지털 리터러시에 대한 논문을 자주 접해왔지만 읽고 쓰는 전통적인 리터러시 교육의 미래모습에 대해 논의된 논문은 흔치 않다. 읽기와 쓰기라는 전통적 리터러시의 미래모습을 예측하기 위해 그동안 리터러시 환경에서의 패러다임의 변화를 찾아보는 것이 더 의미 있어 보인다.

　　음소인식·파닉스·어휘·이해력 그리고 쓰기 등, 쓰인 글을 해독하고 자신의 생각을 글로 표현하는 단순 글쓰기를 하는 '전통적 리터러시' 활동을 위해 사용되는 **도구에 대한 패러다임의 변화**가 있어왔다. 과거의 읽기와 쓰기의 도구는 펜과 연필이었다. 하지만 머지않아 펜과 연필은 골동품이 될지도 모른다. 펜과 연필의 앞날을 예측해보면, 스마트폰과 디지털 카메라의 결합으로 인해 기존의 수동 사진기는 이미 장롱 어디에 방치되고 있는 모습이 떠오른다. 그리고 우리도 지금 읽고 쓰는 리터러시 도구들의 진화를 겪고 있다.

　　Bromley, K.2010에 따르면 연필이나 볼펜은 언젠가부터 타자기나 컴퓨터 키보드로 대체되었다. 1980년대 이후 레이저 프린터와 개인 컴퓨터가 등장하면서 읽고 쓰는 리터러시 활동은 워드 프로세싱, 이메일, 블로깅, 트위터링 그리고 인터넷 텍스트 메시징, 셀폰, 아이폰, 그리고 최근에는 스마트 매체로 대체되고 있다. 이러한 변화 추세를 비추어볼 때 머지않아 연필, 볼펜 그리고 종이가 없는 세상이 현실화 되는 것은 그리 놀랄 일이 아닐 것 같다. 연필과 볼펜, 그리고 종이가 없는 세상에서 초등학생들은 읽고 쓰는 리터러시 활동을 위해 랩톱이나 개인용 무선 통신 장비를 가지고 원하는 텍스트를 읽고 생성하게 될 것이다. 디지털 이민자 세대인 교육자들은 디지털 원주민들이 접하게 될 다음 세대에는 또 어떤 유형의 리터러시 도구에 대한 패러다임의 변화가 있을지 정확히 예측할 수도 없다.

　　읽고 쓰는 리터러시 패러다임의 진화를 되짚어 보면 읽고 쓰는 리터러시는 분명히 정적인 실제가 아니라 생명을 갖고 점점 진화되고 있다는 것을 알 수 있다. 이처럼 디지털 도구를 사용해서 작성된 디지털 텍스트는 우리의 세상을 점점 점령해오고 있다. Zickuhr와 Smith2012에 따르면, 미국 어른들의 88%는 셀폰cell phone을 가지고 있고, 57%는 랩톱 컴퓨터를 가지고 있으며, 19%는 전자책 리더기e-book reader를 소유하고, 19%는 태블릿 컴퓨터를 가지고 있다. 즉 10명 중 6명63% 이 이들 디바이스에 무선 온라인을 연결한다. 우리나라의 경우는 어떤 다른 나라보다 디지털 환경에 훨씬 더 활짝 열려있는 편이다. 그리고 출판사들은 디지털 읽기로 향해가는 디지털 리터러시 추세들에 대응하며 준비하고 있다. Smithsonian Magazine2010도 인쇄 매체 책 읽기 리터러시 교육은 점차 디지털 매체 읽기 리터러시 교육으로 이동하고 있음을 강조하고 있다. 특히 인쇄물이 디지털 창조물로 변화되는 속도는 '슈퍼 브로드밴드'의 출현으로 훨씬 빠르게 자주 일어나고 있기 때문이다Lasica, 2005. 이러한 슈퍼 브로드밴드의 출현은 디지털 텍스트를 훨씬 더 빠르고 쉽게 접근하게 할 것이다.

두 번째는 리터러시 **소통 방식에서 패러다임의 변화**가 있다. 디지털 기반의 소통방식은 협조적이고 사회적 활동이라는 특성을 보인다. 사무실이나 집에 종이가 없는 세상을 상상해보면 우리는 대부분의 시간을 사이버 네트워킹을 하면서 보내고 있다고 해도 과언이 아니다. 사람들이 페이스북Facebook이나 유튜브YouTube를 사용하여 세상과 소통한다. 차를 운전할 때도 내비게이션 시스템이나 스마트 폰으로 전자 지도를 읽으면서 목적지를 찾는다. 교회에서는 성경책이 아닌 스크린으로 성경을 읽는다. 쇼핑을 하기 위해, 음식주문을 하기 위해, 그리고 인터넷으로 공과금을 지불하기 위해 디지털 리터러시를 한다. 오바마 대통령도 규칙적으로 블랙베리Blackberry를 사용하고 유튜브에 주간 메시지를 보내면서 국민들과 소통을 한다. 디지털 세상에서 마우스 클릭으로 다른 사람과 협력하고 대화를 나누기도 한다. 학생들은 과제물을 작성하여 제출하기 위해 디지털 전자사전을 사용한다. 그리고 자신이 표현하는 글을 써서 클라우드the cloud에 업로드 하면 멀리 있는 친구가 그것을 수정해주기도 한다. 참고자료를 찾기 위해 새로운 디지털 세상에서 전자책을 읽게 된다. 아마 미래에는 모든 잡지·저널 논문·책을 디지털 기기를 통해 읽게 될지도 모르고, 컴퓨터나 전자적 매체를 통해 모든 메시지를 보내고 받게 될 것이다. 요즘 지하철에서 사람들의 모습은 책보다는 스마트 폰으로 디지털 매체 읽기를 하고 있는 것을 흔히 접할 수 있다.

구글Google은 이미 7백만 권의 책들을 스캔해두고 웹 유저들이 더 많이 사용할 수 있도록 더 많은 책들을 보유할 계획을 하고 있다. 이렇듯 인터넷 공급자들은 많은 도서관 책들을 디지털화하고 있다. 사실 Raimie, Zickuhr, Purcell, Madden과 Brenner2012는 미국인의 21%가 전자책을 읽는다고 한다. 지역 도서관에서 전자책을 빌려가는 사람들의 수가 최근 6개월 동안 200% 증가했다고 한다Binghamton Press, 2011.

뿐만 아니라 사람들은 블로그에 글을 쓰고, 방문자들이 글쓰기에 참여하도록 상호작용 사이트를 운영하기도 한다. 사람들은 전통적인 글쓰기를 따라 하기보다 자신의 독창적인 장르나 영역을 창조하여 자신만의 블로그를 가꾸고 사람들의 방문을 기다린다. 디지털 미디어의 발달로 인해 1980년대에 플로피 디스크에서 저장했던 서류들은 더 이상 읽을 수가 없게 되었다. 하지만 오랫동안 잊고 살아왔던 멋진 글귀들은 언제 어디서든 찾을 수 있고, 읽을 수 있고, 재생산될 수 있다.

앞으로 새로운 기술은 정보의 저장이나 소통을 위해 끊임없이 새로운 소통 방식을 요구할 수도 있다.

세 번째는 **표현방식뿐 아니라 정보전달 속도에도 변화**가 있다. 빠르게 전달하기 위해 말이 대부분의 글쓰기를 대신하게 될 날도 머지않아 보인다.

Sperger2002는 "정보나 소통기술에서의 혁명은 말로 표현되는 시를 글자로 바꿔주는 날이 곧 올 것이다."라는 예언을 했다. 컴퓨터의 속도가 점점 빨라지면서 속도라는 압박은 글쓰기 리터러시 활동을 말로 대신하게 될 것이라는 것이다. 사실 손이나 키보드로 글쓰기는 겁나고 불편한 일이다. 키보드로 타이핑을 하거나 손으로 글을 쓰는 것보다 더 쉽고 간편하고 빠르게 말로 표현되는 모든 것이 글로 표현될 수 있는 날이 곧 도래한다는 말이다.

음성인식 소프트웨어는 말하는 것을 전자적 인쇄물로 바뀌게 해준다. 우리는 쓰는 것보다 말을 더 빨리하기 때문에 손으로 키보드로 치는 것보다 더 빨리 글로 표현해줄 수 있는 방법을 찾아 개발할 것이다. 말을 글로 바꿔주는 소프트웨어는 우리가 글쓰기 할 때 느끼는 신체적 긴장감에서 자유로울 수 있게 해준다. 만일 기계에 대고 말하는 두려움만 극복한다면 아주 쉽게 글을 쓸 수 있게 해줄 것이다. 손가락을 움직이지 않고 글을 쓰는 세상, 목소리로 말하면 디지털 인쇄물이 생산되는 세상을 상상해보면 매우 신기하다. 말하기가 글쓰기 과정을 빠르게 해줄 수 있다는 리터러시 방식의 진화는 30년 전 글쓰기와 오늘날 글쓰기 리터러시의 진화를 말해주는 것이다. 하지만 이러한 리터러시 환경의 변화에서 초등학생들에게 올바른 리터러시 교육은 무엇이며, 어떤 교수학습이 되어야 하는가라는 문제를 남긴다.

말을 글로 표현해주는 'Speech to Text' 소프트웨어는 'um', 'ah', 'like', 'you know' 같은 원치 않은 발화를 그대로 표현해낼 수밖에 없다. 이러한 발화에 대한 글쓰기는 학생들이 교정해야 할 것들이다. 때로는 학생들이 디지털 기기를 통해 시험을 보면서 '말을 인쇄해주는 프로그램'을 사용하게 될 날이 올지도 모른다. 하지만 이러한 프로그램은 어떤 말을 하고 싶어 하는지에 대한 사고까지 해줄 수는 없다. 그렇게 되면 사고하는 능력에 대한 욕구가 생기게 되어 다시 손으로 쓰는 리터러시 능력이 강조될 수도 있다. 뿐만 아니라 말을 글로 표현해주는 소프트웨어라 해도 교정은 학생들이 해야 하고, 디지털 정보를 읽더라도 찾고, 해석하고 종합하고 판단하고 평가하는 사고활동은 여전히 학생들의 몫이 될 것이다. 그래서 누구나 쓸 수 있는 글을 읽고 비판적으로 판단하는 능력과 창의적으로 자신의 글을 쓸 수 있는 뉴 리터러시 능력은 아무리 디지털화된 세상에서도 학생들이 갖추어야 할 리터러시 능력이다.

그렇다면 뉴 리터러시 학습 환경에는 어떤 변화가 일어나고 있는가?

1) 정보를 읽고 표현해야 하는 의사소통의 매체가 인쇄기반 책이라는 종이에서 점차 인터넷이나 디지털이라는 가상 환경, 즉 스크린으로 대체되고 있다.

2) 종이 위에 활자로 표현된 인쇄 매체 텍스트가 디지털 매체를 통해 구현되는 다양한 형식의 그래픽, 음성, 이미지, 애니메이션 등이 텍스트와 수반되어 감각적 소통을 하고 있다.

3) 독자가 책을 쓴 저자의 문자기반 표현들을 읽고 메시지를 이해하는 한 방향 읽기라는 위계적이고 수동적인 기존의 읽기 리터러시 활동에도 변화가 있다. 디지털 매체 기반 읽기활동은 언제라도 누구라도 독자가 될 수도 있고, 저자가 될 수도 있는 쌍방향 소통개념의 읽기 리터러시 활동 관계로 변화되고 있다. 저자의 메시지를 갑과 을이 되어 이해하는 위계 관계의 읽기활동이 아니라, 저자와 독자 간 구분이 없는 상호 수평적 의사소통의 관계가 되고 있다.

4) 가장 큰 변화는 인터넷 세상을 자유롭게 여행하면서 네트워크를 통해 자신이 필요한 정보를 원하는 만큼 구할 수 있게 되었다. 다양한 읽기 리터러시 활동이 매우 자유로운 매체 읽기 리터러시 환경으로 변화되었다Dressma, O'Brien, Rosers, Ivey, Wilder, Alvermann & et al., 2006.

뉴 리터러시 학습 환경의 변화

	인쇄기반 리터러시	디지털 매체 기반 리터러시
의사소통 매체	책(종이) 페이지	가상환경 화면
텍스트 형식	활자 인쇄 텍스트	그래픽, 음성, 이미지, 애니메이션 등
저자와 독자	한 방향 위계적, 수동적 관계	쌍방향 상호 의사소통 관계
정보환경	텍스트 내용의 제한적 환경	필요한 정보 자유로운 네트워크 환경

학생들이나 교사는 이러한 뉴 리터러시 학습 환경의 변화를 이해할 필요가 있다. 특히 뉴 리터러시 교사는 이러한 변화된 학습 환경에서 학생들의 다양한 읽기 리터러시를 어떻게 이끌어야 할지에 대해 보다 더 많은 고민의 시간이 필요하게 되었다.

디지털 원주민을 위한 뉴 리터러시 교수학습 활동은 실천이 뒤따르는 변화가 있어야 한다. 디지털 원주민의 학습에 새로운 버전을 실행하려면 교실수업에 디지털 기술을 통합하는 것만으로는 충분치 않다. 뉴 리터러시 교수학습이 실천되기 위해서는 교육과정 전반에 기술을 실행하는 교수학습 활동이 녹아있어야 한다. 인쇄 매체 책 읽기를 하던 전통적인 3Rs 리터러시 학습은 디지털 원주민들이 디지털 세상에서 직접 참여하고 경험하는 뉴 리터러시 학습으로 진화되어야 한다. 왜냐하면 교실수업에 기술을 효과적으로 활용하고 실행하면 학습의 이해와 성취가 증가하고, 비판적 사고와 문제해결능력을 지원하는 동기가 될 수 있기 때문이다Schacter & Fagnano, 1999.

디지털 세상에 맞춘 미래형 리터러시 교수학습 방법은 디지털 이민자 교사들이 디지털 원주민 학생들의 기술도구에 접근하고 사용을 증가시키는 교수학습 활동, 방법과 전략에 대한 미래형 모델 개발이 시급하다. 디지털 원주민인 학생들의 미래를 위해 디지털 이민자인 교사들이 해야 할 일은 초등학교 리터러시 교육에 대한 미래를 예측하는 것이 아니라, 디지털 원주민인 학생들의 일상적 삶의 방식에 맞는 뉴 리터러시 교수학습 방법과 활동에 적극 대응하고 실천하는 것이다.

인쇄 매체 읽기와 쓰기가 디지털 매체 리터러시로 옮겨진 것은 교사들에게 무엇을 의미하는 것인가?

1) 학생들에게 디지털 매체 정보들에 대한 비판적 리터러시 능력을 가르치는 것이 매우 중요해졌다. 디지털 매체 정보들의 이미지나 사운드는 초등학생들에게 텍스트 읽기보다 더 쉽고 더 흥미로울 수 있다. 하지만 이러한 디지털 매체 정보들은 때때로 특별한 리터러시 스킬을 필요로 한다Leu et al, 2004; Malloy & Gambrell, 2007. 이러한 특별한 리터러시 스킬은 디지털 매체가 제공하는 그림, 소리나 다른 전자 정보들에 접근accessing, 선택selecting, 읽고 reading 평가evaluating하는 뉴 리터러시 능력을 요구한다.

2) 초등학교 교사들은 학생들의 학습수준이나 흥미에 따른 다양한 매체 정보를 소개하고 디지털 창조물을 생산하도록 격려할 필요가 있다. 디지털 매체 정보에 대한 뉴 리터러시 교육이 초등학교 주제통합 교육과정에서 요구하는 기본 능력이 될 수 있도록 뉴 리터러시 교수학습 활동으로 녹여내야 할 필요가 있다.

3) 디지털 매체 정보 리터러시 교육에서 반드시 포함해야 할 내용은 바로 불법복제나 저작권에 대한 사항이다. 디지털 매체 정보를 읽고 사용할 때 학생들에게 어떤 점이 저작권 침해를 만드는지에 대해 의도적으로 가르칠 필요가 있다. 왜냐하면 워드 프로세스의 편리함으로 디지털 정보를 무작위로 갖다 붙이는 행위는 저작권 침해 가능성이 더 많아질 개연성이 높기 때문이다.

4) 초등학생들은 학교 밖에서도 디지털 매체 리터러시 활동에 민감할 필요가 있다. 왜냐하면 학교 밖에서 학생들은 다양한 방법으로 디지털 매체 리터러시 활동을 하면서 다른 사람들과 협력하고 서로의 지식을 공유하기도 한다. 이러한 학교 밖 리터러시 활동이 학교에서 배운 리터러시 능력과 잘 연결할 수 있도록 교사는 학생들의 학교 안팎의 리터러시 활동에 관심을 가질 필요가 있다.

읽고 쓰는 리터러시 활동은 역사적으로 볼 때 상당히 진화해왔고 앞으로도 상상을 초월할 정도로 새로운 변화가 계속될 것으로 보인다. 펜, 연필, 종이는 아마 곧 사라지게 될 수도 있다. 전통적인 리터러시 과정은 확실히 디지털화되고, 협조적으로 사회화되는 뉴 리터러시 활동으로 발전되어 갈 것이다. 쓰기 리터러시는 말을 통해 더 빠르게 행해질 수 있는 방법으로 발전될 것이다. 이렇듯 뉴 리터러시 교육은 앞으로 계속 새로운 도전을 시도하게 될 것이다. 만일 지금 초등학교 리터러시 교육이 학생들이 사회의 일원으로 우뚝 서게 될 2020년을 위한 뉴 리터러시 교육환경을 대비하지 못한다면 학생들은 미래에 많은 어려움을 겪게 될지도 모른다. 초등학교 뉴 리터러시 교육을 위해 지금 우리가 예견하지 않은 것은 무엇이며, 미래 뉴 리터러시 교육을 위해 지금 가장 우선적으로 해야 할 것은 무엇일까? 그것은 바로 초등학교 교육과정 전반에서 뉴 리터러시 교육이 지금 당장 실천되어야 한다는 점이다.

Unit 02.
왜 초등학교에서 뉴 리터러시이어야 하는가?

01. 창의 · 융합적 인재로 양성하는 초등학교 뉴 리터러시 교육
02. 초등학교 주제통합 학습에서 뉴 리터러시 교육

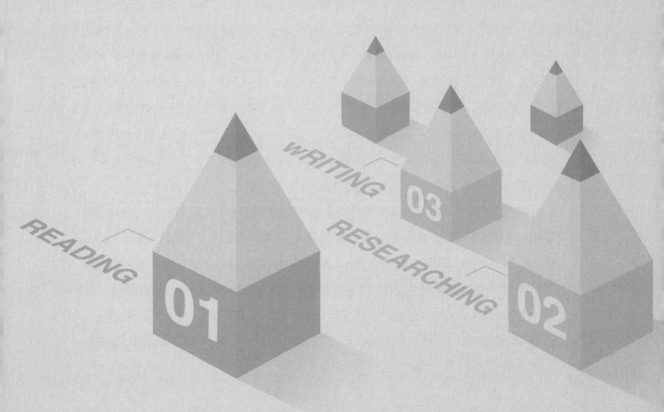

01. 창의·융합적 인재로 양성하는 초등학교 뉴 리터러시 교육

우리나라 창의·융합(STEAM) 교육은 미국의 창의·융합(STEM) 교육과 차별성 있게 접근되어야 할 필요가 있다.

　　우리나라 교육현장에 도입한 창의·융합적STEAM 교육은 미국의 창의·융합교육STEM과 제안된 배경과 동기가 약간 다르다고 할 수 있다. 무엇보다 교육환경과 여건이 서로 다르기 때문에, 인문학이 강조된 우리나라의 창의·융합적 인재양성을 목적으로 한 STEAM 교육은 다른 나라와는 차별성 있게 접근되어야 할 필요가 있어 보인다. 우리나라 STEAM 교육에 대한 많은 연구에도 불구하고 대부분이 우리나라 교육환경에 적합한 STEAM 교육이 무엇인지 또는 STEAM 교육이 왜 중요한지에 대한 개념이나 필요성 정도에 머물러 있는 정도이다. 안타깝게도 초등학교 교육현장에서 STEAM 교육은 기존의 융합형 과학과 어떻게 다르며, 어떻게 교수학습 되어야 하는 가 등에 대한 교육현장 중심의 구체적 실행방안을 제시하지 못하고 있는 실정이다.

　　21세기 글로벌 사회에서 교육은 지식knowledge 전달의 관점에서 점차 기술skill 기반의 창의·융합적 인재양성 교육으로 변화되고 있다. 그 배경에는 미래사회는 학문분야의 영역을 넘나드는 융합적사고로 창의적 결과를 도출하여 창조경제를 이끌 인재를 필요로 하고 있기 때문이다. 이러한 사회적 현상에 대해 다양한 분야 간 융합을 의미하는 STEM/STEAM● 교육정책의 발표가 불가피하게 되었다. 우리나라도 국가 경쟁력의 자산인 미래 과학기술의 발전을 주도할 창의·융합적 인재양성을 위한 교육정책을 발표한 바 있다. 이와 관련하여 초등학교 주제통합 교과수업에서도 학문간 경계를 넘나들며 학생들의 흥미와 관심 있는 사항에 지식과 사고의 깊이를 높이는 교수학습 방법이 필요하게 되었다. 특히 ICT 기술을 초등학교 수업으로 끌어들여 학생들의 비판적 사고, 융합적 탐구과정을 통해 문제해결 능력과 창의적 표현력을 배양할 수 있는 리터러시 분야에서도 STEAM 교육이 필요하다는 인식을 같이하게 된 것이다교육과학기술부, 2010.

우리나라에서 STEAM 교육은 시대적 요구에 맞춘 다양한 분야의 융합적 지식에 대한 관심과 이해를 높여 창의적 표현력과 문제해결력을 길러주는 '창의 · 융합적 리터러시STEAM Literacy 능력을 갖춘 인재양성 교육'을 지향하는 의미로 사용된다백윤수 외, 2011. 이러한 점에서 우리나라에서 STEAM 교육은 기존의 과학수업에 예술과 인문학적 교육을 접목하고자 하는 융합적 교육이라 할 수 있다. 우리나라 STEAM 교육은 인문학과 과학기술의 결합을 이끌고 과학기술에 인문학적 감성과 디자인을 접목하여 과학기술이 야기한 문제를 해결하고자 시도하고 있다. 특히 초등학교에서 STEAM 교육은 초등학생들에게 과학과 기술에 대한 꿈과 비전을 제시하고, 학생들이 실생활에서 과학과 기술의 사용을 생활화하여 창의적 발상을 이끌고자 한다. 그리고 디지털 정보화 세상에서 과학기술과 예술적 감각, 그리고 인문학적 감성을 융합하는 데 학생들의 관심과 이해를 높임으로써 우리나라 초등학교 창의성 교육을 한 단계 끌어올리는 효과를 야기하고자 한다.

우리나라 초등학교 뉴 리터러시 교육에서 추구하는 창의 · 융합적 인재 양성교육STEAM의 핵심역량은 백윤수 외2011에 의해 제안된 융합적 지식 및 개념 형성Convergence과 창의성Creativity, 소통Communication과 배려Caring로 정리할 수 있다. 백윤수 외2011이 제시한 STEAM 교육의 4가지 핵심역량을 바탕으로 우리나라 초등학교 뉴 리터러시 교육에서 지향하는 STEAM 교육의 관점을 재정리하면 다음과 같다.

첫째, 초등학교 뉴 리터러시 교육에서 STEAM 교육은 융합적 지식Convergence을 강조한다. 이는 다양한 영역의 매체 정보를 넘나들며 언어학습과 교과목의 내용학습을 통합하는 융합적 사고, 창의적 사고, 상상력, 경험학습과 과정적 지식을 중요시한다. 따라서 초등학교 뉴 리터러시 교육에서 STEAM 교육은 인쇄 매체 읽기와 디지털 매체 읽기를 넘나들며 언어교과와 교과목 간, 또는 서로 다른 주제관련 학습의 수평적 융합교육 시스템을 필요로 한다.

● STEM은 미국과학재단(National Science Foundation)에서 과학(Science), 기술(Technology), 공학(Engineering), 수학 (Mathematics)을 총체적으로 일컫는 말로 국가 경쟁력의 '줄기 세포'(STEM Cell)라는 의미를 포함하고 있다. 우리나라 교육과학기술부는 2011년 추진 업무보고에서 '과학기술-예술융합 (STEAM)' 강화를 제시하고, STEM 교육에 예술 (Arts)을 포함한 융합인재교육(STEAM)을 주요 정책으로 발표하였다.

둘째, 초등학교 뉴 리터러시 교육에서 STEAM 교육은 창의성Creativity을 강조한다. 이대영2010
이 강조하듯 교육의 힘은 관찰, 상상, 창의, 표현, 구성, 통합이라 할 수 있다. 초등학교 뉴 리터러시
교육에서 STEAM 교육은 다양한 매체 정보 읽기를 통해 학생들에게 잠재된 과학적 사고, 창의적
사고와 혁신적 상상력을 자극하여 창의적 표현력을 발휘하는 창의적 쓰기활동으로 이끈다.

셋째, 초등학교 뉴 리터러시 교육에서 STEAM 교육은 소통Communication과 연결을 강조한다.
뉴 리터러시 교육에서는 동료나 타인과 협의나 소통을 통해 정서적 공감대를 이끌며 소통중심의
학습과정과 활동이 이루어진다. 또한 학생들이 협의적 문제해결식 탐구학습 전략을 통해 자신의
생각과 의견을 공유하고 반영할 생각말하기나 블로깅 활동을 통해 다른 사람들과 소통하며 또
다른 지식을 창조한다. 이러한 협의적 탐구학습 활동으로 학생들은 소통을 통한 공감능력을 갖추
고 다른 사람과 원만한 인간관계를 만들어 가는 힘을 기른다.

넷째, 초등학교 뉴 리터러시 교육에서 STEAM 교육은 타인에 대한 배려Caring가 강조된다.
교사나 학생은 문제해결을 위한 원활한 읽기 활동과 탐구활동 과정을 통해 쓰기라는 창조지식을
이끌게 된다. 이러한 학습과정에서 서로를 돕고 칭찬하고 격려하는 긍정적 피드백을 사용한다.
이러한 배려하는 협조학습을 통해 학생은 다른 사람을 적극적으로 이해하고 돕는 배려심을 함양
하게 된다.

결국 초등학교에서 효과적인 창의·융합적 인재교육STEAM은 주제관련 다양한 영역의 매체
정보 읽기를 넘나들며 국어나 영어를 연결하는 주제통합 학습을 이끌 수 있다. 또한 언어학습모국어
와 외국어과 주제관련 교과목 내용학습을 융합하여 새로운 창의적 가치와 언어로 표현할 수 있는
창의적 설계, 감성적 체험, 그리고 내용통합의 교수방법에 대한 융합을 추구하기도 한다.

뉴 리터러시 교육은 미래 교육을 위한 자연스러운 준비다.

미래 사회양상의 변화는 연결·통합·소통을 통한 창의·융합적 인재양성을 추구한다. 다시
말해 불가능한 것들의 화학적 연결과 통합으로 새로운 창의적 소통을 이끌어내는 능력이야말로
21세기 세계시민으로의 삶을 성공적으로 이끄는 데 지대한 영향을 미칠 수 있다.

미래 사회양상의 변화를 예측하는 것은 과거의 변화를 보면서 추정해볼 수 있다. 한 예로
경희대 이종구 교수의 논문에서 정리한 한국직업 변천사를 보면 과거 상위 10대 직업들은 2000년
대에는 거의 존재하지 않는다는 것을 알 수 있다.

시대별 인기 직업

1950년대	1960년대	1970년대	1980년대	1990년대	2000년대
군장교	택시운전사	트로트가수	증권금융인	프로그래머	공인회계사
의사	자동차엔지니어	건설기술자	반도체엔지니어	벤처기업가	국제회의전문가
영화배우	다방DJ	무역업종사자	야구선수	웹마스터	커플매니저
권투선수	은행원	화공엔지니어	탤런트	펀드매니저	사회복지사
타이피스트	교사	기계엔지니어	드라마 프로듀서	외환딜러	IT컨설턴트
의상디자이너	전자제품기술자	비행기조종사	광고기획사	가수	인테리어디자이너
서커스 단원	가발기술자	대기업직원	카피라이터	연예인코디	한의사
공무원	섬유엔지니어	노무사	선박엔지니어	경영컨설턴트	호텔지배인
전화교환원	버스안내양	항공여승무원	통역사	M&A전문가	프로게이머
전차운전사	방송업종사자	전당포업자	외교관	공무원	생명공학연구원

* 주 : 인기직업은 김병숙 경기대 교수의 저서『한국직업발달사』, 이종구 경희대 교수의 논문「한국직업변천사」, 김준성 직업평론가의 의견을 참조해 ≪매경이코노미≫가 직업 선정한 내용임.
* 출처 : 매경이코노미 제1592호(11.02.02-09일자 설합본호) 기사 http://news.mk.co.kr/newsRead.php?year=2011&no=64969

또한 최근에 취업포털사이트인 '잡코리아'의 '좋은일연구소'가 현재 대학교 재학생과 휴학생 남녀 1,355명을 대상으로 10년 후2024년에 인기 있을 유망직업과 관련한 설문조사를 실시한 바 있다. 그 결과를 보면 다음과 같다.

남학생이 예상하는 10년 후 유망직업	여학생이 예상하는 10년 후 유망직업
IT/소프트웨어 개발 관련 직업 (31%)	심리 상담가, 미술 치료사 (33.6%)
의사, 간호사 등 의학관련 직업 (15%)	헬스 트레이너, 식이요법 관리사 등 (22.1%)
공무원 (14.5%)	반려동물(애완견 등) 관리사 (15.3%)
저작권 관리사 (14.1%)	요리사, 제빵사 등 요식업계 전문가 (11.4%)

* 출처 : http://www.kmobile.co.kr/k_mnews/news/news_view.asp?tableid=IT&idx=467520, 2014년 2월 27일 발췌.

대학생들은 현재 존재하지 않은 새로운 직업이 생길 것이라고 생각했다남학생, 28.1%, 여학생, 28.3%. 특히 기술의 발달로 인해 기존에 없던 새로운 직업들이 자주 등장하기 때문에 예측할 수 없는 새로운 직업들이 미래에도 더 많이 빠르게 나타날 것이라고 예측했다. 하지만 대학생들의 52.8%는 다음과 같은 이유 때문에 인기 직업을 갖기 위해 어떤 노력이나 계획이 없다고 답했다고 한다.

이유	%
1. 무엇부터 준비해야 할지 몰라서	44.4%
2. 지금 준비하게엔 늦었다고 생각해서	32.0%
3. 생각한 직업이 10년 후 인기직업인지 확신이 없어서	30.3%
4. 적성에 맞지 않아서	27.4%
5. 현재 다른 일을 준비하고 있어서	16%

* 출처 : digital-literacies.blogspot.com

그리고 미래사회가 요구하는 인재상과 역량은 지금과는 다른 인성과 역량이 필요하다는 점을 볼 수 있다.

미래사회가 요구하는 역량	%
쓰기능력(written communication)	81%
리더십(leadership)	73%
직업윤리(work eric)	70%
비판적 사고력과 문제해결력(critical thinking, problem solving)	70%
자기주도성(self-direction)	58%

* 출처 : digital-literacies.blogspot.com

미래 사회가 요구하는 인재상은 비판적 사고력과 문제해결력, 4Cs 스킬, 그리고 도덕성 및 자기주도성, 그리고 사회적 책임 등을 중시하고 있다는 점을 알 수 있다.

미래 사회양상의 변화 중 또 하나의 특징은 디지털 매체 사용 환경으로의 변화를 초래한다. 미래 사회양상의 변화에서 눈에 띄는 것은 바닷가 햇볕 아래서 낭만적으로 독서하는 모습보다는 지하철에서 스마트폰으로 디지털 텍스트를 읽고 있는 모습이 더 눈에 띤다. 특히 최근 각종 강의를 하다보면 과거와는 다르게 모두 스마트폰을 들고 동영상을 찍고 있거나 자료를 영상에 담고 있는 청중들이 많아졌다는 것을 감지할 수 있다.

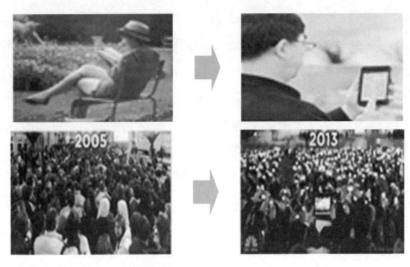

* 출처 : digital-literacies.blogspot.com

　　이러한 사회의 변화양상에 맞도록 초등학교 교육에도 변화하는 디지털 학습 환경에 알맞은 교육이 이루어져야 할 것으로 보인다. 현재 교육현장에서 흔히 볼 수 있는 학습 환경이나 제도는 19세기 산업시대에 만들어진 것들도 있다. 이러한 부조화된 교육환경과 제도가 21세기 새로운 디지털 매체 기반 교육환경에 맞도록 변화되어야 할 필요가 있다. 이를 위해서는 무엇보다도 먼저, 초등학교 교육의 목적을 재정의 하고 학생들의 학습 성과에 직접 영향을 미칠 수 있는 리터러시 교수학습 방법이 바뀌어야 한다. 그러고 나서야 이러한 목표와 방법에 맞도록 학습 목표달성 여부를 확인할 수 있는 평가범위를 확장할 필요가 있다.

교육환경의 변화에 따라 미래 초등교육은 창의 · 융합적 인재로 양성하는 뉴 리터러시 교수학습이 교실수업에서 실현되어야 한다.

　　초기 매체 교육은 텔레비전이 제공하는 정보로부터 학생들을 보호하자는 데서 출발하였다. 하지만 다양한 매체 정보를 활용한 초등학교 뉴 리터러시 교육은 디지털 매체 시대를 살아가는 데 필요한 기본능력을 길러주는 교육을 추구한다. 그리고 디지털 매체 리터러시 교육은 다양한 매체 간 접근, 매체 정보들의 이해, 매체 정보 간 융합을 통해 창의적 결과물을 제작할 수 있는 능력을 길러주는 교육을 추구한다영국의 오프컴 : off of communication, 2004. 따라서 초등학교 뉴 리터러시 교육은 비판적 리터러시에서 멀티미디어인쇄 매체, 영상 매체, 디지털 매체 리터러시로 확장하여 디지털 매체 시대를 살아가기 위해 필요한 다양한 리터러시 능력을 포함해야 한다.

초등학교 뉴 리터러시 교육은 미래사회에 대처하는 능력을 기르기 위해 다양한 매체가 전달하는 메시지를 잘 읽어내는 능력을 길러주어야 한다. 넘쳐나는 정보들에서 개개인이 제기한 문제에 가장 적정한 자료를 찾아 모으고, 이를 제대로 읽어 통합하고 평가하여 재창조하는 능력과 더불어 미래 사회에 대처하는 문제해결능력을 길러주는 데 그 목적이 있다. 왜냐하면 미래사회는 매체 환경의 변화에 따른 디지털 정보사회에서 다양한 데이터나 정보를 재해석해내는 능력이 시급해지고 있기 때문이다. 특히 사회 문화적 측면에서 이용자가 다양한 매체 환경의 변화에 적용하기 위해 주어진 매체 정보를 읽는 것만이 아니라, 자신이 제기한 문제에 대한 새로운 디지털 매체 정보를 추적해서, 찾아 읽고, 비판하고, 융합하고, 창조하는 능력, 즉 다양한 매체 정보에 대처하는 능력을 향상시킬 필요가 있어졌기 때문이다Masterman, 1985.

초등학교 뉴 리터러시 교육은 디지털 매체 자체에 대한 관심에서 콘텐츠 중심의 리터러시 교육으로 변화를 의미한다. 20세기의 인쇄기반 책을 읽고 쓰는 리터러시 교육이 21세기에는 다양한 매체를 통해서 전달되는 '미디어 콘텐츠'에 대한 '비판적 이해·융합적 사고와 창의적 표현'이라는 콘텐츠 기반 뉴 리터러시 교육으로 빠르게 옮겨지고 있다. 이러한 변화는 교육 매체의 플랫폼에 초점을 두기보다는 매체가 전달하는 '콘텐츠'가 강조된 개념으로 바뀌고 있다는 뜻이다. 그래서 초등학교 뉴 리터러시 교육은 다양한 매체를 통해 전달되는 콘텐츠에서 자신이 원하는 정보를 어떻게 가려내서 비판적으로 읽어내고, 이해하고, 통합하고, 평가해서 자기생각으로 표현하는가에 초점을 둔 뉴 리터러시 교육을 통한 창의·융합적 인재를 양성하는 교육이 되어야 한다.

'매체' 기준의 리터러시에서 '콘텐츠'가 중시되는 뉴 리터러시 교육은 영상매체의 등장으로 나타난 새로운 개념의 리터러시 교육이라 할 수 있다. 뉴 리터러시 교육으로의 변화는 새로운 교육매체가 등장할 때마다 새로운 매체에 대한 새로운 리터러시 교육이 필요하게 된다는 것을 의미하기도 한다. 뉴 리터러시 교육에는 콘텐츠를 전달하는 소셜 미디어라는 도구가 사용된다. 그래서 뉴 리터러시 교육은 소셜 미디어가 제시하는 '콘텐츠'와 '이용자'라는 관점으로 발전하고 있다. 예를 들어, 최근 학습자들은 카카오톡, 페이스북, 트위터 등의 소셜 네트워크 서비스SNS를 실생활이나 학습과정에서도 사용한다. 때문에 뉴 리터러시 교육은 이제 다양한 의견·생각·경험 등을 효과적으로 융합하고, 이해하고, 창의적으로 표현하여 세상과 소통하는 이해교육과 표현교육의 융합으로 점차 발전하고 있다. 이제 뉴 리터러시 교육은 다양한 매체들이 전달하는 콘텐츠를 '이해'하는 능력을 넘어 '참여'하고 융합하여 재창조하는 '소통' 능력까지 갖추도록 이끄는 창의·융합적 인재양성을 위한 뉴 리터러시 교육으로 전환되어가고 있다.

따라서 초등학교 뉴 리터러시 교육은 기존의 읽고 쓰는 3Rs 능력을 도와주는 학습매체로서, 소셜 미디어를 사용하는 다양한 매체 기반 리터러시 교육으로서 학생들의 비판적 사고력, 융합적 탐구력과 창의적 표현력, 참여와 공유, 그리고 소통이라는 21세기 인재가 갖추어야 할 4Cs Critical Thinking, Communication, Collaboration, Creativity 역량을 기르는 창의 · 융합적 인재양성을 위한 교육으로의 변화가 필요해진 것이다.

결국, 초등학교 교실수업은 창의 · 융합적 인재로 양성하는 뉴 리터러시와 4Cs 스킬의 통합 공간이어야 한다.

초등학교 교실도 점차 뉴 리터러시 교육환경으로 변화하고 있다. 그리고 초등학교 수업에는 디지털 이민자 digital immigrants인 교사와 디지털 원주민 digital natives인 학생들이 공존하는 디지털 주변적 상황에서 상호 협조적 교육으로의 변화가 필요해지고 있다.

디지털 원주민인 초등학생들의 특징은 컴퓨터 매체 영상들에 과다노출로 인해 정보처리나 검색은 빠르지만 어떤 일에 몰입하거나 집중하는 것을 어려워하는 특징을 보인다. 또한 그들은 디지털 화면에 익숙하다보니 감성이나 사회성 발달에 저해되는 성향을 보이며 공감능력이 부족한 특징을 보인다. 그리고 분석적 사고보다는 상황 설명적 사고가 증가하며, 성찰적이기보다는 반응적이고 반사적인 언행이 증가하고 주의 집중가능 시간이 짧은 특성을 보인다. 또한 문자언어보다 비주얼 자료로 소통하는 데 익숙하고 학습부진아가 점점 증가한다. 특히 디지털 원주민들은 어떤 자극에 충동적이며 감정적 통제 능력이 저하된 특징을 보인다 Susan Greenfield, 2008. 디지털 환경에 익숙한 디지털 원주민에게서 디지털 기기를 빼앗는다는 것은 공기 없는 방에 가둬두는 것과 같을 수 있다. 따라서 학생들의 학습과 삶에 혜택이 되도록 디지털 매체를 적극적으로 활용할 수 있는 뉴 리터러시 교수학습 방안을 찾아주는 것이 진정한 뉴 리터러시 교육자로서 역할일 수 있다.

따라서 디지털 원주민들인 초등학생들을 위한 교실수업에서는 다음과 같이 21세기를 살아가는 데 갖추어야 할 비판적 사고력, 융합적 탐구력과 창의적 표현력을 길러주고 다양한 디지털 매체를 적극적으로 활용하는 교수학습 활동이 주어져야 한다. 그리고 초등학교 교과과정을 성공으로 이끌기 위해서는 학생들이 자신의 학습에 대한 책임감을 갖도록 이끌 뿐 아니라, 자기 주도적 문제해결력, 어떤 일에 대해 우선순위를 정하여 진행해가는 능력과 시간을 현명하게 활용하는 능력도 길러줄 필요가 있다. 또한 혼자 있는 시간이 많다보니 다른 사람과 의사소통 하는 능력과 타협하고 절충하며 화해하는 능력도 키워야 한다. 바람직한 의사소통을 위해 다른 사람의 말을 경청하는 스킬도 필요하다.

이러한 것들이 초등학교 뉴 리터러시 교육과정에 녹여내야 하는 스킬들이다. 이제 초등학교 뉴 리터러시 교수학습은 디지털 원주민과 비 원주민 모두가 참여하고, 몰입하고, 융합하여 창의적으로 표현해내는 교수학습 과정이 포함되어야 한다. 그래서 초등학교 교실수업은 모든 학생들이 흥미롭게 국제화 공동체에 적극적으로 참여할 준비를 위한 장소가 되어야 한다.

▌ 최근 미국에서는 부시 대통령의 교육정책이던 3R's(Reading, wRiting, aRithmatic)에 대한 변화의 움직임이 시작되고 있다.

초등학생들이 미래 국제화 공동체의 일원으로 온전히 참여하기 위해서는 21세기 시민에게 필요한 4Cs Critical Thinking, Communication, Collaboration Creative 스킬을 마스터해야 한다.

초등학교 교실수업에서 고려되어야 하는 문제는 4Cs 스킬을 수업에 어떻게 가져와 접목하는가 하는 것이다. 4Cs 스킬을 마스터하기 위해서는 뉴 3Rs 리터러시 수업에 뭔가 하나의 스킬을 더 하는 것이 아니다. Melinda2011에 따르면 "4Cs 스킬은 학습의 내용이 아니라 학습의 과정이다."라고 주장한다. 학생들이 이러한 4Cs 스킬을 마스터 하도록 도와주는 최적의 방법은 바로 초등학교 교실수업에서 가르치고 배우는 방법을 바꾸는 일일 것이다.

디지털 매체 기술은 초등학교 뉴 리터러시 수업에 4Cs를 실행할 수 있도록 도와주는 학습도구가 될 수 있을 것이다. 4Cs 스킬을 접목한 교수학습 활동을 위해서는 디지털 매체 기술을 사용하는 방법을 배우는 것이 수반되어야 한다. 다시 말해, 디지털 매체 도구를 가지고 뭔가를 가르치는 것이 아니라, 학생들이 디지털 매체 기술의 편리함을 경험하고 창조하고 쌓아가는 교육이 되어야 한다.

학생들이 앞으로 경험하게 될 많은 힘든 일이나 문제를 푸는 데는 하나의 정답만 있는 것은 아니다. 서로 다른 다양한 정보의 융합과정을 통해 다르게 답하는 학생들의 서로 다른 결과물도 옳은 답으로 받아들여지고 격려되는 초등학교 뉴 리터러시 교수학습 환경을 만들어 가는 것이 중요하다. 하지만 초등학교 교실수업은 아직도 시험지향으로 한 가지 정확한 답을 찾도록 유도하고, 한 가지 답을 찍는 데 익숙하도록 학생들을 몰아가고 있다. 하지만 초등학교 교실수업에서 이러한 한 가지 정답 찍기 학습방식은 이제 점점 사라져야 할 때가 되었다.

초등학교 뉴 리터러시 교수학습 활동은 학생들이 모든 것에 궁금증이나 의문을 갖도록 동기부여 해야 하고, 교사나 학생 자신에 의해 제기된 다양한 질문과 궁금증에 답을 찾아가는 동안 다양한 매체 정보를 넘나들며 적절히 융합하고, 비판적이며 창의적으로 표현하도록 도와야 한다. 앞으로 학생들 주위에 넘쳐나는 다양한 디지털 매체 정보를 제대로 사용하고, 다양한 매체를 통해 제대로 의사소통할 수 있는 스킬도 길러주어야 한다. 하지만 의사소통 스킬을 길러주기 위해 주제에 대해 에세이를 쓰거나 사실에 대한 보고문을 작성하도록 이끄는 교육은 바람직하지 않을 수 있다. 차라리, 디지털 자료들저널, 애니메이션, 뉴스, 상호작용 게임 등에서 주제관련 문제를 제기하고, 문제에 대한 해결점을 찾도록 도와주는 다양한 조사·분석·종합·평가하는 연구 활동을 하면서, 학생들이 서로가 창의적 해결책을 공유하고 표현하도록 이끌어주는 뉴 리터러시 교수학습 과정이 제공되어야 한다.

뉴 리터러시 교수학습 과정에는 다양한 매체들이 전달하는 메시지에 대해 비판적 시각으로 바라보는 질문이 있게 된다. 그리고 그 질문에 답을 찾거나 문제를 해결하는 방식이 수반되게 된다. 여기에는 디지털 매체라는 학습도구가 없이 텍스트 기반으로 이끌어지는 수업이 되기보다, 디지털 매체를 통해 다양한 지식과 흥미 있는 것들에 참여하도록 학생들을 유도하는 뉴 리터러시 교육이 되어야 한다. 그리고 학생 개개인의 개성과 독특한 아이디어를 융합하여 표현하는 창조적 결과물을 격려하는 문제해결식 교수학습 과정이 초등학교 교과과정 전반에 녹아있어야 한다.

20세기 디지털 이민자인 교사 자신이 알고 있는 지식이 21세기 디지털 원주민인 학생들에게도 반드시 필요한 지식인가에 대해서는 재고해볼 필요가 있다. 20세기 초에 가장 필요했던 능력이나 직업이 21세기에는 사라지고 없어진 것을 이미 앞에서 확인하였다. 뉴 리터러시 교육에서도 특정 정보를 암기하고 이해하고 지식을 쌓는 것도 필요하다. 하지만 새로운 문제에 부딪혔을 때 그에 대한 정보를 어떻게 찾고 융합하여 해결할 지에 대한 문제해결 능력을 길러주는 교육이 되어야 한다는 점에는 이견이 없다.

오늘날 초등학교 뉴 리터러시 교실수업은 기술에 대해서가 아니라, 기술을 활용한 교수학습 활동이 되어야 한다. 따라서 초등학교 뉴 리터러시 수업은 교사가 학생에게 말을 하면서 가르치는 곳이 아니라, 학생들이 기술을 활용해 뭔가를 만들어내는 창의·융합적 교수학습 활동을 경험하는 장소로 바뀌어야 할 필요가 있다. 21세기 초등학교 뉴 리터러시 수업은 학생들이 단순한 교육 매체의 소비자가 아니라, 교육 매체의 생산자가 되는 곳으로 변화되어야 한다. 그리고 전통적 3Rs 리터러시 능력에 21세기에 필요한 4Cs 스킬의 마스터 과정이 녹아있는 창의·융합적 인재로 양성하는 문제해결식 뉴 3Rs 리터러시 교실수업이 실현되어야 한다.

02. 초등학교 주제통합 학습에서 뉴 리터러시 교육

| **영어교과 뉴 리터러시 교육은 우리를 세상에 알리는 초석이 된다.**

전 세계 디지털 매체 정보의 거의 대부분은 영어로 소통되고 있다. 따라서 초등학교 미래 뉴 리터러시 교육은 국어뿐 아니라 영어로도 이루어져야 하는 필요성이 점차 대두되고 있다. 이러한 언어교육의 환경변화로 인해 앞으로 초등학교에서 영어로 쓰인 매체 정보 읽기를 위한 뉴 리터러시 교육이 효과적으로 이루어지기 위해서 어떤 전략이 필요할지에 대한 논의가 필요한 시점이다. 이를 위해 우선 영어교육의 대가가 제시한 영어 리터러시 교육에 대한 의견에 주목할 필요가 있다.

2012년 한국영어교육학회에서 초청한 Stephen Krashen이 아시아 국가들의 영어 리터러시 교육에 대해 조언한바 있다. 그에 따르면 우리나라 같은 EFL 상황에서는 다양한 읽기를 통해 영어에 노출시간을 가능한 늘리라고 강조하였다. 그 예로 폭넓은 읽기Extensive Reading를 추천하였다. 우리나라 같은 EFL 환경은 말하기 학습에 치중해도 당장 사용할 기회가 없으니 자동화될 기회도 없어 영어교육에 대한 노력과 투자가 헛될 수 있다는 주장이었다. 그러한 점에서 말하기 능력을 강조하는 우리나라 초등영어교육 방향에 대해 우려를 표했던 기억이 있다. 그리고 초등영어교육의 방향은 언어학습의 효과성 측면에서나 교육적 측면에서도 영어 말하기 능력보다는 읽고 쓰는 리터러시 능력에 초점을 둔 것이 더 바람직하다는 점을 강조하였다.

전통적인 3Rs 리터러시 교육의 취지는 교육을 받은 단 한명의 학생도 낙오가 없는 학교를 만들자는 부시 행정부가 추진한 '읽기먼저'reading first라는 전략으로 시작했던 교육정책이다. 초등학교 시절에 필요한 기본적인 3Rs 리터러시 스킬은 학교에서 학습활동을 성공하는 데 매우 중요하게 작용하는 가장 기본이 되는 스킬이다. 특히 읽기는 초등학생들에게 호기심과 재미, 그리고 상상력을 키워주는 리터러시 활동이기도 하다. 그리고 초등학생들이 다양하고 새로운 세상을 경험하는 도구이기도 하다. 읽고 쓰는 활동은 세상 사람들과 의사소통을 위해 언어를 이해하고 사용하는 주요한 리터러시 능력이기 때문이다.

초등학교 영어 리터러시 교육을 위해서는 6가지 언어스킬이 필요하다. 먼저, 음소인식 phonemic awareness 능력을 길러야 하는데 이는 말로 표현된 단어들에 개개의 소리phonemes를 듣고, 알아내고, 확인하는 활동이 주어져야 한다. 둘째는, 말로 표현된 소리와 문자로 쓰인 언어문자들을 연결할 수 있는 파닉스phonics 활동이 주어져야 한다. 셋째로, 학생들이 효과적으로 소통하기 위해 알아야 할 주제별 단어군들chinks나 lexis을 익히는 활동이 주어져야 한다. 넷째는, 읽은 텍스트에서 의미를 이해하고 정보를 얻을 수 있는 독해력reading comprehension이 길러져야 한다. 다섯째는, 텍스트를 정확하고 빠르게 읽을 수 있는 유창성fluency 활동이 주어져야 한다. 여섯째는, 이렇게 읽은 텍스트를 요약하고, 자신의 생각을 담아 표현하는 쓰기writing 활동이 주어져야 한다.

초등학교 리터러시 교육에서는 이 같은 6가지 언어스킬을 위해서 '읽기 우선' 학습이 매우 중요하다. 가정에서는 부모들에 의해 읽기 모델이 주어주고, 아이들은 부모가 읽는 것을 보게 되면 읽기가 가치 있다는 것을 배우게 된다. 이렇듯 교사나 부모는 아이들과 함께 큰소리로 읽어주는 모델 읽기를 하는 것이 중요하다. 큰소리로 읽어주는 모델 읽기는 부모나 교사와 아이들 사이에 소통의 길을 열어줄 수 있다. 하지만 직접 읽어주기 활동이 어려운 경우는 디지털 매체를 활용하여 읽어주기를 한 다음, 내용에 대해 아이와 함께 이야기를 나누는 시간을 갖는 것도 좋다.

무엇보다 가족이나 아이의 삶에서 최근 가장 이슈나 흥밋거리에 관한 자료를 찾아 아이들과 함께 읽는 것이 중요하다. 아이들이 치과 예약이 되어 있다면, 가기 전에 치과에 가는 일에 대한 자료를 인터넷에서 찾아 함께 읽거나, 바닷가로 여행을 가기 전에는 바닷가의 생활에 대한 자료를 인터넷을 통해 함께 읽어본다면 아이들과 많은 이야기를 하게 되며, 탐구하고 생각을 공유할 기회를 갖게 될 수 있다. 아이들과 함께 읽기를 하는 것은 아이들에게 읽기가 중요하다는 것을 가르치는 일이며, 읽는 과정에 더 깊은 자료를 찾고 탐험하는 지식의 여행을 즐기게 해주고, 읽고 난 후에는 읽기에 관해 이야기할 기회를 주는 좋은 가족활동이 되기도 한다. 이이들이 드래곤에 빠져 있으면 인터넷에서 드래곤 관련 좋은 자료를 아이와 함께 찾아보는 부모들의 역할이 필요하다.

아이들의 읽기 습관을 형성해주는 방법은 많다. 아이들이 읽고, 인터넷을 통해 관련 자료를 찾아 보는 뉴 3Rs 리터러시 활동에 초점을 두고 읽기가 아이들이 즐기는 게임이 되게 하는 것이 중요하다. 읽기가 아이들이 암기해야 하는 힘든 공부가 되면 아이에게 부정적인 학습효과를 갖게 하므로 이점에 유의해야 한다.

　　초등학교 때 학교 안팎에서 다양한 읽기 리터러시가 이렇듯 중요함에도 불구하고, 최근 우리나라 초등학교에서는 표현력이 점차 중요시 되면서 말하기와 쓰기학습을 강조하는 수업활동이 강조되고 있는 실정이다. 영어교육 학자나 학교 공교육 현장의 교사를 포함해서 사교육 기관 교사들이나 언론기관까지도 말하기·쓰기 중심의 표현력을 중시하는 초등영어교육 방향에 대해 긍정적으로 받아들이고 있는 추세이다. 하지만 이러한 의견에 대해 좀 더 신중히 대처해야 할 필요가 있다. 최근 영어가 아이들의 생활 속에 상당히 노출되고 있다는 생각에 자칫 우리나라 영어교육 환경이 ESL 환경으로 느껴질 수도 있다. 하지만 영어를 사용하는 관점에서 볼 때 우리나라 영어 학습환경은 여전히 외국어로 영어를 배우는 EFL 환경임에는 변화가 없다. EFL 상황에서 말하기 교육은 그동안 해왔듯이 상황이나 기능 중심의 교육이 맞을지도 모른다. Krashen의 주장처럼, 초등학교 학생들이 영어교육에 투자하는 시간, 노력과 비용을 차라리 읽기와 쓰기를 강조한 리터러시 학습에 쏟는 것이 옳다고 본다.

　　우리나라 초등학교 학부모들의 생각은 자녀들이 입시부담이 적은 초등학교 때 영어 표현들을 열심히 외워두고 배워두면 나중에 상급학교나 사회에 나가 사용할 기회가 주어질 때 잘 사용할 수 있게 될 것이라는 생각으로 초등학교 시절에 영어를 가르치고 있는지도 모른다. 하지만 이러한 기대는 외국어로서 언어 습득원리를 잘 알지 못하는 쓸모없는 투자가 될 수 있다. 외국어로 어떤 언어표현을 배우고 익힌다는 것은 반복적인 의사소통이 주어지고 강화되는 일정시간이 주어져야만 자동화되어, 필요할 때 회상하여 말할 수 있게 된다. 결국, 열심히 외웠다고 해도 사용의 기회가 주어지지 않으면 금방 잊어버리게 된다.

　　때문에 외국어로서 영어를 배우는 EFL 환경에서는 뉴 3Rs 리터러시 교육에서 다양한 매체 읽기를 통해 다양한 표현들에 가능한 한 많이 노출하여 자연스럽게 강화되고 자동화시키는 과정이 필요하다. 그리고 나서 말할 기회가 주어질 때 말하기를 집중적으로 공부하면 읽기와 쓰기 리터러시 교육에서 강화된 표현들을 사용할 기회를 갖게 되어 더욱 효과적인 영어 말하기 학습이 이루어질 수 있게 된다. 이러한 주장은 우리나라 초등영어 교육은 먼저 읽기와 쓰기를 통해 어휘력, 문장구조에 대한 지식 그리고 다양한 주제관련 내용지식과 그 이해력 자체가 기반이 되어야, 후에 수준 높은 말하기 능력을 기르는 데 큰 자원이 된다는 뜻이다. 외국어 표현들을 아무리 암기하고 배워도 사용할 기회가 없는 외국어 학습 환경에서는 말하기 학습에 비용과 시간을 투자하기보다는 읽기와 쓰기를 중심으로 하는 뉴 리터러시 교육을 충실히 하는 것이 비용적인 면에서도 경제적인 투자이며, 교육적으로도 더 효과적인 초등영어 교육이 된다는 말이다. EFL 환경에서 초등영어 말하기 교육은 큰소리로 모델 읽기 교육을 강화해서 다양한 주제의 어휘와 표현들에 노출하는 것이 보다 더 올바른 교수학습 방법일 수 있다. 초등학교 영어교과 리터러시 교육에서는 큰소리 읽기를 강화하고, 수준 높은 말하기는 나중에 꼭 필요한 시점에 확실한 동기부여가 있을 때 배우고 사용하는 것이 언어습득에도 효과적일 수 있다.

　　전통적 3Rs 리터러시 교육에서 읽기의 중요성은 초등영어 교과목도 주제통합 리터러시 수업으로 이끌어져야 할 근거를 제시한다. 21세기 국제화 사회에서 잘 살아가야 할 초등학교 학생이 갖추어야 할 기초영어 능력을 길러내야 하는 초등영어 교육은 더 이상 외국어로서 언어자체에 초점을 둔 언어교육이 되어서는 한계가 있다. 차라리 다양한 매체 활용학습으로 교과목과 연계한 내용학습에 초점을 두고 읽고, 찾고, 융합하여 창의적으로 표현하는 뉴 3Rs 리터러시 교육으로 이끌어져야 한다. 그러기 위해서는 영어로 쓰인 수많은 디지털 매체 영어 텍스트에 노출시킬 필요가 있다. 12세 이하 어린이를 대상으로 하는 초등영어교육은 국어 리터러시 교육과 같은 맥락에서 뉴 3Rs 리터러시 교수학습 과정으로 이루어져야 한다는 점을 강조한다. 이제는 초등영어 교육도 주제통합 교과과정의 문제해결 학습을 위한 언어수단으로서 다양한 디지털 매체 영어 텍스트를 읽는 뉴 3Rs 리터러시 교수학습 과정으로 이루어져야 할 필요가 있다. 무엇보다 우리나라 초등학교 영어교육은 영어가 주제통합 학습을 위한 수단이 될 수 있도록 다양한 매체 영어 읽기활동을 통한 뉴 3Rs 리터러시 교수학습 방법으로 이루어져야 할 때라고 본다.

다양한 매체 영어 정보읽기를 통한 뉴 리터러시 교육이 교과목 통합학습의 수단이다.

　　미국의 CCSS나 우리나라 초등학교 주제통합 교육과정에서 다양한 매체 활용학습이 강조되면서 언어교육과 다른 교과학습을 통합하는 교수학습에 대한 관심이 높아지고 있다. 전 세계 언어교육도 언어학습과 교과목 내용학습을 통합하는 추세를 보이고 있다. 미국의 내용중심 학습CBI : Content Based Instruction이나 유럽의 내용언어 통합학습CLIL : Content Langauge Integrated Learning에 따라 우리나라 초등학교 영어교육도 언어학습과 다른 교과목 내용학습을 통합하는 학습이 중요해졌다. 이러한 의미에서 영어수업과 교과목 수업을 다양한 매체 읽기를 통해 통합하는 것은 초등학교 주제통합 리터러시 교육에서 의미 있는 활동이 될 수 있다. 새로운 CCSSCommon Core State Standard 에 따르면 다양한 매체 읽기를 통하여 언어수업이 내용기반 학습을 위한 수단이 될 수 있다는 점이 강조되고 있다.

언어수업이 모든 과목학습을 위한 수단이 되는 방법에 대하여 많은 연구가 있어 왔다Allington & Cunningham, 2007; Routman, 2003. 이러한 연구에서 보여준 것은, 많은 학교들은 초등학생이 세상에 대해 깊이 생각하도록 이끄는 수단으로 언어수업을 사용하는 장소가 되지 못하고 있다고 지적한 것이다. Allington과 Cunningham2007에 따르면, 몇 년 동안 미국 초등학교에서 리터러시 수업이 지식은 무시되고 언어스킬에 초점을 두고 운영되어 왔다고 지적한바 있다. 특히 리터러시 교육이 "언어교육만 강조하고 주제관련 내용학습은 무시해온 듯하다."라고 강조한다. 그리고 과학이나 사회과목에서 배워야 하는 필요한 지식을 리터러시 교육과 연결시키지 못하고, 특히 저학년에서 는 거의 무시된다Allington & Cunningham, 2007고 지적한다.

미국에서 The No Child Left Behind Act of 2001NCLB, 2002 정책은 교과과정의 분열을 악화 시켜왔다. Jonathan Kozol2007에 따르면, 미국 초등학교 교사들은 국가에서 치르는 기본적인 리터 러시 시험을 위해 학생들을 훈련시키면서 매일 2시간씩은 다른 교과수업을 방치하고 있다고 지적 했다. 그들은 시험 전 3달은 시험점수를 올리기 위한 시험 준비만을 한다고 말했다. 게다가 애틀랜 타Atlanta에 있는 학교들은 의도적으로 운동장을 없애고 있으며, 이는 시험 점수를 올리는 일 이외 에는 어떤 시간도 낭비하고 싶지 않아서라고 강조한다. 미국 공교육이 시험 위주 학습을 강조하면 서 유치원 아이들에게도 시험 준비를 시켜주는 유치원들이 운영되고 있다며 미국의 공교육의 위기를 지적하였다. 그리고 미국의 공교육은 비전통적인 방식으로 자란 비전통적인 학생들을 위 한 교육을 전통적인 교수법으로 지도하고 있는 실정이라고 강조한다.

2001년에 재정된 NCLB 이래 미국 학교에서는 사회과목이나 과학과목 수업에도 동등한 배 분이 있어왔다. 그런데 최근에는 오직 수학과 읽기인 3Rs 교과 관련해서만 매해 국가단위의 권위 있는 평가를 실시하고 있다. 때문에 NCLB 이후 10년 간 과학뿐 아니라 사회과목은 많은 학교에 서 밀려나고 있는 상태가 되고 있는 실정이다. 이러한 현상은 많은 학교들이 국가평가에서 학생들 의 성취수준에 따라 학교순위가 결정되다보니, 학교 가치를 높이기 위해 교육의 본질을 무시하고 학생들의 3Rs 리터러시에 대한 국가시험 점수를 올리는 데 열을 올리고 있다고 지적한다. 그래서 대부분 학교들의 관심은 학생들이 치르는 리터러시 시험과목에 초점을 두게 된다. 이러한 점은 리터러시 교육이 교과목 학습의 매개로 통합되지 못하고 있기 때문이라는 점을 지적한 대목이다.

The Center on Education PolicyCEP, 2008는 NCLB 법령 시행 이래 교육과정과 수업의 깊이

와 빈도수에서 변화를 보기 위해 5년간 연구를 시행했다. 연구 결과에 따르면 수학과 의사소통을 위한 영어수업 시수는 증가해왔고 다른 교과목 수업시간은 줄어들었다고 보고한바 있다. 특히 사회과목 수업은 줄어들고 있고 시험 준비 과목인 영어수업과 수학수업을 늘리면서 사회과목 수업을 대신하고 있었다고 보고하고 있다. 영어나 수학과목 외에 사회수업 시수 양을 줄이는 것은 역사, 경제, 지리, 시민의식에 대하여 거의 배우지 않은 초등학생들이 고등학교에 들어가는 수가 점점 증가하고 있다는 것을 의미한다. 초등학교 학생들은 우리의 미래이고 그들은 다음 세대에 민주주의 전통을 전하도록 기대되는 사람들이 되어야 한다. 그런데 초등학교 공교육은 미래 건강한 시민으로 성장될 수 있는 기본교육을 해내지 못하고 있다는 점을 의미한다.

다양한 디지털 매체를 활용한 리터러시 학습을 매개로 과학이나 사회과목 등을 주제통합 학습으로 운영하는 것은 초등학교 리터러시 교육에 생명력을 불어넣는 일과 같다. 특히 언어학습과 사회과목의 통합은 미래 시민이 될 학생들을 준비시키는 교육을 이끈다. 초등학교 주제통합 교과수업에서 언어만을 강조하고 교과목 지식을 소홀히 하는 것은 미래 시민으로 학생들이 갖게 되는 권한을 빼앗는 일일지도 모른다. 주제통합 학습에서 다른 교과목 수업시간을 줄이면서 국어나 수학 같은 기본 리터러시 교육에만 더 많은 시간을 할애하고 있다는 사실은 바람직한 초등학교 리터러시 교육방향이 아니다. 이렇듯 초등학교 교육과정에서 언어국어와 영어나 수학만을 강조하고 다른 교과목을 소홀히 하는 비슷한 현상이 최근 우리나라 초등학교에서도 나타나고 있다. 이렇듯 부조화된 초등학교 언어 리터러시 교육과 교과내용 교육이 상호 융합되어 조화로운 균형을 갖추기 위해서는, 국어나 영어 같은 언어수업에서 다양한 매체 읽기를 활용한 뉴 리터러시 교육이 타교과목의 융합을 위해 중요한 매개수단이 될 수 있다는 점을 시사한다.

미국에서 45개 주는 The Common Core State Standards CCSS, 2010 교육과정을 위한 표준으로 채택해오고 있다. 게다가 CCSS는 "언어 리터러시 학습은 모든 교과 콘텐츠의 핵심이다" CCSS, 2010,3라는 설명으로 언어 리터러시 수업과 교과목 지식의 통합을 예견하고 주장한다. 이처럼 CCSS는 내용기반 교과지식에 대한 학습도구로서 다양한 디지털 매체 읽기 리터러시를 강조한다. 이로써 역사나 사회·과학 같은 교과목에서도 다양한 디지털 매체 텍스트를 읽음으로써, 학생들은 다양한 배경지식과 언어지식을 동시에 갖추게 된다. 결과로서 주제통합 교과학습에서 다양한 디지털 매체 텍스트를 더 많이 읽음으로써 더 나은 읽기능력을 갖추기 위한 배경지식과 기초 언어지식을 쌓게 해준다 CCSS, 2010, 10.

The National Council for Social Studies NCSS, 1994에 의해 채택된 초등학교 교과과정 표준들은 다양한 디지털 매체 읽기를 통한 교과목 주제통합 뉴 리터러시 교육에서도 다음과 같은 스킬

발달을 위해 중요하게 작용된다.

1) 정보를 얻고 데이터를 다루고 조작하는 스킬
2) 정책·논쟁과 스토리를 개발하고 표현하는 스킬
3) 새로운 지식을 구축하는 스킬
4) 그룹에 참여하는 스킬

첫째, 정보를 얻고 데이터를 조작하는 스킬acquire information and manipulate data을 발전시키기 위해 교사들은 학생들의 다양한 뉴 리터러시 스킬을 증가시킬 필요가 있다. 교사는 교과목 주제관련 인쇄 매체 정보와 다양한 디지털 매체 정보를 읽으면서 정보를 찾고, 사회·과학교과와 관련된 기술적 어휘와 교수방법을 사용한다. 그리고 다양한 매체를 사용하면서 학생들이 다양한 매체 정보들을 융합하여 창조적으로 표현하는 뉴 리터러시 스킬을 향상시킬 수 있다.

둘째, 정책·논쟁과 스토리를 개발하고 표현하는 스킬i.e., develop and present policies, arguments, and stories은 글쓰기 과정을 통해 발전한다. 그리고 학생 개인이나 사회가 보다 나은 적당한 결정을 하기 위해 다양한 매체 정보를 분류하고, 통합하고, 분석하고, 요약하고, 평가하고, 표현하는 뉴 리터러시 스킬이 길러질 수 있게 된다.

셋째, 새로운 지식을 구축하는 스킬은 타과목과 주제통합 학습을 통해 학생들이 익숙하지 않은 정보들을 개념화하는 데 도움을 줌으로써 발전될 수 있다. 교사들은 학생들이 다양한 매체 정보와 타 과목과의 통합학습을 통해 원인과 결과 관계를 구축하고, 정보나 논쟁의 타당성을 결정하고, 새로운 스토리·담화·그림이나 차트를 발전하면서 학생들을 도울 수 있다. 이러한 스킬들은 다양한 매체 읽기와 타교과목과 연계를 통해 사건, 아이디어나 사람들에 대한 학생들의 이해를 성장시킬 수 있게 한다.

마지막으로 새로운 지식을 구성하고 그룹에 참여하는 소통 스킬은 학생들이 그룹에서 도덕적 책임감을 인식하고 자신의 개인적인 생각이나 확신을 표현하도록 도와줌으로써 발전될 수 있다. 학생들은 도덕적 기준 때문에 개인의 입장에서 혼돈과 차이를 협상하는 기술을 배우게 된다. 그 결과 민주주의 사회에서 시민의식과 책임을 다할 수 있게 된다.

읽기 리터러시 전문가를 위한 국제읽기협회IRA : The International Reading Association 표준은 영어 과목과 다른 교과목을 통합하는 데 가능성을 제공한다. 읽기 리터러시 전문가들을 위한 IRA 표준들2010은 기초지식, 수업실제, 접근과 교수법, 교육과정 자료와 평가의 적절한 사용을 통합함으로써 읽기와 쓰기를 교육하는 뉴 리터러시 교육환경을 창조해야 한다고 주장한다.

IRA는 초등학교 주제통합 교과목을 가르칠 때 영어 과목을 수단으로 언어와 교과목의 통합을 옹호한다. 그리고 학교 교사를 준비하는 연수 프로그램들은 미래 교사들에게 영어 학습과 타 교과목 학습의 온·오프라인 매체 환경에서 통합의 중요성을 강조한다. 특히 교사연수 프로그램들은 교사들이 교과목과 언어 학습을 통합하기 위해 디지털 매체 읽기 스킬을 갖출 수 있도록 다양한 교수학습 방법을 제공하는 것이 중요하다.

교사들의 많은 노력에도 불구하고 교실수업에서는 언어학습과 교과목 학습과의 통합, 또는 타 교과목 간에도 다양한 매체 학습을 통한 통합이 사실상 이루어지지 못하고 있는 실정이다. 많은 연구들에서 보았듯이 교사들은 여전히 학생들의 시험성적에 초점을 둔 인쇄 매체 기반 교수학습으로 언어수업을 교과목과 분류하여 언어 점수에 초점을 둔 언어연습 수업을 운영하고 있다. 우리나라 공교육 언어수업도 언어연습에만 초점을 둔 인쇄 매체 기반 언어학습만을 고집한다면 초등학교 뉴 리터러시 학습의 미래는 희망을 보이지 못할 수 있다. 초등학교 뉴 리터러시 학습은 인쇄 매체 읽기와 디지털 매체 읽기를 연결하며 국어 리터러시 학습과 영어 리터러시 학습을 통합할 수 있고, 또한 이런 다양한 디지털 매체 읽기 활용을 통한 언어학습국어와 영어이 교과목 학습을 통합하는 수단이 될 때 초등학교 뉴 리터러시 교육의 긍정적인 목표를 성취하게 될 것이다.

21세기 뉴 리터러시 교육은 기존의 3Rs 리터러시 교육을 버리자는 것이 아니다. 다른 방식비판적 사고활동, 융합적 탐구활동, 협의적 소통활동, 창의적 표현활동에서 전통의 3Rs 리터러시 교육Basics을 사용하는 교육으로 이끌자는 것이다. 이 때 디지털 기술은 바로 초등학교 뉴 리터러시 교수학습 과정과 활동에 4Cs 과정을 접목해주는 도구로 사용된다. 디지털 기술은 기존의 3Rs 리터러시 교육을 사용하면서 다른 교과목과의 통합을 추구하려는 도구나 수단이 된다. 그래서 디지털 매체 읽기를 활용하는 뉴 리터러시 교수학습 활동은 기존의 3Rs 리터러시를 4Cs 과정을 통해 확장하고 표현하여 전달하는 가장 적절한 교수학습 도구가 되는 것이다.

존 듀이의 명언은 미래 교육을 어떻게 해야 하는지에 대해 다시 생각하게 한다. "오늘의 아이들을 어제처럼 가르치면 이는 아이들의 미래를 빼앗는 것이다."If we teach today's students as we taught yesterday's, we rob them of tomorrow.

결국 초등학교 뉴 리터러시 교육의 미래 방향은 1)과거 교사중심의 강매식 교수학습 방법에서 벗어나 학습자 주도식 교수학습 방법으로, 2)암기중심의 형식적 교수학습 방법에서 소셜 네트워킹을 통한 경험적 교수학습 방법으로 실행되어야 한다. 이러한 실천을 위해, 우리나라 초등학교 주제통합 교육에서도 언어학습과 교과목을 통합하는 다양한 매체 활용 교육이 매 교과수업에서 이루어져야 한다는 점에서는 이견이 있을 수 없다. 미래 뉴 리터러시 교육이 영어교육과 타 교과학습을 통합하는 학습자 주도적 문제해결식 교육이 되기 위해서는 다음과 같은 교수학습 전략이 포함되어야 한다.

1) 지식전달보다 질문으로 시작하며,
2) 제시하는 수업방식보다 놀이하는 게임방식이 되도록 다양한 문제해결 활동으로 유도하고,
3) 뭔가를 가르치기보다는 학습자를 몰입시킬 수 있는 다양한 매체 활용에 참여하는 교수학습 활동이 되어야 한다.

* 출처 : Education innovation in the slums(TED)

이로 보아 다양한 매체 읽기 학습활동을 통한 언어학습과 교과목 통합학습을 이끄는 미래 초등학교 뉴 리터러시 교육의 방향은 다음과 같은 3가지 교육적 핵심을 그 바탕에 둔다.

첫째, 교사나 학부모의 단계적 협조로 학습자 주도적 문제해결식 학습을 이끈다. 고기를 잡는 방법을 알려주고 학습자가 직접 고기를 잡기 위해 찾아나서는 교육이다. 즉 스스로 방법을 찾고 터득하는 탐구교육이며 참여교육이 되어야 한다.

둘째, 학생들이 필요로 하는 것과 학습목표를 구체화하여 학습자 스스로 학습동기를 갖고, 학생 스스로 문제를 제기하도록 이끈다. 그 결과 학생들은 '왜'와 '어떻게'라는 질문으로 답을 찾아가는 인터넷 탐구학습을 이끈다.

마지막으로 수학, 과학, 사회, 예술 등 초등학교 주제통합 교과과정을 통해 창의·융합적 인재로 양성하는 언어국어와 영어학습과 교과목 학습을 다양한 매체 읽기 학습으로 통합하는 뉴 리터러시 교육이 되어야 한다.

지금까지의 전통적인 리터러시 교육은 다른 나라의 문화를 이해하는 데 초점을 맞춰왔던 것이 사실이다. 이제 초등학교 뉴 리터러시 교육은 다른 나라 문화에 대한 이해를 넘어 우리 문화에 대한 지식을 갖고 전 세계인과 만나 우리 문화를 설명할 수 있는 폭넓은 주제관련 지식을 쌓는 데 초점을 둔 주제통합 초등영어 뉴 리터러시 교육이 되어야 한다.

미래 초등학교 뉴 리터러시 교육의 전략 방향은 언어국어와 영어교육과 교과목 내용을 다양한 매체 읽기 활용학습으로 통합하는 뉴 리터러시 능숙도에 초점을 두어야 한다. 기존의 초등학교 리터러시 교육은 교사주도하에 지식을 전달하고 학생들은 전달받은 지식을 암기하고, 성적을 위

해 하나의 정답을 찾는 교육이었다. 특히 적극적인 참여교육이기보다는 수동적인 듣는 교육, 다른 사람과 함께 협동하는 교육이 아니라 혼자 하는 공부_{외우고, 시험보고, 잊어버리고, 다시 외우고}를 하면서 학생들에게 교과목 학습은 지겨운 공부가 되어왔다.

미래 초등학교 뉴 3Rs 리터러시 교육은 디지털 매체 환경에서 다양한 매체 읽기를 통해 비판적 사고력, 융합적 탐구력과 창의적 표현력을 길러내는 뉴 리터러시 교육으로 강화되어야 한다. 다양한 매체정보 환경에서 스스로 문제를 제기하고 다양한 답을 찾는 건강한 배움의 경험을 통한 탐구과정으로, 다양한 매체 읽기를 통해 언어교육과 교과학습을 통합해내는 뉴 리터러시 교육이 되어야 한다. 그리고 문제에 대한 해결책을 찾기 위해 동료들과 서로 협동하며 디지털 기술을 통해 서로의 생각을 공유하면서, 성공의 경험을 느끼고 즐기는 학생 주도적 학습이 되어야 한다.

미래 초등학교 영어수업은 기존의 3Rs 리터러시 학습 내용과 디지털 매체 정보 읽기 내용을 접목하고, 초등학생들이 살아가는 데 필요한 21세기 4Cs 스킬을 교과목 수업과정에 녹아내는 주제통합 뉴 리터러시 교수학습 활동이 주어지길 기대한다. 왜냐하면 초등학교 영어교육과 주제 통합 학습에 기존의 3Rs 리터러시 학습과 21세기 역량인 4Cs 스킬을 통합한 뉴 3Rs 리터러시 교수학습 전략과 방법을 접목하는 것은 초등학생들을 창의·융합적 인재로 성장시키기 위한 준비이기 때문이다. 초등영어 교육과 주제통합 수업의 결합은 뉴 3Rs 리터러시 능력을 어떻게 삶의 일부로 받아들이도록 생활화하고 글로벌화 할 것인가에 초점을 두어야 한다. 이를 위해 초등학교 교사와 부모들은 학생들이 영어로 쓰인 다양한 매체의 글을 읽어내는 능력과 글로벌 세상의 다양한 정보읽기의 즐거움을 깨닫고 즐길 수 있도록 도와주는 결정적 역할을 해야 할 때이다.

III. 누가(Who) : 뉴 리터러시 교육은 누가 코칭하는가?

Unit 01.
초등학교 뉴 리터러시 교육은 누가 코칭해야 하는가?

01. 뉴 리터러시 코칭이란?
02. 뉴 리터러시 전문코치로서 교사
03. 뉴 리터러시 학습코치로서 부모

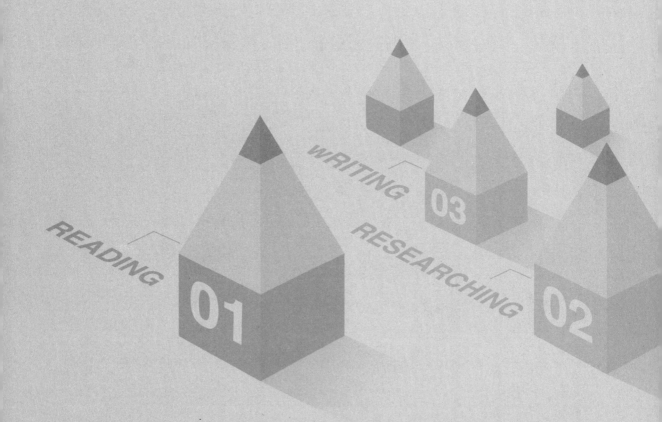

01. 뉴 리터러시 코칭이란?

▌뉴 리터러시 교육에서는 가르치지 마라. 코칭을 하라.

최근 교육 분야에서도 코칭이라는 단어가 자주 등장한다. 그런데 교육 분야에서 코칭은 새로운 용어가 아니다. 코칭이 교육학적으로 사용되는 학습코칭이라는 방법론적 접근도 급작스럽게 만들어진 것이 아니다. 고대 그리스 철학자인 소크라테스의 '문답법'이 현대 학습코칭의 근거로 소개되고 있다. 존 휘트모어2007는 코칭은 새로운 개념이 아니라 소크라테스가 2000년 전에 코칭과 같은 방법을 행하고 있었다고 언급한 바 있다. 이렇듯 코칭개념은 넓고 깊은 철학적 뿌리를 갖고 있다. 따라서 이러한 코칭을 교육학 분야에 적용하여 학습자의 효과적인 학습 성과를 이끌어내는 교수학습 방법으로 승화될 수 있는 충분한 가능성이 있다.

코칭이 교육과 접목하여 교수학습의 효과적인 도구로 사용되기 위해서는 교육자들이 알아야 할 점들이 있다. 코칭이 교과목 간 융합을 이끌어내는 매체가 될 수 있다는 점이다. 이러한 점에서 코칭은 주제통합 학습에 접목하여 학문간 적극적 교류의 발판을 마련해주는 도구가 될 수 있다. 그래서 코칭은 특정분야의 학문이라기보다, 모든 분야의 통합학습이나 초등학교 주제통합 교과목 학습을 효과적으로 이끌어가기 위한 교수학습 방법이며 전략으로 발전될 수 있다.

코칭이 교육 분야에서 교수학습 방법이나 전략으로 적용하기 위해서는 무엇보다 먼저 코칭에 대한 올바른 이해와 명확한 정의가 필요할 것 같다. 원래 코치coach는 헝가리의 마차라는 의미에서 유래되었다양병현, 2009. 마차coach는 손님을 현재 위치에서 원하는 목적지까지 손님이 원하는

길로 데려다준다. 그리고 기차train는 스케줄에 맞춰 정해진 길을 따라 목적지에 도달한다. 이러한 의미 차이에서 트레이닝training보다는 코칭coaching이 교육학적으로 더 자연스럽게 접목될 수 있다. 예를 들어, 코칭은 같은 목표를 향해 가더라도 마차처럼 학습자의 수준에 맞도록 학습자가 원하는 방식으로 학습자의 목적지를 향해 가는 동안 학습자가 스스로 학습방법도 택할 수 있다. 하지만 트레이닝은 다른 학생들과 동승해서 학교나 교사가 정한 방식으로 학교가 향하는 목적지에 도달하게 된다. 이렇듯 학습 목표를 향해 어떤 방법으로 학습자를 이끌어갈 것인가 하는 점에서 학습 코칭은 학습자 중심의 교수학습 방법과 전략으로 학습자를 이끌어가는 교육이 될 수 있다.

교육적 관점에서 코칭이 교과목 수업의 교수학습 방법과 과정으로 적용되기 위해서는 코칭에 대한 교육학적 정의를 좀 더 명확히 할 필요가 있다. 그렇게 함으로써 언어 리터러시 교육이 교과목 학습과의 통합을 이루기 위해서 코칭이 어떻게 쓰이고, 어떠한 역할을 할 수 있는지를 구체화할 수 있다.

코칭이라는 단어를 처음 접하는 사람들에게 코칭은 운동선수를 길들이는 코치 스텝을 생각하게 할지도 모른다. 왜냐하면 코칭이란 단어는 이미 축구 같은 스포츠 업계에서 널리 쓰이고 있기 때문이다. 그런데 지금은 코칭이란 용어가 점차 다양한 분야에서 심리 코칭·스포츠 코칭·복지 코칭이라는 용어로 사용되고 있으며, 대상과 주제에 따라 멘토 코칭·리더십 코칭·라이프 코칭·감성 코칭·가족 코칭·기업 코칭 그리고 학습 코칭이라는 다양한 영역에서 코칭이라는 용어가 사용되고 있다. 앞으로 더욱 더 다양한 영역에서 코칭이란 접미사를 달고 다양한 영역으로 확산되어갈 것으로 예측된다.

그러다 보니, 코칭이란 용어에 대한 정의는 더욱 더 다양해지고 있다. 하지만 코칭이 여러 분야에서 접목되면서 긍정적인 점도 있지만, 코칭을 처음 대하는 사람들에게는 혼동을 일으킬 수도 있다. 코칭이 여러 분야로 확산되면서 코칭 자체가 갖는 긍정적인 개념이 희석되기도 한다. 코칭이 보다 더 넓은 영역에서 바람직한 방향으로 활용되기 위해서는 코칭에 대한 정확한 이해가 더 필요하다고 본다.

코칭이란 코치가 피코치자에게 자신의 능력을 스스로 개발하고 성장시킬 수 있도록 잠재력을 끌어주는 과정이다. 코치는 무엇인가를 가르쳐주는 사람이기보다는 피코치자가 배우고 성장하고자 하는 과정에서 도움을 주는 역할을 한다. 그래서 피코치자가 자신의 무한한 가능성을 인지하고, 자신감을 갖고 역량을 강화함으로써 원하는 목표에 도달하도록 도와준다. 이렇듯 코칭은 피코치자의 성장을 도와주는 과정이며, 성장과정을 이끌어가는 방법이다. 이러한 코칭과정과 방법을 통해 피코치자는 자신이 목표한 실천적인 행동을 할 수 있게 된다.

한편으로 교육업계에서 학습코칭 또는 교육코칭이라는 단어를 접목하는 데는 아직 어색한 점이 없지 않아 보인다. 코칭의 역사가 우리나라 교육계에서는 아직 낯설게 느껴질 정도로 역사가 길지 않기 때문일지도 모른다. 교육 분야에서 교수학습 과정이나 방법으로서 코칭의 접목은 교육학의 다양한 영역으로 활용할 가능성을 예측하게 한다. 하지만 우리나라의 전통적 교육방법이 워낙 암기위주로 교사 주도적인 강력한 방법에 익숙해왔고, 암기를 강요하는 훈련과 같은 교육방법에 익숙한 피교육자들에게 코칭적 교수학습 방법은 아직 낯설기도 하고 학습 성과에 대한 불안감을 갖게 할 수 있다. 특히 자녀의 성공적인 삶과 연결되는 교육 분야에서 학습 성과에 대한 검증이 미약하고 불확실한 코칭 방법을 접목했을 때 피교육자나 학부모 입장에서는 많은 불안감을 느낄 가능성이 높아 보인다. 학부모뿐 아니라 교육자들에게도 이러한 불안감은 마찬가지일 수 있다. 최근 교과목 간 통합운동이 일고 있는 교육적 상황에서 코칭이라는 미래형 교수학습 방법의 도입과 접목은 교육 관련자들에게는 모험이며 새로운 도전을 의미할 수 있다. 또한 코칭이 교육과 접목했을 때 학습 성과에 대한 연구결과 검증이 미약한 점이 아직 신뢰를 얻지 못하고 있다. 이러한 현상이 지속된다면 학습자 주도를 이끌고, 학습의 책임이 학습자에게로 전이되는 학습코칭이 교육영역에서 정착하기는 쉽지 않은 일이 될 수 있다. 또한 학습코칭이 제대로 이루어지지 못하고 발전할 수 있는 기회를 놓치고 묻히게 되어버릴 가능성이 높다. 특히 코칭이라는 분야가 학문적 이론이나 학문적인 입지를 갖추지 못하고 있고, 코칭에 대한 이론적 배경이 대학이나 교육기관이 아닌 코칭 회사나 전문코치들에 의해 자체 교육이 이루어지고 있는 실정이다. 앞으로 이러한 상황을 고려할 때, 코칭이 교육이나 학습과 접목하기 위해서는 학습 성과에 대한 연구결과를 통한 검증이 더욱 절실해지고 있다. 이를 위해서는 무엇보다 코칭의 원래 의미를 명확히 이해하고 본래 취지에 맞도록 학습에 적용하는 것이 중요하다. 그러한 의미에서 코칭이 교육영역에서 효과적으로 통합되기 위해서는 Laura Witworth가 제창한 코칭의 4가지 원칙을 명심해야 할 필요가 있다.

1) 피코치자학습자는 본래 창의적이고 지적 능력을 갖추고 있으며 완전한 존재이다.
2) 코칭 주제는 피코치자학습자가 결정한다.
3) 코치교사와 피코치자학습자와의 관계는 맞춤식 협력관계이며 신뢰가 기본이 되어야 한다.
4) 문제에 답은 코치교사가 갖고 제공하는 것이 아니라, 피코치자학습자가 찾는 것이다. 코치교사는 피코치자학습자가 답을 찾도록 질문을 줄 뿐이다.

결국 학습코칭은 학습자 개개인이 스스로 성장하도록 도와주기 위해 학습자가 필요한 기회와 수단을 제공해주는 과정이며 방법이라 할 수 있다. 하지만 코칭은 분야나 학계에서 통일된 정의가 없다. 어떤 분야에서 어디에 초점을 두느냐에 따라 다양한 정의를 내리기도 한다. 많은 정의 중 공통점은 구성원과의 커뮤니케이션을 통해 서로 존중하며 학습자의 요구에 관심을 가지는 학습지원 과정이라는 점이다. 이러한 정의가 코칭이 교육 분야에서 적용하는 데 긍정적인 시각이 될 수 있다.

교육 분야에 접목할 수 있는 긍정적 관점에서 코칭에 대한 정의는 개인의 변화와 발전을 지원하여 잠재력을 극대화시키며, 이를 통해 학습자를 자기 주도적으로 학습을 이끄는 선도자로 성장시키는 교육 파트너십 과정이다. 무엇보다 교육 분야에서 코칭에 대한 정의는 Stowell에 의한 정의를 들 수 있는데, 코칭은 목표설정 · 방향제시 · 동기부여 · 가르치기 · 피드백 · 인간관계를 의미한다. 학습코치는 학습자와의 파트너십을 강조하고 학습자의 니즈needs에 대한 관심을 집중해야 한다고 강조한다. 코칭은 학습과정과 방법적 모델로서 학습자의 학습을 위해 무엇부터 해야 하는지, 무엇을 다루어야 하는지에 대하여 단계적인 제시를 주고 각 단계에 필요한 기법을 제시한다. 학습코칭에 활용할 수 있는 5단계는 다음과 같다. 이는 도미향2010이 제시한 한국코칭협회 코치 모델의 예이다.

한국코칭학회 코치 대화 모델 5단계 (도미향, 2010)

1단계	2단계	3단계	4단계	5단계
주제 불러오기 (call)	강점 찾기 (open)	목표 실천하기 (aim)	지원 찾기 (catch)	목표 달성하기 (high)
경청하기	질문하기	정보주기	지지하기	S-T-C 기법

1단계는 주제 불러오기 단계로 피코치자의 문제나 욕구를 파악한다. 2단계는 강점 찾기 단계에서 질문을 통해 문제해결을 위한 가능성을 발견할 수 있다. 3단계는 목표 실천하기 단계로 성취목표를 설정하고 목표성취를 위한 구체적인 계획을 수립한다. 4단계는 지원 찾기 단계로 목표성취를 위한 피코치자의 지원을 발견하고, 코치의 책무성을 높이며 상사 · 동료 · 가족 등의 인적자원과 물적 자원을 확보한다. 5단계는 목표 달성하기 단계로서 실천의지를 확인하고 실천할 수 있도록 인정하고 지지함으로써 피코치자가 문제를 해결하거나 성공적인 삶을 영위할 수 있도록 하는 데 기여한다.

도미향의 5단계 코치 대화 모델을 묻고, 탐구하고, 쓰는 뉴 리터러시 학습코칭 과정과 접목하면 다음과 같은 뉴 3Rs 리터러시 교수학습코칭과정으로 발전될 수 있다.

뉴 리터러시 코치의 학습코칭 5단계

1단계	2단계	3단계	4단계	5단계
문제점 경청	구체화 질문	탐구활동 지원하기	피드백 주기	문제해결 확인하기
경청하기	질문하기	실천하기	지지하기	목표달성
문제제기	비판적 읽기	탐구하기	융합적 사고하기	창의적 쓰기

학습코칭 1단계는 학습자가 제기한 문제가 무엇이고, 어떤 도움을 원하는지를 말하도록 이끌고 이를 경청한다. 2단계는 문제해결을 위해 방법을 구체화하고 해결 가능성을 발견할 수 있는 질문으로 학생들의 비판적 읽기를 돕는다. 3단계는 문제해결을 위해 문제점을 명확히 하고, 이를 위해 무엇을 달성해야 하는지 목표에 따른 구체적인 탐구계획과 탐구활동을 실천하도록 지원한다. 필요에 따라 인터넷에서 정보를 찾아 탐구적 읽기를 하도록 돕는다. 4단계는 스스로 자원을 찾으면서 목표성취를 위해 다양한 자원을 통합하여 자신의 생각을 정리하도록 지지하고 격려한다. 5단계에서는 문제해결을 하고 성공적인 결과를 이끌어낼 수 있도록 기여한다. 이러한 뉴 리터러시 5단계 학습코칭 과정을 거치면서 학습자는 다양한 매체 읽기활동을 통한 언어학습과 교과목의 주제통합 학습을 통해 학습자가 원하는 문제에 대한 답을 스스로 찾고 해결해갈 수 있게 된다.

특히 뉴 리터러시는 모든 학문의 기본인 읽고 쓰는 활동으로, 다양한 매체 정보를 표현하고 있는 언어기호를 통해 얻은 정보와 머릿속 이미지를 다른 언어로 변형시켜 표현해내는 능력이라 할 수 있다. 그렇다면 뉴 리터러시 코칭은 다양한 매체 정보를 제대로 읽고 쓰는 활동을 도와주는 일이라 하겠다. 즉, 특정 주제관련 내용에 대해 잘 알고서 학습자의 수준에 맞는 주제관련 매체 정보자료나 교재·사이트 및 그 외 다양한 매체정보를 지원한다. 또한 바르고 빠르게 읽도록 도우며, 정확한 지식을 파악하고 개념을 이해해서 자기 방식으로 설명하고, 실생활이나 다른 스토리에 적용하도록 이끈다. 특히 초등학교 주제통합 교과학습에서 뉴 리터러시 코칭 활동은 학생들의 언어학습과 교과목 학습의 통합을 격려하고 동기부여 한다.

그리고 뉴 리터러시 학습코칭은 학습자가 원하는 대로 학습자의 학습활동을 도와주는 과정이며 방법이다.

이러한 점에서 뉴 리터러시 학습코치가 학습코칭해야 할 일은 다음과 같다.

1) 뉴 리터러시 학습코치는 프로그램을 설계할 수 있어야 한다. 특히 학생들의 능력과 소질을 고려하여 다양한 매체를 읽고 쓰는 교수학습을 위한 프로그램을 설계해야 한다.

2) 뉴 리터러시 학습에 대한 평가체제를 수립해야 한다. 뉴 리터러시 교사가 학습설계에 따른 학업성취 향상을 점검할 수 있는 평가 시스템을 수립해야 한다.

3) 뉴 리터러시 교육과정에 대한 개혁을 해야 한다. 모든 학생들이 특정 지식에 대해 다양한 매체 정보를 제대로 읽어내고, 비판하고, 통합하고, 평가하여 창의적으로 표현해낼 수 있도록, 교육부 지침과 학습목표를 검토하고 명확히 해야 한다. 그리하여 도달하고자 하는 목표를 향하여 시행 절차를 구체화해야 한다.

4) 뉴 리터러시 교수학습 방법과 전략에 대해 재설계해야 한다. 학생들의 학습목표에 따라 학습자의 뉴 리터러시 학습활동을 이끄는 총체적인 교수학습 활동을 재설계해야 한다.

5) 다양한 매체 학습자료를 선택하고, 학습자 자신의 생각을 표현하도록 이끄는 교수학습 과정을 설계해야 한다. 뉴 리터러시 학습코칭의 핵심은 다양한 매체를 제대로 읽어내는 읽기 교육, 학생들의 수준별·영역별·연령별 등 다양한 매체 기반 학습자료를 선택하고 학습 운영체계를 구축하는 것이다.

결국 초등학교 뉴 리터러시 교육의 목표는 다양한 매체 정보에 대한 해독능력을 넘어 사회구조나 현상을 비판적으로 읽고, 통합하고, 평가하여 재생산해내는 능력을 갖추며, 개인적 능력이나 사회를 움직이는 능력·시민의식을 갖도록 하는 능력을 갖추도록 키워내는 데 있다. 이를 위해 초등학교 뉴 리터러시 학습코칭의 목표는, 다양한 매체 정보를 읽고 쓰는 뉴 리터러시 능력을 갖춘 창의·융합적 인재로 양성하기 위해 초등학교 주제통합 교과목에서 어떻게 교수학습 해야 하는지에 대한 교수학습 전략과 기법을 갖추는 것이다. 다시 말해, 뉴 리터러시 교육과정과 교수학습 모델을 갖추는 데 있다. 따라서 뉴 리터러시 교육의 책임은 학교의 교육철학과 행정적 지원, 교육청과 연계, 교사수업, 교사의 학습코칭 능력을 길러내는 데 있다. 그 결과 초등학교의 모든 교사가 뉴 리터러시 학습코치 자격을 갖추고 초등학교 주제통합 교육과정에 가장 적정한 뉴 리터러시 교수학습코칭 전문가가 되도록 뉴 리터러시 교육은 그 책임을 다해야 한다.

02. 뉴 리터러시 전문코치로서 교사

뉴 리터러시 교수학습코칭 스킬을 갖추어야 '초등학교 뉴 리터러시 전문교사'가 된다.

일반적으로 어떤 사람을 '전문가'라고 할 수 있을까? 어떤 분야에 "진정한 전문가이다."라고 말할 수 있는 사람은 어떤 사람인가? 특정분야에 대하여 풍부한 지식을 갖고, 대상에 따라 어린이에게는 어린 나이에 맞는 쉬운 어휘로 잘 알아듣게 간결하고 명확하게 설명하고, 대학생들에게는 그 수준에 맞는 적절한 어휘를 사용하면서 시대에 맞는 학습자료나 매체를 활용하면서 이해 가능하게 설명할 수 있는 사람일 것이다. 어떤 메시지도 자신의 전문분야에 맞는 메시지로 재창조해내는 능력, 그리고 이러한 자신의 생각과 메시지를 정확하고 명쾌하게 말과 글로 설명해내고 새로운 기술을 사용하며 자신의 생각을 소통해낼 수 있는 사람을 '전문가'라고 부른다.

전문가는 바로 뉴 리터러시 교육이 잘 된 사람이다. 뉴 리터러시 교육은 바로 세상을 제대로 읽어내고 자기 생각으로 재창조해서 제대로 표현하고, 지식을 인류가치에 기여하는 전문가로 길러내는 교육이라 할 수 있겠다.

뉴 리터러시는 모든 학문의 기본이 되는 다양한 매체 텍스트나 콘텐츠를 읽고 쓰는 활동이다. 다시 말해 언어기호체제를 통해 얻은 지식과 정보, 그리고 머릿속 이미지를 다른 언어로 변형시켜 표현해내는 과정이라 할 수 있다. 뉴 리터러시는 공부 못하는 학생들이 글자를 읽고 쓰게 할 수 있도록 도와주는 것 이상을 의미한다. '읽는다'는 말은 글자를 읽어내는 능력인 해독능력을 말하기도 하지만, 남의 글이나 말을 듣고, 또는 다양한 매체의 다양한 형태의 표현을 읽고 그 사람의 의도를 비판적으로 해석해서 재창조해낼 수 있을 때 제대로 '읽는다'고 말할 수 있다.

"넌 나를 제대로 읽지 못해."라고 말하는 것은 내가 말하고자 하는 의도를 제대로 읽고 해석해내지 못하고 엉뚱한 말이나 행동을 하는 경우를 말한다. 뉴 리터러시 능력은 바로 다른 사람의 글이나 말을 제대로 읽고, 상대의 생각을 재해석해서 다양한 형태의 언어형식으로 재생산해 표현해낼 수 있는 능력이다. 이러한 능력이 바로 초등학교 주제통합 교과수업에서 성취되어야 하는 초등교육의 학습목표이며 평가준거가 되어야 할 것이다.

'뉴 리터러시 코칭'New Literacy Coaching이란 다양한 텍스트나 콘텐츠를 제대로 읽고 쓰는 활동을 도와주는 일이다. 초등학교에서 학생들의 뉴 리터러시 활동을 도와주는 교사는 바로 '뉴 리터러시 코치'New Literacy Coach라 칭할 수 있다. 전통적인 리터러시 코치교사는 교실수업에서 일반적으로 다음과 같은 학생들의 교수학습 활동을 돕는 사람이었다.

1) 특정 주제관련 내용에 대해 잘 알고서,
2) 학습자의 수준에 맞는 관련 자료나 교재를 선정하거나,
3) 바르고 빠르게 읽도록 돕고,
4) 정확한 지식을 파악하도록 이끌고,
5) 개념을 이해해서 자기 방식으로 설명하도록 이끌며,
6) 실생활이나 다른 스토리텔링에서 적용하도록 이끄는 일이다.

하지만 뉴 리터러시 코치교사는 교실수업에서 학생들의 교수학습 활동을 돕는 내용과 방법이 전통적 리터러시 코치교사와는 사뭇 다르다.

1) 특정 주제관련 내용에 대하여 문제제기를 하거나 학생들의 문제제기를 돕고,
2) 학습자가 관심 있는 주제관련 자료를 탐구하는 교수학습 활동을 논의하고,
3) 탐구과정에서 인터넷 매체 정보를 추적하며 바르고 빠르게 읽도록 돕고,
4) 인터넷 매체 정보에 대하여 비판적으로 평가, 분석, 통합하도록 이끌고,
5) 개념을 이해해서 자기의 스토리로 재창조하여 인터넷 매체 활용을 통해 사람들과 공유하고 소통하도록 이끌며,
6) 이러한 지식을 실생활이나 다른 스토리텔링에 적용하도록 이끈다.

결국 뉴 리터러시 교육은 인쇄 매체나 디지털 매체를 통합하여 왜, 누가, 무엇을 어떻게 읽어내고이해하고 왜, 누가, 무엇을, 어떻게 소통하는가의 문제이다. 뉴 리터러시 교육학습코칭은 이러한

과정을 학생 스스로 해결하도록 탐구활동을 도와주는 일이며, 뉴 리터러시 교육_{학습}코치는 이러한 읽고, 탐구하고, 소통하기 위해 표현하는 일련의 교수학습 활동을 돕는 교사이다.

　　초등학교에서 뉴 리터러시 학습코칭 활동은 학생을 격려하고 동기부여 하여 학생 스스로 문제나 궁금증을 갖게 한다. 그리고 탐구활동을 통해 이러한 문제를 학생 스스로 해결하는 학습활동을 주도적으로 이끌며, 건전한 배움의 경험을 통해 건강한 시민으로 성장하도록 돕는 활동이다. 이는 곧 디지털 정보화 시대에 필요한 학생들의 뉴 리터러시 능력을 돕는 일련의 교수학습 활동이라 할 수 있다. 그리고 초등학교 주제통합 교과목의 내용을 폭넓게 이해하고 깊이 있는 지식을 쌓도록 읽고 탐구하고 쓰는 리터러시 능력을 코치가 코칭하는 행위이다. 뉴 리터러시 학습코칭은 학생의 개발과 성장을 목표로 적극적, 의도적, 체계적 및 조직적 지원으로 학생 스스로 생각하고 창조하여 문제해결책을 찾도록 돕는 지원행위라 할 수 있다.

　　학생들의 비판적이고 융합적인 사고로 창의적 문제해결 활동을 돕는 뉴 리터러시 교육코치가 하는 일은 학생들이 비판적 사고와 융합적 탐구활동으로 창의적 문제해결을 해 낼 수 있도록 끊임없이 질문을 던지는 일이다. 그리고 뉴 리터러시 교수학습 코칭은 학생들이 질문을 만들고, 주도적으로 답을 찾기 위해 다양한 매체 정보를 비판적으로 읽고, 협의적으로 탐구하고, 창의적으로 소통하도록 이끌기 위해 끊임없이 질문을 제기하는 지원활동이다. 이를 위해 초등학교 교사들은 모두가 뉴 리터러시 코치가 되어야 한다.

　　초등학교 뉴 리터러시 교수학습코치는 학생들이 주제통합 교과목 관련, 또는 특정분야에 대해 학생들이 스스로 궁금한 질문이나 문제제기를 하도록 이끄는 질문을 함으로써 뉴 리터러시 학습코칭을 시작한다. 문제해결을 위해 자료를 찾고, 교수학습 전략·방법·과정·활동을 기획하고 협의하고 평가하고, 학습자가 특정지식에 대해 제대로 읽고, 탐구하고, 표현하고, 실생활에 적용할 수 있도록 학습자에게 촉진자로서 뉴 리터러시 교수학습의 지원자가 되는 것이다.

초등학교 뉴 리터러시 코치의 교수학습코칭 활동

뉴 리터러시 코치의 코칭 활동	뉴 리터러시 교수학습 단계별 목표
학습 목표에 맞는 단계별 질문	1. 학습자 특정 주제에 궁금증, 질문, 문제 제기
	2. 관련 자료 찾기 위한 검색 엔진에 핵심어 만들기
	3. 디지털 정보 관리, 비판적 평가하기 4. 디지털 정보들 협의적 통합하기 5. 디지털 정보 창의적 표현으로 쓰기
	6. 디지털 매체 활용 소통하기

뉴 리터러시 교수학습코치가 해야 할 일은, 뉴 리터러시 교수학습 과정에서 학습자에게 가장 시급하고 긴급한 질문을 제시하는 것이다.

1) 학생들의 능력과 소질, 특히 호기심과 잠재력을 이끌어내는 탐구활동이 진행될 수 있도록 교수학습을 설계하고, 무엇보다도 먼저 교과목 주제관련 흥미·관심·방향을 제시해주는 표지판 같은 단서적 질문signpost questions을 만드는 일이 중요하다.

2) 효과적인 뉴 리터러시 교수학습 설계에 따라 학습자 주도의 탐구활동이 진행될 수 있도록 단계적 지원 질문scaffolding questions을 체계화한다.

3) 학생들이 특정지식에 대해 비판적으로 읽어내고, 판단하고, 분석하고, 통합하여 자신만의 독창적인 메시지로 설명하거나 표현할 수 있도록 돕는다. 이를 위해 교육부 지침과 학습 목표를 검토하고, 이에 맞는 다양한 매체 자료를 찾아 반영하고 대응하는 절차적 질문 sequencing questions을 제시하여 문제해결 절차에 맞는 교수학습 과정이 실행되도록 돕는다.

4) 학습목표에 따라 학습자가 탐구문제를 만들고, 인터넷을 통해 그에 맞는 교수학습 자료를 선택하고, 학생들의 생각을 글로 표현하도록 이끄는 뉴 리터러시 교수학습 과정을 설계하고 실행하도록 도와주는 뉴 리터러시 교수학습 활동이 제대로 실행되는지, 그리고 총체적 교수학습이 성공적으로 이루어졌는지를 검토할 수 있는 정리요약 질문summary questions을 제공한다.

5) 마지막으로 이러한 뉴 리터러시 교수학습을 통해 학생들의 학업성취 향상을 점검할 수 있는 평가체계를 수립하고 그에 대한 점검 및 확인 질문wrap up questions을 제공한다.

뉴 리터러시 교수학습의 핵심은 남의 글을 제대로 읽어내기 위해 질문을 만드는 묻는 읽기 리터러시, 읽기를 통해 고차원적 사고능력을 활용하며 문제해결 방식을 찾는 탐구 리터러시, 그리고 소통을 위한 쓰기 리터러시 능력을 향상시키는 일이다. 이를 위해 학습자의 수준별·영역별· 연령별 그리고 학습자의 흥미나 관심이 반영된 학습자료 선택과 학습 운영체계를 정립하는 일이 무엇보다 중요하다. 결국 초등학교 뉴 리터러시 교육의 목표는 다양한 매체 읽기 리터러시를 각 과목과 연계하고 통합하는 교수학습 전략과 기법을 개발하고, 초등학교 주제통합 교육과정을 반 영한 뉴 리터러시 교수학습 모델을 개발해 초등학교 뉴 리터러시 교육에 대한 책임을 다하는 데 그 목적이 있다. 그러기 위해서는 각 학교의 교육철학 및 행정적 지원, 교육청과 연계, 교사 수업, 그리고 뉴 리터러시를 교수학습 할 수 있는 교사들의 능력을 갖추는 일이 시급하다. 초등학교 뉴 리터러시 교육코칭에 대한 지식을 갖추었을 때 우리는 비로소 그들을 '초등학교 뉴 리터러시 전문교사'라고 칭하게 될 것이다. 따라서 초등학교 주제통합 수업을 진행하는 모든 교사는 인쇄 매체 리터러시와 디지털 매체 리터러시를 교과목 주제학습과 통합하는 문제해결식 뉴 3Rs 리터러시 교수학습 운영에 대한 자격을 갖추고, 초등학교 주제통합 교과목 학습에 적용하는 '뉴 리터러시 코칭 전문가'로서 '뉴 리터러시 전문코치'가 될 필요가 있다.

03. 뉴 리터러시 학습코치로서 부모

▎자녀의 미래는 뉴 리터러시 코치로서 부모도 책임 있다.

　　최근 서점에 나가보면, 자녀들을 미국 아이비리그IVY League나 서울대를 보낸 부모들이 나름의 자녀 교육방법에 대해 쓴 책들을 많이 접할 수 있다. 또는 교육학 박사나 교육 전문가들이 객관적 데이터에 근거해서 어린이 발달단계를 기반으로 뇌기반이나 인지심리학적 자녀 교육법에 관해 쓴 책들도 많이 출간되고 있다. 자식을 키우는 것이 만만치 않은 일이다보니 다른 부모들의 자녀교육법을 간접적으로 접하고 자신들의 자녀교육에 참고할 만한 좋은 자료로 받아들이고자 한다. 하지만 이러한 자료들이 자녀를 좋은 대학에 입학시키는 것에 도움이 될 수는 있지만, 자녀의 미래 삶을 위한 리터러시 교육의 근본적인 기준은 아닐 수 있다.

　　대학진학을 목표로 하는 어떤 자녀들의 진로교육 방법이 다른 자녀들에게는 전혀 다른 결과를 이끌 수도 있다. 극단적으로는 다른 아이들을 최고 학교에 보낸 부모들의 자녀교육 방법이 자신의 자녀교육의 기준이 될 때 도리어 부정적인 효과를 초래할 수도 있다. 그리고 자칫 서울대나 아이비리그 대학에 자녀를 보내지 못한 부모들의 자녀교육법이 잘못된 교육으로 비쳐질까 우려도 된다. 좋은 대학을 입학시켜야 훌륭한 자녀 교육법이 되는 것은 아니기 때문이다.

　　다른 집안에서 다른 부모에게서 태어난 다른 아이들에게 성공적인 교수학습 방법으로 서울대를 보냈다고, 그 방법으로 자신의 아이에게 그대로 적용한다고 해서 서울대를 보낼 수 있는 것은 아닐 수 있다. 서울대를 갈 아이는 자신의 학습법이 있으므로 어떤 다른 교육법으로 교육을 받아도 서울대를 갈 수 있었는지도 모른다. 자녀를 좋은 대학에 보낸 부모의 자녀교육법이 자기자녀를 키우는 데 참고할 만한 좋은 예가 될 수는 있겠지만 우리아이에게 꼭 맞는 올바른 교수학습법이 아닐 수도 있다는 점을 잊지 말았으면 좋겠다. 아마 옆집 그 아이에게만 적합한 교수학습 방법이 괜히 내 아이를 잡는 교수학습 방법이 될 수도 있기 때문이다.

우리나라 창조경제인의 대표적인 인물로 소개된 가수 싸이는 초등시절에 무엇을 어떻게 배운 어떤 아이였을까? 과연 부모나 교사의 말씀을 잘 듣고 공교육과 사교육을 열심히 받으며 많은 시간을 학교 공부를 하면서 보내던 학생이었을까 라는 의문이 든다. 21세기에 성공한 사람들의 모습은 20세기 교육을 성실히 받거나 교육자들의 마음에 든 사람은 아닐 수 있다. 이런 점에서 자기자녀에게 맞는 교수학습법을 찾아보는 전문적인 학습코치로서 부모가 되어야 할 것 같다.

2000년대 초반 미국 캘리포니아에서 토머스 고든 박사Dr. Thomas Gordon가 주관한 'PET'Parent Effectiveness Training에 참가한 적이 있다. 당시 들었던 '성공적인 자녀교육을 이끄는 성공적인 학습 코치로서 부모상'에 대한 기억을 되새겨보면, 좋은 부모가 되기 위해 자녀들과 좋은 관계개선 방법을 소개해준다. 이러한 방법들은 이미 여러 많은 사람들에게 적용해본 구체적 사례들을 기반으로 정리한 제안들이라 성공적인 부모상이 되는 데 도움이 되었던 기억이 있다. 고든 박사는 아이들의 잘못된 행동에 "강압적 협박을 하지 말고 엄마의 생각을 공유하라"라고 강조한다. 특히 부모의 아이디어, 지식, 그리고 경험을 아이들과 공유하라고 제안한다. 또한 부모들이 아이들에게 자신의 생각을 강요하기보다 질문을 통해 아이들이 스스로 답을 찾도록 코칭하라고 권한다.

초등학생들이 학교교육에서 성공하기 위해 가장 필수적인 요인은 바로 뉴 리터러시 능력이다.

다양한 텍스트를 어떻게 읽어내고, 궁금한 사항에 대해 더 깊은 탐구과정을 통해, 자신의 글로 표현해낼 수 있는가의 문제는 초등학교 뉴 리터러시 교육에서도 가장 중요한 핵심능력에 해당된다. 그리고 초등학교 뉴 리터러시 능력에 영향을 미칠 수 있는 가장 중요한 요인은 어려서부터 가정에서 얼마나 많이, 어떻게 읽기를 경험했는가에 따라 달라진다는 연구결과가 있다.

미국 교육부U.S. Department of Education, 2006 통계에 따르면, 가정에서 읽기 연습을 하는 양이 점점 증가하고 있는 것으로 나타났다. 특히 학부모가 아이들에게 적어도 일주일에 3~4번 정도는 읽기를 해준다고 한다. 그리고 유·초등 저학년PreK~G2 학생들은 가족 중 누군가에 의해 읽기를 접하고 있는 비율이 1993년에는 78%였고, 2005년에는 86% 정도로 가족 중 누군가가 자녀들에게 읽기를 해주고 있다고 한다. 특히 가족 중 누군가가 스토리를 자주 읽어준다고 말하는 학생들의 비율이 43%에서 54%로 늘어났다. 이처럼 미국의 모든 아이들은 1993년보다 2005년에 부모들이 집에서 자녀들에게 스토리를 더 자주 읽어주는 것으로 보고되고 있다. 빈곤한 가정에서는 68%에서 78%로 증가하여 중상층 가정의 증가율87%→90%보다 더 많은 증가율을 보였다. 하지만 빈곤한 가정에서 자녀들의 읽기 비율이 더 크게 증가했음에도 불구하고, 중상층 또는 부유한 가정의 자녀들은 2005년 기준─물론 1993년에도 그랬듯이─으로 볼 때 빈곤한 가정의 아이들보다 90% 대 78%의 비율로 가족 중 누군가가 아이들에게 더 자주 다양한 읽기자료를 읽어주는 것으로 나타났다. 하지만 2005년에는 다른 리터러시 관련 활동숫자놀이, 문자와 노래를 가르치는 등에서는 중상층과 빈곤층 가정 사이에 별 차이가 없었다. 2005년 리터러시 활용에 참여한 자녀들의 비율은 부모의 교육과 인종, 그리고 민족성에 의해 다양하게 나타났다. 적어도 부모가 고졸 이상이거나 그와 동등한 정도의 교육을 받은 부모들의 자녀들은 그러하지 못한 부모들의 자녀들보다 더 많이 읽고 쓰기를 가르치거나, 3Rs 리터러시문자, 어휘들 그리고 숫자를 접한다고 보고했다. 백인 가정의 자녀들은 흑인이나 멕시칸 가정의 자녀들보다 가족의 누군가가 아이들에게 더 다양한 읽기자료를 읽어주는 것으로 나타났다.

어떤 유형의 가족들이 집에서 읽기를 도와주는가? 일반적으로 아이들은 학교에서 보내는 것보다 8배 많은 시간을 밖에서 보낸다. 따라서 리터러시 코치로서 부모가 학교 리터러시 교사보다 읽기에 대해 더 강한 열정을 갖는 것이 자녀들의 리터러시 태도나 능력에 더 많은 영향을 미칠 수 있다. "가족의 재산과 생활 스타일에 관한 연구"Weigel, Martin, and Bennet, 2010는 컴퓨터를 가지고 있다거나 가족의 스트레스 같은 다른 가족 요인들이 자녀들의 리터러시에 상당한 영향을 미친다고 보고했다. 유치원이나 초등 저학년 자녀들의 리터러시 능력에 나타나는 가장 중요한 요인은 집에서 정규적으로 부모와 자녀가 리터러시 활동이 많으면 많을수록, 자녀들의 다양한 매체 읽기에 대한 흥미가 높으면 높을수록, 초등학교 학생들의 리터러시 능력은 상당한 영향을 받는다는 연구가 있다. 실제로 400개의 유치원과 초등 1학년을 대상으로 한 가정환경과 리터러시 능력에 관한 연구에서 엄마가 중상급 이상의 생활수준과 자녀들의 초기 읽기능력 간에 상관관계가 있었다Johnson, Martin, Brooks-Gunn & Petrill, 2008.

사회수준과 가정환경은 자녀들의 리터러시 능력에 강력한 영향을 미치는 요인이 된다. 미국 교육부2006는 부모와 자녀가 읽기와 읽기 내용에 대한 소통을 하는 경우 자녀의 리터러시에 상당한 진보가 있다고 보고했다. 자녀들이 매일 사용하는 단어사용에 관한 4년간 연구에서 전문가 가족의 4살짜리 자녀들은 45만 단어를 들으며 지내고, 중상 수준의 자녀들은 25만 단어를, 빈곤가정 자녀들은 13만 단어를 평균적으로 듣고 생활하는 것으로 나타났다Trelease, 2006. "If No Child Left Behind"학습부진아를 없앴다면 조사에서는 빈곤가정 자녀들을 위해서 교사들이 초당 10단어, 즉 1년에 32만 단어에 이르도록 900시간을 말해야 한다고 강조되었다Trelease, 2006.

　　부모의 교육수준 또한 자녀들의 읽기 양과 질에 상당한 영향을 미친다. 이와 관련하여 스웨덴에서 1,000명의 3학년 학생들의 읽기능력에 관한 교육효과를 평가한 연구Myrberg & Rosen, 2009가 있었다. 이 연구는 교과학습 성과의 반 정도는 다른 요인들 때문에 영향을 받는 것으로 나타났다. 집에 소유하고 있는 책의 수라든지, 학교에 입학당시 자녀들의 읽기 수준, 그리고 가정에서 책을 읽어주는 양이 교과학습에 강력한 영향을 미친다는 것이다. 교육 수준이 높은 부모들은 집에 많은 책을 가지고 있었고, 그들은 자녀들에게 일찌감치 책을 읽도록 했고, 책 읽기는 유치원에서도 긍정적 효과를 보여주고 있다고 하였다.

　　최근 한 연구는 리터러시 교육에서 가장 중점적인 주제들의 리스트를 제시했다Cassidy & Cassidy, 2009; Cassidy, Ortlieb & Shettel, 2010; Cassidy & Loveless, 2011. 이들 연구들이 제시한 리터러시 코치들이 생각하는 리터러시 교육에서 가장 필요한 주제는 아래 도표와 같다.

　　리터러시 교육을 위해 3년 동안 꾸준하게 다룬 중요한 주제는 어린이 리터러시와 반응중재 교수학습 방법에 관한 것이다. 특히 최근에는 **읽기 이해력과 리터러시 학습코칭**에 관한 주제가 중요한 요인이 되고 있다. 결국 다양한 디지털 매체 정보 읽기에서 이해력과 표현력을 효과적으로 이끌어내는 **뉴 리터러시 학습코칭에 관한 주제**가 중요한 이슈가 되고 있음을 볼 수 있다.

　　그동안 많은 연구결과에서 확인할 수 있듯이, 학생들은 학교생활보다 8배 이상의 시간을 가정에서 보내고 있고, 가정환경이나 부모들의 교육수준이나 생활수준 등 다양한 요인들이 자녀들의 리터러시 능력에 상당히 영향을 미치는 것으로 보아, 가정에서 부모들이 자녀들의 리터러시 코치가 되는 것이 자녀들의 리터러시 능력을 기르는 데 매우 중요하다는 점을 확인시켜준다. 이러한 점에서 볼 때, 부모들이 자녀들의 리터러시 코치가 되는 것이 가장 바람직한 리터러시 교수학습을 이끌 수 있다는 점을 확인할 수 있다.

리터러시 교육에서 필요한 주제들

주제	2010	2011	2012
어린이 리터러시	✔	✔	✔
이해		✔	✔
교과학습 리터러시			✔
표준			
ESL 학습자	✔	✔	
조기 개입		✔	
높은 이해 평가	✔	✔	
리터러시 학습코치	✔	✔	
반응중재 교수학습	✔	✔	✔
학습부진 해결		✔	
독자			

뉴 리터러시 학습코치는 가장 적정한 질문을 제시한다.

공부를 한다는 것은 하나의 답을 찾는 행위가 되어서는 안 된다. 공부하는 행위는 문제해결 과정에서 학생들이 많은 다른 문제를 생각하게 만드는 문제제기 활동이 주어지는 것이다. 그래서 학생들에게 문제에 대하여 여러 다양한 답을 찾도록 하는 게임 형태의 교수학습 방법이 되도록 이끄는 것이 중요하다. 다양한 텍스트 읽기를 하며 문제해결 과정을 통해 얻는 답은 자신이 읽기를 통해 무엇을 생각하고, 무엇을 찾아, 어떻게 표현해내는가를 배우는 건강한 배움의 경험 자체가 된다. 이러한 문제해결 방식의 공부를 값싸게 할 수 있는 방법이 바로 읽고 탐구하고 쓰는 문제해결식 뉴 3Rs 리터러시 교수학습 코칭이다.

'뉴 리터러시 학습코칭'은 읽기와 쓰기를 제대로 할 수 있도록 이끌어주는, 초등학교에서 반드시 이루어져야 하는 '학습코칭'이다. 뉴 리터러시 학습코칭이란 리터러시 학습Learning과 코칭Coaching이 결합된 단어로 심리학을 이론적 바탕으로 한 뉴 리터러시 학습전략이며 방법이라 할 수 있다. 뉴 리터러시 학습코칭 방법은 학습자가 뉴 리터러시 학습과정에서 겪게 되는 문제를 해결하고, 학생들이 학습목표를 달성할 수 있도록 돕는 단계적 지원 과정scaffolding process이라 할 수 있다. 뉴 리터러시 학습코칭은 학습자가 개개인이 겪을 수 있는 학습관련 문제를 극복하고 해결도록 유도하고, 학습자가 스스로 학습목표를 달성하도록 돕고 지원해주는 심리적 학습지원 방법이라 할 수 있겠다. 디지털 정보사회에서 다양한 매체 읽기 기회가 많아지면서 부모님도 이제 자녀들의 다양한 매체 읽기를 지원하는 뉴 리터러시 학습코치로 성장해야 한다.

'뉴 리터러시 학습코치'는 바로 뉴 리터러시 학습과정을 돕고 지원하는 사람, 즉 학습자의 뉴 리터러시 교수학습 과정을 이끌어가는 전문가이다. 뉴 리터러시 학습코칭 과정에서 학습자를 도울 때 뉴 리터러시 학습코치가 사용하는 도구 중 가장 강력한 것은 바로 적정한 질문들good questions을 제시하는 일이 될 것이다.

뉴 리터러시 코치로서 엄마는 아이들에게 암기를 강요하는 질문을 하지 않는다.

미술관에 그림을 감상하러 아들을 데리고 온 엄마가 옆에서 그림을 감상하고 있는 아이에게 그림의 제목을 암기하도록, "그림 제목이 뭐지?"라며 다정한 목소리로 다그치며 묻고 있는 엄마를 가끔 보게 된다. 이런 상황을 보면 오래간만에 그림의 아름다움을 느끼고 생각할 시간과 여유를 갖도록 아이를 미술관에 데리고 온 것이 아니라, 아이에게 또 하나의 '과시를 위한 지식'을 만들어 주기 위해 미술관이나 음악회를 찾는 것 같다는 생각이 든다. 적어도 미술관이나 음악회에서는 아이에게 암기를 강요하는 질문을 하는 엄마가 되지 않길 바란다. 그림을 감상하기 위해 작가에 대해 알도록 이끄는 것이 나쁜 것은 아니지만, 느낄 수 있는 시간에 암기를 강요하는 일은 아이들이 오랜만에 갖는 아름다움을 감상하고 사고할 기회를 빼앗는 행위가 될 수 있다. 아이에게는 생각할 시간과 여유가 필요하다. 다그치며 암기하도록 종용하기보다는 차라리 '가장 감탄하는 것이 무엇이냐'고 물어보는 뉴 리터러시 코치 엄마가 되는 것이 자녀들의 성장에 도움이 된다.

뉴 리터러시 학습코치로서 부모들은 다음과 같은 질문으로 자녀들의 단계별 뉴 리터러시 학습과정을 코칭해야 한다.

1) 뉴 리터러시 교수학습 과정 중 특정한 문제에 대해 자녀가 도움을 요청할 때, 가장 시급하고 중요한 문제가 무엇인지 명확히 파악하고, 적정한 질문으로 자녀가 스스로 문제해결을 하도록 이끌어주는 것이 뉴 리터러시 학습코칭이다.

2) 뉴 리터러시 학습코칭 과정에서 가장 우선시되는 교수학습 활동은 자녀가 문제의 해결점을 스스로 찾을 수 있도록 도와주는 질문을 제시하는 것이다.

3) 뉴 리터러시 학습활동은 교과목 학습내용과 실생활을 연결하기 위한 효과적인 뉴 리터러시 학습활동으로 인쇄 매체 읽기를 디지털 매체 읽기로 통합하는 질문을 제시한다.

4) 뉴 리터러시 학습코칭 과정과 활동은 학습자가 놓쳤거나 추가로 배워야 할 것을 확인할 수 있는 질문으로 이끈다.

뉴 리터러시 코치로서 부모들은 뉴 3Rs 리터러시 교수학습 과정에 맞추어 단계별 올바른 질문 리스트를 만들고, 자녀들이 뉴 리터러시 초기 과정에서 궁금했던 학습문제를 스스로 해결해 나갈 수 있도록 질문을 통한 문제해결식 뉴 리터러시 학습코칭을 이끌어야 한다.

Unit 02.

초등학교 뉴 리터러시 교육은 어떻게 코칭해야 하는가?

01. 공부 잘하게 해주는 뉴 리터러시 코칭
02. 뉴 3Rs 리터러시 교사코칭 내비게이션
03. 뉴 리터러시 교사코칭에 관한 연구들

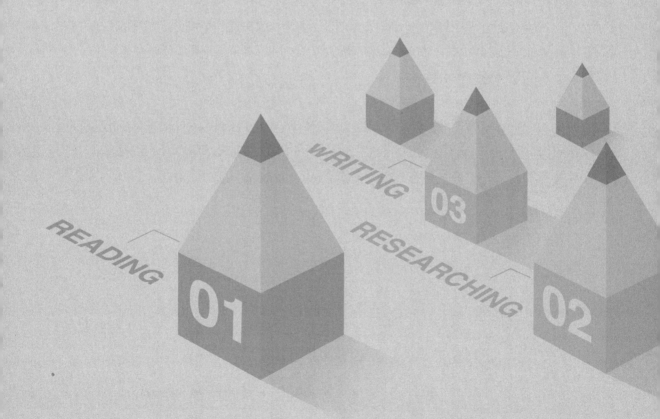

01. 공부 잘하게 해주는 뉴 리터러시 코칭

▌ 교사가 도와주는 코칭하면 성적이 더 잘 나온다.

최근 미국에서는 부시Georgr Bush 정부의 국가 교육정책이었던 전통적 3Rs 리터러시 교육에 대한 각성의 목소리가 높다. 전통적 3Rs 리터러시 교육에서 무엇이 어떻게 변화해야 하는가에 대한 연구와 더불어 시대에 맞는 미래형 리터러시에 대한 연구가 이미 시작되었다. 그동안 전통적 3Rs 리터러시 학습결과에 대한 많은 연구들은 3Rs 리터러시를 학교에서 열심히 시키는데도 학생들의 학습 성과가 향상되지 않은 이유에 대한 연구가 이루어져왔다Tracy, 2010. 이들 연구결과에 따르면, 학업 성취를 위해서는 3Rs를 지도하기 이전에 학습기반 형성이 더 중요하다는 결론에 이르렀다. 학습기반에서 가장 중요한 것은 작업 기억이며, 작업 기억이 IQ보다 더 중요하다는 점을 강조하고 있다.

이 연구에 따르면, 학습 성공을 위해 필요한 요인들 중 가장 기본은 1)작업 기억, 2)IQ, 3)학습 습관, 4)위의 3가지 조건이 충족되고 난 다음에 교과학습의 기반이 되는 3Rs읽기(Reading), 쓰기(wRiting), 셈하기(aRithmetic)에 대한 기초력을 갖추어야 한다고 주장하고 있다.

무엇보다 학생들의 학습 성공에 가장 중요한 작업 기억이 잘 작동하기 위해서는 다음과 같은 3가지 필요충분조건이 수반되어야 함을 강조하고 있다.

첫째는, 적정한 학습용량이라고 한다. 학습내용을 한 번에 너무 많이 주기 때문에 성공적인 효과를 제대로 얻지 못한다는 말이다. 이유는, 작업 기억 용량은 제한이 있으며 연령별 용량도 다르기 때문이라고 한다. 예를 들어 7살짜리 아이는 한 번에 3개 정도의 양을 줄 때 가장 잘 기억할 수 있다고 한다. 한입에 소화할 수 있는 양만큼 조금씩 먹여야 학습을 잘 기억할 수 있다는 뜻이다.

둘째는, 적정한 학습속도라고 한다. 교사가 학습정보를 제시하는 속도가 학생들의 작업 기억 처리 속도보다 빠르면 학습 성공이 어려워진다는 지적이다. 3Rs를 잘 가르쳐도 학습 성과가 나오지 않는 이유는 교사의 학습정보 제시 속도가 학생들의 작업 기억 처리속도보다 훨씬 빠르기 때문이라고 설명한다.

셋째는, 적정한 학습시간과 노력, 그리고 방법이라고 한다. 작업 기억 능력이 부족한 학생들은 다른 친구들보다 더 많은 시간을 투자하고 더 노력해야 3Rs 수업을 따라갈 수 있다고 강조한다. 그리고 학습자가 참여하여 스스로 경험하면서 문제를 해결할 수 있는 시간이 주어져야 오래 기억되고, 평생 남는 공부가 된다는 점을 강조한다.

기억을 높이기 위한 전략으로는 다음과 같은 4가지 스킬이나 전략을 제시한다Tracy, 2010.

1) 반복 시연rehearsal : 시연이란 나중에 회상해낼 것을 생각하고 미리 기억해야 할 대상이나 정보를 눈으로 여러 번 보아두거나 말로 되풀이해보는 활동이다.
2) 정보를 더 큰 단위로 묶기chunking : 정보를 지나치게 나누기보다 머릿속 이미지를 그릴 수 있는 의미단위로 이해하는 활동이다.
3) 범주화categorization : 자료들 중 속성이 같거나 비슷한 것들을 상위부류로 묶는 과정으로 그래픽 조직표graphic organizer나 의미 망Meaning map 등으로 사과, 장미, 코끼리, 배, 귤, 복숭아, 고양이 등의 단어를 암기해야 할 경우 동물끼리, 과일끼리, 꽃끼리 묶어서 기억하는 활동이다.
4) 정교화elaboration : 기억해야 할 둘 이상의 자료 간에 공유할 수 있는 의미나 공통된 부분을 찾아 이들 자료들을 어떤 의미로 연결 지어 기억에 저장하는 방법이다. 예를 들어, TV와 토끼를 기억해야 할 경우 "TV 안테나처럼 귀를 쫑긋 세운 토까"와 같이 심상mental image을 이용하여 기억하는 스킬이나 전략을 여기에 활용한다.

전통적 3Rs 리터러시 수업에서는 교사들이 수업에서 가르쳐야 할, 가르쳐주고 싶은 주제를 정교하고 체계적으로 가르치려고 한다. 하지만 구성주의자들이 주장하듯 학습은 학습자들에게 교사가 가르쳐주고 다루어주는 학습내용보다는, 다루어주지 않은 정보를 도와줄 때 학습 성과는 가장 활성화된다고 말한다. 다시 말해, 교사가 잘 가르쳐준다고 학생들이 공부 잘하는 것이 아니라는 지적이다. 차라리 뉴 3Rs 리터러시 교수학습 과정처럼 학생들이 스스로 문제나 질문을 만들고, 문제해결이나 답을 찾기 위해 인터넷 세상을 항해하며 답을 찾도록 이끌 필요가 있다. 그러면 다른 사람들과 상호작용을 하며 스스로 건강한 배움을 경험하게 된다. 다시 말해 학습자가 학습과정을 주도적으로 이끄는 학습자 주도적 학습이 이루어지도록 코칭을 해주면 학습 성과를 낼 수 있다는 말이다. 그리고 학생들이 탐구활동을 통해 얻은 정보를 정리해 다른 학생들과 공유하고 소통하는 기회를 가진다면, 이러한 교수학습 활동은 학생들에게 비판적 사고력, 융합적 탐구력과 창의적 표현력을 갖춘 창의·융합적 인재로 양성하는 미래형 뉴 리터러시 교수학습이 될 것이다.

질문을 잘 만들 줄 아는 뉴 리터러시 교사가 학생을 공부 잘하게 키우는 교사가 될 수 있다.

학생들이 텍스트 내용과 결과를 무조건 암기해서는 나중에 써먹는 학습이 될 수 없다. 학습 내용과 과정을 이해해야 후에 실제 삶에서 적용이 가능할 수 있기 때문이다. 특히 읽고 이해하고 표현한다는 리터러시는 주어진 텍스트가 어떤 질문을 하고 있는지 질문의 의도를 통찰하고, 무슨 말을 하고 있는지를 알아 본 다음, 작가가 이런 말을 하고 있다면 자신은 그 작가의 말을 지지하는지, 아니면 반대 입장인지, 또 왜 그런 입장에 서는지에 대해 자신의 생각을 표현해낼 수 있는 능력이다. 여기에 자기주장까지 곁들여 말할 수 있는 힘을 길러주는 교육이 바로 초등학교에서 가장 중요하게 이끌어야 할 뉴 리터러시 교육이다. **즉, 뉴 리터러시는 문제를 정의해주는 힘이다. 문제를 파악하고 답을 찾아가는 과정이다. 그래서 초등학교에서는 묻고 답하는 문제해결식 리터러시 교육이 강조되어야 하는 것이다.** 예를 들어, "진공청소기가 필요하다."라는 주제에 대해 문제해결식 뉴 리터러시 교육은 문제제기를 다시 하는 것부터 시작한다. 진공청소기가 왜 필요하지? 진공청소기가 없다면 어떻게 살지? 진공청소기를 사용할 때 뭘 하면서 청소하면 즐거울까? 등과 같은 질문으로 시작한다. '창의'는 같은 질문에 기발한 답을 찾도록 가르치는 것이 아니라, 질문 취지를 재해석하는 힘이다. 당연하게 생각하고 알았던 것에 대해 다시 질문을 해보는 것이 바로 창의적 사고이다.

미래에 필요한 리터러시 능력은 학습자가 자신의 배경지식, 언어지식, 그리고 화용지식을 적용하여 비판적 사고와 융합적 탐구과정을 거쳐 창의적 결과물로 이끄는 창의적 표현의 힘 같은 것이다. 다시 말해 미래에 필요한 리터러시 능력은 학생들의 비판적 사고를 통한 다양한 지식과 정보에 대한 융합적 탐구과정을 거쳐 자신의 의견을 창의적으로 표현하는 뉴 리터러시 교육을 통해 길러진 뉴 리터러시 능력 같은 것이다.

뉴 리터러시 교육은 문제가 무엇인지도 모르면서 해답만을 가르치고 강요하는 교육과는 차원이 다르다. 글에서 제기될 수 있는 문제는 무궁무진하다. 그리고 하나의 질문에 한 가지 해답만 있는 것도 아니다. 혹시 모르는 문제에 부딪히면 학습자의 다양한 사전지식과 경험을 통해 여러 개의 해답이 나올 수 있다. 수준도 다르고, 흥미·관심사 그리고 사전 경험도 다른 학생들이 똑같은 주제에 대한 기계적인 문제에 한 가지 답을 찾도록 이끄는 교육은 학생들의 창의성을 죽이는 교육이다. 모든 사람의 인생이 다르듯, 답을 찾아가는 방식이나 정답도 사람 수만큼이나 다를 수 있다. 그래서 초등학교 뉴 리터러시 교사는 학생들이 각자 그들 나름의 방식으로 문제를 풀어가도록 다양성과 잠재력을 길러주는 풀이과정에 초점을 둔 뉴 리터러시 교수학습을 중시해야 한다.

이것을 못하는 교사는 21세기 초등학교 뉴 리터러시 교사로서 자격이 없다. 교사는 학생들이 얼마나 다른 창의적 사고를 하는지에 대해 평가할 수 있는 방법을 찾아야 한다. 그리고 교사는 학생들의 창의성을 길러주는 교수학습 방법으로 그에 맞는 평가를 하고 있는지를 학생이나 학부모로부터 평가를 받는 것이 교육자로서 올바른 자세다. 예를 든다면, '창의력을 키워주는 교육'이라는 교육기관의 광고를 자주 본다. 이제 뉴 리터러시 학습코치로서 학부모들은 이런 교육기관들에서 무엇을 하는지, '창의력을 키운다'는 이름에 맞는 교수학습 방법으로 학생들을 제대로 이끌고 있는지, 그리고 제대로 평가하는 곳인지를 가려내는 능력을 갖추어야 한다는 말이다.

뉴 리터러시 교수학습은 장학퀴즈처럼 내용을 묻는 질문에 대한 정확한 답을 말하는 읽기교육이 아니다. 이 학습은 자랑하기 위한 과시용 암기식 읽기교육이 아니라, 읽기 과정에서 질문을 만들어내는 묻고 찾는 읽기 리터러시 활동을 이끈다. 다시 말해 **답만 찾는 읽기가 아니라 질문을 만들어 도리어 묻는 읽기를 하게 한다. 그리고 텍스트 내용에 다른 생각 하나를 덧붙이는 문제 만들기 읽기학습이 바로 문제해결식 뉴 리터러시 교육이다.**

하지만 본말을 뒤흔드는 읽기 리터러시 교육은 하지 말아야 한다. 예를 들면, 대입시험에 초점을 맞춘 읽기는 공정성 시비 문제를 해결하기 위해 지문내용에 대해 물어 답을 찾도록 하는 읽기 문제를 풀게 한다. 그래서 학생들은 문제의 답만 외운다. 이러한 읽기활동은 문제를 읽고 생각하게 하기보다, 문제를 읽고 답만 외우게 하는 공부를 하게 만든다. 입시 독해는 바로 생각을 막는 문제풀이에 불과하다. 문제해결식 뉴 리터러시 교수학습에서 만드는 질문은 기존의 문제풀이 학습과는 다르다. 이 둘의 차이점은 교수학습 과정에 학생들의 생각과 경험과정이 녹아 있는지, 없는지에 따라 완전히 다른 읽기 리터러시 교육이 된다.

유태인 엄마들은 아이들이 학교에 다녀오면 "오늘 선생님께 질문 많이 했니?"라고 묻는다고 한다. 하지만 우리나라 엄마들은 "오늘 선생님께 칭찬 많이 받았니?"라고 묻는다고 한다. 그래서 우리나라 아이들은 칭찬받기 위해 답을 금방 잘 외우려고 노력한다. 답만 맞추면, 또는 답을 잘 맞혀 점수를 올리면 칭찬을 받기 때문이다. 그래서 과정 같은 것은 별로 중요하지 않다. 양심을 속여서라도 점수를 올릴 수 있다면 별로 죄의식 없이 속이기도 한다.

그래서 뉴 리터러시 교사는 평가되어야 한다. 학생들이 문제풀이 공부를 하지 않도록 하고, 문제를 만들고 답을 찾아가는 과정을 중요시하는 뉴 3Rs 리터러시 교수학습을 하고 있는지 평가되어야 한다. 하지만 교사들의 자존감을 지켜주는 평가 방법이 되어야 한다. 교육자로서 자존감은 학생들로부터 교사의 교수학습 활동에 대해 인정을 받을 때 지켜지는 것이다. 때문에 유럽이나 미국 등은 교사가 자신의 교수학습 방법에 대하여 "난 - 이런 것을 하고 있다."와 같은 자가 평가를 통해 교사 자신의 교수학습 활동을 성찰하고 평가함으로써 교사 스스로의 자존감을 지킨다고 한다. 이처럼 교사가 자신의 교수학습 방법과 활동에 대해 학생들의 존경심과 인정을 받을 수 있는 자가평가 방안을 찾도록 하는 것이 중요하다. 왜냐하면 평가내용과 방법도 중요하지만, 교사의 자가평가평가한다는 사실 자체가 교사들의 리터러시 교수학습 방법을 변화시키는 데 매우 의미 있는 활동이 될 수 있기 때문이다.

이 세상 어떤 교사도 자기가 가르치는 학생들의 학습결과에 대해 상관없는 교사는 없다. 학생들에게 교사자신의 교수학습 방법을 평가받고 인정을 받겠다는 자세는 교육자로서 자신감이며, 교사로서 책임을 다하겠다는 약속을 의미하는 것이다. 무엇보다 교사 자신들이 지도하는 학생들로부터 훌륭한 교사라고 인정받은 일은 교육자로서 교사들의 자존감을 지키게 해주는 교육자적 책임 같은 것이다. 평가 결과가 좋지 않으면 교사자격을 없애는 강력한 조처가 주어지더라도 훌륭한 교사는 존경받는 교육환경의 조성이 시급한 시점이다. 그래서 교사들의 자존감과 교사로서 교수학습 활동에 자부심을 느끼게 해주는 평가 시스템이 매우 필요하다.

교사평가를 원하지 않은 이유 중 하나는 일부 소수의 부당한 평가에 대한 부작용을 우려하는 이유 때문이기도 하다. 하지만 건전한 교육환경의 조성과 교육 전반에 원칙을 지키기 위해서는 소수의 부당한 평가 부작용은 감수해야 할지도 모른다. 왜냐하면, 교사의 교수학습 방법에 대한 평가는 교육자로서 자존감과 권위를 지켜주는 일이므로 일부분의 부작용이 있을 뿐이다. 하지만, 교사평가를 받지 않은 경우는 교육전반에 부작용이 발생될 수 있기 때문이다. 이런 경우를 두고 구더기 무서워 장 못 담근다는 말이 있다. 이러한 부작용은 막기 위해서는 부당한 평가에 대한 구제방법을 만들면 된다. 부작용이 걱정되어 교사로서 자존감과 책임감을 포기해서는 안 되기 때문이다. 자신이 지도하는 학생들에게 교사자신의 교수학습 방법에 대해 인정을 받을 때, 이는 교육자로서 자존감을 지키는 일이며 공교육을 바로 세우는 일이 된다. 왜냐하면, 교육은 교사가 자신이 원하는 친숙한 방식으로 제시해주는 디렉팅Directing을 하는 것이 아니라, 학생들이 원하는 방식에서 도와주는 코칭Coaching이 되어야 하기 때문이다.

▎그래서 공부 잘하게 해주는 뉴 리터러시 코칭 교육이 필요하다.

뉴 리터러시 코치 교사는 학생들을 학습에 주도적으로 참여시키고, 학습자가 참여활동을 통해 건강한 배움의 경험을 즐기며 비판적 사고와 융합적 탐구과정을 통해 창의적 성과를 이끄는 교수학습 방법을 사용한다. 뉴 리터러시 코치 교사는 뉴 리터러시 교수학습 과정을 통해 학생들이 이전에 하지 못했던 내용과 활동을 할 경우 어떤 태도나 이익을 얻게 되는지를 경험하고 느끼도록 해주어야 한다. 즉 학습 후에는 이전에 할 수 없던 것에 대하여 성과를 내는 활동이 주어져야 한다. 이를 위해 뉴 리터러시 학습코치 교사가 갖추어야 할 능력은 학습코칭을 위한 질문능력과 평가를 위한 칭찬과 격려 같은 긍정적 피드백 능력이다. 질문은 아이디어를 만들고 나누며, 실용화하는 학습수단이 된다. 그리고 경험학습을 통한 실패에는 격려라는 평가를 주고, 생산적 실패에는 훈장을 주는 긍정적 피드백 같은 평가를 내릴 수 있어야 참된 뉴 리터러시 학습코치 교사가 될 수 있다. 학생이 기억력과 학습력이해력, 비판적 사고력, 분석력, 그리고 실용능력인 적용력을 갖추고 비판적 사고와 융합적 탐구과정을 통해 창의적 표현을 해낼 때 뉴 리터러시 학습코칭이 제대로 이루어졌다고 할 수 있다. 이러한 뉴 리터러시 학습코칭으로 이끌어지는 학습과정은 학습자가 자기 자신의 생각을 키우고, 전하고, 알리는 시간이 될 것이다.

02. 뉴 3Rs 리터러시 교사코칭 내비게이션

뉴 리터러시 교육코칭은 비판적 읽기를 통해 융합적 탐구활동을 확장하여 창의적 쓰기로 이끈다.

교육은 가능한 한 학생들의 많은 참여를 이끌고 자발적 성과를 이끌어내는 일이다. 코칭은 코치와 피코치가 파트너를 이루어 피코치가 스스로 목표를 설정하고, 효과적으로 목표를 달성하며 성장할 수 있도록 지원하는 과정이다. 그렇다면 교육코칭은 학습자를 성장하도록, 그리고 학습자가 자발적으로 목표를 달성하도록 이끌며 지원하는 일이라 할 수 있다. 결국 교육코칭의 목표는 교육코칭을 받고 난 후 학습자는 전보다 좋은 성적을 내야 하고, 전에 하지 않았던 것을 하게 되며, 전에 할 수 없었던 것을 할 수 있게 해주는 데 있다. 결국 교육코칭을 받은 후 교육코치는 학습자의 어떤 태도가 개선되고, 어떠한 혜택을 갖게 되었는지를 확인해야 한다.

초등학교에서 이루어지는 교육코칭에 대해 논하기에 앞서 초등학교에서 가장 중요하게 다루어지는 교육이 무엇인지를 알아보는 것이 우선 필요할 것 같다. 왜냐하면 교육코칭은 교육을 통해 학습자가 성장하고 목표를 달성할 수 있도록 돕고 지원하는 과정이 되어야 하며, 교육의 내용을 통해 어떠한 성장이 일어나야 하고, 어떠한 학습목표를 달성해야 하는지를 알 수 있어야 하기 때문이다. 초등학교에서는 평생 동안 삶을 살아가는 데 필요한 리터러시의 기초를 다지는 시기라 할 수 있다. 이와 관련하여 초등학교 리터러시 교육에서는 어떠한 교육코칭이 이루어져야 하는가를 위해 무슨 학습이 이루어지는지를 알아보는 것이 중요하다.

초등학교 리터러시 교육에서는 글·그림·표 등을 읽고, 내용을 이해하고, 분석하고, 통합하고, 비판적 사고와 융합적 탐구과정을 통해 창의적 표현력을 이끌어내고자 한다. 초등학교 리터러시 교육에서 이루어지는 리터러시 학습내용은 단계별 어휘, 청크 표현이나 문장 표현, 단락문 그리고 다양한 스토리나 논픽션 글을 다룬다. 이러한 리터러시 학습 내용을 읽고Reading, 비판적 사고와 융합적 탐구과정을 경험하면서Researching 자신의 스토리를 만들고, 그 내용을 삶과 연결하여 적용하고 실행하며 창의적으로 표현하도록wRiting 이끄는 뉴 '3Rs' 리터러시 교육코칭 방식을 따르는 것이 바람직하다.

초등학교 뉴 3Rs 리터러시 교육코칭에는 중요한 3가지 교수학습 전략이 있다.

전략 1. 질문을 통한 문제해결식 Q/S(Questioning & Solving) 교수학습 전략을 택한다.

교육코칭은 학생들의 학습 성과를 이끌어내는 데 목적이 있다. 교육코칭은 학습자가 주도적으로 학습에 참여하면서 건강한 배움의 경험을 즐기게 되어, 비판적 사고와 융합적 탐구과정을 통해 창의적 성과를 이끌 수 있도록 도와주는 교수학습 과정이라 하겠다. 이를 위해 교육코치는 학습 성과를 낼 수 있도록 이끄는 질문능력과 학생들의 수행에 대해 칭찬과 격려를 주는 피드백 능력을 갖추어야 한다. 특히, 교육코치가 제공하는 질문은 학생들이 아이디어를 만들고 나누고 실용화하는 수단이 될 수 있다. 다음은 뉴 리터러시 코치들이 제시할 수 있는 단계별 질문들이다.

뉴 3Rs 리터러시 교육코칭 준비과정에서 필요한 질문들

	학습코칭 준비단계	학습코칭 준비 내용
1단계	학습자 요구 파악	학생들이 왜 이 주제를 학습해야 할까?
2단계	학습자 진단	학생들의 스키마 수준과 도달할 지식수준 파악 1단계 : 어떻게 인식하는가? (인지도) 2단계 : 어느 정도 생각하고 있는가? (능숙도) 3단계 : 어느 정도 사용이 가능한가? (유능도) 4단계 : 다른 분야에도 적용할 수 있는가? (숙달도)
3단계	학습자 목표 정하기	학습자가 무엇을 알게 되길 원하는가? 학습자가 어느 정도 기술이 습득되길 원하는가? 학습자가 긍정적 태도/열정적 실행/자신감 갖길 원하는가? 학습결과를 어떻게 측정할 것인가? 부모들이 자녀의 학습 성과를 어떻게 측정할 것인가?

4단계	학습방법/절차 짜기	1) 친근감을 위한 질문 만들기 · 읽기 도중 어떤 궁금증이나 문제점이 생겼나요? · 학습내용에서 학습자 자신과 연결할 수 있는 내용은? · 학습 내용에서 어떤 점이 학습자 자신에게 도움이 되나요? 2) 자신감 심어주는 질문 만들기 · 편견이나 다른 생각 들지 않게 하는 호기심 불러일으키는 질문 : 이러한 일로 과거 가장 신났던 경험이 있나요? · 전에 할 수 없었던 것 알게 되어 만족감, 자신감, 기쁨 주는 질문 : 어떤 점을 새로 알게 되었나요? · 오늘 결석했더라면 이런 것을 배우지 못해 다행이고 오늘 하루 보람된다는 느낌을 주는 질문 : 어떤 점이 자신의 일상생활에서 가치가 있다고 생각하나요? · 재미있고 배움이 즐거웠다는 확신을 갖는 질문 : 탐구활동에서 가장 힘들었던 것, 자신이 탐구활동에서 금을 캐듯 찾아낸 것은 무엇이었나요? · 학습자 자신이 대단하다는 느낌을 가지게 하는 질문 : 오늘 자신에게 가장 큰 배움은 무엇이었나요? · 여러 반응이 나올 수 있는 상상력 질문 : 글을 읽으면서 주제관련 단어를 보았을 때 어떤 생각을 했나요? · 학생의 견해를 끌어내는 평가적 질문 : 그것에 대한 의견을 말해볼래요? 그 이유는요? · 학생의 창의적 추론을 이끄는 가상적 질문 : 이런 경우라고 한번 가정해볼래요?
5단계	수업안 작성	· 개요만 간단히 작성하는 것이 좋다. 자세하게 작성하면 지나치게 수업안에 의존하게 되어 학습자의 반응을 소홀히 하게 된다. · 학습자가 학습한 것을 손과 머리를 사용하여 참여하고 실천을 통해 반복학습이 되도록 수업안을 작성한다. 좋은 수업안은 학습내용을 색다르게 다양하게 작성하는 것이 아니라, 학습자가 경험을 통해 뭔가 성취하고 얻었다는 느낌을 가진 수업안일 때 가장 훌륭한 수업이었다고 생각한다.

6단계	적용 설계	· 배움의 경험을 통해 얻은 학습내용은 개인적 성취감을 느끼게 하는 학습과정이 된다. 바로 배운 것을 적용하며 성취감을 갖도록 이끄는 질문이 주어진다.
		  : 오늘의 수업에서 도움이 되었던 것이나 얻었던 것이 무엇인가요?
		· 자신이 해낸 일에 대해 자부심을 갖고, 성취한 것들에 대해 자신감을 갖도록 한다.
		  : 어떤 점에 자신감이 생겼나요?
		· 배운 것을 활용할 방법을 구체화 하는 목록을 작성하거나 실제 생활에서 활용할 수 있는 아이디어를 기록하여 공유하고 보충해주는 시간을 갖는 것이 필요하다.

7단계	실행 계획	· 학습하고 경험한 내용을 실생활에 적용할 수 있는 부가 학습활동을 계획하도록 유도한다. 학습 초기 궁금한 점과 문제점을 학습과정에서 해결되었는지를 확인하고, 가장 중요한 것이 무엇이고, 그것으로 앞으로 무엇을 할 수 있는지를 질문하도록 한다.
8단계	자료 수집 및 수업	· 수업과정을 사전 한번 점검한다. · 인사, 도입, 학습동기, 주제관련 사전지식 조사 등, 목적 설명, 복습, 학습자 참여활동 중 새로운 적용방법, 미래 삶과 연결, 질문과 답, 학습목표에 대한 결과 명확하게 확인을 위해 핵심요약 등을 한다.

학습자의 가치기준에 맞는 학습으로 이끄는 방법과 전략은 교사가 학습자가 관심이 있어 하고, 가장 흥미롭고, 혜택이 있다고 생각하고, 필요하다고 느끼도록 질문을 하는 것이다. 그리고 교사는 학습자에게 이러한 질문에 답을 찾아냈다고 확신을 갖도록 피드백을 주는 것이다. 이러한 확신이 들 때 학생들은 공부가 재미있다고 느끼게 된다. 뿐만 아니라 학습내용이 일상의 삶에서 적용 가능하도록 학교에서의 건강한 배움이 학생자신의 학교생활이나 일상의 삶과 융합될 때 학습효과는 배가되며, 학생들의 상상력을 키울 수 있는 창의적 학습 성과로 이끌어진다.

뉴 3Rs 리터러시 교육코치교사들이 수업준비를 위해 명심해야 할 사항이 있다.

1) 학생들의 관심을 이끌어줄 질문을 준비하는 것이다. 질문을 준비하는 작업은 학생들의 적극적 수업참여와 학습동기를 이끌어내는 가장 중요한 수업준비이다.
2) 학생들이 수업내용에서 어떤 도움이나 혜택을 얻게 된다는 점을 인식시키는 수업으로 이끌어야 한다. 학습자에게 도움이 된다는 느낌이 들어야 학습내용에 관심을 갖고 궁금증과 문제점을 갖게 된다. 이러한 흥미와 혜택을 유도하면 수업은 훨씬 쉬워진다.
3) 학생들이 궁금증이 생기고 문제점을 인식하게 되면 어떻게 이 문제를 해결할지, 어떠한 실행방법이 효과적일지, 어떤 칭찬과 격려를 줄지에 대한 준비를 해야 한다.
4) 학생들이 학습된 내용을 통해 어떤 행동을 할지, 어떠한 피드백을 줄지 등, 앞으로 어떤 행동을 취할지에 대한 구체적인 질문을 준비한다.

또한 학습자의 학습동기를 위한 질문은 다음과 같은 학습동기 4원칙에 근거한 질문들이 효과적이다. 학습동기를 이끌기 위한 질문에는 학생들의 흥미interest, 필요necessity, 호기심curiosity, 그리고 학생에게 혜택benefit이 포함되어야 한다. 동기부여를 주기 위한 학습활동은 시간제한을 두고 진행하거나, 손을 들어 답을 하도록 이끌거나, 질문을 해서 답을 유도하게 하거나, 학생들을 웃게 하거나, 시각 교재나 물건을 사용하면 효과적이다.

그 외에도 교육코치가 질문을 준비할 때 고려해야 할 점은 질문의 목적이 분명해야 하고, 질문이 학습자의 관심과 연결되어야 하고, 일상적인 질문에서 점차 구체적인 질문으로 주어져야 하며, 한 질문은 한 가지 주제로 하고, 짧고 명확하고 이해하기 쉬운 질문으로 제시하는 것이 효과적이다. 그리고 질문들은 서로 논리적 관계가 있고, 뒤처진 학생들에게 기회를 주기 위해 그룹 질문에서 점차 개인적인 질문을 하되, 잘하는 학생들을 격려하는 차원에서 가능한 한 yes/no 질문은 피하는 것이 좋다. 하지만 yes/no 질문은 학습능력이 뒤처지거나 소극적인 학생들에게 학습활동 기회를 주기 위해 사용하면 효과적인 질문전략이 될 수 있다. 일단 교육코치가 질문을 했으면 대답을 방해하는 행위를 하지 않고 대답을 정성껏 듣고 긍정적인 피드백을 주는 것이 중요하다. 따라서 교육코치는 학생들의 실패에 대해 격려하고 성과적인 실패에 훈장을 줄 수 있는 긍정적 평가능력을 갖추어야 한다.

전략 2. 학습자가 참여하고 경험하는 탐구(Researching)적 교수학습 전략을 택한다.

일반적으로 사람들이 직접경험 해본 것은 큰소리 칠 수 있다. 학습자가 직접 참여하여 건강한 배움의 경험을 하게 되면 기억에 오랫동안 남게 된다는 경험학습 원리가 뉴 3Rs 리터러시 코칭의 핵심이다. 뉴 3Rs 리터러시 코칭은 묻고 찾는 비판적 읽기를 통해 이해하고, 찾는 탐구활동을 통해 융합적 탐구과정을 거치면서 실제 삶에 적용하는 창의적 쓰기활동으로 자신의 생각을 표현하도록 이끈다. 전통적 3Rs 리터러시 교수학습은 무엇을 가르칠 것인가 하는 학습내용에 초점을 두었다면, 뉴 3Rs 리터러시 코칭은 어떠한 경험을 하게 할 것인가 하는 4Cs Critical Thinking, Communication, Collaboration, Creativity를 기반으로 하는 경험 학습과정에 초점을 두는 교수학습코칭이기 때문이다.

참여하는 경험학습은 다음과 같은 이론적 근거를 따르고 있다. Lave1989는 학습은 일반적으로 사회적 교류가 일어나는 하나의 활동으로 생활의 맥락 및 문화적 기능이라고 주장한 바 있다. 다시 말해 사회적인 교류는 학습의 중요한 요소라는 의미이다. 이러한 점에서 학습은 다음과 같은 2가지 원칙하에서 이루어져야 한다.

1) 지식은 실질적인 생활 맥락에서 제시되어야 한다. 즉, 지식의 배경과 운용은 실생활과 밀접한 관련이 있어야 한다.
2) 학습은 사회적인 교류와 협동을 필요로 한다. 이러한 의미에서 학생이 참여하는 학생 중심의 경험학습의 중요성을 강조한다.

뉴 3Rs 리터러시 교육코칭에서 경험학습은 다음과 같은 원칙하에서 이루어진다.

1) 학습은 경험이 되어야 습득된다. 학습자가 직접 참여하여 얻은 건강한 배움의 경험을 통해 학습은 이루어진다. 교육은 교사의 설명을 통해 규칙을 이해하고, 이를 바탕으로 학습자가 직접 경험을 통해 행해진다. 학습자가 경험학습을 하는 동안 실패조차도 교사가

인정하고, 칭찬하고 격려해줄 때 학습자는 이러한 건강한 배움을 경험하면서 학습을 성취해낸다.

2) 학습자가 직접 경험을 통해 얻은 지식은 자신의 스토리가 된다. 자기가 경험한 것은 큰소리 칠 수 있는 실감나는 이야깃거리가 되기 때문이다.

3) 초등학교 교육에서 가장 좋은 동기는 바로 '재미'를 주는 것이다. 진정한 재미는, 학습자가 열정으로 참여하면서 문제를 찾기 위해 건강한 배움의 경험을 하면서 몰입하여 얻고자 하는 답을 찾을 때 일어난다.

4) "무엇을 아는가."라기보다는, "아는 것으로 무엇을 할 수 있는가."에 초점을 두는 참여교육으로서, 참여하여 경험하면서 실제 일상에 적용하기 위해 새로운 아이디어를 창출하게 한다.

5) 경험해서 잘 아는 것은 다른 사람에게 아는 것을 잘 설명할 수 있고, 누군가에게 제대로 자신 있게 전달할 수 있다.

학습은 성과를 내는 과정이지, 일시적 행사가 아니다. 학습과정에 학생의 참여기회가 주어져 이전과 다른 향상이 주어져야 한다. 그렇다고 학습 성과가 주어진다고 교육이 완성된 것은 아니다. 자칫하면 결과위주의 교육이 될 가능성도 있다는 점을 우리는 염두에 두어야 한다.

교육의 완성을 위한 과정중심의 교육이 이루어지기 위해서는 학습목표에 따른 학습자의 요구에 대한 파악이 있어야 한다. 그리고 학습자의 수준과 올바른 교수학습 전략에 대한 파악이 필요하다.

탐구과정중심 교육을 위한 고려사항

항목	내용	고려 사항
무엇 (What)	학습목표 관련 사항	문제가 있는지, 문제해결을 위한 목표가 있는지 학습 성과에 대한 확신이 있는지,
누구 (Who)	학생의 수준 및 규모	개인, 그룹, 교실 전체 수업인지 기억력, 이해력, 적용력, 표현력, 소통능력의 수준이 어떠한지
어떻게 (How)	바람직한 전략	할 수 있는 능력(able to)을 갖추고 있는지 하고자 하는 능력(willing to)이 있는지 일할 여건(allowed to)이 되는지

전략 3. 생각말하기를 통해 비판적 사고와 융합적 탐구과정을 경험하면서 창의적 표현을 이끄는 뉴 쓰기 리터러시 교수학습 전략을 택한다.

읽기는 언젠가 자신이 쓰기를 하기 위한 과정이다. 다른 사람의 글을 보면서 저자가 무슨 말을 하는지를 이해하고 요약하는 일도 중요하지만, 다른 사람의 생각에서 머물지 않고 자신의 생각으로 표현하는, 한층 더 나아가 새로운 생각으로 창조해내는 것이 쓰기이다. 이러한 쓰기는 읽기와는 다르게 쓰기의 목표에 따라 고려해야 할 점들이 많다.

남이 전하고자 하는 특정한 주제나 메시지를 제대로 이해하고 사고를 확장하여 자신의 생각으로 정화해가는 데는 글쓰기만큼 좋은 방법도 없다. 글쓰기는 다른 사람의 생각을 자신의 생각으로 정화하여 전하고 싶은 메시지를 독자가 가장 흥미 있고, 궁금해 하고, 도움이 되도록 해답을 알려주는 표현활동이다. 즉, 쓰기는 독자가 읽고 싶도록 문자나 다양한 형식으로 표현하는 글이다. 따라서 독자가 읽기를 할 때 가장 먼저 읽게 되는 글의 제목은 메시지를 전달하면서 독자들이 읽고 싶도록 유혹하는 화법으로 작성하는 것이 필요하다. 예를 들어, "행복이 무엇인가?"처럼 질문을 한다거나, "누가 치즈를 옮기는가?" 같은 궁금증이나 호기심을 자극하거나, "영어바다에 빠지지 말라."처럼 역설법을 사용하거나, '성공하는 사람들의 7가지 방법' 등 해법을 알려주거나, "독서만으로 학교성적 100점 올릴 수 있다."처럼 이것만 하면 어떤 도움이 되겠다는 믿음과 신뢰를 주는 방식으로 표현할 수 있다.

글쓰기에 앞서 학생들은 무엇보다 먼저 우리는 "왜 쓰려고 하는가."에 대한 쓰기 목적을 생각해보도록 이끌어야 한다. 그리고 나서, 왜purpose, 누구에게audience, 무엇을 말하고자topic, 어떤 매력이나 이익을 줄 것인지delivery를 반영하도록 해야 한다.

글쓰기 준비단계

왜(purpose)	어떤 목적으로 쓸 것인가.
누구(audience)	누구를 대상으로 쓸 것인가.
무엇을(topics)	무엇에 대한 글을 쓸 것인가. 무엇을 바라는 글을 쓸 것인가. 무엇을 말하고자 하는가.
어떻게(delivery)	어떤 매력이나 이익을 줄 것인가. 어떻게 독자를 유혹할 것인가.

글의 유형에 대해서는 주장을 하는 글, 근거를 제시하는 보고문, 예를 들어 설명하는 설명문을 쓸 수 있다. 무엇보다 진정성이 있게 메시지를 전달하기 위해서는 자신의 스토리를 작성하는 것이 필요하다. 스토리텔링은 다음과 같은 스토리 전개에 대한 항목을 사용하는 것도 쓰기활동에 도움이 된다.

1) 누가 어떤 행위를 하고,
2) 왜 그런 행동을 하게 되었는지,
3) 그 행동이 어떻게 발전하여,
4) 행동의 결과가 어떤 절정을 맞게 되고,
5) 어떻게 마무리 짓는가 같은 스토리 형식을 따르도록 질문을 주는 것이 필요하다.

자기 스토리 글쓰기 형식

스토리 전개 형식	스토리 전개 실제
* 누가 (주인공)	토끼와 거북
* 어떤 행동을 하는지	산에 오르기, 토끼 앞서고 거북이 뒤따름
* 왜 그런 행동을 하게 되었는지	토끼가 낮잠, 거북이 성실함
* 그 행동이 어떤 변화 발전을 가져왔는지	거북이가 앞지름
* 행동이 어떤 절정을 맞이하게 되는지	거북이가 먼저 도달
* 어떻게 마무리로 끝나는지	거북이의 성실성이 승리

뉴 리터러시 코치는 학생들이 읽기를 할 때 보이는 것 외에도 보이지 않은 것도 읽어낼 수 있도록 질문을 하게 된다. "무슨 내용인지? 왜 이런 글을 썼을까? 저자가 직접 말을 하지는 않았지만 전하고자 하는 숨겨진 의미는 무엇인가? 그리고 숨겨진 변인들은 무엇이며, 변인들의 관계가 의미하는 것은 무엇인지? 학생들은 이야기에서 어떤 것을 얻게 되는지? 그래서 앞으로 삶이나 행동에서 어떤 변화가 일어날 것인지?"와 같은 질문을 주어 학생들이 답을 찾아가는 동안 자신의 삶과 연결하도록 이끈다.

뉴 3Rs 리터러시 코칭 과정에서는 학생들이 탐구활동을 통해 생각을 확장해갈 수 있도록 이끈다. 학생들은 탐구과정에서 책의 내용과 자신의 사전지식을 관련짓고, 더 궁금한 사항에 대해 좀 더 구체적인 자료를 찾아 분석하고, 연결하고, 관련성을 통합하고, 혹시 관련성이 없어 보이는 자료도 자신의 일상과 연관 짓고 융합하도록 유도나 지원 질문으로 이끈다. 이런 탐구과정을 통해 학습자는 구축된 자신의 스토리나 새로운 아이디어를 독자들이 읽고 싶어 하도록 글로 표현해야 한다. 그리고 이러한 글을 블로그에 탑재하고 학생들끼리 서로 피드백을 주고받도록 이끈다. 특히 동료의 글에 피드백을 줄 때는 읽기 과정에서 교사가 유도나 지원 질문에 대한 학생들의 반응에 피드백을 주던 모델을 바탕으로 동료의 글을 분석하고 평가해보도록 하는 것이 중요하다. 다른 사람의 글을 많이 읽고 분석하여 평가해보는 것은 자신의 글쓰기에 많은 도움이 될 수 있다. 뿐만 아니라, 디지털 시대 넘쳐나는 정보에 대하여 명확한 판단능력, 그리고 다양한 주제를 융합하는 능력을 갖추는 데도 도움이 된다. 이러한 능력이 바로 PISA 읽기 리터러시 평가에서도 측정하고 있는 뉴 리터러시 능력이기도 하다.

만일 자신이 쓴 글을 독자들이 관심을 갖지 않고 읽어주지 않는다면 이는 또 하나의 지식의 배설이 될 수 있다. 그래서 독자가 읽고, 그들의 행동에 변화가 일어날 수 있도록 설득하고, 요청하는 글이거나, 독자에게 도움이 되는 글이 되도록, 그래서 독자가 읽고 싶어 하는 글이 되도록 교사는 학생들의 쓰기 리터러시 코칭을 이끌어야 한다. 그러기 위해서는 쉬운 글로 간단명료하게 독자를 유혹하는 포인트가 있는 글을 쓰도록 해야 한다. 따라서 글을 쓸 때 염두에 두어야 할 사안으로는 읽을 대상독자이 누구이며, 글을 쓰는 목적이 무엇이고, 무엇을 말하고자 하며, 어떻게 독자를 유혹하도록 쓸 것인가에 대해서도 훈련되어야 한다.

누군가의 말을 듣는 것은 언젠가 내가 말을 하기 위함이라 할 수 있다. 읽기를 하는 이유는 앞으로 자기의 글을 표현하는, 즉 글쓰기를 준비하기 위해서이기도 하다. 배우는 것만을 즐기거나 배우는 것이 습관이 되면, 자기표현에 장애를 가질 수도 있다. 배우고 습득하는 것은 언어학습에서 매우 중요한 일이며, 지향해야 할 일이지만 학습자가 배우는 것에만 만족하도록 이끌어가는 교수학습이 되지 말아야 한다. 배운 것을 표현의 수단으로 사용하여 생산적인 결과물을 산출하도록 이끌어야 한다. 달리 말하면, 경험을 통한 건강한 배움이 표현의 에너지가 되어 자기를 표현하도록 이끌어야 한다.

결국 읽기는 쓰기의 동력이 되어야 하는데, 어떤 과정을 통해 읽기를 쓰기로 이끌어내는가가 매우 중요할 수밖에 없다. 뉴 3Rs 리터러시 코칭 과정은 경험학습을 기반으로 한 문제해결식 탐구활동을 요구하며, 이를 통해 읽기를 쓰기로 연결시키는 뉴 리터러시 교수학습 활동을 자연스럽게 이끈다. 이러한 읽기를 쓰기로 연결하는 미래형 뉴 리터러시 교수학습 활동은 비판적 사고와 융합적 경험학습을 통해 창의적 표현을 이끌어내는 뉴 3Rs 리터러시 교육코칭을 수반한다. 뉴 3Rs 리터러시 교육코칭은 읽을 때 학생들이 어떻게 쓸 것인가를 생각하도록 질문으로 이끌어가는 미래형 리터러시 교수학습 활동이다. 학습자는 남의 글을 읽으면서 다른 사람의 말을 수행하기보다는 자신이 주인이 되어 자신의 스토리로 자신을 자기답게 표현하는 실행자가 된다.

교사코칭은 교사들에게 능숙한 뉴 리터러시 코칭 스킬을 길러주는 코칭활동이다. 뉴 3Rs 리터러시 교사코칭은 이상을 좇기보다, 사회적 일상을 존중하는 특징을 갖는다. 그래서 다음과 같은 원칙하에서 뉴 3Rs 리터러시 교사코칭은 이루어져야 한다.

1) 교사와 학습자가 상호 협력적 관계에서 운영된다.
2) 경쟁보다는 개개인의 잠재력을 발휘할 수 있는 학습자 주도적 학습과정을 유도한다.
3) 생각말하기 활동으로 지식습득, 학습태도 변화, 기술 습득과 동료 간 소통을 강조한다.
4) 다양성을 추구하는 교수학습 활동을 위해 다양한 주제에 대한 4Cs 과정과 3Rs 교수학습의 융합적 참여과정을 따른다.
5) 참여와 경험학습을 존중하고 지식과 경험을 통한 융합적 학습과정을 통해 비판적 사고로 창의적이고 새로운 아이디어와 자기만의 스토리를 창출한다.
6) 질문을 통한 문제해결 방식으로 답을 찾고, 이를 일상의 삶에 적용해 실용적 성과를 이끄는 긍정적 피드백을 제공한다.

뉴 리터러시 코칭을 위한 교사의 역할이 점점 더 중요해지고 있다. 유능한 뉴 리터러시 교육코치는 여러 가지 영역에서 능숙할 필요가 있다. 뉴 리터러시 교육코치는 특히 학습내용과 능숙한 코칭스킬을 가져야 한다. 예를 들어, 교육코치들은 학습자들의 학습 성공을 목표로 코치와 학생 상호 간에 인간적 친밀감이 있어야 한다. 뿐만 아니라 뉴 리터러시 교육코치는 학습코칭 스킬뿐 아니라 학습내용, 교육적 지식, 그리고 소통능력도 갖추어야 한다.

유능한 뉴 리터러시 교육코치들은 다음과 같은 특징을 가질 필요가 있다.

1) 뉴 리터러시 교육코치는 학생뿐 아니라 다른 교사의 코칭 지원을 제공한다.
뉴 리터러시 교육코칭에 대한 근본적인 책임이 일어나는 곳이 바로 교실이다. 훌륭한 운동선수들이 항상 유능한 코치를 가질 수 없듯이 모든 교사들이 반드시 유능한 뉴 리터러시 교육코치가 되지는 않는다. 성공적인 뉴 리터러시 교육코치들은 다른 교사나 학생들과 신뢰 있는 관계를 갖도록 훈련되어야 한다. 뉴 리터러시 교육코치는 다른 교사들의 이슈를 신중히 들을 필요가 있다. 그들의 강점을 관찰하고, 피드백을 주고, 어떤 일이 다음에 일어날지를 예측하면서, 교육코치로서 그들이 학생들을 어떻게 도와줄 수 있는지에 대해 코칭하며 교사들과 신뢰관계를 가져야 한다. 유능한 뉴 리터러시 교육코치는 어떤 점에서도 학생들을 도울 수 있다는 확신을 가진다. 그리고 학생들의 수행을 평가하기보다는 학생들의 학습을 신중히 지켜보고 도와주는 사람들이다.

2) 뉴 리터러시 교육코치는 뉴 리터러시 교육에 대한 내용지식을 발전시킨다.

유능한 뉴 리터러시 교육코치는 교수학습 활동을 발전시키는 코칭 모델로 뉴 리터러시 수업활동에 초점을 둔다. 뉴 리터러시 교육코치는 뉴 리터러시 수업활동에 필요한 코치의 깊고 폭넓은 내용지식을 갖춘다. 유능한 뉴 리터러시 교육코치들은 읽고 쓰는 과정의 지식을 포함하여 언어습득과 발전, 인쇄 매체와 디지털 매체의 연결, 그리고 다양한 연령층의 다양한 콘텐츠와 문학작품, 그리고 다양한 학습자료와 관련 사이트에 대한 정보 및 지식들도 갖추어야 한다.

3) 뉴 리터러시 교육코치는 뉴 리터러시 교수학습 스킬을 보여준다.

유능한 뉴 리터러시 교육코치는 수준이 다른 학생들도 각자의 조건하에서 성공적인 융합적 탐구과정을 경험하도록 이끌어야 한다. 뉴 리터러시 교육코치는 뉴 리터러시 학습실제와 교육과정의 현장실현을 위해 다양한 매체를 통한 교수학습 방법과 전략을 준비해야 한다. 그리고 이와 관련된 대상과 조건에 따른 적정한 질문을 제시함으로써 유능한 뉴 리터러시 교육코치로서 신뢰를 보여주어야 한다. 뿐만 아니라 다른 교육코치들이나 학생들에게 시범수업을 통해 뉴 리터러시 교수학습 스킬을 보여줌으로써 뉴 리터러시 교육코치로서 신뢰를 쌓아가야 한다.

4) 뉴 리터러시 교육코치는 전문적인 학습 세미나에 참여한다.

아무리 유능한 뉴 리터러시 교육코치도 결코 모든 것을 알지는 못한다. 이러한 이유 때문에 뉴 리터러시 교육코치들은 학교에서 지식공유 신뢰 시스템을 갖추고 동료 교사들과 공유할 필요가 있다. 동료 뉴 리터러시 교사들과 함께 읽고 대화를 나누는 시간을 가지는 것은 뉴 리터러시 전문교사 양성을 위한 핵심이다. 유능한 뉴 리터러시 교육코치들은 동료 교사들의 이슈와 관심을 공유하면서, 이들을 뉴 리터러시 교수학습 방법에 적용하여 신뢰를 쌓아야 한다.

초등학교 교사들은 그들의 뉴 리터러시 교수학습의 경험을 뉴 리터러시 교수학습 방법과 전략 개발에 반영하면서 뉴 리터러시 코칭교사들을 지원하고 돕는다. 그리고 뉴 리터러시 교육코칭에 대한 전문성을 개발하고 필요한 곳에 코치교사들을 배치하고 임용한다. 만일 뉴 리터러시 교육자로 성장하기 위해서는 동료 교사들을 효과적으로 지원할 수 있는 다양한 지식, 스킬과 성향에 대한 자가 평가 체크리스트를 작성하고 점검할 필요가 있다.

뉴 리터러시 교사코칭을 위한 자가 평가 점검표

교사지원	강함	개발
교사지원 능력을 어떻게 등급할 것인가		
학생들의 질문을 격려하는가		
지원/유도하는 피드백을 제공하는가		
다양한 매체의 학습자료를 지원하는가		
뉴 리터러시 교수학습 모델을 보여주는가		
학습자의 뉴 리터러시 교수학습 활동을 관찰하는가		
뉴 리터러시 내용지식		
다양한 매체를 읽고 쓰는 뉴 리터러시 과정을 위한 배경지식이 있는가?		
뉴 리터러시 이론과 연구에 대한 지식이 있는가		
뉴 리터러시에 대한 전 세계 교육정책 / 동향관련 지식이 있는가		
(모국어/외국어) 언어습득에 관한 지식이 있는가		
뉴 리터러시 교수학습 전략을 사용하는가		
뉴 리터러시 교육과정과 자료 관련 지식이 있는가		
뉴 리터러시 능력과 평가에 관한 지식이 있는가		
뉴 리터러시 교육을 위한 문학작품에 관한 지식이 있는가		
비판적 사고와 융합적 경험학습에 대한 지식이 있는가		
창의적 표현 학습에 대한 지식이 있는가		
뉴 리터러시 교수학습		
뉴 리터러시 학습자를 가르치는 전략은 무엇인가?		
뉴 리터러시 교수학습 관련 교육정책 및 표준이 있는가		
뉴 리터러시 교수학습의 수준별 다양한 모델을 적용하는가		
뉴 리터러시 교수학습 과정에서 비형식적 교수학습의 평가방법을 사용하는가		
뉴 리터러시 교수학습 과정에서 융통성 있는 그룹 활동의 실제 활동이 있는가		
뉴 리터러시 교수학습 과정에서 차별화하는 교수학습 방법과 전략을 사용하는가		
뉴 리터러시 교수학습 과정에서 적정한 긍정적 칭찬/격려 피드백을 제공하는가		
뉴 리터러시 교수학습 과정에서 인쇄 매체와 디지털 매체 기술을 통합하는가		

학습자 양성하기		
교사가 학습자와 함께 일을 할 때 능숙한 코칭능력을 갖추고 있는가?		
학습자와 신뢰있는 관계를 유지하는가		
학습자 자신의 학습방법을 공유하는가		
학습자의 다양한 관점을 격려하는가		
학습자는 융통성이 있는가		
학습자와 토의를 이용하는가		

　　뉴 리터러시 교육코치 양성과 지원을 위한 내비게이션이 될 수 있는 평가제도나 기준이 필요하다. 초등학교 뉴 리터러시 교사코칭을 위해서는 뉴 리터러시 교육코치 양성을 위한 자가 평가지를 참고하고, 이를 코치교사들의 성향이나 교수학습 환경에 맞도록 재조정하여, 자신의 뉴 리터러시 교육코칭 과정을 성찰하고 반영하는 유능한 뉴 리터러시 교사코칭이 이루어지길 기대한다.

03. 뉴 리터러시 교사코칭에 관한 연구들

뉴 리터러시 교사코칭의 성공은 리터러시 전문코치와 초보 뉴 리터러시 교사 간 협력 때문이다.

본인은 초등학교에서 영어 리터러시 전문코치로서 학교 영어교육 전반을 운영관리하고 교사들의 교수학습 전반에 교사코칭을 한 경험이 있다. 당시 내용중심 영어 이머전 교육 디렉터라는 직함이었지만 업무내용이나 역할은 미국 초등학교 리터러시 전문코치와 같았다. 예를 들어, 영어 리터러시 전문코치로서 초등학교 영어교사들의 리터러시 교수학습 방법뿐 아니라 초등영어교육 교수학습 전반에 대한 교사들의 교수학습에 관한 코칭을 하는 업무였다. 특히 학생들의 영어교육과 교과목 교육을 통합하는 내용중심 리터러시 교수학습 방법, 학생들의 리터러시 교육과 교사들의 리터러시 교수학습 활동 등 초등학교 영어 리터러시 교육 전반에 대한 전문적인 리터러시 교사코칭을 담당하는 리터러시 전문코치로서 역할을 했다.

미국의 공교육에서는 리터러시 전문코치 교사를 두고 학생들의 리터러시 교육전반에 대한 교육과정과 리터러시 교육 프로그램을 디자인하고, 교사들의 교사코칭 등의 역할을 담당하고 있다. 이에 본인은 우리나라 초등학교에서도 리터러시 교수학습에 대한 전문코치의 필요성을 인식하고 초등학교 리터러시 교수학습에 관한 전문코치 역할과 코칭범위에 관심을 갖게 되었다. 그리고 이와 관련된 미국의 초등학교 리터러시 전문코치 역할과 관련한 연구사례들을 조사해왔다. 이유는 앞으로 우리나라 공·사교육기관들에서 뉴 리터러시 전문코치의 필요성을 강조하고 뉴 리터러시 전문코치 역할에 관한 연구들을 소개하기 위함이었다. 이를 통해 우리나라 초등학교 모든 교사들이 뉴 리터러시 코치로서 성장할 수 있도록 초등학교 주제통합 교수학습을 지원하는 뉴 리터러시 교수학습 교사코칭 시스템을 갖추길 기대하면서 미국의 초등학교 리터러시 전문코치에 관한 연구들을 소개한다.

먼저, 초등학교에서 리터러시 코치를 어떻게 양성하는가에 대한 질적 연구들이 있다. 미국과 멕시코 경계지역에 있는 초등학교에 채용된 30여 명의 리터러시 코치를 대상으로 한 연구이다. 이 연구는 새로운 신입이나 초보교사들을 지원하는 리터러시 코치의 역할을 보여준다. 이 연구는 리터러시 코치의 역할을 강조하고 있지만 이미 신입 리터러시 교사들의 성장을 예단하고, 신입 리터러시 교사들을 앞으로 리터러시 전문코치로 양성하기 위한 연구라 할 수 있다.

좋은 교사를 보유하고 교사들의 교수학습 활동의 질을 높이기 위해 초등학교는 리터러시 교사코칭 시스템이 필요하다는 연구들이 많은 관심을 받아온 것이 사실이다. 리터러시 전문코치를 채용·유지하고 질 높은 리터러시 코치교사로 길러내는 리터러시 전문코치 양성교육은 초등학교 교수학습 전반의 개선을 위해 가장 우선되어야 할 전략이기 때문이다Moir, MBarlin, Gless & Miles, 2010. 특히 초보 리터러시 교사들이 경력교사들처럼 학생들의 리터러시 성장과 성공을 지원하기 위해서는 초등학교 리터러시 교사코칭 시스템 도입이 효과적이기 때문이다Cochran-Smith, 2005. 결국, 리터러시 교사코칭 프로그램은 신입교사를 위한 지원 시스템이 되겠지만, 초보나 신입교사들을 위한 뉴 리터러시 교사코칭 문제도 함께 해결해줄 수 있다.

물론 초보교사들은 뉴 리터러시 교사로서 전문교육을 받고 싶어 하지 않는다는 연구결과도 있다. 하버드 대학 교육학석사 학생들은 50명의 매사추세츠 주 초보 리터러시 교사들을 대상으로 5년간 질적 연구를 실시했다. 연구내용은 초보 리터러시 교사로서 초등학교에서 하고 싶어 하는 지원업무 유형에 관한 조사였다. Johnson과 Kardos2003는 초보 리터러시 교사들이 원하는 것은 교사 자신들이 일상에서 부딪히는 리터러시 학습코칭의 어려움에 대해 경험 있는 동료들의 실제적인 도움이 필요하다고 하였다. 초보 리터러시 교사들에게 리터러시 학습코칭 노하우를 가르쳐주고, 리터러시 학습코칭에 대한 피드백을 주고, 리터러시 교수학습 전략을 발전시킬 수 있도록 도와주고, 리터러시 교수학습 모델과 학생들의 교수학습 활동과 그들의 삶에 대해 공유하는 경험 많은 동료가 있으면 좋겠다는 의견들이었다. Standsbury와 Zimmerman2002은 초보교사들은 자신들에게 개인적·감성적으로 지원해주고, 교사 자신의 특별한 리터러시 교수학습 활동에 관한 문제를 해결해주는 경력교사들의 비판적 피드백이나 도움을 받고 싶어 했다. 그리고 초보나 신입 리터러시 교사의 성장과 유지를 위해 경력교사나 교장의 지원을 개선하는 일은 학교마다 가장 생명력 있는 역할이며 업무 중 하나라고 강조한다. 특히 초보 리터러시 교사를 위한 행정적 지원은 더욱 잘 이루어지지 않고 있다는 점도 지적한다_{Carver, 2003; Moir, 2009a; Roverson & Roberson, 2009;}
_{Watkins, 2005}.

초등학교 교육현장에서 일하는 리터러시 교사들에 대한 지원도 잘 이루어지지 않고 있는 상황에서, 하물며 초보교사들에게 뉴 리터러시 교사코칭을 요구하는 전문성 교육은 리터러시와 뉴 리터러시에 대한 차이를 인식하지도 못하는 그들에게 매우 새로운 도전적인 사항일 수 있다. 그래서 Andrews, Gilbert와 Martin_{Hoover, 2010 재인용}이 지적하듯이, 초보 리터러시 교사들에게 경험 많은 동료 교사들과 함께 배우고 일할 기회를 제공하는 것이 무엇보다 중요한 듯 보인다. 초보 교사들의 이러한 바람은 뉴 리터러시 전문코치가 되기 위해 초보나 신입 리터러시 교사들이 경력 교사들에 비해 디지털 문화에 더 익숙해 있으면서도 경험이 많은 리터러시 전문코치 교사로부터 리터러시 기본을 배우고자 하는 욕구가 더 강하다는 점을 말해준다. 이는 리터러시 교사코칭이 디지털 매체활용을 통한 뉴 리터러시 교수학습 방법의 개선에 초점을 두기보다는 리터러시 기초 교육을 강조하고 있는 교육의 현실을 반영한다. 그리고 리터러시 전문교사 양성이 최근 전 세계 리터러시 교육 동향을 반영하지 못하고 있다는 것을 역시 반영한다. 특히 초보나 신입교사들은 조직 내에서 동료 경력 교사에게서 지원을 받을 수 있을 때, 리터러시 교사로서 역할수행을 할 때보다 더 많은 만족을 얻는다고 보도했다_{Berry, 2011}. 이는 뉴 리터러시 교육은 기본 리터러시 교육이나 행정지원이 갖추어진 후에야 가능해질 수 있다는 점을 시사한다.

Kardos와 Johnson₂₀₀₇은 "오늘날 많은 초보, 신입 리터러시 교사들은 자신의 교수학습 방식을 스스로 찾아야 하는 과제를 갖고서 교사경력을 시작한다." 이는 초보나 신입 리터러시 교사들의 역량을 성장시키기 위한 지원은 리터러시 전문코치 양성을 위한 특별한 프로그램이나 멘토링을 중심으로 운영되고 있기 때문이다. Strong₂₀₀₉은 리터러시 멘토링과 리터러시 코치를 지원하는 프로그램과 관련된 많은 연구를 검토했다. 그 이유는 리터러시 교사를 지원하는 프로그램들이 많으면 많을수록 초보나 신입 리터러시 교사들을 성장시키고 초등학교 뉴 리터러시 교수학습의 질을 향상시키는 데 기여할 수 있기 때문이다.

뉴 리터러시 코치교사를 지원하는 프로그램에서 가장 핵심요인은 역설적이게도 교수학습 과정에 디지털 기술을 접목하는 교수학습 방법을 개발하는 일보다 동료 간 이루어지는 리터러시 교사코칭이라는 점이다. 그래서 뉴 리터러시 교사코칭은 뉴 리터러시 교육의 활성화에 초점을 두기보다는 읽고 쓰는 리터러시 교사코칭 제도를 초보나 신입교사의 리터러시 교수학습 능력을 기르는 수단으로 사용되고 있다. Joyce와 Calhoun₂₀₁₀은 21세기 뉴 리터러시 교수학습 스킬과 지식을 필요로 하는 학생들을 위해 21세기 뉴 리터러시 교수학습을 위한 기술과 전략을 개발하도록 도와주어야 하는 경우에도 우선적으로 기초 리터러시 교사코칭을 해야 한다고 주장한다42. 왜냐하면 학생들의 뉴 리터러시 능력을 지원하는 방식은 뉴 리터러시 교사코칭 프로그램이지만, 뉴 리터러시 교수학습 능력은 기초 리터러시 코칭능력에 의해 결정되기 때문이라고 강조한다. Wong과 Wong2008도 기초 리터러시 코칭능력이 뉴 리터러시 교사를 양성하고 지원하는 프로그램에서 중요한 부분을 차지한다고 강조했다. 그 이유는 기초 리터러시 코칭이 이루어지면 교수학습 과정에서 자연스럽게 학습자들을 위한 뉴 리터러시 교수학습 방법을 찾을 수 있기 때문이라고 주장한다Darling-Hammond & Richardson, 2009; Knight, 2009.

뉴 리터러시 코칭에서 가장 중요한 것은 전통적인 리터러시 코칭능력이며, 이를 위한 리터러시 코치의 역할과 능력이 우선 필요하다는 말이다. Joyce와 Calhoun2010은 다음과 같은 설명으로 이를 대변해준다.

> 리터러시 코칭의 전반적 목표는 더 나은 리터러시 스킬과 지식을 발전하도록 리터러시 전문가들을 돕는 일이다. 특정한 분야나 교육과정 영역 전반에 걸쳐 현 시점에서 가장 뛰어난 기본 리터러시를 개발하도록 돕는 일이다. (51)

이러한 점에서 볼 때, 학교 교장은 리터러시 교사들과 함께 일을 하는 뉴 리터러시 코치들의 역할을 잘 이해할 필요가 있다. Knight2006는 교장들이 리터러시 코칭의 영향력을 증가시키기 위해 고려해야 할 요인들을 설명한다. 리터러시 코치는 평가자 역할이 아닌 촉진자이며 도움의 기능을 해야 한다. 그리고 교과목 교사와 신뢰관계를 쌓아야 하고 학습자의 뉴 리터러시 활동을 관찰하거나 통합 교과목에서 뉴 리터러시 교수학습 모델을 제시하며, 조직간 협조를 통해 다른 교사들과 함께 학생들의 뉴 리터러시 능력 향상을 위해 노력할 수 있는 충분한 시간도 주어져야 한다는 점을 강조한다. 그러기 위해서는 전통적인 리터러시 코치도 디지털 시대에 맞도록 뉴 리터러시 교수학습 방법과 전략에 대한 지식과 전략을 갖추어야 한다고 강조한다.

공교육에서 경력교사들의 리터러시 코치로서의 역할과 초보나 신입교사들에 대한 뉴 리터러시 코칭활동에 관한 많은 연구들은, 미래 새로운 직업으로 부상될 뉴 리터러시 학습코치들의 역할과 지원활동을 예측하고 발전시킬 수 있을 것으로 보인다. 우선, 리터러시 전문코치가 학교에서 어떤 일을 하는지에 대한 연구가 있다. Beab2007은 리터러시 전문코치의 역할은 무엇보다 다른 교사의 리터러시 수업에 대해 평가나 판단을 하기보다 더 나은 뉴 리터러시 교수학습 활동을 지원하는 동료 간 뉴 리터러시 코칭활동이 중요하다는 점을 강조했다.

뉴 리터러시 교수학습에 대한 초보교사들의 코칭에 관한 연구로서 Beab과 Isler2008는 뉴 리터러시 초보교사에게 보다 많은 리터러시 코칭 비용이 투자되어야 한다는 점을 강조한다. 왜냐하면, 뉴 리터러시 전문코치로부터 교수학습에 대한 리터러시 코칭 피드백을 받으면 초보교사들은 경력교사들에 비해 훨씬 빠르게 뉴 리터러시 코치 전문가가 된다고 강조한다. 왜냐하면, 신입 리터러시 교사는 디지털 원주민에 가까운 디지털 활용세대이기 때문에 기존 리터러시 교수학습 과정을 뉴 리터러시 교수학습으로 이끌 수 있는 기본 디지털 활용 능력을 갖추고 있기 때문이다. 그리고 이 연구는 리터러시 전문코치들의 차별화된 코칭지원의 유형과 뉴 리터러시 초보코치들의 뉴 리터러시 교수학습 역할을 소개해주고 있다.

Beab과 Isler2008의 연구는 초등학교에서 뉴 리터러시 교사코칭이 이루어지길 기대하고, 초등학교 모든 교사가 뉴 리터러시 전문코치로 학생들의 뉴 리터러시 교수학습에 책임을 다하고자 한다면, 학교 운영자나 교사들이 읽어볼 만한 연구라 여긴다. 이 연구는 우선 멕시코 경계에 있는 30명의 초등학교 리터러시 전문코치들이 참여한 연구이다. 당시 그들은 유치원에서 3학년까지 읽기 리터러시 수업에서 리터러시 전문코치로 일하고 있었다. 학생들의 34%가 ELLEnglish Language Leaners이고, 96%는 경제적으로 어려운 학생들로 구성된 초등학교에서 리터러시 전문코치로 일했다. 그들 중 1~6년 코치경력을 가진 교사가 96%였는데, 그중 절반이 3년 이상의 경력자였다. 리터러시 전문코치들 대부분은 코치 전 교사로서 또는 교육관련 분야에서 다양한 교수학습의 경험을 가졌다.

이 연구는 리터러시 활동에 대해 3가지 방식으로 자료를 수집했다Creswell, 2003. 첫 번째 방식은 리터러시 코치들의 미팅 전의 상황을 설문하여 자료를 모았다. 그 설문은 리터러시 코치들이 교사나 학생들의 다양한 요구에 대해 그들의 코칭 내용과 스타일이 얼마나 달라지는지에 초점을 둔 설문내용이었다. 다음은 설문의 질문들이다.

1) 다양한 교사의 필요에 맞게 당신의 코칭을 어떻게 하는가?
2) 당신이 교사를 코칭할 때 어떤 요소들을 고려하는가?
3) 이러한 요소들이 왜 중요하다고 느끼는가?

이 연구결과는 리터러시 전문코치들이 가장 중요하게 생각하는 책임은 K-3학년에 걸쳐 읽기 리터러시 프로그램을 이끄는 일이었다. 다음은 리터러시 전문코치들이 경험이 부족한 초보나 신입교사들을 위해 개인차를 두고 다르게 코칭하는 5가지 요인들이다.

1) 리터러시 교수학습 지원시간

2) 리터러시 교수학습 지원유형

3) 리터러시 전문성 교육

4) 리터러시 이상의 영역에서 지원

5) 감성적/정의적 지원

이 연구결과를 보면, 리터러시 전문코치들은 경력교사보다 초보교사들에게 더 많은 시간을 보내고 있었다. 응답자 중 한 코치는 경험이 부족한 교사들에게 리터러시 교수학습의 기초를 교육할 기회를 늘렸고, 이 단계에 풍부한 아이디어를 제공하였다. 특히 이들은 초보나 신입교사에게 코칭을 할 때는 리터러시 기초 정보를 더 명확하게 주어야 한다고 말했다. 초보나 신입교사들은 거의 1:1 코칭을 받았다. 리터러시 전문코치들은 초보나 신입교사들이 읽기와 쓰기 리터러시 교수학습에 편안함을 느끼도록 리터러시 기초교육에 시간과 공을 들였다. 그럼에도 초보나 신입교사들은 리터러시 기초교육에 더 오랜 시간과 지원이 필요하다는 점을 강조했다. 그 이유는 이들에게 리터러시 이상의 영역이라 할 디지털 매체 읽기를 접목하는 뉴 리터러시 교수학습 또한 기본적인 읽기와 쓰기 리터러시 기초와 연계되어 있기 때문으로 추정된다.

리터러시 전문코치는 리터러시 교수학습에 대한 모델을 보여주고, 이를 뉴 리터러시 교수학습 모델에 적용할 수 있도록 초보나 신입교사와 더 많은 시간을 가져야 했다. 한 리터러시 전문코치가 설명하기를, "나는 전문성 교육, 학습코칭과 모델링을 한다. 경험 있는 교사는 자신의 리터러시 교수학습 활동에 대해 되새겨보는 성찰의 시간이 필요하다. 반면에 초보나 신입교사는 리터러시 스킬을 되새겨보기 위해 충분한 연습시간이 필요하고 더 직접적인 피드백이 요구된다. 나는 초보나 신입교사들이 경험교사들의 리터러시 교실수업을 관찰하도록 하는 것이 도움이 된다고 생각한다. 그래서 초보나 신입교사들에게 경험 있는 리터러시 교사들의 수업을 관찰할 기회나 모델을 제공해줄 수 있도록 그들과 잘 지내고자 애쓴다."라고 말했다.

또한 리터러시 전문코치는 초보나 신입교사들을 반드시 따라다녀야 한다고 덧붙인다. 그리고 리터러시 전문코치들은 경험 있는 교사를 위한 뉴 리터러시 훈련도 필요하다고 말한다. 리터러시 교사들의 전문화는 각 학년 수준에 따라 사용되는 뉴 리터러시 프로그램에서 전수받는 특별한 디지털 매체 읽기 교수학습 능력과 전략사용에 달려있다. 한 참가자는 리터러시 코칭 경험의 횟수와 특정 학년에서 얼마나 오래 가르쳐왔는지에 따라 뉴 리터러시 코칭에 관한 적절한 훈련이 주어지기 위해서는 리터러시 전문코치 또한 디지털 기술을 뉴 리터러시 교수학습 활동에 적용하는 다양한 뉴 리터러시 전략과 교수학습 방법을 갖추고 있어야 한다고 지적한다.

효과적인 뉴 리터러시 수업을 지원하기 위해, 리터러시 전문코치들은 리터러시 이상의 영역에서 초보나 신입교사들로부터 디지털 매체 활용 같은 교수학습 방법과 전략에 대한 신선한 아이디어의 도움을 받을 필요가 있다. 뉴 리터러시 수업참관을 하는 동안 리터러시 전문코치는 신입교사들의 디지털 매체를 활용한 뉴 리터러시 수업활동에서 학생들이 디지털 매체에 어떻게 흥미를 갖고 수업에 참여하는지를 본다. 그러면서 "나는 뉴 리터러시 학습활동에 대한 학생들의 행동과 수업운영을 본다."라며 뉴 리터러시 코칭 방법을 강조한다. 리터러시 전문코치는 초보나 신입교사의 수업을 통해 "읽기를 먼저 하되 다양한 매체 읽기를 활용해 다른 교과영역과 언어교육을 통합하였다."라며 뉴 리터러시 프로그램 개발에 대한 코칭 가능성을 보였다.

리터러시 전문코치들의 말은 "내 역할은 교사가 교실에서 학생들을 위한 리터러시 교수학습 활동에 확신을 느끼도록 풍부한 기회를 제공하는 것이다. 그리고 리터러시 코치들의 비밀정보를 지켜줌으로써 신뢰를 쌓아야 한다."라고 말한다. 이러한 진술은 동료교사들과 신뢰관계가 돈독해 감에 따라, 뉴 리터러시 교수학습도 감성적으로나 학문적으로 더 잘 지원할 수 있게 된다는 점을 강조한다.

엄밀하게 말해, 이 연구에서 리터러시 전문코치는 교사의 리터러시 경험과 뉴 리터러시 코칭의 실제와는 차이가 있다고 말한다. 사실 리터러시 전문코치들은 신입교사들을 '다 마친 상품'finished products으로 간주하지 않는다. 뉴 리터러시 전문코치는 초보나 신입교사들의 개인적인 문제까지도 도움을 제공함으로써 경력교사들이 주는 지원과는 다른 뉴 리터러시 코치로서의 전문성까지도 제공해줄 수 있는 완전한 뉴 리터러시 코칭을 제공한다. 하지만 일부 리터러시 전문코치는 초보나 신입교사들의 요구를 잘 알고 있는 듯 보이기는 하나, 뉴 리터러시 교수학습에 대해서는 말을 아낀다. 이유는 자신이 신입 리터러시 교사에게 코칭할 수 있는 영역이 아니라고 생각하거나, 아니면 디지털 매체 활용은 기초 리터러시 교육코칭이 이루어지면 당연히 이루어지는 교수학습 전략이지 특별히 따로 코칭할 필요가 없다는 위험한 발상을 하고 있기 때문일지도 모른다. 이러한 점에서 만일 초등학교의 모든 교사들이 우수한 뉴 리터러시 전문교사로 성장하고 발전하길 바라고 뉴 리터러시 전문코치로 성장되길 원한다면 리터러시 전문코칭과 뉴 리터러시 전문코칭의 의의와 역할에 대해 다시 되새겨봐야 할 논문이다Feiman-Nenser, 2003.

초등학교 리터러시 전문코치들은 교사 개인의 필요에 초점을 두면서 초보나 신입교사들과 더 많은 시간을 보낸다. 이들은 교과수업과 언어 리터러시 수업을 통합하면서 리터러시 수업이상의 교과문제를 가르치는 데도 도움을 준다. 그리고 언어 리터러시 교육과 교과목 내용학습을 통합하기 위해 인쇄 매체 읽기에 디지털 매체 읽기를 적절히 접목하는 뉴 리터러시 전문성을 배우고자 언어 교사와 교과목 교사들과도 더 많은 시간을 보낸다. Stansbury와 Zimmerman2002에 따르면 초보나 신입교사에게 제공된 차별화된 코칭은 리터러시 교사들에게 제공되던 지원과 거의 일치하며 그 이상의 범위를 넘지 못한다고 강조한다. 그리고 리터러시 전문코치들은 개인적이고 감성적인 지원, 문제해결을 위한 지원, 그리고 학생들이 읽고 탐구하는 기본적인 리터러시 교수학습 지원에만 초점을 두고 디지털 매체 활용을 리터러시 교수학습 과정에 어떻게 효과적으로 접목시키는지에 대해서는 한계가 있다는 점을 지적한다.

Stansbury와 Zimmerman2002은 리터러시 교수학습에서 정서적 코칭 지원도 강조한다. 정서적 지원을 위해서는 리터러시 수업을 자주 참관하고, 신입교사들과 추가 시간을 보냄으로써 리터러시 전문코치들이 신입교사를 위해 전문적인 리터러시 코칭을 훨씬 용이하게 해준다는 점을 보여준다. 그 결과 초보나 신입교사들은 리터러시 전문교사들에게 믿음을 갖게 되고, 믿는 동료로부터 리터러시 코칭을 받는다는 신뢰를 갖게 된다. 이러한 정서적 코칭지원을 통한 신뢰관계는 성공적인 리터러시 교사코칭에 가장 결정적이고 근본적인 요인이 될 수 있다Knight, 2006. 이처럼 정서적 지원은 신입교사들을 성공적인 뉴 리터러시 교사로 이끄는 유도 코칭의 첫 번째 단계이다 Stansbury & Zimmerman, 2002.

워크숍에 참석한 리터러시 전문코치들은 리터러시 수업의 교수학습 활동에 대해 많은 시간을 보낸다. Feiman-Nenser2003은 초보나 신입교사에게 매일 매일 발생되는 리터러시 교수학습 문제에 리터러시 전문코치가 지원을 하라고 제안한다.

리터러시 전문코치들은 초등학교 뉴 리터러시 수업을 모델링하면서 학생들의 협동수업을 참관하고, 이에 따라 뉴 리터러시 수업실제에 피드백을 주거나 신입교사들이 스스로 자신의 수업을 되돌아보는 능력을 돕는다. 이러한 뉴 리터러시 코칭지원은 신입교사들에게 자신의 티칭을 비판적으로 돌아보게 한다Stansbury & Zimmerman, 2002. 리터러시 전문코치들은 이때 초보나 신입교사들에게 뉴 리터러시 교실수업의 교수학습 활동에 필요한 지원을 제공할 수 있게 된다. 때문에 리터러시 전문코치들은 초보나 신입교사들이 간과하고 있는 교육환경까지도 뉴 리터러시 교수학습 문제로 다루어 동료들과 협력적으로 관심을 갖길 바란다Andrews, Gilbert, & Martin as cited in Hoover, 2010.

학교 구성원들의 지원은 뉴 리터러시 코치가 되려는 초보나 신입교사들의 성공에 생명력 같은 것이다. 학교 구성원들은 초보나 신입교사들이 동료들과 신뢰관계를 형성하도록 돕고, 경험 있는 동료들과 함께 리터러시 교수학습을 배우고 협력하는 기회를 제공하도록 도와야 한다. 초등학교가 리터러시 전문성을 유지하려면, 기초 리터러시 교사코칭 시스템을 우선 갖추는 것이 매우 중요하다. 이러한 기초 리터러시 교사코칭 시스템을 갖춘 학교의 경우, 뉴 리터러시 코치교사들은 학생들의 리터러시 증진을 위해 가능한 모든 뉴 리터러시 코칭 실제를 활용할 것이다.

　　뉴 리터러시 전문코치리터러시 전문코치가 아닌 한 사람이 학교에 채용되면, 초등학교 교사들의 리터러시 교수학습 전반을 지원하는 시스템이 조성된다. 뉴 리터러시 전문코치는 초보나 신입교사들이 학생들에게 질 높은 뉴 리터러시 수업을 제공하도록 적극적인 지원도 제공해줄 수 있기 때문이다Berry, 2011; Moir, 2009b. 이 연구에 따르면 뉴 리터러시 코칭 지원은 학교 교장이나 운영자들, 그리고 인터넷 시스템을 잘 아는 사람들보다는 해당 교육 분야의 리터러시 전문가가 가장 적합하다고 강조한다. 왜냐하면 학교 교장이나 운영자들은 일반적으로 교사를 평가하려고 하며, 코칭지원을 잘 하려는 의지를 보이지 않기 때문이다. 연구결과를 보면 리터러시 전문코치는 수업운영 환경, 매일 스케줄링, 업무 요구, 리터러시 교수학습 부분에서 초보교사들을 코칭할 뿐 아니라 개인적인 다른 필요들도 지원해야 한다고 보고되고 있다. 하지만 리터러시 전문코치는 뉴 리터러시 교수학습을 이끄는 데는 한계가 있을 수 있다. 이제는 전통적인 리터러시 전문코치가 아닌 디지털 원주민을 잘 이끌 수 있는 '뉴 리터러시 전문코치'를 교육기관마다 갖추고 학생들의 21세기를 위한 미래 교육을 준비해야 할 때이다.

　　뉴 리터러시 전문코치가 관련분야의 교수학습 경험을 바탕으로, 디지털 시대 교과목 기반 인쇄 매체 리터러시와 디지털 매체 리터러시를 통합하는 뉴 리터러시 교육활동을 강화한다면 다른 일반 교사들에 비해 다양한 뉴 리터러시 코칭을 할 수 있게 된다. 이로써 뉴 리터러시 전문코치들의 역량은 뉴 리터러시 교수학습에 대한 모델 수업을 해주고, 이어 뉴 리터러시 교수학습을 지도하는 세미나나 워크숍을 제공해줄 수 있어야 한다. 그리고 리터러시 교육에 경험이 많은 경력 교사와 뉴 리터러시 스킬에 익숙한 뉴 리터러시 초보나 신입교사 간 연결을 유도하며 신뢰를 바탕으로, 상호 협조적 뉴 리터러시 교사코칭 시스템을 갖출 수 있어야 한다. 이러한 상호 협조적 뉴 리터러시 교사코칭 시스템은 위계적 입장에서가 아닌 수평적 위치에서 서로 다른 장점을 인정하고 교사들의 뉴 리터러시 교수학습을 도울 수 있게 해준다. 무엇보다 중요한 것은 뉴 리터러시 전문코치들도 경험 있는 기존의 리터러시 교사와 초보나 신입의 뉴 리터러시 코치교사들 사이에 연계를 이끌고 균형적 지원을 주는 신뢰적 관계를 갖추어야 한다. 정서적 교감은 동료 교사들이 서로의 제안을 기꺼이 받아들이고, 뉴 리터러시 교수학습 전반에 대한 또 다른 도전에 대해 논의할 수 있도록 신뢰를 쌓는 일이라 하겠다.

IV. 무엇(What) : 뉴 리터러시 교육은 무엇이 다른가?

Unit 01.

PISA 읽기 리터러시는 무엇이 다른가?

01. PISA 읽기 리터러시 평가 의의와 대책
02. PISA 읽기 리터러시 평가내용과 성취기준
03. PISA 읽기 리터러시 문항분석을 통한 뉴 리터러시 교육

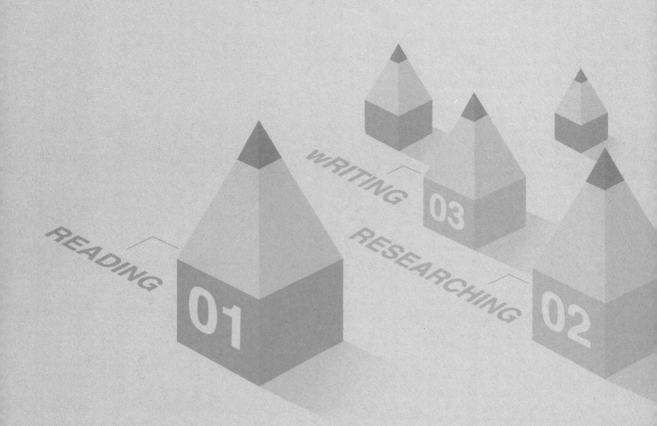

01. PISA 읽기 리터러시 평가 의의와 대책

▎ PISA 읽기 리터러시 평가 준비는 읽는 방법을 바꾸는 것이다.

　　'디지털 지식과 정보'라는 단어는 우리에게 어떤 의미로 다가오고 있는가? 이미 우리에게 익숙해져버린 '디지털 지식과 정보'라는 단어는 세계화와 글로벌화를 향한 지식기반 사회로의 변화를 전하는 단어로 통용되고 있다. 이렇듯 우리 삶 깊숙이 다가온 글로벌화는 국제적 경쟁력을 갖춘 새로운 지식과 문화 창출을 위한 창의·융합적 인재육성, 'STEAM'이라는 교육과제를 우리에게 던져주었다. 여기서 'S'는 Science과학, 'T'는 Technology기술, 'E'는 Engineering공학, 'A'는 Arts예술, 'M'은 Mathematics수학의 약자로 미국의 STEMScience · Technology · Engineering · Mathematics 에서 그 뿌리를 찾아볼 수 있다. STEM은 수업현장에서 여러 학문 분야를 넘나들며 융합을 추구하는 교육으로, 미국의 오바마Barack Obama 대통령의 이름을 따 '오바마 학습유형'이라 불리기도 한다. 우리나라 STEAM에서 'A'Art가 빠진 미국의 'STEM' 교육은 원래 미국의 뉴 리터러시 학습활동에서 비롯되었다고 할 수 있다. 최근 국가마다 교육의 핵심과제로 내세우고 있는 '창의·융합적 인재육성'을 위한 노력은 이 시대를 살아가고 있는 모든 교육자와 모든 학부모들이 담당해야 할 책임이며 의무가 되고 있다. 이러한 점에서 뉴 리터러시 교육도 창의·융합적 인재양성을 위한 교육이 되어야 한다는 점은 예외일 수 없다 하겠다.

　　최근 OECD의 PISA 평가는 디지털 정보화 시대에 창의·융합적 인재교육STEAM에 대한 성과를 뉴 리터러시 능력으로 측정하고 있다. 이 평가결과를 기준으로 개별 국가들은 자국의 교육성과를 상호비교하며 미흡한 부분을 보완하고 개선하기 위한 노력을 가속화하고 있다. OECD가 실행하고 있는 국제학업성취비교 연구인 소위 PISAThe Programme for International Student Assessment는 학생들이 미래 사회의 시민으로 살아가는 데 필요한 3영역 분야읽기, 수학, 과학의 리터러시 능력에 대한 측정을 목적으로 하는 국제 학업성취도 평가에 해당된다. 특히 PISA평가에 참가하는 국가들에서 의무교육이 종료되는 시점만15세에 있는 학생들을 대상으로 읽기, 수학, 과학의 3영역에 대한 기초 리터러시 능력을 평가한다.

우리나라도 글로벌 인재 양성을 위한 일환으로 PISA 연구가 시작되던 해인 1998년부터 이 연구에 참여하여 왔다. 지금까지 3년 주기로 시행된 PISA 2000, PISA 2003, PISA 2006, PISA 2009, PISA 2012 평가에서 우리나라는 흥미와 관심의 영역에서는 낮은 점수를 보이지만, 학습 성과에서는 모두 좋은 성적을 보여 국제적으로 학업성취도 상위국으로 자리매김하였다. 특히 PISA 2009와 PISA 2012에서는 인쇄 매체 읽기 리터러시 평가 PRAPrint Reading Assessment와 디지털 매체 읽기 리터러시 평가 DRADigital Reading Assessment가 동시에 이루어져 디지털 정보 읽기에 대한 뉴 리터러시 학습활동의 중요성을 인식시켜주고 있다.

교육의 목적은 주어진 사회에서 건강한 시민으로 살아갈 수 있는 인재를 육성하는 데 있다. 그러한 점에서 PISA가 실시하고 있는 PRA와 DRA 평가항목들은 21세기를 살아가야 할 초등학생들에게 필요한 뉴 리터러시 능력이라 할 수 있다. 다시 말해, PISA에서 평가하는 PRA와 DRA 리터러시 능력은 초등학교 학생들이 글로벌 인재로 성장하는 데 가장 기본적이고 필수적인 뉴 리터러시 능력이라는 사실이다김경희, 2010. 그리고 이 평가는 주제관련 다양한 매체 정보 읽기능력과 다양한 정보를 통합하고 표현하는 뉴 리터러시 능력을 평가한다. 그리고 초등학교 주제통합 수업에서 길러져야 하는 창의 · 융합적 인재 양성을 위한 뉴 리터러시 항목들이라 할 수 있다.

PISA 2000 이후 최근 PISA 2009와 PISA 2012 결과에서 우리나라 학생들의 성취도가 최상위 수준인 것으로 나타났다. 특히 우리나라 학생들은 인쇄 매체 읽기 리터러시 평가에 비해 인터넷상에서 문제를 해결하는 능력이 우수한 것으로 나타났다. 하지만 우리나라와 비슷한 수준에 있는 상위 국가들과 비교해 읽기 리터러시 영역에서 흥미와 관심은 상대적으로 취약한 영역들이 나타났다. 이러한 점을 고려하여 교육과학기술부는 우리나라 학생들의 강점을 살리고, 부족한 부분을 보완하기 위해 학교 교육 전반을 디지털 환경에 맞게 전환할 방침이라고 보도한 바 있다. 또한 우리나라 학생들이 세계 최고 수준의 디지털 매체 역량을 확보할 수 있도록 클라우드 교육기반 구축 등 초 · 중 · 고등학교 인프라 개선에 투자를 늘릴 계획이라고 밝힌 바 있다교육과학기술부, 한국교육평가원, 2011.6 보도자료. 하지만 교육과학기술부가 밝힌 바와는 달리 초등학교 주제통합 교육과정에서 단 한명의 초등학생도 낙후됨이 없이 글로벌 세상에서 살아가려면 기초 리터러시 역량을 갖춘 창의·융합적 인재로 성장하는 교육이 되어야 한다. 왜냐하면 창의·융합적 인재 양성은 뉴 리터러시 교육을 통해서 가능하기 때문이다. 그런데 우리나라는 기초 리터러시 교육환경이 매우 취약한 실정이다. 이러한 교육환경에서 창의·융합적 인재양성은 기초가 안 된 화려한 누각만 지으려는 발상일 수 있다. 따라서 창의·융합적 인재양성에 필요한 성공적인 뉴 리터러시 능력을 성취하려면 이러한 PRA와 DRA 결과에서 강점과 취약점을 점검하고 보완할 수 있는 읽기 리터러시 교수학습 방법에 대한 기초 학습 개선책 마련이 무엇보다 중요한 때이다. 왜냐하면 뉴 리터러시 교육은 문제해결을 위해 비판적 읽기를 통해 다양한 정보를 넘나들며 융합하는 탐구과정을 거쳐 창의적 표현을 구현해내는 창의·융합적 인재양성을 위한 교육이기 때문이다.

한국교육과정평가원 김경희 외2010와 조지민 외2012 많은 연구원들은 유관기관한국교육개발원, 한국과학창의재단, 고려대학교과 교육과학기술부의 후원으로 PISA 2009 평가 결과를 토대로 한 '교육정책 개선방안 연구'라는 과제를 수행하고 그 성과를 보고한 바 있다. 이 보고서들은 국제 학업성취도 평가PISA의 주요결과를 분석하여 앞으로 읽기·수학·과학 영역의 교육정책이 어떤 방향으로 추진되어야 할지에 대한 교육 정책제안을 주고 있다는 점에서 우리나라 리터러시 교육의 질적 향상에 큰 방향을 제시하고 있다. 하지만 아쉬운 점은 이 보고서들이 PISA에서 제공된 데이터를 기반으로 교육맥락 변인과 연계하여 분석한 개선방안에 대한 아이디어만 제시하고 있어, 실제 교육현장에 여전히 실질적 도움이 되지 못한다는 아쉬움이 있다. 특히 연구가 교육현장에 초점을 두기보다는 전반적인 교육정책이나 여론에 더 중점을 두는 경향을 보이고 있다. 따라서 PISA 평가 결과 보고서에서 제시해왔던 제안들을 우리나라 초등학교 리터러시 교육에 적용하려면, 창의·융합적 인재를 양성할 실제적인 초등학교 리터러시 교수학습 모델이 하루빨리 마련되어야 할 필요가 있다.

초등학교에서 가장 중요한 리터러시 능력은 바로 읽고 쓰는 언어 리터러시 능력에서 출발되어야 한다. 그러한 점에서 PRA와 DRA에서 평가하는 인쇄 매체 읽기나 디지털 매체 읽기 리터러시는 초등 교과목을 수행하는 데 필요한 기본능력이다. 우리나라 초등학생 모두가 디지털 정보화 시대에 다양한 매체 읽기 리터러시 능력을 꽃피우기 위해 실제 교실현장에서는 이를 적용 가능한 미래형 리터러시 교수학습 모델이 필요해졌다. 그리고 변화무쌍한 디지털 세상을 반영하는 PRA와 DRA 리터러시 능력을 통합할 수 있는 새로운 읽기 리터러시 교수학습 방안이 모색되어야 한다. 김경희 외2010도 PISA 평가항목들이 교실 수업현장에 적용될 수 있는 읽기 리터러시 교수학습 모델에 대한 후속연구를 제언한 바 있다.

21세기 글로벌 교육현장에서는 인쇄 매체인 책 읽기와 다양한 디지털 매체 정보를 동시에 잘 읽어내야 한다는 점에 공감한다. 이러한 점에서 초등학교 주제통합 교과학습에서 PRA와 DRA 리터러시 능력을 통합한 뉴 리터러시 교수활동을 할 수 있는 뉴 리터러시 교수학습 모델이 필요하다. 초등학교 주제통합 언어교과목국어/영어 수업의 핵심과제인 PRA와 DRA 리터러시 능력을 통합한 뉴 리터러시 교수학습 방법이 여기에 해당된다. 구체적으로, 학교나 집에서 교사나 학부모들이 온·오프라인을 통해 학생들의 21세기 리터러시 교육, 즉 뉴 리터러시 교육을 위해 어떤 자격과 역할을 해야 하는지에 대한 연구가 필요하다.

디지털 정보화시대 창의·융합적 인재양성을 위한 교육을 이끌기 위해 다양한 인쇄 정보와 디지털 정보를 통합하는 '묻고 찾고 쓰는 뉴 리터러시 교육'은 초등학생들의 비판적 사고력, 융합적 탐구력과 창의적 표현력을 길러주는 데 매우 효과적인 리터러시 교육 방법이 될 수 있다. PISA 읽기 리터러시를 기반으로 한 미래형 리터러시 공부법은 바로 '뉴 리터러시 교수학습 방법'이며, 초등학교 뉴 리터러시 교육은 이제 뉴 3Rs 리터러시 교수학습 모델에 보다 적극적인 관심을 기울일 때라고 본다.

02. PISA 읽기 리터러시 평가내용과 성취기준

| PISA 평가내용과 성취기준은 초등학생들이 준비해야 할 뉴 리터러시 능력이다.

초등학교 교육의 성과는 한 국가의 다음 세대를 예견하는 가장 중요한 지표가 될 수 있다. 그 중에서도 초등학생들의 읽기 리터러시 능력은 초등학교 교육과정을 성공적으로 이끄는, 기본이 되는 학습능력일 수가 있다. 뿐만 아니라 이들이 성장하여 사회생활을 해나가는 데 가장 기본적이고 핵심적인 능력이 될 수 있다. 이러한 점에서 초등학생들이 읽기 리터러시 기초능력을 갖추는 것은 그들이 살아가는 동안 삶의 질뿐만 아니라 국가의 미래 경쟁력을 결정짓는 데도 지대한 영향을 미칠 수 있다.

PISA 2009와 2012 읽기 리터러시 평가는 크게 인쇄 매체 읽기 평가PRA와 디지털 매체 읽기 평가DRA 두 영역으로 구성되어 있다. PRA는 지필 검사 형식이고, DRA는 컴퓨터 기반 읽기 리터러시 검사 형식이다. PISA는 15세 이상의 기초교육과정을 마친 학생들을 대상으로 한 평가이지만, 각 문항은 글로벌 시민으로 살아가는 데 가장 필요한 리터러시 능력을 점검하고 있다. 이러한 점에서 초등학교 주제통합 학습에서 리터러시 교수학습을 위해 어떠한 읽기 능력이 필요한지를 검토함에 있어 PISA 평가내용과 성취기준을 확인해보는 것이 의미 있는 자료가 될 수 있어 보인다. 왜냐하면 이들이 바로 미래 글로벌 시민이 될 사람들이고, 이들이 밟고 있는 기초교육과정에서 기초적인 리터러시 능력이 잘 길러져야 하기 때문이다. 특히 디지털 매체 사용연령이 점차 낮아지고 있다는 점을 고려할 때 초등학교 학생들을 대상으로 한 다양한 매체 읽기 리터러시에 대한 연구가 절실해지고 있다.

PISA 평가는 3년 주기로 읽기, 수학, 과학 중 한 분야가 주 영역으로 실시되고 있다. 따라서 PISA 평가에서 읽기가 주 영역으로 시행되었던 PISA 2000에 이어 9년 후인 PISA 2009가 읽기가 주 영역으로 실시된 두 번째 평가였다. PISA 2009는 PISA 2000보다 훨씬 더 체계화되고 정교하게 구조화된 읽기 리터러시 평가 틀을 갖추고 국제인이 갖추어야 할 읽기 리터러시 특징을 구체화하고 있다. 이러한 이유 때문에 PISA 2009의 결과는 교육현장에서 효과적인 읽기 리터러시 교육의 기준으로 활용이 가능하다. 뿐만 아니라 PISA 2009는 기존의 인쇄 읽기 리터러시 평가에 디지털 매체 읽기 리터러시DRA 평가를 추가로 도입하였다. 따라서 PISA 2009의 읽기 평가 틀은 초등학교 뉴 리터러시 교육의 내용과 전략을 설계하는 데 좋은 자료가 되고 있다.

PISA 2009의 읽기 평가 틀은 PISA 2006의 평가 틀의 구조를 크게 벗어나지 않았지만 구성 요소나 디지털 매체 읽기 리터러시 평가가 도입되면서 PISA 2009의 읽기 리터러시 틀의 구조가 PISA 2006에서 약간 수정·보완된 점이 보인다. PISA 2009의 읽기 리터러시 평가 틀은 상황 situations, 텍스트texts, 양상aspects의 3개 요소로 구분하고 있다. 그리고 PISA 2009 평가에서는 텍스트 범주가 '텍스트 환경', '텍스트 체재', '텍스트 유형'으로 구분하고, 각 요소는 다시 구체적인 세부요소들로 구분함으로써 읽기 리터러시 평가에 대한 범주를 한눈에 볼 수 있도록 정리하고 있다. 특히 PISA 2009에서 읽기 양상은 '접근과 확인', '통합과 해석', 그리고 '성찰과 평가'하는 3가지 읽기 리터러시 영역을 평가하고 있다. PISA의 읽기 문항들은 다음과 같은 평가 틀에 기초하여 읽기 리터러시 기초능력을 측정하고 있다김경희 외, 2010.●

PISA 2009 읽기 리터러시 평가 틀의 세부 구조 (김경희 외, 2010, p.38)

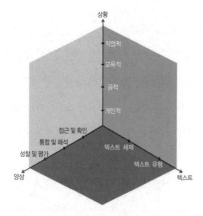

상황		• 개인적 • 공적 • 교육적 • 직업적
텍스트	매체	• 인쇄 • 디지털
	환경	• 저작자 중심 • 메시지 중심
	텍스트 체재	• 연속적 • 비연속적 • 혼합 • 다중
	텍스트 유형	• 기술 • 서사 • 설명 • 논증 • 지시 • 상호작용
양상		• 접근 및 확인 • 통합 및 해석 • 성찰 및 평가

● PISA 2009 읽기 리터러시 영역 평가 틀과 관련된 제반 도표는 김경희 외 (2010), PISA 2009 결과 보고서를 참고하였다. 김경희 외, 「읽기 소양결과와 변이 추이」, 『OECD 학업성취도 국제비교 연구(PISA 2009) 결과 보고서』, 한국교육과정평가원 연구보고 RRE 2010-4-2, 2010, pp. 35-50.

글로벌 시민으로 성장하는 데 필요한 읽기 리터러시 기초능력을 점검하기 위해 PISA가 점검하는 읽기 리터러시 평가문항들은 평가 틀에서 제시한 내용을 기초로 읽기 리터러시 능력을 측정하고 있다.

PISA 2009 평가 틀에서의 상황 영역은 읽기의 목적과 읽기활동에 대한 전반적인 맥락을 제시해준다. 읽기 상황은 언어 학습에 관한 개인적·공적·직업적·교육적 상황의 네 가지로 분류하고 있다김경희 외, 2010. 이는 현대사회의 다양한 읽기 상황을 고려하고 삶을 통해 겪을 수 있는 포괄적 상황을 제시하여 세계시민으로 살아가는 데 필요한 읽기 리터러시 능력을 강조하고 있다. 다음과 같은 4가지 읽기상황 중 초등학생 리터러시 상황은 개인적 상황과 교육적 상황의 범주에서 다루어질 수 있을 것으로 보인다.

PISA 2009 읽기 평가 틀의 리터러시 '상황' (김경희 외, 2010, p.39)

요소	특징
개인적 상황	• 개인의 실용적, 지적 관심, 또는 다른 사람과의 관계를 위한 읽기 • 개인의 여가나 취미나 지적 호기심 충족을 위해 읽기 (위인전이나 정보 텍스트 등)
공적 상황	• 사회 활동 참여를 위한 읽기 • 공문서 읽기와 같은 공적인 업무를 위해 필요한 읽기 • 읽기를 통해 다른 사람들과 접촉하는 특성
교육적 상황	• 더 넓은 학습을 위해 정보습득을 위한 읽기 • '학습을 위한 읽기(reading to learn)' • 무엇을 읽을지는 교사가 결정하고, 구체적인 내용은 교수·학습의 목적에 따라 결정되는 특성의 읽기
직업적 상황	• 직업을 성공적으로 수행하는 데 필요한 읽기 • 처리해야 할 과업의 완성과 관련이 있는 읽기 청소년들이 앞으로 직업에 대해 준비하도록 도움을 줄 수 있는 PISA에서 다루어지는 특성

PISA 2009 평가 틀에서 텍스트 영역은 읽기 자료를 의미한다. 읽기 자료로서 텍스트는 여러 주변 특성에 따라 의미파악에 영향을 미칠 수 있기 때문에, 이러한 요인들을 다시 텍스트 매체·텍스트 환경·텍스트 체재·텍스트 유형으로 구체화하고 있다. 이들 중 텍스트 매체는 디지털 기술의 발달을 고려한 디지털 매체 텍스트를 포괄한다. 그런데 특이하게도 PISA는 인쇄 매체와 디지털 매체 읽기의 상황, 양상, 텍스트 체재나 유형 면에서 읽기 행위를 특별히 구별하지 않고 있다김경희 외, 2010. 하지만 인쇄 매체와 디지털 매체 간 읽기 리터러시 효과측면의 연구들에서 다양

성이 두드러지고 있어 앞으로 매체 간 다양한 텍스트 정보에 따른 읽기 리터러시 양상에 보다 구체적인 구분이 필요해질 것으로 예측된다.

　　텍스트 환경이나 조건에 따른 인쇄 매체 읽기는 주어진 내용이해에 초점된 읽기 리터러시 능력을 요구하는 반면에, 디지털 매체 읽기 리터러시는 교수학습 환경과 조건, 그리고 방법에 따라 인쇄 읽기 리터러시 능력과는 사뭇 다른 고차원적 사고능력을 요한다. 이러한 점을 고려할 때 앞으로 PISA 읽기 리터러시 텍스트 요소에 대한 변화가 있을 것으로 예측된다. 그리고 이러한 점 때문에 텍스트 환경요소는 읽기 리터러시 관점에서 볼 때 디지털 매체의 텍스트 성격을 규정하는 중요 변인이 될 수 있다. 텍스트 환경은 독자가 주어진 텍스트를 변경할 수 없고 다만 수동적으로 텍스트를 이해하게 되는 저작자 중심 텍스트와 독자가 텍스트의 내용을 변경하거나 새로운 내용을 추가할 수 있는 메시지 중심 환경으로 구분될 수 있다. 후자는 인쇄 매체 읽기와는 확연히 구분되는 읽기 리터러시 능력을 요한다. 이러한 점 때문에 앞으로 PISA 평가도 매체 간 다양한 읽기 텍스트 양상, 체제나 유형에 대한 변화도 있을 것으로 예측된다. PISA가 텍스트 양상, 체제나 유형에 대한 변화를 모색하지만, 리터러시 기초능력을 평가하는 틀은 크게 변하지 않고 있는 점을 볼 때, PISA가 리터러시 기초능력을 소홀히 하지 않는다는 점을 알 수 있다.

　　일단 텍스트 체재와 유형은 텍스트의 형식과 텍스트 저작 의도에 따라 분류할 수 있다. 텍스트 체재는 텍스트를 구성하는 단위가 문장 · 단락 · 절 등의 연속적 요소인지, 도표나 목록의 조합 등 비연속적 요소인지, 혹은 연속적 텍스트와 비연속적 텍스트가 결합되는지, 아니면 각기 다른 의도로 저작된 텍스트가 기존 텍스트들과 연관되지 않고 독립적으로 무작위 읽기 텍스트로 제시되는지에 따라 연속적 텍스트 · 비연속적 텍스트 · 혼합 텍스트 · 다중 텍스트로 나뉜다. 마지막으로 텍스트 유형은 텍스트의 수사학적 방식으로 논증 · 기술 · 설명 · 서사 등의 유형으로 분류하거나, 전형화된 유형으로 구분되기 어려운 텍스트도 많다는 점도 고려하고 있다김남희, 2012.

틀의 텍스트 (김경희, 2010)

요소	특징
텍스트 환경	• 전자 매체 텍스트는 웹, 데스크톱, 이메일, 휴대전화 등의 환경에 존재 　PISA 2009에서는 컴퓨터 기반 환경에 국한한 개념 • 독자가 내용에 영향을 미칠 수 있는 가능성 때문에 저작자 중심 환경(authored environment)과 메시지 중심 환경(message-based environment)으로 구분

텍스트 체제	• 텍스트 구성단위에 따라 텍스트의 종류를 구분 • 인쇄 매체든 전자 매체든 문장, 단락, 절 등으로 구성되는 연속적 텍스트(continuous text)와 도표나 목록의 조합 등으로 구성되는 비연속적 텍스트(non-continuous text)로 텍스트 특성이 구분 • 응집성 있는 텍스트 구성을 위해 연속적 텍스트와 비연속적 텍스트가 결합한 혼합 텍스트(mixed text)를 포함한 분류 • 기존의 텍스트들이 긴밀한 관계없이 개개 독립된 텍스트가 평가를 위해 함께 제시되는 경우, 이러한 텍스트 체재는 다중 텍스트(multiple text)로 분류
텍스트 유형	• PISA 평가에서 연속적 텍스트의 하위 범주로 설정된 논증, 기술, 설명, 서사, 지시 등의 텍스트 범주 • 비연속적 텍스트, 혼합 텍스트, 다중 텍스트 역시 논증적, 기술적, 설명적, 서사적, 지시적 의도를 가질 수 있음 • 전자 매체 텍스트들은 전형적인 텍스트 유형으로 구분되기보다는 일상의 텍스트와 비슷함

김남희2012는 PISA 2009 읽기 리터러시 평가는 학생들의 읽기 행위가 연속적으로 일어나는 인지적 절차에 '읽기 과정'이라는 용어를 사용하지 않고 '읽기 양상'이라는 용어를 사용하고 있다고 설명한다. 텍스트가 학습자들이 읽을 방향을 결정짓는 외적 조건이라면, 읽기 양상은 학습자가 텍스트에 어떻게 접근하는가 하는 내적사고 과정이라고 할 수 있다. 그리고 PISA는 읽기 양상이란 독자가 텍스트와 관계를 맺는 인지적 접근유형을 포괄하는 개념이라고 정의한다.

PISA 2009 읽기 리터러시 평가는 독자의 인지유형인 읽기 양상을, 접근 및 확인, 통합 및 해석, 성찰 및 평가로 구분하고 있다.

PISA 2009 읽기 평가 틀의 '양상' (김경희 외, 2010)

입지유형	특징
접근 및 확인	• 특정 정보를 찾아내기 위해 정보의 공간에 접근하고 탐색하는 과정 • '접근'은 독자가 일상생활 가운데 특정 정보를 확인하고 알아내야 하는 경우, 연속적 텍스트, 도표, 정보 목록 등 정보를 포함하고 있는 공간 중 정보가 속해 있는 공간에 도달하는 읽기 양상 • '확인'은 독자가 필요로 하는 정보를 선별하는 읽기 양상
통합 및 해석	• '통합'은 연속적 텍스트나 다중 텍스트 사이에 존재하는 응집성을 이해하는 통합임 • '해석'은 텍스트의 표면에 명시되지 않은 의미의 구성, 어구나 문장에 내포된 의미를 추론하고, 텍스트 이면의 의미관계를 인식하는 과정
성찰 및 평가	• '성찰'은 텍스트 외부 환경지식을 자신이 읽고 있는 텍스트와 관련지어 자신의 경험과 지식, 가정을 참조하는 읽기 양상 • '평가'는 텍스트 외적 기준에 입각하여 텍스트에 대해 특정한 가치 판단을 하는 읽기 양상 • 텍스트의 내용에 대한 성찰 및 평가와 텍스트의 형식에 대한 성찰 및 평가를 아우르는 범주 • 내용에 대한 성찰 및 평가는 텍스트의 관념적 측면 • 형식에 대한 성찰 및 평가는 텍스트의 구조적이고 형식적인 특질

이렇듯 학습자는 필요와 목적에 맞게 특정 정보를 찾아내고, 읽고 의미를 파악하며, 텍스트 간 의미를 연결하거나 변인관계를 통해 텍스트 이면의 의미관계를 구축해내기도 한다. 때로는 텍스트 외부의 지식을 도입하여 자신이 읽고 있는 텍스트의 내용이나 형식과 연결하거나 성찰하고 평가하기도 한다. 이러한 일련의 읽기양상들을 PISA 2009 평가 툴에서는 접근 및 확인, 통합 및 해석, 성찰 및 평가로 범주화하고 있다. 이러한 읽기 양상은 복합적 관계를 갖기도 하는데, 특히 디지털 매체 읽기 리터러시 활동은 이러한 기초 읽기 양상들이 통합적으로 연결되면서 쓰기 활동, 즉 메시지에 능동적으로 개입하거나 소통하도록 이끈다.

이러한 PISA 읽기 리터러시 평가 툴은 PISA 읽기 리터러시 단계별 성취수준의 특성을 기반으로 이루어진다. 참고로 PISA 2012 읽기 리터러시 단계별 성취 수준은 [부록]에 첨부한다.

PISA 2009 읽기 툴은 인쇄 매체 리터러시와 디지털 매체 읽기 리터러시 과정에서 나타나는 읽기 변인들을 서로 독립적으로 작용하는 서로 다른 변인들로 고려하지 않고 있다. 오히려 인쇄 매체 읽기 리터러시가 PISA의 읽기 평가에서 큰 비중을 차지하고 있음을 확인시켜주고 있다. 하지만 인쇄 매체 읽기와 디지털 매체 읽기 리터러시 간에는 공통된 읽기 능력이 있고, 디지털 매체 읽기 리터러시를 위해서는 기존의 인쇄 매체 읽기 리터러시 능력에 접근방식과 전략의 차이에서 오는 추가적 능력이 필요하다는 점을 고려한 평가 툴이 주어져야 할 것으로 보인다.

읽기 리터러시 능력은 자신의 목적을 성취하고 자신의 지식과 잠재적 능력을 계발하며 사회에 관여하기 위한 목적으로 다양한 텍스트를 이해 · 활용하고 성찰하며, 다양한 텍스트 읽기에 참여할 수 있는 능력을 포함한다교육과학기술부, 2012, 김경희 2010 재인용. 이러한 점에서, PISA 연구가 4주기를 맞고 있는 현 시점에서 교육 분야에서 PISA 연구의 영향력은 점점 커지고 있다. 그동안 많은 PISA 관련 연구들이 제언하였듯이, PISA 연구가 학생들의 읽기 리터러시 능력을 측정하는 것을 넘어 이제는 공교육 교실 수업의 교수학습 현장에 실질적인 도움이 될 수 있는 자료가 되어야 한다. 뿐만 아니라, PISA 읽기 리터러시 평가내용과 성취기준을 근간으로 다양한 매체 읽기 리터러시 학습과 교과목 학습을 통합하는, 초등학교 주제통합 학습에서 창의 · 융합적 인재양성을 위해 실용 가능한 뉴 리터러시 교수학습 모형이 더욱 시급해지고 있다.

▎ 뉴 리터러시 교육은 21세기 역량 평가로서 PISA 2015를 준비시킨다.

최근 **21세기 역량 평가의 발전**PISA 2015은 21세기 역량평가에 대한 국제적 연구 프로젝트이후

ATC21S : The Assessment and Teaching of 21st-Century Skills 성과를 발표한 내용이다. ATC21S는 2008년부터 시작되어 이미 '협업에 의한 문제해결능력 평가'Complex Problem Solving를 개발하였고 시범 실시를 통해 이미 안정화 과정을 마친 상태라고 한다. 특히 내년에 실시되는 PISA 2015 시험을 통해 공식적으로 실시에 들어가게 된다고 한다. ATC21S의 목적은 미래 직업인으로서 마주치게 될 다양한 문제들을 '협업에 의한 문제해결능력'이라는 협의적이며 창의적인 문제해결능력을 교육과정 내에 갖추게 하는 데 있다http://atc21s.org/. ATC21S개발 과정에서 가장 어려웠던 평가도구 개발은 2009년 IT 관련 다국적 회사인 마이크로 소프트, 인텔, 시스코 3사의 후원으로 문제해결 역량에 대한 평가도구 개발을 착수하게 되었다고 한다.

ATC21S는 250명의 연구자와 세계 60개의 연구기관이 공동 참여한 대규모 평가 연구 프로젝트이다. 특히 미국, 호주, 핀란드, 싱가포르가 초기 참여국이며 후에 언어와 문화적 차이가 평가에 어떤 영향을 끼치는지를 알기 위해 코스타리카와 네덜란드가 협력국가로 참가하였다. 지금까지 지식과 이해의 수준 넘어 창의적 문제해결능력과 같은 정교한 역량을 컴퓨터로 평가하여 대중화시킬 수 있게 되었다는 점은 평가기술의 대단한 발전이라 할 수 있다.

ATC21S 역량평가 도구는 다양한 특징을 포함한다http://atc21s.org/. 먼저, KSAVE 모델로 불리는 ACT21S의 역량 평가 모델은 다음과 같은 4가지 영역을 평가한다.

KSAVE 모델	사고하는 방식 (Ways of thinking)	작업하는 방식 (Ways of working)	작업도구 사용능력 (Tools for working)	사회생활 능력 (Skills for living in the world)
지식(Knowledge)	창의성, 비판적사고능력, 문제해결 능력, 의사결정능력, 학습능력	의사소통능력, 협업능력	멀티미디어, 인터넷, 다양한 매체 자료 활용능력	시민의식, 삶과 직장에서 필요한 역량, 개인적/사회적 책임감
기능(Skills)				
태도(Attitude)				
가치(Values)				
윤리(Ethics)				

* 출처 : http://atc21s.org/

또한 협업적 문제해결능력 평가는 적어도 다음과 같은 3가지 유형의 과제수행 능력을 평가하게 된다.

주어진 정보를 기반으로 대답하는 능력을 평가하는 과제	기능(skills)을 평가하는 과제	스스로 정보를 생산하는 (authoring) 과제
지필고사와 유사한 문제로 평가 (컴퓨터 기반 채점)	시뮬레이션 상황에서 상호작용 능력을 평가 (컴퓨터 기반 채점)	정보를 수정하고 생산하는 능력을 평가 (사람이 채점)

협업적 문제해결능력을 갖추고 있는지를 평가하는 문제해결 역량평가는 평가에 참여한 두 명 이상의 참가자들이 문제에 대한 이해능력이 있는지, '서로가 이해한 내용을 공유하는지, 문제해결 방법에 대해 서로 상의하고 합의하는지, 그리고 서로의 역할 분담을 명확히 하는지와 같은 문제해결과정에서 참여자들의 수행과정을 지켜보며 그들의 사회적 능력과 인지적 능력을 평가하게 된다. 무엇보다 협업에 의한 문제해결능력 평가에서는 사회적 능력social skills과 인지적 능력cognitive skills을 평가한다.

사회적 능력(social skills)	인지적 능력(cognitive skills)
참여(Participation) 관점채택(Perspective taking) 사회규정(Social regulation)	과제규정(Task regulation) 지식축척(Knowledge building)

* 출처 : http://atc21s.org/wp-content/uploads/2013/06/ePedagogy_UoM_June_2013_dist.pdf)

이러한 점에서 뉴 3Rs 리터러시 교수학습의 핵심전략이 질문을 통한 문제해결 탐구과정을 통해 비판적 사고력, 융합적 탐구력, 창의적 표현력을 길러준다는 점에서 21세기 역량을 평가하는 PISA 2015를 준비하는 미래형 리터러시 교육방법이라는 점을 재확인할 수 있다.

ATC21S 연구가 발표한 협업적 문제해결능력 평가의 틀을 보면 다음과 같이 3가지 주요 협업 역량아래 가로축과 각 역량별 문제해결 방식에서 4가지 단계아래 세로축로 구성되고 있다.

	공유된 이해를 설정하고 유지하기	문제해결을 위해 적절한 행동취하기	팀조직을 설정하고 유지하기	전체
탐구하기와 이해하기 (Exploring & Understanding)				~40%
표현하기와 구성하기 (Representing & Formulating)				

기획하기와 실행하기 (Planning & Executing)				–30%
검토하기와 반영하기 (Monitoring & Reflecting)				–30%
종합	40~50%	20~30%	30~35%	100%

* 출처 : http://www.oecd.org/pisa/pisaproducts/Draft%20PISA%202015%20Collaborative%20Problem%20Solving%20 Frame work%20.pdf)

ACT21S 연구의 참가국인 호주에서는 협업에 의한 문제해결 능력을 자국의 상황에 맞도록 기존 교육과정에 효율적으로 통합시키고 있는 좋은 예를 보여준다.

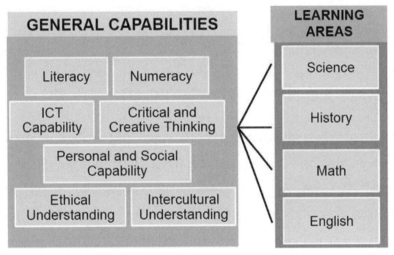

* 출처 : Australian Curriculum and Reporting Authority, ACARA (2013)

우리나라도 최근 21세기 역량을 교육과정에 도입하려는 검토를 하고 있다. 이러한 시점에 미국, 호주, 싱가포르, 핀란드 같은 ACT21S 참가국들의 도입 방식을 참고하면 도움이 될 것이라 사료된다. ACT21S 연구발표를 통해 알 수 있듯이 내년에 실시되는 PISA 2015는 인지적 능력 뿐 아니라 사회적 능력까지 평가한다는 점에서 세계 각국의 뉴 리터러시 교육과 평가에 많은 변화가 있을 것으로 보인다.

03. PISA 읽기 리터러시 문항분석을 통한 뉴 리터러시 교육

▎ **주위에 일어나는 모든 일들이 읽기 리터러시 학습내용이 될 수 있다.**

우리나라에서도 PISA 2009 평가 결과에 대한 다양한 선행 연구가 이미 있어왔다. 그럼에도 불구하고 PISA 2009 읽기 리터러시 결과와 관련하여 김경희2010의 문항 분석을 통해 공교육에서 읽기 리터러시 교수학습 내용에 적용한 연구사례는 옥현진2012●과 김남희2012●●를 제외하고는 거의 희박하다. 잘 알다시피 PISA는 주기별 변화추이를 파악하기 위해 동일한 문항을 반복하여 사용한다. 그러다보니 대부분의 문항들이 철저하게 비공개되고 있다. 그래서 PISA 문항에 대한 분석 자체가 매우 제한적인 연구 주제일 수밖에 없다. 하지만 초등학교 주제통합 학습에서 읽기 리터러시 학습내용으로 무엇을 가르쳐야 하는지를 고려함에 있어 OECD2010가 PISA 2009 결과에 대한 보고서에서 제시한 공개 문항 중 읽기 리터러시 문항내용을 분석해보는 것은 초등학교 읽기 리터러시 교육에서 무엇을 교수학습해야 하는지를 연구하는 데 의미가 있어 보인다.

● PISA 2009 문항은 이미 공개된 사항으로 원문번역은 옥현진(2012) 발표문을 원용하거나 필요에 따라 변용하였다. 이후 본장에서는 번역 원용 경우 옥현진(2012)로 기입한다. 옥현진, 「우리나라 학생들의 PISA 2009 읽기 영역답지 반응 특성에 기초한 교육 개선 방안」, 『우리나라 학생들의 OECD PISA 답지 반응 특성에 기초한 교육 개선 방안』, 한국교육 과정평가원 연구자료 ORM 2012-84, 2012, pp. 48-94.

●● PISA 2009 문항 원문번역은 김남희(2012) 연구자료를 참고하였다. 김남희, 「PISA 읽기 소양과 21세기 국어 능력」, 『국어교육연구』138, 서울대학교 국어교육연구소, 2012, pp. 41-71.

PISA 2009 읽기 리터러시 평가는 7개의 문항군Cluster에서 같은 주제끼리 모아진 29개의 단위 문항unit으로 구성되어 있다. 여기서 문항군은 한 권의 검사지에 같이 실린 단위문항들의 묶음을 말한다. 그리고 단위문항은 하나의 제시문에 1-5개의 선다형이나 구성형 문장으로 이루어져 있다. PISA 2009 읽기 리터러시 평가에서는 R1-R7 문항군 중 R7만 5개의 단위 문항으로 구성되어 있고, 나머지 6개 문항군은 각 4개씩 단위 문항으로 구성되었다옥현진, 2012.

PISA 읽기 리터러시 영역의 공개된 단위문항 구성 (옥현진, 2012, p.51)

개발주기	사용주기	문항군	단위 문항
2000	2000, 2003 2006, 2009	R1	입사지원서, 이솝우화, 셔츠, 남극
		R2	안경사, 교환학생, 거미, 전화
	2000, 2009	R4A	가사일, 코뿔 소, 영화 평론
2009	2009	R3A	재택근무, 여드름, 연극이야말로 바로 그것, 휴대전화의 안전성
		R4A	갈릴레오
		R5	공정 무역, 수면, 코케시 인형의 상인, 초콜렛의 건강
		R6	아이들의 미래, 여름방학 아르바이트 구하기, 세계의 언어, 나르시스
		R7	비스킷, 워크라이트, 직원구함, 어느 책에 대하여, 멕시코 등

* R1-R7: 읽기 문항군

옥현진2012은 읽기 리터러시 능력을 위해 어떤 주제들이 평가되고 있는지를 잘 보여주고 있다. PISA 읽기 리터러시 평가의 각 문항군의 평가주제는 주변과 일상생활에서 접할 수 있는 어떤 주제도 읽기 내용이 될 수 있다는 점을 보여준다.

그리고 각 문항군이 총 13권 검사지 중 어느 군에 배치되는지를 알 수 있다. 각 문항군은 4번씩 반복해서 배치된다. 공개문항에서 보면 R3A 문항군은 검사지 1, 3, 4, 5번에 배치되어있다. 학생들은 2시간 내에 13권의 검사지 중 자신에게 할당된 1권의 검사지를 풀어야 한다. 우리나라는 PISA 2009에 참가한 5,123명이 각 검사지에 약 400명 내외로 균등하게 할당되었다김경희 외, 2009; 옥현진, 2012 재인용. 각 문항군이 4번 반복되므로 문항군별 응답자 수는 약 1,200명 내외 정도된다. 공개문항이 포함된 R3A 문항군의 응답자 수는 1,237명이었다김경희 외, 2009; 옥현진, 2012 재인용.

OECD2010에서는 PISA 2009 읽기 리터러시 평가결과 보고서에서 22개 문항의 7개 단위 문항에 속한 문항들을 공개한 바 있다. 이 중 4개 단위문항은 우리나라 학생들이 속한 R3A와 R4A 문항이 아니다. 우리나라 학생들이 속한 공개문항에 포함된 R3A 문항군은 모두 4개 단위 문항으로 총 15개 문항으로 구성되어 있다. 이 중 공개된 3개 문항의 총 문항 수는 12개이지만, OECD2010 보고서에 구체적으로 소개하고 있는 것은 그 중 9개 문항이다옥현진, 2012.

PISA 2009 읽기 리터러시 영역에서 공개한 3개의 단위문항과 공개된 9개 문항에 대한 정보를 보면 다음과 같다. 읽기 리터러시 평가에서 공적, 개인적, 직업적, 교육적 상황에 대한 평가 중 교육적 상황은 다루고 있지 않다는 점을 감지할 수 있다. 지문유형은 주로 설명문, 서사문, 논증하는 지문이기 때문에 초등학교 학생들이 자주 접하게 되

PISA 2009 읽기 리터러시 영역 검사지 실제
(옥현진, 2012, p.52)

검사지 번호	문항군			
1	M!	R1	R3A	M3
2	R1	S1	R4A	R7
3	S1	R3A	M2	S3
4	R3A	R4A	S2	R2
5	R4A	M2	R5	M1
6	R5	R6	R7	R3A
7	R6	M3	S3	R4A
8	R2	M1	S1	R6
9	M2	S2	R6	R1
10	S2	R5	M3	S1
11	M3	R7	R2	M2
12	R7	S3	M1	S2
13	S3	R2	R1	R5

는 설명문과 서사문 외에도 점차 학년이 올라가거나 수준이 높아지면서 논증이나 다른 유형의 지문에도 노출이 필요함을 알 수 있게 해준다. 양상 영역에서는 접근 및 확인, 통합 및 해석, 성찰 및 평가 영역으로 구분되고 있음을 볼 수 있다.

▎PRA 지필 검사 문항을 통한 읽기 리터러시 교육

PRA는 지필 검사 형태의 읽기 리터러시 평가로, 보통 중고등학교에서 실시되는 읽기 평가와 비슷한 형식으로 지문을 읽고 답하는 선다형 문항과 구성형 문항으로 구성되었다. OECD2010에서는 다양한 수준의 문항을 고려했다고 보고한 바 있지만 상황항목에 교육적 상황과 관련된 문항과 복합선다형 문항은 다루고 있지 않았음을 알 수 있다. 그리고 학생들의 반응을 이끌어내는 개방형 문제가 출제된 점은 중고등학교에서 실시되는 국어나 영어읽기 평가와의 차이라 할 수 있다.

PISA 2009 읽기 리터러시 영역 공개 문항의 문항정보 (옥현진, 2012, p.53)

문항군	단위문항	문항ID	척도점수	상황	텍스트		양상	문항유형
					체제	유형		
R3A	휴대전화의 안전성	R414Q02	561 4수준	공적	비연속적	설명	통합 및 해석	선다형
		R414Q06	526 3수준	공적	비연속적	설명	성찰 및 평가	개방형 구성형
		R414Q09	488 3수준	공적	비연속적	설명	통합 및 해석	선다형
		R414Q11	604 4수준	공적	비연속적	설명	성찰 및 평가	선다형
	연극이야말로 바로 그것	R452Q03	730 6수준	개인적	연속적	서사	통합 및 해석	단답형
		R452Q04	472 2수준	개인적	연속적	서사	통합 및 해석	단답형
		R452Q07	556 4수준	개인적	연속적	서사	통합 및 해석	단답형
	재택근무	R458Q01	537 3수준	직업적	다중	논증	통합 및 해석	선다형
		R458Q07	514 3수준	직업적	연속적	직업적	성찰 및 평가	개방형 구성형

　　다음 문항은 PISA 2009 결과와 함께 공개된 문항 중 하나로, 교육과정평가원의 옥현진2012은 다른 문항에 비해 상대적으로 우리나라 학생들의 정답률이 낮았던 문항이라고 소개하고 있다. 한 개의 제시문과 각 문항의 지시문과 선택지가 주어진다. 이들은 지문아래 주어진 4개 문항을 해결하는 데 필요한 제시문과 발문들이다. 아래 소개한 단위 문항 <휴대전화의 안전성>"Mobile Phone Safety", 다음 단위 문항 <연극이야말로 그것>"The Player's the Thing", 그 다음 단위 문항 <재택근무>"Telecommuting" 모두는 PISA에서 실제 출제된 문항이므로 PISA 문항이해를 돕고자 옥현진2012 이 번역한 거의 그대로 여기에 인용한다.

▌ 단위 문항 <휴대전화의 안전성>("Mobile Phone Safety")의 제시문과 문항내용

　　이 단위 문항에는 모두 4개의 문항이 있고 이들 문항은 모두 공개문항에 포함되어 있다.

휴대전화의 안전성

휴대전화는 위험한가?

예	아니요
1. 휴대전화에서 나오는 전자파는 신체조직의 온도를 올려 해로운 영향을 줄 수 있다.	휴대전화의 전자파는 신체에 열 손상을 입힐 정도로 강력하지 않다.
2. 휴대전화에서 생기는 자기장은 우리 몸의 세포 활동에 영향을 끼칠 수 있다.	휴대전화의 자기장은 아주 약하기 때문에 우리 몸의 세포에 영향을 줄 가능성이 낮다.
3. 휴대전화를 오랫동안 사용하는 사람들이 때때로 피로, 두통, 집중력 상실을 호소하는 경우가 있다.	그런 결과들은 실험연구에서는 전혀 관찰된 바 없으며, 이는 현대 생활과 관련된 다른 요인들 때문일 수도 있다.
4. 휴대전화 사용자는 전화가 닿는 귀 쪽의 뇌 부분에 암이 생길 가능성이 2.5배 높다.	연구자들은 이러한 증가율이 휴대전화 사용과 관련이 있는지는 확신할 수 없다고 말하고 있다.
5. 국제 암 연구 기관에서는 아동의 암과 전선이 관련 있다고 밝혔다. 휴대전화와 마찬가지로, 전선은 방사선을 방출한다.	전선에서 나오는 방사선은 훨씬 강한 에너지를 지니고 있으므로, 휴대전화에서 나오는 방사선과는 종류가 다르다.
6. 휴대전화에서 나오는 것과 유사한 주파수가 선충류의 유전자 형질에 변화를 가져왔다.	선충류는 인간과 다르므로 우리의 뇌세포가 그와 같은 방식으로 반응하리라는 보장은 없다.

핵심 정보

휴대전화가 건강에 미칠 수 있는 위험에 대한 상반된 보고는 1990년대 후반에 나왔다.

핵심 정보

현재 휴대전화의 영향을 조사하는 연구에 수십억 원이 투자되고 있다.

휴대전화를 사용할 때에...

해야 할 일	하지 말아야 할 일
통화를 짧게 한다.	수신 상태가 좋지 않을 때에는 휴대전화를 사용하지 않는다. 이때는 전화기가 기지국과의 통신을 위해 더 많은 전력을 필요로 하므로 전자파의 방출이 많아지기 때문이다.
대기 모드에 있는 동안에는 휴대전화를 몸에서 멀리 떼어 놓는다.	'SAR'*이 높은 휴대전화는 구입하지 않는다. 이는 방사선을 더 많이 방출한다는 의미이다.
'최대 통화 가능 시간'이 긴 휴대전화를 구입한다. 더 효율적이며 방출되는 전자파도 적다.	별도의 성능검사를 거치지 않은 보호 장치는 구입하지 않는다.

핵심 정보

휴대전화의 사용자 수가 엄청나다는 것을 고려할 때, 사소한 부작용이라도 국민 건강에 증대한 영향을 미칠 수 있다.

핵심 정보

2000년 스튜어트 보고서(영국의 보고서)는 휴대전화로 인한 건강상의 문제는 밝혀지지 않았다고 주장했으나, 더 많이 연구되기 전까지 특히 청소년들은 휴대전화를 주의해서 사용할 것을 권고하였다. 2004년 발표된 후속 보고서도 이를 뒷받침하고 있다.

* SAR(전자파 흡수율)은 휴대전화를 사용하는 동안 신체 조직이 전자파를 흡수하는 정도를 측정하는 단위를 말한다.

[R414Q02] 핵심 정보의 목적은 무엇인가?

    A 휴대전화를 사용할 때의 위험을 설명하는 것.

    B 휴대전화의 안전성에 대한 논쟁이 진행 중임을 시사하는 것. (※정답)

    C 휴대전화를 이용하는 사람들이 알아야 할 예방 조치를 설명하는 것.

    D 휴대전화로 인한 건강상의 문제는 밝혀지지 않았다는 점을 시사하는 것.

[R414Q06] 표에서 '아니요' 열의 3번을 보자. 맥락에 따라 보면 '다른 요인들' 중 하나는 무엇이 될 수 있겠는가? 답을 쓰고 그렇게 답한 이유를 쓰시오.

....

....

[R414Q09] 표 '휴대전화를 사용할 때에……'에서, 이 표의 기본적인 생각은 다음 중 어느 것인가?

    A 휴대전화를 사용하는 것과 관련된 위험은 없다.

    B 휴대전화를 사용하는 것과 관련된 위험이 입증된 바 있다.

    C 휴대전화를 사용하는 것은 위험할 수도 있고 아닐 수도 있지만, 주의를 기울일 필요는 있다. (※정답)

    D 휴대전화를 사용하는 것은 위험할 수도 있고 아닐 수도 있지만, 확실해질 때까지는 휴대전화를 사용하지 말아야 한다.

    E 해야 할 일은 휴대전화의 위험성을 심각하게 받아들이는 사람을 위한 것이고, 하지 말아야 할 일은 그 외의 모든 사람들을 위한 것이다.

[R414Q11] "어떠한 것이 다른 것의 확실한 원인이 된다는 것을 입증하기란 어렵다." 위의 문장은 표 '휴대전화는 위험한가?'에 있는 4번 '예'와 '아니요'에 제시된 내용과 어떤 관계가 있는가?

    A 예의 주장을 뒷받침하지만 입증할 수는 없다.

    B 예의 주장을 입증한다.

    C 아니요의 주장을 뒷받침하지만 입증할 수는 없다.(※정답)

    D 아니요의 주장이 틀렸음을 보여준다.

이 문항을 풀려면 학생들은 먼저, 휴대전화에 대한 배경지식이 필요하다. 본 지문의 경우 글의 의도에 대한 전반적인 해석능력과 두 주장 간 내용을 비교 분석하고 통합하는 고차원적인 사고능력이 요구되고 있다. 또한 논픽션 글이지만, 글쓴이가 이 글을 통해 전달하고자 하는 함축되고 숨겨진 의미를 파악하게 하고 있다. 이러한 문항을 잘 풀기 위해서는 글쓴이의 의중과 입장에 대해 분석하고, 요약하고, 평가하는 통합적 사고력을 요구하는 뉴 리터러시 능력이 필요하다. 특히 이러한 문항은 학습자의 통합적 사고력 등을 길러주는 뉴 리터러시 탐구학습에 익숙한 학생들에게 유리한 평가문항에 해당된다. 그리고 주어진 글의 내용 파악을 넘어 학습자의 의견을 묻는 열린 질문으로 자신의 생각이나 의견을 간단하게 답하는 소통능력도 요구하고 있다. 이 문항은 뉴 리터러시 학습에서 길러지는 고차원적 사고능력과 표현능력을 요구하는 문항이라 할 수 있다.

특히 김남희[2012]에 따르면, 휴대전화의 안전성과 관련된 문항은 비연속적 텍스트로, 왼쪽 열에 제시된 네 개의 '핵심 정보'의 목적을 묻는 문항에 해당된다. 다시 말하면, 네 개의 핵심 정보의 내용이 서로 다르고, 왼쪽 열의 내용과 오른쪽 열의 내용 또한 독립적으로 제시되고 있기 때문에 학생들이 답을 찾는 데 어려움이 있을 것으로 판단된다. 이는 디지털 매체의 정보전달 유형 중 미러월드 패턴[다음 장에서 자세히 언급됨]에 속한다. 이러한 유형은 디지털 매체 정보에 익숙한 학생들에게 유리할 수 있는 문항이다. 뉴 리터러시 교육을 통해서 이러한 유형의 텍스트 읽기에 자주 노출함으로써 이같은 유형의 PDA나 DRA 문항 읽기에도 익숙해질 수 있다.

하지만 이와 같은 형태의 지문은 미러월드 패턴과 유사하지만 내용 전개 면에서 내용이 각각 독립적으로 제시된다. 그래서 주어진 핵심 정보와 질문에 대한 답변 내용이 글 맥락의 응집성보다는 독립적인 정보들로 전개되고 있다. 이러한 텍스트의 특징은 인쇄 매체 읽기 평가항목이 아닌, 디지털 매체 읽기 평가항목으로도 활용이 가능한 문항이라 할 수 있다. 만일 이 문항이 디지털 매체 읽기 문항으로 출제되었다면 인쇄 매체 읽기 문항에서 요구되는 통일성과 응집성을 기대하지 않아, 디지털 문화에 익숙하고 디지털 매체 읽기에 노출이 많은 뉴 리터러시 교육을 받은 학생들이 좀 더 쉽게 해결할 수 있었으리라는 추정이 가능하다. 왜냐하면 디지털 텍스트의 경우에는 특정 웹페이지에 서로 독립적인 정보들이 제공되어도 학생들이 일관성 없는 내용을 자연스럽게 받아들이고 부분 읽기를 통합하는 해석능력을 더 잘 발휘하였을 것으로 추정된다.

단위 문항 〈연극이야말로 바로 그것〉의 제시문 및 문항 내용

단위 문항 〈연극이야말로 바로 그것〉 "The Player's the Thing"은 모두 4개의 문항 중 3개 문항이 공개되었고 공개되지 않은 나머지 1개 문항은 개방형 구성형식의 문항이었다. 〈연극이야말로 바로 그것〉의 다음 제시문은 헝가리의 소설가이며 극작가인 페렌츠 몰나르Ferenc Molnar, 1878-1952가 쓴 희곡의 도입부로서 다음은 3개 문항의 발문과 선택지이다.

연극이야말로 바로 그것

이탈리아 바닷가에 있는 어느 성에서 일어난 이야기

1막

바닷가에 위치한 매우 아름다운 성의
5 화려한 객실 오른쪽과 왼쪽에 문이 나
있다. 무대 중앙의 거실에는 소파, 탁
자, 그리고 안락의자 2개가 놓여있다.
뒤쪽에는 커다란 창문들. 별이 총총한
밤. 무대는 캄캄하다. 막이 오르면 왼
10 쪽 문 뒤에서 남자들이 요란하게 대화
하는 소리가 들려온다. 문이 열리고
턱시도를 입은 3명의 신사가 들어온
다. 한 사람이 바로 불을 켠다. 그들은
조용히 중앙으로 걸어 와 탁자에 둘러
15 선다. 갈은 왼쪽 안락의자에, 투라이
는 오른쪽 안락의자에, 아담은 가운데
소파에 앉는다. 침묵이 아주 길게, 거
의 어색할 정도로 이어진다. 편안하게
기지개를 켠다. 침묵. 그러다가,

갈
20 무슨 생각을 그렇게 골똘히 해?

투라이
연극을 시작하는 것이 얼마나 어려운가
생각하고 있어. 초반에 주요 인물들을 죄
다 소개해야 한다고. 처음부터 말이야.

아담
25 그건 분명 어려운 일이지.

투라이
그래. 지독하게 어려워. 연극이 시작돼
관객들이 조용해지지. 배우들이 무대로
30 들어와. 그리고 고통은 시작되는 거야.
그건 정말 영원한 시간 같아. 때론 누가
누구고 무슨 일이 벌어졌는지 관객들이
깨닫는 데 15분이나 걸린다니까.

갈

35 자넨 참 유별나단 말이야. 단 1분도 일을 잊을 순 없어?

투라이

그렇게는 못해.

갈

40 자넨 단 30분도 극장, 배우, 연극 얘기를 안 하면 못 배기지만 말이야. 세상에는 다른 것들도 많이 있다고.

투라이

그럴 수는 없지. 난 극작가라고. 이건
45 내게 걸린 저주야.

갈

그렇게 직업의 노예가 되면 안 돼.

투라이

직업을 지배하지 못하면 노예가 되는
50 법이야. 중간은 없어. 내말을 믿으라고. 연극을 멋지게 시작하는 건 장난이 아니야. 무대 설정을 하면서 가장 힘든 부분이라고. 신속하게 등장인물들을 소개하는 건 말이지. 여기 우리 세 사람이 있
55 는 장면을 봐. 턱시도를 입은 신사가 세명 있어. 만일 연극이 막 시작됐는데, 그들이 이 화려한 성에 있는 이 방으로 들어오지 않고 그냥 무대에 있다고 가정해보자. 그렇게 되면, 그들은 우리가
60 뭐하는 사람인지 드러날 때까지 이런

저런 시시한 얘기를 계속 지껄여대야 할거야. 그냥 일어서서 자기소개를 하는 게 훨씬 편하지 않을까? 일어선다. 안녕하세요. 우리 세 사람은 이 성의 손
65 님입니다. 우리는 지금 막 이리로 왔습니다. 식당에서 근사한 저녁 식사를 즐기고 샴페인 두 병을 마셨지요. 제 이름은 산도르 투라이고, 극작가입니다. 30년 동안 희곡을 써 왔고, 그게 저의 직
70 업이죠. 이상 끝. 이제 자네 차례야.

갈

일어선다. 제 이름은 갈입니다. 저 또한 극작가입니다. 저도 희곡을 쓰는데, 모두 이 친구와 공동으로 작업한 거죠.
75 우리는 유명한 2인조 극작가입니다. 괜찮은 희곡과 오페레타의 프로그램에는 모두 '갈과 투라이 작'이라고 쓰여 있어요. 그러니 당연히 이것이 제 직업인 것이죠.

갈과 투라이

80 다같이. 그리고 여기 젊은 친구는......

아담

일어선다. 감히 여러분 앞에서 말씀드리자면, 저는 알베르트 아담이라고 하고, 스물다섯 살의 작곡가입니다. 이
85 두 친절한 신사분들이 최근에 쓰신 오페레타의 음악을 담당했지요. 무대 음악 작업은 이번이 처음입니다. 천사 같은 이 두 어르신들이 저를 발굴했습니다. 저는 유명해지고 싶습니다. 이분들
90

덕분에 이 성에 초대받았죠. 이분들이 저에게 연미복과 야회복까지 맞춰주셨습니다. 저는 지금은 가난한 데다 유명하지도 않습니다. 게다가 저는 고아라서

95 할머니께서 저를 키우셨어요. 할머니께서는 돌아가셨습니다. 그러니 저는 완전한 외톨이입니다. 명성도 돈도 없지요.

투라이

하지만 자네는 젊지 않나.

100 **갈**

게다가 재능도 있고.

아담

그리고 저는 오페레타 배우와 사랑에 빠졌죠.

105 **투라이**

그 얘긴 안하는 게 나았는데. 어차피 관객들 모두가 알게 될 텐데 말이야. 모두 앉는다.

투라이

110 자, 연극을 시작하는 방법으로는 이게 가장 쉽지 않은가?

갈

이렇게 하는 것이 허용된다면 희곡을 쓰는 일도 쉬워지겠지.

115 **투라이**

날 믿어. 어렵지 않다니까. 이 모든 걸 그냥 이렇게 생각해보라고......

갈

알았어, 알았어, 알았다고. 극장 이야

120 기만 다시 시작하지 말아 주게. 그건 지긋지긋하니까. 원한다면 내일 다시 이야기하자고.

도입부 앞의 두 페이지에 있는 <연극이야말로 바로 그것>을 읽고 다음 물음에 답하시오. (앞글의 가장자리에 제시된 행 번호를 참고하면 문제에 언급된 부분을 쉽게 찾을 수 있다.)

[R452Q03] 희곡 속의 등장인물들은 막이 오르기 바로 전에 무엇을 하고 있었는가?

....

....

[R452Q04] "그건 정말 영원한 시간 같아. 때로는......15분이나 걸린다니까."(30~33행) 투라이에 따르면, 왜 15분이 '영원한 시간'인가?

A 붐비는 극장에서 관객이 조용히 앉아 있기에는 오랜 시간이다.

B 연극의 시작 부분에서 상황이 명확히 밝혀지는 데 아주 긴 시간이 걸리는 것처럼 느껴진다.

C 극작가가 연극의 시작 부분을 집필하는 데 걸리는 시간이 아주 긴 것처럼 느껴진다.

D 중요한 사건이 연극에서 벌어질 때 시간이 느리게 흐르는 것처럼 느껴진다.

[R452Q07] 결국, 극작가 몰나르가 이 부분에서 하고자 하는 것은 무엇인가?

A 등장인물이 자신의 문제를 해결하는 방식을 보여주고 있다.

B 연극에서 영원한 시간이 무엇인지를 자신의 등장인물들이 재현하게 하고 있다.

C 전형적이고 전통적인 방식으로 연극을 시작하는 예를 보여주고 있다.

D 자신이 겪는 창작 상의 문제를 등장인물이 표현하게 하고 있다.

<연극이야말로 바로 그것>은 문학작품에 대한 읽기 리터러시 문항이어서 우선, 주어진 상황과 배경에 대한 이해력을 중요하게 평가하고 있음을 알 수 있다. 이러한 점은 초등학교 리터러시 교육에서도 논픽션뿐 아니라 문학작품 같은 다양한 장르의 읽기 자료에 익숙하게 해주는 리터러시 교육이 되어야 한다는 점을 시사한다. 특히 문학작품의 글에서 표현되는 상황묘사를 보고, 보이지 않은 상황을 추론하고 예측하는 읽기 리터러시 능력을 요구한다. 그리고 문학작품에서 표현된 '단서'가 될 수 있는 용어들을 연결하여 유추하여 보이지 않은 새로운 의미를 창조해내는 뉴 리터러시 능력을 요하는 질문이 주어진다.

<휴대전화의 안전성>에서처럼 이 작품 또한 글쓴이의 의도와 전하고자 하는 메시지를 이해하는 통합적 해석력과 추론능력을 중요하게 평가하고 있다. 따라서 초등학교 뉴 리터러시 교육의 경우 논픽션 읽기 자료뿐 아니라, 픽션 읽기 리터러시도 필요하기 때문에 초등학교 주제통합 수업에서도 난이도나 수준을 고려한 다양한 문학작품에 대한 읽기 리터러시 교육이 이루어져야 할 필요가 있다는 점을 보여준다. 물론 단답형과 개방형 질문을 통해 비판적 해석력과 통찰력, 그리고 글을 읽고 요약하고 추론하는 능력과 글쓴이의 의도를 파악하는 뉴 리터러시 능력을 학습자에게 길러주는 것이 중요해지고 있다고 하겠다.

단위 문항 〈재택근무〉의 제시문 및 문항 내용

단위 문항 〈재택근무〉Telecommuting는 모두 4개의 문항으로 구성되어 있으며, 이 중 공개된 문항의 개수는 2개이다. 제시문과 공개된 두 문항의 발문 및 선택지는 다음과 같다.

재택근무

미래에 맞는 방식

전자 고속도로로 출퇴근하는 '재택근무'*가 얼마나 멋진 일일지 상상해보라. 여기에선 모든 일을 컴퓨터나 전화로 처리한다! 이제 더 이상 붐비는 버스나 지하철에 몸을 구겨 넣고 몇 시간씩 걸려 출퇴근할 필요가 없다. 원하는 장소에서 일을 할 수 있다. 이것이 얼마나 많은 일자리를 제공할 수 있을지 생각해보라!

윤주

재앙이 될 뿐

출퇴근 시간을 줄이고 그에 따른 에너지 소비를 줄일 수 있다는 점은 좋은 생각이다. 하지만 그러한 목표는 대중교통 수단을 개선하거나 집과 가까운 곳에서 근무할 수 있게 해주는 일을 통해 이루어져야 한다. 재택근무가 모든 이들에게 삶의 한 방식이 되어야 한다는 야심찬 생각은 사람들을 점점 더 자신의 생각에만 빠져들게 만들 뿐이다. 우리의 공동체 의식이 더더욱 희박해지는 것을 진정 바라는 것인가?

성원

* '재택근무'(Telecommuting)는 1970년대 초반 잭 닐스가 만든 용어로, 사람들이 사무실에서 떨어진 곳(예를 들면, 집)에서 컴퓨터로 일을 하고, 자료와 문서를 전화선을 이용해 사무실로 전송을 뜻하는 말이다.

[R458Q01] "미래에 맞는 방식"과 "재앙이 될 뿐"은 서로 어떤 관계에 있는가?

A 동일한 보편적 결론에 도달하기 위해 서로 다른 논의를 하고 있다.

B 같은 문체로 쓰였으나 서로 완전히 다른 화제를 다루고 있다.

C 동일한 보편적 관점을 드러내고 있지만, 결론이 다르다.

D 같은 화제에 대해 서로 상반된 관점을 드러내고 있다. (※정답)

[R458Q07] 어떤 종류의 일이 재택근무가 어려울까? 답을 쓰고 그렇게 답한 이유를 쓰시오.

....

....

....

<재택근무>에 대한 평가문항은 변인간의 관계성을 확인하는 읽기 리터러시 능력을 요구한다. 또한 이 평가문항은 변인간의 관계가 어떤 구조로 이루어지고 있는가를 묻고 있고, 이에 따라 학습자의 분석적 해석능력과 통합적 요약 능력을 동시에 요구하고 있다. 이 문항은 구체적으로 학습자가 자신의 삶과 연결해보는 성찰과 각자의 주장에 대한 평가능력을 보이고 있는지를 평가하는 문항이라 할 수 있다. 따라서 초등학교 읽기 리터러시의 경우 텍스트를 읽을 때 자신의 삶을 연결시키고, 자신의 관점에 따라 저자의 주장을 살펴보고, 이들의 주장을 대립적으로 재해석하는 뉴 리터러시 교수학습 활동을 요구하게 된다.

이 문항은 PISA 2009 읽기 영역 평가 틀에서 제시된 문항을 살펴보면 상황 차원에서는 공적 상황에 해당하고, 텍스트 체재는 비연속적 텍스트, 텍스트 유형은 설명에 해당하고, 읽기 양상으로는 통합 및 해석에 해당한다.

상황 차원 ⇒ 공적상황
텍스트 체제 ⇒ 비 연속적 텍스트
텍스트 유형 ⇒ 설명
읽기 양상 ⇒ 통합 및 해석

PISA PRA 읽기 리터러시 평가 문항은 다양한 요소를 고려해 설계된 문항으로, 일반적으로 학교시험에서 학생들이 접했던 텍스트 유형뿐 아니라 일상생활에서 접하고 있는 실제적이고 구체적인 자료를 제시해 학생들의 읽기 리터러시 기초능력을 점검한다. 특히 PISA PRA 읽기 리터러시 평가 문항을 통해 초등학교 현장에 적용할 수 있는 점은 인쇄 매체 읽기와 디지털 매체 읽기의 차이를 강조하는 교육적 접근도 필요하고, 인쇄 매체 읽기 리터러시 능력을 기초로 자연스럽게

디지털 매체 읽기 리터러시 활동을 통합적으로 요구하는 뉴 리터러시 교수학습 활동도 필요하다는 점을 확인할 수 있다.

특히 고려해야 할 점은 어떤 매체의 텍스트를 읽더라도 주어진 텍스트 내용을 확인하고 분석하고 통합하고 해석하는 뉴 읽기 리터러시 기초능력이 요구되고 있다는 점이다. 뿐만 아니라 학습자는 자신의 논리로 텍스트 내용을 자신의 삶과 연결하여 일상생활과 텍스트의 의미를 통합해 글의 내용을 비판적으로 살펴보는 고차원적인 사고과정을 요구하고 있다 하겠다.

DRA 매체 읽기 리터러시 문항을 통해 본 읽기 리터러시

위에서 살펴본 PRA 문항은 학교 읽기교육에서 자주 접했던 텍스트와 다소 차이점이 있기는 하지만, 지필고사 형태의 인쇄 매체 리터러시 평가여서 문항의 성격을 이해하는 데 큰 어려움이 없었을 수도 있다. 하지만 DRA는 학교 읽기 교육이나 평가에서는 쉽게 접하지 않았던 자료와 문항으로서 먼저 문항이 디지털화면에 제시되는 형태를 먼저 확인해볼 필요가 있다.

다음 문항은 한국교육과정평가원에서 발행한 예비검사 시행보고서에 공개된 디지털 매체 읽기 리터러시 문항의 형태김남희 외, 2012로 이를 그대로 소개한다.

김남희2012에 따르면 PISA 2009의 DRA는 가상의 디지털 환경으로 구성된 소프트웨어를 활용한다. 이 프로그램은 실제 인터넷 화면과 거의 유사한 인터페이스를 갖추고 있으며, 실제 인터넷 상황만큼은 아니지만 아주 정교하게 하이퍼링크가 연결될 수 있도록 설계되어 있다. 이 프로그램을 통해 학생들의 디지털 매체 읽기 리터러시 능력이 측정된다. 이 프로그램을 활용하면서 학생들이 문항에서 요구한 문제해결을 위해 인터넷 상황에서 필요한 정보를 검색하고 문제를 해결하는 동안 뉴 리터러시 능력이 측정된다. 다만 이 프로그램은 한 화면에서 웹페이지와 문항이 동시에 제시되어야 하기 때문에 실제 컴퓨터 화면상에는 텍스트가 제시된 가상의 웹 화면과 하단의 문항이 분할된 형태로 나타난다김남희, 2012.

DRA에서 측정하는 읽기 리터러시 능력은 우선 기본적인 컴퓨터 활용 능력이 필요하다. 그리고 필요한 정보를 링크를 통해 탐색하고, 화면을 오르고 내리는 사용법, 주어진 조건에 따라 버튼을 클릭하는 등 인터넷 화면상에 나타나는 인터페이스를 조작하는 활동은 우리나라 초등학생들에게도 매우 초보적인 수준이다.

잘 알다시피, 우리나라 학생들은 PISA 2009 DRA에서 세계 여러 국가들이 부러워할 정도로 높은 성취를 보이고 있다. 그 이유 중 하나는 우리나라 학생들의 디지털 리터러시 수준은 특별한 교육을 받지 않을 만큼 우수하기 때문이라는 점을 인식시켜 주었다. 사실 PISA 2009 PRA 평가에서는 최상위 학생 비율이 상대적으로 낮고, 남녀 학생의 성차도 상당히 벌어졌다김경희 외, 2010. 반면에 DRA에서는 이 두 가지 문제가 크게 드러나지 않는다. 여기서는 우리나라 학생들의 성취 특성보다는 PISA DRA 문항 분석을 통해 초등학교에서 필요한 디지털 매체 읽기 리터러시 능력에 대해 살펴보고자 한다.

인생은 열여섯 살부터

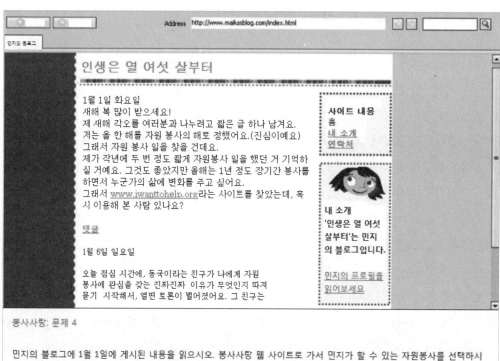

봉사사랑: 문제 4

민지의 블로그에 1월 1일에 게시된 내용을 읽으시오. 봉사사랑 웹 사이트로 가서 민지가 할 수 있는 자원봉사를 선택하시오. '자원봉사 세부 정보' 페이지의 이메일 버튼을 사용하여 그 활동에 대한 정보를 민지에게 보내시오. 그리고 이메일에서는 그 활동이 왜 민지에게 적합하다고 생각하는지 설명하시오. '보내기' 버튼을 클릭하여 이메일을 전송하시오.

- 단위문항명 : 봉사사랑
- 사용주기 : PISA 2009 본검사
- 평가틀 : 읽기 양상(복합), 텍스트 환경(혼합), 텍스트 체재(다중), 텍스트 유형(복합), 읽기 상황(직업적)
- 문항 유형 : 개방형 구성형

* DRA 문항의 텍스트들은 하이퍼링크 양식을 따르고 있음. 본 문항은 컴퓨터 화면에 나타나는 하이퍼링크 텍스트의 해당 내용을 캡처한 것임.

위의 <인생은 열여섯부터>라는 DRA 문항은 한 학생의 블로그를 읽고 블로그 소유주에게 봉사 활동을 추천하는 메일을 쓰도록 요구한다. 이 문항은 교육적 상황에서, 메시지 중심과 저작자 중심이 함께 제시되는 복합 텍스트 유형이다. 텍스트 체재는 다중 텍스트이며 복합적 유형에 해당되는 문항이라 할 수 있다.

김남희2012의 설명에 따르면, 학생들이 블로그를 탐색하면서 블로그 주인인 마이카Maika가 1월 1일에 포스팅한 고지문 내용을 읽게 된다. 포스팅된 고지문 내용은 마이카가 하고 싶은 자원봉사에 대해 설명하고 있고, 마이카가 생각하고 있는 봉사 단체의 홈페이지로 링크하도록 되어있다. 봉사 단체 홈페이지로 링크하여 화면의 오른쪽 상단에 있는 'Latest Opportunities'자원 봉사 세부 정보를 클릭하면 이 봉사 단체에 최근 등록된 봉사 활동의 목록을 확인할 수가 있다. 학생들은 각 봉사 활동에 링크해 봉사 활동에 대한 정보를 확인할 수 있고, 그 과정에서 마이카가 원하는 자원 봉사가 어떤 것인지 신뢰성도 판단해야 한다. 왼쪽 상단에는 봉사단체의 홈페이지와 마이카의 블로그를 쉽게 연결할 수 있도록 설계되어 있어 학생들은 필요하면 마이카의 블로그로 돌아가 마이카가 원하는 자원 봉사의 특징을 다시 확인할 수 있다. 탐색을 마친 학생들은 자신이 선택한 봉사 활동을 다시 클릭해 이어지는 화면으로부터 각 봉사 활동에 대한 상세한 정보를 확인할 수가 있고, 학생들의 저작활동을 가능하게 한 버튼을 확인할 수도 있다.

메일 쓰기 단계에서는 메일의 수신자인 마이카의 이메일 주소와 메일의 제목, 그리고 메일 첫 문장의 일부분이 제시된다고 한다. 학생들은 해당 봉사 활동을 마이카에게 추천하는 이유를 주어진 첫 문장에 이어 쓴 후, 보내기 버튼을 클릭하여 메일을 송신하면 이때 송신된 메일의 내용이 해당 문항의 답안이 되는 것이다.

일련의 디지털 매체 화면을 클릭해 가면서 문제해결을 하도록 요구하는 이러한 문항 구성은 DRA의 전형적인 문항 형태이다. 읽기 평가 틀의 구조에서 알 수 있듯이 PISA는 기본적으로 PRA에서 측정하고자 하는 읽기 리터러시와 DRA에서 측정하고자 하는 읽기 리터러시에 큰 차이를 두지 않는다. 그 이유는 제한된 디지털 환경에서 디자인된 문항 때문일 가능성이 높다. 하지만 교실수업에서 디지털 매체를 통해 실제적인 문제해결을 위한 탐구활동을 해야 하는 경우 인쇄 매체 읽기 리터러시 능력과는 상당히 다른 능력이 필요하게 될 수 있다. PISA가 디지털 매체 읽기 문항을 채택하는 이유는 디지털 매체 읽기가 인쇄 매체 읽기와 다른 새로운 읽기 전략을 요구한다는 점을 분명히 인식하기 때문에 OECD에서는 디지털 매체 읽기 리터러시와 인쇄 매체 읽기 리터러시의 두 평가를 실시하는 것이다.

디지털 읽기 리터러시에는 성찰 및 평가 양상 등에 대한 평가가 특히 중요하게 강조된다.

디지털 환경에서는 특별한 규제 없이 누구나 출판이 가능하기 때문에, 디지털 매체 리터러시에서는 비판적 사고가 그 어느 때보다도 중요할 수 있다. 또한 검색 시스템을 통과할 경우 검색어와 콘텐츠 사이의 의미적 대응이 이루어지기 때문에, 검색된 정보의 장르나 정확성, 권위, 신뢰도 등은 학습자가 반드시 평가해야 한다_{김남희 2012}. 디지털 매체 읽기 리터러시에서 차별화되는 또 다른 측면은 디지털 매체 텍스트가 하이퍼텍스트 특성을 가진다는 점이다. 따라서 이 측면은 텍스트 과정_{text processing}과 내비게이션_{navigation}이라는 두 항목에 대한 학습자의 뉴 리터러시 능력을 평가할 수 있다. 텍스트 과정에서는 디지털 매체 텍스트는 독립적으로 존재하는 웹 문서들을 학습자의 목적과 필요에 따라 얼마든지 다시 새로운 텍스트로 구성해낼 수 있다. 이것이 인쇄 매체 텍스트와 디지털 매체 텍스트의 다른 특징이라 할 수 있다.

DRA 평가를 통해 탐색활동을 해야 하는 경우, 최소한의 탐색활동이 늘 좋은 읽기 전략이라고 볼 수는 없다. 인쇄 매체 읽기든 디지털 매체 읽기 리터러시에서든 효율성 측면에서 중요한 것은 탐색을 시작하기 전 무엇을 찾을 것인지 읽기 리터러시 과제를 명료하게 인식하는 자세가 중요하다. PISA 디지털 읽기 리터러시 능력평가에서도 학생들이 가장 중요하게 고려되어야 할 점은 다양한 매체 자료들을 읽고 드러난 내용파악 정도가 아닌, 심층을 파고들어 보이지 않는 의미를 집요하게 찾아내는 탐구적 읽기 리터러시 능력이 요구된다. 학습자가 이 탐구과정을 통해 자신의 생각을 더하고 창의적 주장을 이끌어내야 하는 뉴 읽기 리터러시 전략이 PISA 읽기 리터러시 평가에서도 요구되고 있다는 점을 확인할 수 있다.

▎PISA 2015는 세계 각국의 교육과 평가를 큰 변화로 이끈다.

ACT21S는 이해를 돕기 위해 PISA 2015에서 선보일 협력적 문제해결 과제의 예를 공개하고 있다.

ACT21S의 협력적 문제해결 평가도구를 실제 초등학교 주제통합 수업에 활용하는 경우 학습자의 실시간 학습 진전도 관리와 학습자가 현재 어떤 수준에 있는지에 대한 진단이 가능할 것이다. 특히 이 평가도구는 지식에 대한 암기여부를 묻는 인지능력만을 평가하는 문제풀이 평가가 아니라, 동료와 함께 협력하여 문제를 해결해가는 과정을 평가하는 사회적 능력까지를 평가함으로써 미래형 뉴 리터러시 교수학습을 위해 적절한 평가로 활용할 수 있다. 특히 초등학교 주제통합 교과목 수업에서 문제해결식 탐구전략을 접목하고 있는 뉴 리터러시 능력을 실시간 평가해

* 출처 : http://conference.nie.edu.sg/2011/downloads/slides/Keynote_P.%20Griffin.pdf

줄 수 있는 평가도구로 활용할 수도 있다. 그리고 뉴 리터러시 교수학습이 이루어지는 교실수업에서 형성평가나 학기말 총괄평가로도 적용이 가능할 수 있어 보인다.

ACT21S을 통해 PISA 2015는 이미 평가내용과 기술의 발전을 제시하고 있다. PISA 2009부터 인터넷 기반의 PISA 평가는 이미 실시된 바 있다. 하지만 이는 온전한 인터넷 기반의 평가가 아니고 과거의 지필고사와 같은 평가를 컴퓨터 환경으로 옮겨 놓은 CBT Computer-Based Test 방식으로 문항반응 이론에 의한 평가의 일종이라 할 수 있다. 하지만 PISA 2015가 선보일 '협업에 의한 문제해결' 평가는 뉴 리터러시 교수학습 과정에서 시행되고 있는 실제 컴퓨터 기반 문제해결 방식인 CAT Computer Adaptive Test 방식을 취하고 있다. 예를 들어 2명 이상의 학생들이 협업을 통해 문제를 해결하게 된다. 단, 학생들의 원하는 주제나 문제에 대한 해결이 아니라 평가에서 제시된 문제를 해결하게 된다는 한계는 여전히 있다. 하지만 현실세계의 일상이던 인터넷을 통해 궁금한 문제해결을 해왔던 과정을 시뮬레이션 기술을 이용하여 컴퓨터상에서도 수행하고 무엇보다 이러한 과정을 실제 평가할 수 있게 되었다. 중요한 점은 현실적인 문제를 컴퓨터상에서 수행하고 평가받게 되었다는 점이 중요한 것이 아니라, 현실에서 궁금한 것을 인터넷에 찾아 문제를 해결해왔던 일상의 문제해결 과정을 실제로 평가하게 되었다는 점이다. 다시 말해 과거의 평가들은 주어진 내용을 잘 암기하고 이해했는지에 대한 '안다와 방법을 안다'know; knows how는 인지적 능력을 표준화 시험에서 평가할 수 있었다면, 이제는 문제해결 과정에서 필요한 역량인 '보여준다'shows는 사회적 영역까지도 평가할 수 있는 기술이 개발되었다는 점이 매우 중요하다.

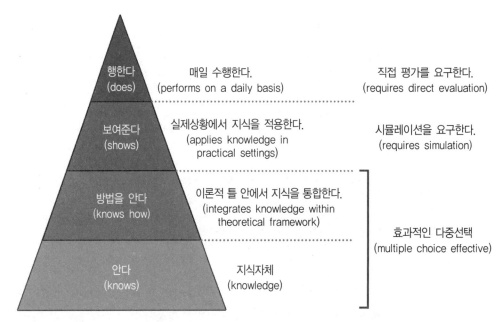

* 출처 : http://atc21s.org/wp-content/uploads/2011/11/1-Defining-21st-Century-Skills.pdf

읽기 리터러시 영역에서는 PISA 2009년부터 이미 디지털 기반 평가 DRA가 실시되어왔다. 하지만 형성평가와 총괄평가를 통합한 모델로서 대규모 표준화가 될 PISA 2015는 금년 하반기부터 본격적으로 도입되는 미국의 CCSS와 연계된 미국의 차세대 평가SBAC, PARCC란 컨소시엄이 각자 개발한 두 가지 평가 시스템의 중심이 될 것이다. 이와 관련하여 우리나라 초등학교 교과목 주제통합 뉴 리터러시 교육에서도 '교실수업에서의 학습을 위한 평가'classroom assessment for learning와 '책무성이나 선발에도 사용될 수 있는 국가단위의 성취도 평가'national assessment for accountability or student achievement란 두 가지 평가를 동시에 준비해야 할 과제를 갖게 되었다. 하지만 긍정적인 점은 뉴 리터러시 교수학습은 학습자가 원하는 문제에 대한 인쇄 매체와 디지털 매체 읽기를 통합하고 문제해결식 협력적 탐구학습 전략을 핵심으로 수업운영이 이루어진다. 이러한 점에서 뉴 3Rs 리터러시 교수학습 모델은 교수학습 내용이나 방법에서는 이미 차세대 평가를 준비하고 있는 교수학습 모델이라 할 수 있다. 따라서 뉴 3Rs 리터러시 교수학습 방법과 전략을 통해 앞으로 발생될 교실수업에서의 교수학습 문제는 일부 해결될 수 있을 것으로 보인다. 하지만 우리나라도 이를 바탕으로 한 질 높은 차세대 평가의 개발이 시급하다. 그런데 영어 과목의 경우는 국가영어 능력평가 문항을 문제해결식 읽고, 말하기, 쓰기 리터러시 평가로 재조정하여 학교 내 학습을 위한 평가도구로 활용하는 것도 현 시점에서 절충적 방안이 될 수 있을 것으로 보인다.

교실수업에 인터넷 기술을 도입함으로써 지식의 활용에 대해 점차 중요하게 고려되고 있다. 하지만 이를 평가할 평가도구에 따라 지식의 활용은 소홀해질 수밖에 없다. 대학입시 평가가 바뀌지 않으니 교실수업이 바뀌지 않은 결과를 초래하고 있다. 최근에는 교사들이 변화하지 않으니 학생들이 스스로 교실수업을 바꾸자는 운동i-school이 일고 있는 실정이다. 하지만 PISA 2015가 문제해결 역량평가를 표준화 시험으로 도입한다는 상황에서 지금까지 지식의 습득에 머물렀던 학교교육도 이제는 지식의 활용적인 면과 이를 사회적 관점에서 표현하고 소통하는 점이 크게 강조될 가능성이 높아 보인다. 이러한 점에서 내신이나 수능과 같은 표준화 시험도 점차 21세기 뉴 리터러시 역량을 평가할 수 있는 근본적인 평가연구 측면에서 총체적인 변화를 재촉하고 있다.

PISA 2015를 기점으로 공교육에서는 비인지적 영역의 리터러시 교육이 강화될 것으로 보인다. 지금까지 대부분의 표준화 평가는 학습내용에 대한 성취정도를 묻는 인지적 영역을 평가해 왔다고 해도 과언이 아니다. 하지만 PISA 2015은 '협업'을 통한 문제해결능력을 평가하게 된다. 이는 주어진 학습내용을 암기하고 이해하는 인지적 역량 외에 참여하고활동, 상호작용, 과제 완수, 다양한 관점을 취하고반응하기와 청중 인식하기, 사회적 조절능력협상, 자기평가, 분산기억, 자발적 책임발휘과 같은 사회적 역량까지를 평가한다는 의미이다. 이는 협업을 위해 필요한 사회성, 감성, 태도, 윤리성 같은 비 인지적 영역 등도 평가에 포함한다는 말이다. 평가가 바뀌어야 교실수업이 바뀌게 된다. 왜냐하면 평가기술의 발전은 교육의 질 개선에 핵심이기 때문이다. 따라서 우리나라도 21세기에 필요한 뉴 리터러시 역량 평가를 위해 미래 내신평가나 수능평가 개발에 대한 심오한 연구와 준비가 있어야 할 것이다.

Unit 02.

초등학교 뉴 리터러시 교육은 무엇이 다른가?

01. 미국의 CCSS와 초등학교 뉴 리터러시 교육
02. 초등학교 주제통합 교과 리터러시 교육은 무엇이 다른가?
03. 초등학교 뉴 리터러시 교수학습에 관한 연구사례와 참고자료들

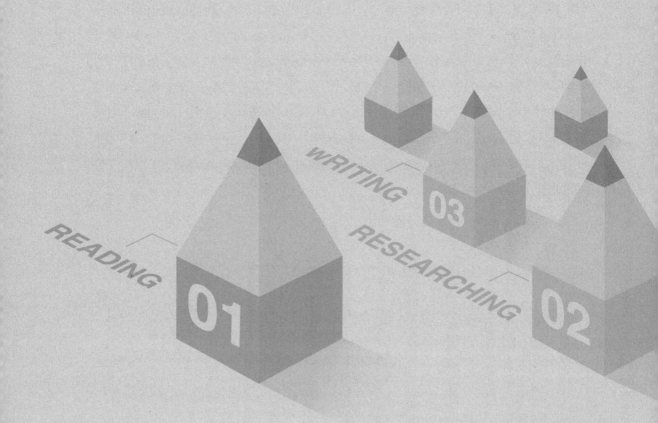

01. 미국의 CCSS와 초등학교 뉴 리터러시 교육

┃ 이젠 미국의 CCSS에 주목해야 할 필요가 있어 보인다.

주공통핵심성취기준Common Core State Standards : 이후 CCSS로 칭함은 최근 미국의 공교육 기관에 큰 변화를 몰고 오듯 강력한 바람을 일으키고 있다. CCSS는 전미주지사협회National Governors Association와 전미교육감협회Council of Chief State School Officers가 애리조나 대학의 David Coleman, William McCallum와 Jason Zimba, 수학과 리터러시 영역의 표준을 쓸 Susan Pimentel과 팀을 구성하고 학부모, 교사, 학교 행정가와 각계각층의 관련 전문가들이 함께 참여하여 2009년 6월 1일에 선포되었다. 이후 CCSS 같은 높은 수준의 교육정보 개발을 위해 인식을 같이 하는 국가들과 국제적 연구, 증거 및 표준 등을 참고하여 CCSS 개발이 시작되었다. 그리고 국가인증을 받은 후 1년 후인 2010년 6월에 CCSS 표준의 마지막 버전이 정식으로 발표되었다. 이러한 점은 소수의 전문가들이 밀실에서 개발하는 우리나라의 교육과정 개발절차와는 사뭇 다르다. 미국의 CCSS는 개발과정에는 현장에서 실제 적용자인 교육자교사, 정책결정자, 연구자, 지역사회 단체가 고르게 참가했으며, 그 과정도 투명하고 사회적 합의를 바탕으로transparent and consensus-driven process 이루어진 교육개혁이라 할 수 있다. 이렇듯 다양한 그룹의 초·중·고 교사, 학부모, 교장, 교수 등이 참여하여 전미주지사협회와 전미교육감협회들이 공동으로 사회적 합의를 거쳐 개발된 점은 우리나라가 배워야 할 점이라 할 수 있다.

CCSS는 미국이 영어와 수학 과목, 그리고 리터러시 능력에 관해 새롭게 설정한 주공통핵심 성취기준이다. 이는 K-12의 각 학년을 마쳤을 때 학생들이 습득해야 할 지식과 기능에 대한 학습

목표라 할 수 있다. 이렇듯 CCSS는 미국의 공교육 초·중·고 학생들이 대학과 장래 직업세계로 나아가기 위해 갖추어야 할 지식과 역량의 기준을 최근 연구들과 증거들을 바탕으로 정한 것이다. 특히 CCSS는 개발 당시 학생들의 대학진학준비college-ready와 직업준비career-ready를 기본 목표로 두었다. 개발과정은 대학과 기업의 입장을 충분히 듣고 조사한 다음 기준standards을 정했다고 한다. 그러고 나서 고교수준, 중학수준, 초등수준 등 역순으로back-mapping : working backwards from goals 하위 기준들을 개발했다고 한다. 이 점은 상위 목표를 먼저 정하고 하위단위로서 학교의 목표는 상위 목표에 맞춰 체계적으로 개발이 진행되었다는 점을 알 수 있다.

우리나라도 학생들의 미래 교육에 대한 올바른 방향과 논의를 진행함에 있어 미국의 CCSS 의 개발목적과 취지를 살펴보는 것이 의미 있어 보인다. CCSS의 개발취지는 미국의 공교육의 질이 떨어져 대학에 진학해서도 학업을 제대로 따라 가지 못하는 학생들이 늘어나고, PISA평가에 서도 미국의 순위가 일부 아시아 국가들에 비교해 낮게 나타나는 점을 우려하여, 미국 공교육의 질과 수준을 끌어 올리고자 전미주지사협회와 전미교육감협회의 지원 아래 미국 대부분의 주들이 참가하여 교육의 성취기준을 마련한 것이다. 이후 CCSS는 현재 워싱턴 DC, 텍사스, 알래스카, 버지니아, 네브래스카, 그리고 미네소타를 제외한 44개주, 컬럼비아 특별구, 4개의 영역territories이 자발적으로 가입하고 있는 상태이다.

CCSS는 다양한 매체 읽기 리터러시 능력과 비판적 사고능력, 문제해결능력 등의 뉴 리터러 시 역량을 강조한다. 하지만 CCSS는 이러한 능력을 기르기 위한 미국의 새로운 성취기준이지, 교육과정은 아니다. 기존의 교육과정처럼 학생이 습득해야 할 지식과 기능을 포함하지는 않는다. 대학진학 준비와 직업세계로 나가는데 갖추어야 할 역량으로서 일하는 습관, 끈기, 대학에서의 학업계획 세우기 등과 같은 기본적인 지식과 역량 같은 것들이다. 이러한 역량은 각 주마다 갖추 고 있던 기존의 성취기준에서 핵심을 뽑아, 전반적으로 수준을 상향 조정했다고 한다.

CCSS2013에 따르면, CCSS는 학생들이 대학과 장래 직업에 대해 잘 준비하고 미래의 삶을 위해 학습되어야 할 것들에 대해 일관성 있고 명확한 이해를 제공하는 데 목적을 두고 있다. 뿐만 아니라 교사와 학부모들이 그들의 자녀나 학생들에게 무엇을 어떻게 도울지를 알려주는 데 개발 의 목적을 두고 있다. 무엇보다 CCSS는 미국 학생들이 나중에 대학이나 직장에서 성공하기 위해 어떤 지식과 스킬이 필요한지를 반영하고 학생들의 미래 삶과 실제 관련 있도록 설계되었다. 그리 고 미국 학생들이 글로벌 사회에서 경쟁우위에 놓이도록 이끌고자 한다는 점을 강조한다CCSS, 2010. 이러한 CCSS의 개발목적과 취지를 보면 미래 글로벌 사회에서 학생들은 학교생활이나 미래 삶에서 전 세계 국가의 사람들과 끊임없이 비교되고, 상대적 평가를 받으며, 다른 나라 사람들과 경쟁하며 살아야하기 때문에 이를 대비시키자는 차원에서 CCSS가 개발되었음을 알 수 있다.

학생들이 지금은 같은 반 친구나 같은 나라 학생들끼리 경쟁을 하지만, 미래 글로벌 사회에서는 전 세계 학생들과도 경쟁을 하며 살아가야 한다. 이 때 우리나라 학생들이 미래 사회에서는 다른 나라 사람들보다 얼마나 똑똑한지, 얼마나 빠르게 해내는지, 얼마나 잘 할 수 있는지, 그리고 얼마나 더 알고, 잘 완성해낼 수 있는지에 대해 수많은 평가를 받게 된다. 이러한 학습환경과 사회현상의 변화에도 불구하고 학생들이 유·초·중·고등학교를 졸업할 때, 상급학교 진학이나 직업을 위해 학교에서 무엇을 얼마나 잘 배웠는지, 그리고 얼마나 목표를 잘 달성해서 졸업하게 되는지를 정확하게 파악할 수 있는 방법이 거의 없다는 점을 우려해서 CCSS 개발은 시작된 것이다. 결국 학생들이 졸업 후 사회에서 성공할 수 있도록 학교에서 미래 경쟁사회에서 필요한 지식과 스킬을 제대로 교수학습 할 수 있는 명확한 기준이 필요하다는 인식에서 CCSS가 개발하게 된 것으로 보인다.

이렇게 개발된 CCSS는 영어와 수학 등 주요과목에서 핵심적으로 가르쳐야 할 학습기준을 제시하고 이를 미국 전역의 초·중·고 공립학교에서 시행하는 것을 목표로 하고 있다. 기본적으로는 고차원적 사고력과 깊은 이해력에 대한 평가를 높이고자 하는 데 중점을 두고 있다. 하지만 기존 시스템과 차이가 있어 초기시행에 교사와 일부 학부모들의 혼선이 있는 것도 사실이다. 그리고 정치가, 교육자, 교원노조, 시민단체 등의 광범위한 비판이 있다. 표준화 시험 성적 결과로는 교사를 제대로 평가할 수 없으며, 계약학교를 무차별하게 확대하는 것은 공교육의 근간을 흔든다는 등이 이유다. 교육부 차관을 지낸 다이엔 라비치도 선택, 경쟁, 책무성 강화를 통한 교육개혁은 성공할 수 없다고 비판에 가세하고 있다. 하지만 오바마 행정부는 정상을 향한 경주Race to the Top 교부금으로 공교육들의 적극적인 참여를 이끌고 있다. 이 교부금은 오바마 미국 연방정부가 2009년 초·중등학교 교육의 구조적 혁신을 도모하고자 책정한 43억 5000만 달러의 교육개혁 기금이다. 각 주는 이 교육기금을 받으려면 학생의 학업 성적 향상, 사회 계층과 인종 간 성적의 차이를 줄여야 할 의무가 있다. 만일 학생의 학업 성취도가 뒤처지면 학교를 폐교 처리하는 등의 강력한 교육개혁을 바탕으로 기금이 운영된다. 미국의 많은 주들은 이 기금을 받기 위해 치열한 경쟁을 하고 있다. 짧은 기간 동안 CCSS를 채택한 주가 48개 주로 늘어난 것은 이 때문이기도 하다.

CCSS는 대학이나 사회에서 성공하는 사람이 되기 위해서는 고등학교에서 준비하면 늦다는 점을 강조하며, 유치원부터 12학년의 학생들이 다음 학년으로 올라가기 전에 배워야 할 스킬이나 지식들에 대해 단계별로 아주 명확한 기준을 제시해 준다. 무엇보다 미국 학생들이 글로벌 사회에서 경쟁우위에 있도록 상위 단계로 올라가는 데 도움이 되는 여러 스킬에 중점을 둔다. 특히 학생들이 각 단계에서 안주하지 않고 미래의 변화에 대처할 수 있도록 교육을 꾸준히 발전시켜야 한다는 점을 강조한다. 이렇듯 학생들이 초·중·고를 졸업하고 대학이나 직업에서 성공을 위해, 학부모, 교사, 학생들이 배워야 할 스킬과 역량을 갖추기 위해서는 각 단계별 표준이 매우 중요하다는 점을 강조한다. 따라서 CCSS는 학생들이 앞으로 대학이나 직장에서 성공할 수 있도록 유치원에서부터 고등학교K-12까지 학생들을 준비시키기 위해 특히 영어와 수학과목에 대해 무엇을 얼마나 교수학습 해야 하는지에 대한 일관성 있고 논리 정연한 학습기준을 정리하고 있다. 특히 각 학년마다 학생들에게 무엇이 기대되는 지를 분명히 제시하며, 학생, 학부모, 교사와 학교 행정가의 역할도 명확히 설명하고 있다CCSS, 2010. 뿐만 아니라 학년별 고차원적 스킬과 지식에 대한 명확한 내용과 적용을 강조하며 현재 사용하는 주 단위 표준과 비교해 강점들을 설명하기도 한다. 그리고 실제수업에서 어떻게 적용할지에 대해서도 구체적인 가이드라인을 제공하고 있다. 무엇보다 CCSS는 모든 학생들이 글로벌 사회에서 성공할 준비를 시켜준다는 점을 입증하여 학부모의 신뢰와 공감을 얻고자하는 증거기반의 표준이라 할 수 있다. 이러한 점 때문에 미국의 대부분의 주들은 영어과목과 수학과목에 대한 자체 표준을 운영하고 있음에도 불구하고, 최근 상당히 많은 주에서 CCSS를 채택하고 있는 추세이다CCSS, 2013.

이제 우리는 미국 학교들이 CCSS를 어떻게 운영하는 가에 대해 관심을 가질 필요가 있다. 우선, CCSS는 학생들이 국제적으로 경쟁하기 위해 미국 학교들이 공통적이고 지속적으로 운영될 수 있도록 정리한 국가적 차원의 성취준거이다. 그리고 CCSS는 각 학년마다 교과학습에서 가장 기본이 되는 수학과 영어 과목을 주 영역으로 다룬다. 하지만 CCSS는 특히 영어과목과 교과목 리터러시에 대한 표준을 제공한다. 다시 말해 영어교과목에서 사용할 리터러시 표준과 역사, 사회과학과 기술과목에서의 리터러시 표준을 분리하여 정리하고 있다. 영어과목에 대한 리터러시 표준은 학생들의 읽기, 쓰기 말하기 듣기 그리고 언어학습 영역에서 발전할 제반의 내용과 스킬을 설명한다. 그리고 각 학년마다 학생들이 다른 과목에서 리터러시 스킬특히 교과목에서의 읽기와 쓰기을 어떻게 사용하고 강화해야 하는지에 대해서도 구체적으로 묘사하고 있다.

CCSS는 전국 공립학교에서 일관되게 교육되도록 학년별 학습기준을 제공한다. 이유는 현재 각 주에서 사용하는 학습기준은 주별로 차이가 많아 같은 학년이라고 해도 각 주마다 그 난이도가 매우 다를 수 있기 때문이다. 따라서 CCSS가 일관된 학습기준을 제공하여 각 주마다 차이를 없앰으로써 전국적으로 일관성 있는 학습기준을 시행하도록 하는 역할을 하게 되었다. 그 결과 시애틀에서 영어 과목 중 글쓰기를 공부하는 외국인이 시카고로 이사를 가더라도, 만일 이사 간 지역의 학교가 CCSS를 적용하여 운영하고 있다면 굳이 새로운 학습 스킬을 또 배워야 할 필요가 없게 된 것이다. 이러한 일관된 학습기준으로 지역 사회들끼리 학생들이 서로 경쟁할 수 있는 자체 교육과정을 찾도록 유도하고 있다. 그리고 학생들이 필요로 하는 표준은 부모, 교사, 학생들이 함께 작업하도록 강조하고 있다. 결국 CCSS는 미국 학생들이 졸업 후 세계 다른 나라의 사람들과 경쟁을 하는 경우, 미국학생들이 경쟁우위에 있도록 유치원 교육과정부터 단계별 표준을 만들고자 한 것이다. 왜냐하면 세상은 경쟁이 점점 더 심해지므로 미국 학생들이 경쟁에서 앞설 수 있도록 이끄는 명확한 목표와 확신을 갖고 학습기준을 정리해야 할 필요가 있다고 생각한 것이다. 만일 이러한 학습표준 시스템이 갖추어지지 않으면 졸업 후 미국 학생들이 일자리를 얻고자 할 때 전 세계 OECD 국가들 간 PISA 평가결과에서 최고를 차지하는 중국 상하이나 싱가포르 등의 국가 학생들과 경쟁에서 뒤지게 될 수 있다는 우려에서 CCSS 개발이 시작되었다고 할 수 있다. 특히 미국의 학생들이 다른 경쟁 우위에 있는 나라의 학생들보다 낮은 등급에서 평가되는 일이 생길 수 있다는 것을 우려하여 국가수준의 교육기준이 필요하다는 점에 인식을 같이 한 것이다. 하지만 국가수준의 교육기준이 기초과목에 초점을 두고 있어, 교육이 후진하고 있다는 점에서 초기 시행에 약간의 반발이 있는 것도 사실이다. 미국이 고민하고 있는 이러한 문제에 답을 찾기 위해 우리나라도 공·사교육 기관이 학생들이 미래 경쟁사회에서 우위에 있는 교육을 이끌기 위해 함께 힘을 모아야 할 때라 사료된다.

미국은 우리나라와는 달리 오랫동안 학생들이 각 학년에서 알아야 하고, 할 수 있어야 하는 것에 대한 기준이 학교마다 상당히 달라왔다. 때문에 학생들이 전반적으로 잘 할 수 있는지를 알기가 어려웠던 것이 사실이다. 그리고 졸업 후 직업을 얻기 위해 필요한 목표가 무엇인지, 또는 학교에서 졸업하기 전에 마쳐야 하는 목표를 정확히 알려주기가 어려운 상황이었다. 그리고 CCSS는 미국의 학부모들에게 이러한 장점을 알리고 있다. 특히 왜 영어과목과 수학이 중요하고, 영어와 수학에서 무엇을 가르치고 평가해야 하는지, 그리고 어떠한 영향을 미칠 것인지, 그리고 CCSS를 채택하는 부모는 무엇을 준비하고, 어떠한 혜택이 있을지 등과 같은 여러 가지 질문에 답을 찾아야 할 필요가 있다고 강조하고 있다.

미국 연방정부는 3.3억의 별도 기금을 투입해서 두 개의 컨소시엄을 선정한 후 CCSS에 기반을 둔 차세대 평가를 개발하였다. 하나는 SBAC(Smarter Balanced Assessment Consortium)에서, 다른 하나는 PARCC(Partnership for Assessment of Readiness for College and Careers)에서 컨소시엄으로 개발하였다. 이들 평가도구는 정책결정자, 학부모, 교육자를 위해 다음 같은 4가지의 기본 목적을 지원하는 차원에서 개발되었다.

1) 학업성취도 결과에 대해 신속하게 통보한다.

2) 교수학습을 지원할 다양한 매체 정보를 제공한다.

3) 교사의 교수학습 개선을 위한 근거자료로 활용될 수 있도록 학생의 학업성취도 향상에 기여한다.

4) 학습장애 학생이나 ESL학생들도 공정하고 합리적인 교육서비스를 제공받을 수 있도록 관련 절차와 자료들의 개선을 목적으로 개발되었다.

SBAC와 PARCC이 개발한 두 평가는 미국의 SAT나 ACT와 같은 대입자격시험을 대체하기 위해 개발한 것은 아니다. 하지만 대학도 함께 참여해서 개발한 시험이기 때문에 이를 통해 평가한 내신 성적은 타당도, 신뢰도가 높아 대학에서도 기꺼이 참고할 것으로 예상된다. 특히 이 두 평가는 미국 CCSS 기준과 연계된 평가며, 건강한 시민으로 성장하기 위해 필요한 가장 기본적인 역량인 영어쓰기, 말하기, 듣기, 읽기, 문학, 21세기가 새롭게 요구하는 소양21C literacies 그리고 수학을 평가한다는 점에서 PISA 평가와도 일맥상통한 점을 찾아볼 수 있다. 또한 이들 시험이 PISA 평가와도 일관성을 가진다는 점은 학생들의 대학진학 준비와 직업세계로 나가기 위한 질 높은 준비를 시키는 데 목표를 둔다는 공통점이 있기 때문이다. 하지만 SBAC와 PARCC가 개발한 두 평가 간에는 차이점도 있다. SBAC이 개발한 평가는 CATComputer Adaptive Testing(컴퓨터 능력적응 검사) : 피험자 능력에 따라 난이도가 자동 조절되는 컴퓨터기반 평가/검사이고, PARCC가 개발한 평가는 전통적 지필고사 방식의 평가를 컴퓨터로 옮겨놓은 CBTComputer-Based Testing 방식이란 점이다. 이렇듯 두 종류의 평가를 개발한 이유는 정확하지는 않지만 디지털 매체 읽기 리터러시를 위한 뉴 리터러시 능력과 인쇄 매체 읽기 리터러시 능력에 기반을 둔 기초 리터러시 능력을 평가하기 위함일 것으로 추정된다. 마치 PISA 2009에 인쇄 매체 기반의 지필고사PRA와 인터넷 매체 기반의 평가 DRA를 구분하여 평가하였듯이 두 평가 유형에는 각각 독립적인 양상과 능력을 필요하다는 점을 고려한 선택이었을 것으로 사료된다. 이러한 평가개발은 우리나라도 지자체들이 그룹을 나누어 교육의 목적에 맞는 형성 평가 혹은 졸업자격시험을 지필고사 형식의 평가와 인터넷 기반 평가 형식으로 개발할 수 있다는 가능성을 보여준다. 이 평가는 2014-2015년에 시작해서 CCSS를 채용한 주에서 점차 사용하게 될 것이다. 이 외에 평가를 보기 위해 1인당 지불해야 할 비용PARCC $29.50; SBAC $22.50, 문항수, 해당 학년PARCC 3-11학년; SBAC 3-8 & 12학년 등에도 차이가 있다.

CCSS 기준은 무엇보다 높은 수준의 학문적 학습목표를 달성하기 위해 학부모, 교사, 학생 사이에 대화를 용이하게 해준다. 왜냐하면 CCSS는 학생들이 무엇을 알아야 하고, 각 학년에서 무엇을 할 수 있는지 정확하게 정의하고 있기 때문이다. 그리고 학교에서는 CCSS에 의해 정의된 학습내용과 스킬에 대한 교수학습을 운영하고, 학부모들은 이를 지원하는 방식으로, 학생들이 미래사회에서 성공하기 위해 알아야 하고, 할 수 있어야 하는 것들에 대해 설명하고 도울 수 있게 해준다. CCSS를 채택한 주나 지역은 집에서 학부모들이 학습을 지원하고 격려하고 도울 수 있도록 각자의 경험, 평가방법, 교수학습 실제, 학습자료와 교수학습 방법을 서로 공유하라고 강조한다. 그 결과 학교기간 중이나 말에 학생들의 진보를 측정하기 위해 여러 유형의 평가가 G3-G12학년 학생들을 대상으로 개발될 것이다.

이 두 평가는 차세대 평가라는 이름을 가질 정도로 많은 장점들이 있다.

1) 비판적 사고능력, 문제해결능력, 소통 능력과 같은 소위 21세기 스킬과 지식뿐 아니라 지식의 활용까지도 평가한다.
2) 청각장애자, 시각장애자, 영어가 모국어가 아닌 ESL 학생들도 접근 가능하게 한 보편적 학습 및 평가 설계Universal Design for Learning/Assessment 기술을 도입한 매우 공정한 평가이다.
3) 문항반응이론을 적용한 컴퓨터 적응평가CAT 기술을 통해 지식뿐만 아니라 실제 디지털 매체를 사용하며 탐구수행 과정을 평가하는 지식의 활용까지도 평가할 수 있다SBAC.
4) 학생들이 대학진학과 직업세계로 나갈 준비는 어느 정도 되고 있는지, 교사와 학부모에게 학생들이 CCSS 기준을 어느 정도 달성하고 있는지에 대한 정보를 신속하고 정확히 제공한다.
5) 개별학생의 학습 성과를 극대화하기 위해 교사들에게 개별 교육을 지원할 풍부한 자료와 도구를 제공한다.

특히 학부모들이 CCSS을 통해 어떠한 혜택을 갖게 되는가에 대해 친절히 설명한다. CCSS는 모든 학생들이 어디에 살 든 대학이나 직업을 위한 경력을 준비하기 위해 고등학교를 졸업하는데 필요한 국가단위의 공통핵심 성취기준에 중점을 두고 있다. 증가하는 스마트 모바일 폰을 사용하고 있는 사회에서 새로운 학교로 옮기고자 하는 학생과 가족은 새로운 곳에서 더 이상 새로운 학습기준에 적응하려고 애쓸 필요가 없다는 점을 강조한다. 왜냐하면 CCSS는 학생들이 어떤 곳으로 이동하든 CCSS를 채택하고 있는 새로운 곳에서 잘 적응할 수 있도록 도와주기 때문이다. 글로벌 경쟁사회에서 모든 학생들은 어떤 주에 살고 있든 다른 동료들뿐 아니라, 세상의 다른 나라 학생들과도 경쟁을 해야 한다. CCSS는 바로 이러한 글로벌 환경에서 성공할 수 있도록 미국 학생들을 준비시키기 위해 설계된 것이다.

CCSS의 개발취지를 통해 우리나라 학생들도 미래 삶을 위해 초등학교에서부터 무엇을 해야 하는지에 대해 다음과 같이 정리해볼 수 있다.

1) 초·중·고교 학생들이 대학과 장래직업을 준비하는 것은 고등학교 때부터가 아니라 유치원부터 시작해야 한다.
2) 총체적이고 융합적인 사고를 가진 창의·융합적 인재로 양성해야 한다.
3) 최근 연구와 증거에 의한 학습을 강조하며 참여와 경험 및 실제적용 학습이 필요하다.
4) 읽기 리터러시 능력을 전교과목으로 연결하고 다양한 매체 정보 읽기를 통한 뉴 리터러시 교육으로 확대해야 한다.
5) 교육환경이 다르더라도 우리나라 전역에 일치된 교육효과를 기대할 필요가 있다.
6) 세계적 수준의 학습결과를 도모해야 한다.
7) 적어도 영어와 수학 과목의 내용과 그와 관련된 뉴 리터러시 능력을 마스터해야 한다.
8) 자기 주도적 학습을 중시하여 학생자신들이 학습의 책임과 주인의식을 갖도록 해야 한다.
9) 주요한 인지책략을 학생들이 스스로 개발하도록 이끌어야 한다.

CCSS에 기반하여 우리나라 영어교육은 다음과 같은 점들을 고려해야 할 필요가 있다.

1) 논픽션과 정보기반의 텍스트 읽기를 강화할 필요가 있다.
2) 쓰기는 다양한 매체 읽기내용과 증거를 기반으로 비판적 사고와 융합적 탐구과정을 거쳐 창의적 활동으로 이끌고, 의견Opinion과 논의Argument를 강화해야 할 필요가 있다.
3) 다양한 주제관련 전문적 어휘력과 어렵고 복잡한 학습내용을 다루어야 할 필요가 있다.
4) 다양한 정보기반 텍스트를 질문을 통한 비판적 읽기를 강화할 필요가 있다.
5) 고차원적 사고력과 깊은 이해력 강화를 위해 서로 다른 과목을 연결하는 융합적 사고 능력을 강화할 필요가 있다.

결국 CCSS는 미국 학생이 한국으로 오더라도 대학이나 직업을 위한 경쟁에서 우위에 있기 위해 우리나라 초·중·고등학교에서도 학생들이 배워야 할 스킬이며 지식이라 할 수 있다. 이러한 점에서 우리나라 학생들이 졸업 후 미래사회에서 경쟁우위에 있도록 이끌기 위해, 우리나라 초·중·고 교과학습에서도 미국의 CCSS의 개발취지와 목적, 그리고 내용과 방법에도 주목해야 할 필요가 있어 보인다.

02. 초등학교 주제통합 교과 리터러시 교육은 무엇이 다른가?

▌뉴 리터러시 교육은 '무엇을'보다 '어떻게'에 초점을 두는 교육이다.

읽기는 문자해독, 단어인식, 이해력, 그 이상 끊임없는 사고 작용이 포함되어야 완성된다. 읽기 능력은 초등학교 학생들이 학교 교과활동을 성공적으로 이끄는 데 가장 기본이 되는 요건이다. 읽는다는 의미는 드러난 내용과 숨겨진 내용까지 읽어낸다는 의미를 내포한다. 또한 쓰기 능력은 사람들에게 자신의 생각을 전달하는 측면에서 소통을 위한 가장 우선되는 요건이다. 초등학교에서 읽고 쓰는 리터러시 능력을 제대로 가르치지 않으면 앞으로 상급학교에서 교과학습 능력에 어려움이 있을 수 있다. 왜냐하면 이러한 읽고 쓰는 리터러시 교육은 학생들의 매일매일 학교생활이나 일상사에서 가장 필요한 핵심 능력이기 때문이다. 그리고 이러한 읽고 쓰는 리터러시 능력은 학생들의 학교나 일상의 삶을 지탱하는 데 숨 쉬는 활동만큼이나 매우 중요할 수 있다. 특히 쓰인 글을 읽고, 읽은 것을 이해하고 표현할 수 있는 리터러시 능력은 초등학생들이 학교생활에서 자신감을 갖게 해주고, 학습능력을 향상시켜주는 원동력과 같다.

▌초등학교 주제통합 교육과정은 교과목에서 공통주제를 중심으로 언어학습과 내용학습을 통합하는 교육과정이다.

미래에는 지식기반 암기교육은 사라지고 체험하는 경험교육이 강화된다. 교사들의 교수활동은 점차 축소되고 학습자 개별학습이 강화된다. 그러다 보니 학습자의 다양한 학습욕구에 대처하는 교사의 다양성이 요구되며, 가르치는 일이 주 업무였던 교사의 역할에도 변화가 필요하다. 뿐만 아니라 옳고 그름이란 판단기준이 진리보다는 개개인이나 공동체의 해석이나 의견opinion이 중시되며, 소통과 집단지성에 의한 지식들로 오픈소스 교육들이 이루어지고 있다.

미국의 오바마 대통령의 경우 리터러시 교육을 통한 창의·융합적 인재양성 교육과 학생들의 잠재력 개발을 강조한다. 유럽은 지식과 언어의 통합을 통해 다양한 지식을 통일된 언어로 표현해 내는 언어와 내용의 통합능력을 갖추도록 강조하고 있다. 다양한 지식을 자신의 가치나 언어로 통합하여 창조해내야 하는 능력을 기르는 것이 바로 전 세계 교육의 추세이며 방향이다. 이를 위해 북미식 내용학습CBI은 영어습득을 위해 학습자에게 흥미로운 내용의 교과목 주제기반 학습내용에 몰입하면서 목표언어인 영어사용을 유도하는 내용중심학습CBI : Content-Based Instruction 방식으로 학문적 목적을 강조한다. 반면에 유럽식 내용과 언어의 통합학습CLIL은 내용학습과 언어학습을 통합하는 학습CLIL : Content and Language Integrated Learning 방식으로 영어로 하는 내용학습을 통한 의사소통에 목표를 둔 영어학습을 추구한다.

최근 미국의 CCSS나 유럽의 교육정책 등에서 전개되고 있는 내용과 언어 통합학습은 하나의 주제에 문화, 소통, 내용, 인지 등의 4 영역 간 융합을 통한 학습이 이루어진다. 북미지역과 유럽 등에서 이루어지고 있는 내용과 언어 통합학습은 다음과 같은 학습 요인들 중 어떤 점에 보다 더 중점을 두느냐에 따라 통합학습 모형도 다양하게 나타난다.

4Cs 목표 달성을 위한 주제통합의 맵 (Coyle, D. 외, 2010, p. 56)

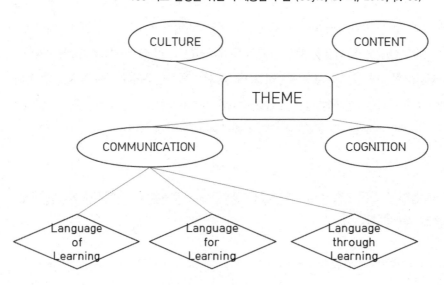

리터러시 학습에서 주제통합은 다음과 같은 3가지 방식으로 접근할 수 있다. 먼저, 언어사용과 내용 즉, 언어학습과 타 교과과정과의 통합이 있을 수 있고, 학습자들의 사전지식이나 경험과 언어사용과의 통합, 그리고 언어의 4기능의 통합학습이 있을 수 있다.

주제통합 교육과정Theme Based Curriculum은 내용중심 교육CBI의 한 종류로서 일반 교과목에서 학생들의 실생활과 관련된 주제를 선정하여 한 과목 또는 그 이상의 과목들에서 공통적인 주제를 중심으로 학습하는 교육과정을 의미한다. 사실 주제통합 교육과정은 수업의 목적이나 수준에 따라 다양하게 통합될 수 있다. 하지만 초등학교 교과목 교육과정에서 사용되는 주제통합 교육은 Drake1993의 유형과 Fogarty1991 유형에서 찾아볼 수 있다. 먼저 Drake1993의 유형은 의한 내용연결이나 통합방식을 따르며 다음과 같이 다 학문적 접근, 간 학문적 접근, 그리고 탈 학문적 접근으로 구분한다.

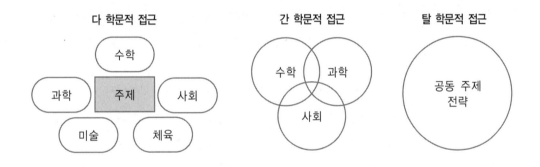

다 학문적 통합은 상호 독립적인 영역에서 관련 있는 주제를 통합하는 것으로 각 교과나 학문의 독립성을 인정하면서 독립교과 내에서 타 교과와 관련된 주제로 통합하는 방법이다. 예를 들어, 생물, 물리, 화학과 지구과학을 공통과학으로 통합하는 경우로서 과학이라는 주제로 관련분야의 학문들을 모아 학문 간 공통점을 따져보는 통합 방식이다.

간 학문적 통합은 두 개 이상의 학문이 개념, 방법, 절차 등에서 유사성이 발견되어 그 공통분모에 의해서 결합되거나 상호관련 짓는 통합방식이다. 예를 들어, 교육학과 심리학을 교육심리학으로 통합하고 교육학과 심리학에 있는 공통적인 내용만을 추출해서 통합하는 방식이다.

탈 학문적 통합은 학습자 입장에서 자유로운 표현활동이나 문제해결 과정을 통해서 이루어지는 방법으로 교과의 구조나 독립성을 완전히 무시하고, 일상생활에서의 경험과 이슈가 학습내용이 될 수 있는 통합방식이다. 초등학교 주제통합에서 학생들의 자유로운 표현활동이나 문제해결의 과정에 초점을 두고 교과목의 틀을 허물고 주제관련 학습내용을 통합하는 방법이다. 예를 들면 다음과 같은 학생의 관심분야나 학습목표에 따라 자유롭게 통합하는 방식이다.

    ㉠ 흥미중심의 통합 : 학생들이 관심을 가지는 대상을 중심으로 수업 전개.
    ㉡ 표현중심의 통합 : 학생들이 자유롭게 생각을 표현하는 활동중심 교육과정.
    ㉢ 경험중심의 통합 : 학생들의 생활경험에 핵심을 두고 교육 프로그램을 구성.

Fogarty1991에 의한 통합 방식은 단일 교과 내의 통합방식, 여러 교과간의 연계를 통한 통합방식, 학습자 내부 및 학습자 간의 연계를 통한 3가지 통합방식으로 나눌 수 있다. 이는 Drake 통합방식을 보다 구체화 한 방식이라 할 수 있다.

Fogarty의 교과통합 유형

단일 교과 내의 통합	여러 교과 간의 통합	학습자 간의 통합
분절형, 몰입형, 동심원형	계열형, 공유형, 거미줄형, 연결형, 실로폰형	네트워크형, 통합형

이러한 점에서 초등학교에서 다양한 교과목 간 주제통합 교과 교육과정에서 읽고 쓰는 리터러시 교육은 바로 교과목 간 학습내용을 연계한 통합교과 리터러시disciplinary literacy 교육으로 변화되어야 함을 시사해주고 있다. 사실 초등학교 주제통합 교과 리터러시 교육은 새로운 이름이 아니다. 그동안 읽기 수업은 내용을 파악하는 데 초점을 둔 내용학습 리터러시 교육이었다고 할 수 있다. 초등학교에서 실시되고 있는 주제통합 교과 교육과정은 역사, 과학, 수학 등 여러 교과목에 관련된 내용을 통합적 관점에서 읽어내고 이해하는 내용학습의 특성을 보인다. 그렇지만, 엄밀히 말해 주제통합 교과 읽기학습은 내용읽기 학습과는 약간 다르다. 주제통합 교과 읽기학습은 무엇을 가르치는가에 초점을 두기보다는 어떻게 가르치는가에 목표를 두고 있다. 어떻게 가르치는가의 관점은, 예를 들어, 역사책을 어떻게 잘 읽을 수 있는가에 초점을 두는 교수학습 방식이라 할 수 있다. 반면에 과학자가 되기 위해 무엇을 읽어야 하는지에 초점을 두는 것은 내용읽기 학습이라 할 수 있다. 이렇듯 주어진 정보를 어떻게 사용하는지에 대한 과정에 초점을 둘 때 이는 주제통합 리터러시 교수학습이 될 수 있다.

내용학습과 주제통합 교과 리터러시 비교

내용학습 읽기	주제통합 교과 리터러시 교육
무엇을 가르치는가	어떻게 교수학습 하는가
무엇을 읽을 것인가	어떻게 잘 읽을 수 있는지에 대한 교수학습 방법
이해하고 기억하는 읽기 스킬	문제에 대한 해결을 찾는 스킬
암기나 내용파악	답을 찾는 비판적이며 창의적 사고 작용

주제통합 교과 리터러시 학습은 학생들이 다양한 교과목에서 읽고 쓰는 활동을 통해 교과 간 상호관련 내용을 찾고, 이들의 관련성을 이해하고 종합하고 평가하는 고차원적 사고과정을 요구한다. 하지만 이 과정에서 읽기를 쓰기로 완성해내는 뉴 읽기 리터러시 능력을 자연스럽게 익히게 된다. 다시 말해, 뉴 읽기 리터러시 능력은 읽기 과정을 통해 끊임없이 비판적이며 융합적인 사고과정을 거치면서 자기생각을 구축하여 창의적으로 표현하는 쓰기 리터러시 학습을 수반하게 된다. 결국 주제통합 리터러시 교육은 다양한 매체 읽기활동을 통해 비판적 사고와 융합적 탐구를 창의적 성과로 만들어내는 미래형 리터러시 교수학습이라 할 수 있다. 즉, 비판적 읽기를 융합적 경험학습을 통해 창의적 쓰기로 연결하는 학습이라 하겠다. 주제통합 리터러시 교육과정에서 이루어지는 비판적 읽기는 특정한 목적에 따라 통합된 내용을 어떻게 사용하는지를 배우는 실천 행위와 관련이 깊다. 예를 들어, 내용읽기 학습은 무엇을 읽든 잘 이해하고 기억하기 위해 이해능력과 암기력에 초점을 두는 읽기 학습인 반면에, 주제통합 교과 리터러시 교육은 주제관련 궁금한 문제나 목표를 갖고 통합 교과 내용을 비판적으로 읽고, 문제에 대한 해결점을 찾는 동안 끈질긴 융합적 사고과정을 거쳐 창의적 표현으로 이끄는 뉴 리터러시 학습과정을 따르게 된다. 특히 뉴 리터러시 학습과정은 학생들의 학습 동기나 몰입도를 높이기 위해 질문을 통한 문제해결식 리터러시 교수학습 전략을 사용한다. 결국 질문에 답을 찾는 과정에서 자신의 스키마와 다양한 디지털 매체 지식을 총동원하면서 비판적 읽기 과정에서 끈질긴 융합적 학습과정을 통해 자신의 창의적 생각을 글로 표현할 줄 알게 된다.

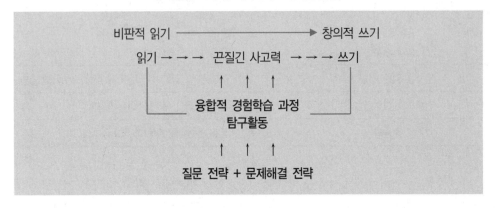

주제통합 교과 뉴 리터러시 교수학습 과정

주제통합 교과학습에서 뉴 리터러시 스킬을 가르치는 교사는 학생들에게 질문을 통한 문제 제기를 함으로써 학생들이 보다 집요한 융합적 사고활동을 할 수 있도록 탐구읽기 활동을 이끈다. 이러한 탐구읽기 활동은 학생들의 읽기 학습활동을 동기부여 시킨다. 학생들은 문제를 인식하고 답을 찾기 위해 다양한 매체 정보를 뒤지며 끈질긴 사고를 하면서, 보이는 것뿐 아니라 보이지 않은 것까지도 찾아내는 탐정가가 되어 읽기 리터러시 활동에 몰입하게 된다. 그리고 학생들은 자신들의 관심사항인 궁금한 문제에 답을 찾기 위해 끊임없이 비판적 읽기를 하면서 융합적 경험 학습과정을 통해 적극적으로 참여하며 몰입하게 된다. 이러한 뉴 읽기 리터러시 과정에서는 저자 가 전달하고자 하는 메시지와 저자의 주장, 관점과 증거를 비판적으로 읽어내고, 이를 자신의 목적에 맞는지 평가하고 통합하는 활동이 여러 차례 진행된다. 이것은 일종의 탐구하는 읽기 과정 이 될 수 있다. 이때 교사는 역사가나 연구자들이 책을 읽을 때 어떤 사고활동을 하는지와 같은 과정으로 학생들의 뉴 읽기 리터러시 과정을 이끈다.

하지만 이 같은 탐구적 읽기활동은 내용읽기를 지도하는 교사들이 시도하는 KWLKnow–Want to Know–Learned 전략과는 사뭇 다른 활동이 주어진다. KWL 전략은 학습자가 주어진 텍스트 내에 있는 많은 정보를 이해하고 기억하도록 이끄는 학습활동이다. 즉 텍스트 안에 어떤 내용이 있었는 지, 알게 된 것이 무엇인지를 확인하기 위해 묻는 질문활동이라 할 수 있다. 하지만 주제통합 교과 리터러시 교수학습 활동은 문제해결을 위해 교과목간 관련된 학습내용을 찾거나, 관련 다양 한 디지털 매체 텍스트를 뒤지거나, 적정한 자료읽기를 하면서 학생들은 폭넓은 배경지식을 갖게 된다. 학생들이 찾은 내용을 읽고 이해하고, 통합·분석하고, 평가하는 읽기 리터러시 전 과정에 학생들이 적극적으로 참여하는 융합적 학습과정을 요하는 읽기활동으로 이끌어지는 것이다. 결국 주제통합 교과 리터러시 교수학습 활동은 주어진 내용의 의미파악 수준을 넘어 무한한 정보에서 가치 있는 정보를 걸러내고, 여러 지식을 융합하는 학습과정을 통해 자신의 생각으로 재창조하는 뉴 리터러시 과정을 거치게 된다. 이러한 뉴 리터러시 능력을 길러내는 교수학습 방법이 바로 21세기 국제사회에 잘 적응하는 창의·융합적 인재로 양성하는 초등학교 미래형 뉴 리터러시 교수학습 과정이다.

내용읽기 리터러시 교육의 입장에서는 초등학생들이 문제를 제기하고 스스로 답을 찾아가는 주제통합 교과 리터러시 교수학습은 실제 초등학교 수업현장에서는 불가능하다고 말할 수 있다. 왜냐하면 초등학생들은 과학자도, 수학자도, 역사가도 아니고 교사의 가르침이 필요한 학생이기 때문이라는 주장이다. 아마도 학생들이 텍스트 정보를 잘 읽어내도록 이끌기 위해 교사가 명확하게 가이드를 주고 텍스트 내용을 제대로 읽도록 하는 내용읽기 교수학습이 초등학생들에게는 더 적정한 공부방법이라고 생각하는 의견이 맞을 수도 있다. 그리고 초등학교 리터러시 학습은 내용이해 읽기학습에 초점을 맞추어야 한다고 주장할 수 있다. 하지만 이러한 주장은 어쩌면 교사의 입장에서 학생들의 잠재력을 과소평가하는 생각일지도 모른다. 혹은 교사 자신에게 익숙하지 않은 교수학습 방법이라는 이유를 대는 것일지도 모른다.

조금만 더 생각해보면 어떤 읽기 리터러시 교육이 미래를 살아가야 할 초등학생들을 위한 올바른 방법인지 금방 알 수가 있다. 미래 사회가 요구하는 능력은 예측 가능하고 손에 주어진 자료만을 잘 읽어내는 내용읽기 리터러시 역량만을 요구하지는 않는다. PISA 2009 읽기 평가의 경우, 이미 지적한 바대로 21세기 시민으로 살아가기 위한 가장 기본적인 읽기 역량으로 텍스트에 접근/확인, 통합/해석, 그리고 성찰/평가하는 역량을 요구하고 있다. 결국, 미래 성공적인 시민으로 성장하는 데 필요한 초등학교 뉴 리터러시 교육은 학생 스스로가 문제를 제기하고, 정보에 접근하고, 정보에 맞는 정확한 자료를 찾아 확인하고, 관련 텍스트들을 읽어 정보를 통합하여 목적에 맞도록 재해석하는 문제해결 능력을 길러주어야 한다. 그리고 자신에게 필요한 자료인지를 평가해서 간단명료하게 요약하는 능력, 그리고 남과 다른 자신의 독특한 생각을 넣어 표현해내는 능력을 길러주어야 한다. 이러한 리터러시 전 과정을 녹여내는 교수학습 방법이 바로 주제통합 교과학습에 적용한 뉴 리터러시 교수학습 과정이다. 주제통합 교과에서 이루어지는 리터러시 교육의 입장에서 보면 주어진 텍스트 내용읽기 리터러시는 초등학교 주제통합 교과수업에서 추구하는 리터러시 교육의 궁극적인 목표는 아니다.

내용읽기 지도는 문식력이 없는 학생들이 읽기가 어려운 경우에 도움을 주어 읽도록 도와주자는 입장에서 시작된 읽기지도라 할 수 있다. 하지만 읽기 리터러시 교수학습의 궁극적인 목표는 학생들이 읽기 리터러시 과정에서 더 잘 읽어내도록 도와주는 교수학습이 되어야 한다는 점이다. 특히 초등학교 주제통합 교과의 운영 취지는 다양한 주제를 통합하여 사고하고 경험함으로써 학생들을 창의·융합적 사고능력을 갖춘 인재로 양성하는 데 그 목적이 있다 하겠다.

초등학교 주제통합 교과 리터러시 교육이나 내용읽기 교수학습 방법도 모두 초등학생들의 리터러시 능력을 기르는 데 중요한 교육적 가치를 둔다. 하지만 교육의 취지, 목적이나 방법에 대한 이해가 부족하여 초등학교 주제통합 교과교육에서 문제해결식 리터러시 접근방식이 내용읽기의 새로운 이름이라고 생각하는 교육자가 있을까 우려된다. 이 두 관계를 혼동하는 교사가 많다면 앞으로 초등학교 주제통합 교과수업에서 뉴 리터러시 교육에 큰 발전을 기대하기 어려울 수 있다. 초등학교 리터러시 교사들이 주제통합 교과수업에서 왜 질문을 통한 문제해결식 뉴 리터러시 학습전략이 사용되는지에 대한 이해가 부족할 경우, 초등학교에서 추구하는 뉴 리터러시 교육을 위한 올바른 교수학습 활동을 선택할 때 어려움을 겪을 수 있다.

전통적 3Rs 리터러시 교육에 변화가 일어나야 한다는 주장은 단순사실 찾기를 요하는 내용읽기 리터러시 교육이 집요한 고차원적 사고 작용을 요하는 뉴 리터러시 교육으로 변화되어야 한다는 점을 의미한다. 이러한 변화를 잘못 이해해 기존의 3Rs 리터러시 교육에 주제 하나를 더하는 것쯤으로 생각해서는 안 될 것이다. 구성주의 입장에서 보면 학습이란 학습자들에게 단순히 드러난 정보를 이해하고 암기하는 것이 아니라 드러나지 않은 정보를 학생 스스로가 찾도록 도울 때 학생들의 사고 작용이 활성화되어 진정한 학습이 이루어질 수 있다. 이러한 점에서 볼 때 초등학교에서 전통적 3Rs 리터러시 교육이 어떠한 방향으로 변화되어야 할지가 매우 중요한 문제이다. 초등학교에서 가장 중요한 읽고 쓰는 리터러시 교육은 전통적 3Rs 리터러시 교육에 뭔가를 하나 더하면 되는 것이 아니라 21세기를 살아가야 할 학생들의 고차원적 사고능력을 길러내는 미래형 리터러시 교육으로 재인식될 필요가 있다. 그리고 21세기 글로벌 시민으로 갖추어야 할 비판적 사고, 창의·융합적 역량, 그리고 문제해결 능력을 길러주는 교육이 되어야 한다. 이러한 이유에서 초등학교 리터러시 교육의 성공은 전통적인 3Rs 리터러시 교육에 21세기 4Cs 스킬을 초등학교 주제통합 교과수업에 어떻게 변용하여 적용할 것인가에 달려있다.

21세기 건강한 시민으로 살아가기 위해 필요한 4Cs 스킬은 초등학교 주제통합 교육과정에서 교수학습 되어야 할 내용이 아니라 교수학습 과정으로 녹아내야 하는 것이다. 때문에 초등학교 리터러시 교육의 변화를 추구하기 위해 초등학교 주제통합 교육과정에 뭔가 하나를 더하여 추가할 필요는 없다. 초등학교 주제통합 교육과정의 교과목을 학습하는 동안 4Cs 과정이 자연스럽게 습득하도록 도와주는 최적의 교수학습 방법과 활동을 교사와 학생들이 협의하에 찾는 것이 중요하다. 왜냐하면 뉴 리터러시 교육을 위한 교수학습 전략은 초등학교에서 가르쳐야 할 학습내용이 아니라 학습과정에 녹아 있어야 할 교수학습 전략이며 활동들이기 때문이다.

국가마다 창의·융합적 인재육성을 위한 교육정책들을 내놓고 있다. 하지만 무조건 상상하라고 하면 학생들의 창의적 상상력이 길러지는 것은 아니다. 창조적 상상력은 교과목 교수학습 과정에서 남다른 질문으로 학생자신의 스키마_{사전 지식}와 새로운 지식을 끊임없이 연결하고 융합하는 사고과정에서 생성된다. 이러한 창의적 사고과정은 '질문·탐구·기본지식'이라는 3가지 조건과 '생각할 여유'가 있어야 가능할 수 있다. 따라서 창의·융합적 인재양성을 목표로 하는 초등학교 주제통합 교과과정에서 이루어지는 뉴 리터러시 교수학습 과정은 먼저 질문을 만들고, 질문에 반응하기 위한 답을 찾는 과정에서 다양한 매체 정보 읽기를 통해 풍부한 지식과 정보를 접하고, 평가하고 종합하는, 비판하고 융합하는 사고와 창의적 생각을 끌어낼 수 있는 집요한 질문, 사고할 시간과 단계적 도움을 주는 것이 매우 중요하다. 특히 다양한 디지털 매체를 통해 답을 찾기 위해서는 주어진 정보를 생각_{Think of things}하지 말고, 그 정보들에 대해 생각할_{Think about them} 시간을 주는 교육과정이 되어야 한다. 무엇보다 학생들은 디지털 매체 정보를 탐험하면서 풍부한 미디어 세상을 경험하고, 이 과정에서 끈질긴 질문에 반응하는 창의적 표현 능력을 기를 수 있게 된다. 뉴 리터러시 교수학습 과정은 디지털 매체가 없이 주어진 텍스트 내용에 대한 단순한 질문에 반응하는 전통적 리터러시 교육이기보다는, 디지털 멀티미디어 도구를 통해 질문에 답을 찾는 문제해결식 탐구학습 활동으로 학생들이 여러 다른 지식들에 흥미를 갖고 참여하도록 유도한다. 이러한 과정을 통해 학생들은 자신의 개성과 독특한 아이디어를 반영하는 창조활동에 참여하고 격려하는 뉴 리터러시 교수학습 과정에 자연스럽게 몰입하게 된다.

주제통합 교과 리터러시 교수학습 전략요인들

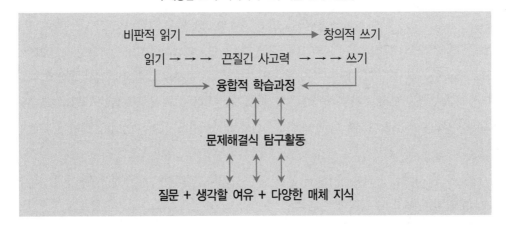

학생들이 접하게 되는 질문이나 문제에 하나의 정답은 없다. 하지만 일반적인 시험기반 읽기 수업에서는 학생들로 하여금 정확한 하나의 답을 찾도록 강요하는 리터러시 교수학습이 되고 있다. 그래서 학생들은 질문에 정확한 답 하나를 찾는 태도와 습관이 길들여져 있다. 하지만 뉴 리터러시 교사들은 학생들이 만들어내는 성과가 학생 수만큼이나 다양한 서로 다른 많은 답이 나올 수 있다는 점을 받아들일 수 있는 태도를 가져야 한다. 이러한 다양성을 격려하고 받아들여 주는 교수학습 환경으로 이끌 수 있는 교사는 21세기에 필요한 뉴 리터러시 교육에 4Cs 과정을 접목할 수 있는 뉴 리터러시 전문코칭 교육자라 할 수 있다.

디지털 기술은 이미 초등학교에서 뉴 리터러시 교수학습을 위한 도구가 되고 있다. 뉴 리터러시 학습은 디지털 기술을 통해 가르친다는 것을 의미하는 것이 아니다. 차라리 디지털 기술을 활용하는 능력과 디지털 매체 정보지식을 활용하는 능력을 요구한다. 그래서 학습은 학생들이 디지털 기술을 잘 사용하며 뭔가를 생성하고 구축하며 어떤 결과물을 만들어내도록 이끄는 교수학습 과정으로 학습자를 이끌어야 한다. 무엇보다도 미래 초등학교 교실수업은 디지털 기술에 대한 교육이 아니라, 디지털 기술이 학습을 위한 교수학습 활동으로 실행되어야 한다. 이러한 뉴 리터러시 학습을 위한 교실수업은 교사가 학생들에게 뭔가를 하라고 강요하는 곳이 되어서는 안 된다. 뉴 리터러시 수업에서는 학생들을 단순한 디지털 매체 정보의 소비자로 이끄는 학습이 아니라, 학생들을 디지털 매체 정보의 사용자며 생산자로 이끄는 곳이어야 하기 때문이다.

21세기 건강한 시민으로 살아가는 데 필요한 지혜와 지식을 쌓기 위해 초등학교에서 필요한 기초교육은 바로 읽고 쓰는 리터러시 교육과 비판적 사고력, 융합적 탐구력과 창의적 역량을 통합하는 뉴 리터러시 교육일 것이다. 이제 초등학교 리터러시 교육은 사회현상의 변화와 기술발달에 따라 변화된 학습 환경에 맞춘 뉴 리터러시 교육으로의 패러다임 변화가 있어야 한다. 미래사회에 필요한 뉴 리터러시 역량 모델은 결국 3Rs Reading, Researching, wRiting와 4Cs Critical Thinking, Communication, Collaboration, Creativity의 통합에 있다. 미국의 초등학교 리터러시 교육은 바로 3Rs와 4Cs 통합을 시도해 'STEM'을 지향하고 있다. 이처럼 3Rs 리터러시 내용에 4Cs를 교수학습 과정으로 접목한 우리나라의 STEAM 지향교육을 초등학교 주제통합 교과 리터러시 교육에 맞도록 재구성한 교수학습 모형이 바로 뉴 3Rs 리터러시 교육이다. 그래서 초등학교 리터러시 교육의 패러다임을 바꾸는 핵심전략은 바로 세계적인 교육 정책방향을 반영한 뉴 3Rs 리터러시 교육에 있다.

전통적인 리터러시 교육에서 추구한 역량과 뉴 3Rs 리터러시 학습에서 추구하는 역량을 비교해보면 다음과 같이 정리할 수 있다.

기존의 3Rs 리터러시 내용	뉴 3Rs 리터러시 교수학습 과정
바르게 읽기 바르게 생각하기 바르게 셈하기 바르게 쓰기	질문 만들기 정보 찾기(정의, 접근, 관리) 탐구읽기(비판적 생각, 통찰, 판단, 통합) 소통하기(생성, 소통) 창의적 사용하기

초등학교 주제통합 교과에서 문제해결식 뉴 리터러시 교수학습은 다양한 매체 정보에 대해 비판적 사고와 융합적 탐구과정을 통해 창의적 표현을 이끌기 위한 읽기를 하는 것이지, 내용을 알아맞히기 위해 읽어내는 교수학습이 아니라는 점이다. 초등학교 주제통합 학습에서 문제해결식 뉴 리터러시 능력을 길러주는 교사는 학생들이 과학자처럼 교과목의 영역을 넘나들며 자신의 생각을 통합할 수 있도록 비판적이며 융합적 사고과정을 경험하는 뉴 3Rs 리터러시 교수학습 활동으로 학생들을 이끌게 될 것이다. 21세기 뉴 리터러시의 역량을 갖추기 위해서는 이러한 뉴 리터러시의 유창성을 갖추어야 한다. 결국 3Rs와 4Cs가 차세대 뉴 3Rs 리터러시 수업의 교수학습 과정에 녹아낼 수 있을 때 학생들의 뉴 리터러시 숙련도는 발전될 수 있다.

03. 초등학교 뉴 리터러시 교수학습에 관한 연구사례와 참고자료들

▌ 누가, 무엇을, 어떻게 교수학습 하는가가 중요한 문제다.

뉴 리터러시 교육에 대한 최근 국외 연구들은 디지털 텍스트 읽기학습과 읽기과제를 뉴 리터러시 교수학습 과정에 어떻게 통합시키는가에 많은 관심을 가져왔다. 이러한 뉴 리터러시 관련 연구들은 디지털 매체 텍스트 읽기에서 독해력에 대한 주요 요인들을 정의하는 데 도움을 주고 있다. 게다가 인터넷 상보적 지도IRT : Internet Reciprocal Teaching라는 교수학습 모델을 소개한 연구는 디지털 매체 읽기에서 독해능력reading comprehension 향상을 위한 방법을 제공해주기도 한다. 초등학교에서 뉴 리터러시 교사들은 이러한 연구를 기반으로 학생들의 읽기 리터러시 교육의 목적에 맞는 효과적인 뉴 리터러시 교수학습 방법을 찾아내는 유능한 뉴 리터러시 교사로서 전문성 개발에 노력할 필요가 있다.

뉴 리터러시에 관한 국외 연구들은 여러 방식에서 빠르게 확대되고 있으며 다양한 면에서 현장교사들을 지원하고 있다. 하지만 우리나라의 경우는 뉴 리터러시에 관한 연구는 대부분 ICT 기술과 관련한 연구들이 대부분을 이루고 있다. 최근 국외 논문들을 중심으로 뉴 리터러시 교육 분야에서 가장 핫 이슈는 디지털 매체 텍스트 읽기 독해력에 관한 연구들이다. 특히, 초등학교 리터러시 교수학습과 관련한 다음의 4가지 영역들기초연구, 평가, 교수학습 활동, 교사교육에서 상당한 연구가 있어 왔음을 알 수 있다. 이러한 연구들은 교사들이 학생들의 디지털 매체 읽기학습과 읽기과제를 초등학교 뉴 리터러시 교육과정에 어떻게 통합할지에 대한 가능성을 보여주고 있다. 이러한 국외 연구사례들을 통해 우리나라 리터러시 교육 분야에서도 디지털 매체 읽기와 뉴 리터러시 교육에 관한 다양한 연구가 더욱 활성화되길 기대하며 뉴 리터러시와 관련한 국외의 다양한 연구 사례를 소개한다.

인터넷은 정보와 의사소통을 위해 디지털, 소셜 네트워크, 하이퍼링크 세상에서 읽기 리터러시를 폭넓게 접근하게 해주는 기술이 되고 있다Borzekowski, Fobil, & Asante, 2006. 뿐만 아니라 인터넷은 리터러시 교육 분야의 3가지 핵심요소인 '정보', '읽기', 그리고 '학습'을 통합하는 미래형 리터러시 교육매체로서 자리매김하고 있다. 특히 PISA 2009년부터 디지털 매체 읽기 리터러시 능력에 대한 국제평가가 실시되면서 인쇄 매체 정보 읽기 리터러시 능력과 더불어 디지털 매체 정보 읽기 리터러시 능력이 21세기 세계시민으로 성공적인 삶을 위한 핵심능력이 되고 있다는 점을 더욱 명백히 해준다.

무엇보다 디지털 매체 읽기 리터러시 능력이 인쇄 매체 읽기와 더불어 학생들의 미래 삶과 학습을 위해 얼마나 영향을 미치는지를 증명해주는 여러 증거들이 있다.

디지털 매체 읽기 리터러시 능력의 중요성에 대한 연구들

연구자	연구 내용
de Argaez(2006)	오늘날 세상 인구의 6분의 1정도가 온라인에서 읽기를 한다.
U.S. Department of Commerce(2002)	읽기 위해, 쓰기 위해, 소통하기 위해, 그리고 문제해결을 위해 일하면서 인터넷 사용은 점점 증가한다. 2002년 기준 미국에서 25세 이상의 고용인들 사이에 거의 60% 이상 증가했다.
van Ark, Inklaar & McGuckin(2003); Matteucci, O'Mahony, Robinson & Zwick(2005)	과거 10년간 세계 경제에서 생산성 증가는 정보를 공유하고, 의사소통하고, 문제해결을 위해 일터에서 인터넷을 빠르게 일상의 업무와 통합하기 때문이다.
Kaiser Family Foundation(2005)	미국의 8~18세 학생들은 인쇄 매체를 통해 하루 43분 읽기를 하는 데 비해, 디지털 매체를 통해 읽기를 하는 데는 하루 48분 더 많은 시간을 보낸다는 보고가 있다.
Pew Internet & American Life Project (2001)	미국 10대 청소년의 90% 이상은 숙제를 위해 인터넷을 사용한다. 이 학생들의 70% 이상은 학교 리포트나 프로젝트에 대한 정보를 위해 첫 소스로서 인터넷을 사용했다. 반면에 같은 과제를 위해 인쇄 매체를 활용하는 학생들은 24% 정도였다고 보고했다

무엇보다도 뉴 리터러시 교육에 관한 기초연구는 리터러시 학습목적에 맞는 성공적인 읽기 학습활동을 이끌기 위해서 학습자들의 독해 스킬, 전략, 실제, 그리고 특성 등을 더 잘 이해

하도록 도움을 준다. 그리고 이러한 연구들은 디지털 매체 텍스트 읽기와 관련된 주요 요인들을 실용적 입장에서 정의하고, 현장교사들에게 뉴 리터러시 교실 수업에서의 적극적인 활용을 강조한다.

읽고, 탐구하고, 쓰는 뉴 리터러시 스킬과 소통을 위해 인터넷만큼 강력한 힘을 가진 기술은 지금까지 없었던 것 같다. 인터넷이 가진 이러한 저력 때문에 읽고 탐구하고 쓰는 뉴 리터러시 활동을 위해서 사람들은 인터넷을 적극적으로 활용한다. 그 결과 인터넷 기반 리터러시 교육에서 엄청난 성장이 있어왔다. 이러한 성장은 단순히 읽기 환경에서의 변화뿐 아니라 인터넷 기반 읽기가 무엇을 의미하는지, 그리고 인터넷 기반 읽기활동을 어떻게 지원해야 하는지에 대한 연구들을 이끌어왔다.

디지털 매체 정보 읽기 리터러시는 '뉴 리터러시'라는 이론적 연구들에서 기원을 찾아볼 수 있다Leu, Kinzer, Coiro, & Cammack, 2004. 기존의 인쇄기반 리터러시 특성과 학습은 인터넷 기반 '뉴 리터러시' 관점에서 더욱 다양한 연구가 이루어져 왔다Gee, 2003; Lankshear & Knobel, 2006. 이 연구들에서는 뉴 리터러시에 대한 다음과 같은 일반적인 가설을 공유한다.

1) 뉴 리터러시는 정보와 소통을 위해 새로운 기술, 전략, 성향, 그리고 사회적 실제를 요구한다.
2) 뉴 리터러시는 글로벌 공동체에 참여를 요구한다.
3) 뉴 리터러시는 기술이 변화함에 따라 지속적인 변화를 요구한다.
4) 뉴 리터러시는 다양한 관점에서 많은 혜택을 제공한다.

이 연구들에 따르면, 인터넷 같은 디지털 매체는 정보화 시대 정보전달, 언어 리터러시 학습과 교과목 학습을 위한 핵심기술이 되고 있다. 특히 디지털 매체 읽기 리터러시 능력은 미래 초등학교 교수학습의 성공을 위해 중요한 핵심이 될 것으로 보인다. 초등학생들이 인터넷상에서 학생 개개인이 선택한 텍스트든, 아니면 교사나 연구자가 선택해준 주제에 대한 다양한 텍스트를 읽게 된다. 이때 학생들은 지식을 얻기 위한 목적이든, 정보를 종합하는 목적으로든, 또는 즐기기 위한 목적으로든 다양한 디지털 매체 텍스트를 읽게 된다. 최근 연구들은 디지털 매체 읽기에서 학생들의 독해능력에 대한 많은 영감을 제공한다.

연구자	연구 내용
Coiro & Dobler (2007)	6학년 대상 질적 연구를 통해 학생들이 인터넷 읽기에서 새로운 유형의 읽기 전략을 사용한다. 특히 학생들이 정보가 풍부한 새로운 인터넷 텍스트 환경에서 인터넷 자료를 찾고 읽을 때 필요한 스킬과 전략을 관찰 연구를 통해 정리한다.
Zhang & Duke (2008)	그룹 활동을 통한 연구로서 인터넷 매체 읽기에서는 읽기 목적이 다른 경우 학생들의 인쇄 매체 읽기와는 다른 새로운 읽기 전략을 사용한다. 특히 간섭 읽기 경우 우수한 학생은 인쇄 매체나 인터넷 매체 읽기 어느 것이든 이해력은 비슷한 효과를 보인다.
Walraven, BrandGruwel & Boshuizen (2009)	인터넷에서 정보를 찾을 때 정보나 텍스트를 어떻게 평가하는지에 대한 연구이다.
Coiro (2011)	인터넷 읽기에서 인지적 과정에 관한 연구로서 학생들이 인터넷 자료에 어떻게 접근하고, 상호작용하고, 이해하며 반응하는지를 수업모델로서 생각말하기(think-aloud) 전략을 소개한다.
Coiro, Castek & Guzniczak (2011)	두 명의 학생에게 독립적이고, 협력적인 인터넷 읽기환경을 제공하고 의미구축 과정의 특성을 알려주는 연구이다. 21세기 지식 사회에서는 지식을 회상하고 전이하는 데 관심을 가진다. 따라서 인쇄기반 읽기를 통한 사회적 상호작용은 점차 복잡한 인터넷 읽기 환경에서 개개인의 이해를 구축하고 새로운 의미를 재창조하는 데 도움이 된다는 점을 강조하는 연구이다.
DeSchryver (2011)	우수 학생들을 대상으로 한 연구로서, 학생들은 세상에서 상호 연결된 지식을 어떻게 통합하는가에 대한 연구이다. 특히 특정 주제들에 관해 배우기 위해 학생들은 인터넷을 어떻게 사용하는지를 관찰하며 지식을 통합해가는 과정을 보여준다.

또한 일부 연구는 학습자의 기질이나 특성이 디지털 매체 읽기 능력에서 어떠한 역할을 하는지에 대한 증거를 보여준다.

연구자	연구 내용
O'Byrne & McVerry (2009)	학생들의 특성(reader dispositions)과 디지털 매체 읽기 능력과의 관련성에 관한 연구

이러한 연구들을 통해서 다양한 목적에 따라 학문적으로나 언어학적으로 초등학생들의 디지털 매체 텍스트 읽기능력을 어떻게 더 발전시킬 수 있을지에 대해 더 많은 연구가 필요하다는 점을 알 수 있다. 또한 초등학교 교사들은 학생들이 인터넷상에서 디지털 매체 텍스트를 어떻게

읽고 이해하는지에 대한 지식을 갖고 있어야 한다는 점도 알려준다. 뿐만 아니라 학생들의 해독 능력이 부족한 경우, 디지털 매체 텍스트 읽기 리터러시 학습에서 상호작용하는 능력을 저해할 수 있다는 점을 깨닫게 해준 연구도 있다.

연구자	연구 내용
Coiro (2012)	인터넷 매체 읽기 이해력에 관한 연구와 실제를 보여주는 연구로서 디지털 매체 읽기 리터러시 교육에 대한 미래의 연구방향을 제시한다. 디지털 텍스트나 과제가 리터러시 교육과정에 통합되고 있는 측면과 인터넷 읽기에 대한 중심 요소들을 정의하고 측정하는 IRT 교수학습 모델을 제시한다. 그리고 학습자의 학습목표 달성을 위해 교사의 전문성 교육을 제안한다.

뉴 리터러시에 대한 또 다른 연구들은 디지털 매체 읽기 환경에서 독해력 평가에 관한 연구이다.

연구자	연구 내용
Coiro & Castek (2010)	초등학생들의 디지털 네트워크 공간에서 독해력 측정에 관한 연구로서 인쇄 매체 환경에서 신세대 학생들의 리터러시 능력을 측정하는 것은 사실상 불가능하다는 점을 보여준다. 증거기반 연구로서 스크린 읽기를 하는 디지털 매체 정보 리터러시 실제와 미래 연구를 이끌어낼 평가에 대한 질문을 제시한다.

또한 일부 연구들은 디지털 매체 읽기 리터러시 능력에 대한 교육적 평가과정의 타당성과 신뢰성을 위한 새로운 접근이 필요하다는 점을 강조한다. 예를 들어, 1)학생들이 디지털 매체 정보 생성과정을 비판적으로 평가하고, 종합하고 소통하는 능력을 갖추어야 한다는 점을 강조한다. 2)디지털 매체 텍스트에서 표현되고 있는 다양한 관점을 인식하고, 분류하고 반응하는 능력이 필요하다는 점을 강조한다.

미국은 학년마다 수준별 학습자들에게서 기대하는 다양한 사고 작용 요인들을 제시하는 '공통핵심국가 표준'Common Core State Standards : 이후 CCSS을 갖추고 학생들에게 리터러시 교수학습의 방향을 이끈다. 학교는 해마다 국가평가에서 요구하는 높은 기대수준에 맞추기 위해 학생들을 준비시킨다. 학교는 학생들이 CCSS가 기대하는 능숙도를 갖추고 목표를 수행할 수 있는 수단을 제공해주기 위해 디지털 읽기를 유도한다.

학교는 디지털 매체 텍스트 읽기를 제대로 평가할 수 있는 새로운 측정방식과 초등학생들의 읽기 독해 능숙도를 연구하는 새로운 측정방식을 원하고 있다. 하지만 초등학교 학생들의 뉴 리터러시 교수학습 관련 연구들은 인터넷 사용과, 교과과정에서 인터넷 매체 사용 리터러시 실습을 위한 평가도구 개발에만 초점을 맞추고 있는 실정이다. 따라서 디지털 매체 정보 읽기를 하는 뉴 리터러시 교육에 대한 다양한 평가관련 연구가 앞으로 더 이루어질 것으로 기대된다.

전 학년에서 디지털 매체 텍스트 읽기로부터 쓰기 같은 생산적 방식으로 연결하는 교수학습에 관한 최근 연구들은 미래연구의 방향을 예측하게 한다. 초등학교 수업에서 교사들의 도전 과제, 문제기반 질문, 명시적 전략교수학습, 협력과 토론, 동료 간 지원 등을 포함한 교수학습의 실제에 대한 연구들은 디지털 매체 읽기학습에서 뉴 리터러시 능력을 이끌 수 있다는 점을 보여준다.

연구자	연구 내용
Castek (2008)	4~5학년 학생들이 디지털 읽기 이해력에 관한 리터러시를 어떻게 습득하는지에 관한 연구로서 학습을 조정하는 학습환경을 관찰한다.
Leu et al. (2008)	IRT를 교수학습 하는 동안 개인용 컴퓨터나 스마트 폰을 가진 초등학생들은 전과목 교수학습 활동에도 적극적으로 참여한다. 따라서 교사들은 상호작용 그룹 활동과 전략을 수업활동에서 이용한다는 점을 보여주는 연구이다.
Dwyer (2010)	리터러시와 교과 수업을 통합하는 환경에서 읽기능력과 전략을 사용하면서 학생들이 디지털 매체 읽기 이해력에서 효과적 성장을 위해 어떤 지원을 해야 하는지에 대한 연구이다. 특히 리터러시 교수방법을 위해 이론과 실제를 결합한다. 그러한 과정에서 질문의 중요성, 탐색 용어 생성, 탐색 결과 조사, 요약, 정보평가, 통합하고 소통하는 단계적 지원 방법을 이끌어낸다.
Leu & Reinking (2010)	중학생(6학년)을 대상으로 한 인터넷 상호 교수학습 활동으로 알려진 교수학습 모델 IRT을 적용한 연구이다. 통제집단 학생들에 비해 비교집단 학생들이 디지털 매체 텍스트를 읽고 이해하는 능력이 유의미하게 강화한다는 점을 증명하고 있다
Kingsley (2011)	디지털 매체 읽기 이해력에 관한 새로운 질문을 제안하는 리터러시 학습의 실제를 보여주는 연구이다. 교사들이 리터러시 자원으로서 인터넷을 사용하는 수업을 어떻게 조직하고 실행하는지에 관한 연구이다. 디지털 매체 리터러시 수행에 관한 양적 실험연구로서 디지털 매체 읽기 능력을 지원하는 뉴 리터러시 교수학습의 효과를 검증한다. 교사가 인터넷 경험과 인터넷에 익숙하면 학생들은 보다 더 개선된 전략과 능력을 발달시킬 수 있다. 이에 교사는 디지털 매체 읽기에 관한 능력과 전략에 대한 노력이 필요하다는 점을 강조하는 연구다.

이들 연구에 따르면 초등학생들도 디지털 매체 텍스트 읽기 능력에서 점차 능숙도를 보임에 따라, 학생들은 자신만의 질문을 만들고, 학생 자신에 의해 정의된 문제들을 적극적으로 해결하는 모습을 보인다고 한다. 따라서 인터넷을 사용하게 이끄는 교수학습 활동은 학생들이 서로 협동적으로 문제를 해결하는 협동학습 활동으로 이끌 수 있다는 점을 예측하게 해준다.

교사 전문성 개발에 관한 연구는 뉴 리터러시 교수학습 과정을 교실수업에서 활용하려는 교사들을 지원하는 새로운 해결점을 보여준다.

연구자	연구 내용
Putnam & Borko (2000)	교수학습 방법이 해마다 빠르게 계속 변화하고 있음에도 불구하고, 교사들을 위한 효과적인 지원은 이루어지고 있지 못한 실정이다. 변화하는 사회 환경이나 교육환경에서 교사교육의 목적은 미래를 준비하고 대비하는 체계적인 교사교육과 교수학습 과정에 있다는 점을 강조한다.
Garet, Porter, Desimone, Birman & Yoon (2001)	교사들이 실제적으로 읽기 리터러시 교육을 교실 수업에서 실습할 수 있게 뉴 리터러시 교수학습 활동을 가능한 많이 노출시켜야 한다는 점을 강조한다. 뿐만 아니라 교사들은 각자 독특한 교실수업과 교수학습 활동을 학습자나 학부모의 요구에 맞도록 협동적으로 재설계할 수 있어야 하고, 이를 위한 단계적 기회를 제공받을 필요가 있다는 점을 강조한다.
Voogt et al. (2011)	특별히 읽기 정보의 다양성을 강조하면서 디지털 매체 텍스트 읽기 수업을 교과목 수업과 어떻게 통합하는지에 대해 초점을 둔 연구들이다. 교육과정 설계를 위해 교사와 학생들을 함께 참여하게 할 경우 교사가 학생들의 필요를 파악할 수 있는 효과적인 방법이라며 협동적 교육과정 설계를 주장하는 논문이다.

이러한 연구들을 통해, 뉴 리터러시 교육과 기술을 통합한 뉴 리터러시 교사 전문성 개발교육은 먼저, 교사들이 디지털 매체 텍스트를 통한 뉴 리터러시 교수학습 활동을 구체적으로 교실수업에 어떻게 적용하는지에 관심을 가질 때 효과적이라는 점을 알 수 있다.

초등학교에서는 학생들에게 필요한 것을 제대로 읽을 수 있도록 가르쳐야 한다. 그런데 초등학교 교과서는 학생들이 흥미로워하는 것을 선택하도록 되어있지 않다. 일반적으로 교육과정에 따라 출판사에 의해 제공되고, 교사에 의해 주어지고, 도서관 사서에 의해 소개되고, 참고서를 만드는 출판사에 의해 교과서 관련 참고자료들이 제공된다. 그리고 초등학교 리터러시 교육은 학생들이 이러한 교과서를 읽을 수 있고, 이해할 수 있으면 문식력literate이 있다고 인정해준다.

오늘날 초등학생들에게 요구하는 읽기 리터러시는 자신이 필요로 한 가장 올바른 정보를 찾아 해독하고 이해하는 수준을 넘어, 얻은 지식을 창의적으로 표현해내는 소통능력까지 요구하고 있다. 초등학생들은 글로벌 전자도서관에 수억만의 정보 페이지가 있어 감당하기 힘들 정도의 엄청난 정보를 경험할 수 있게 되었다. 인터넷이라는 곳에서 펼쳐진 수많은 자료들은 누구든, 무엇이든, 어떤 이유나 목적으로도 모든 사람이 읽을 수 있고 또 출간할 수도 있는 개인정보들이 대부분이다. 이런 넘쳐나는 매체 정보 사회에서 초등학생들에게 누군가에 의해서 주어진 정보를 읽고, 이해하기만을 요구한다면 닥쳐올 디지털 지식정보 세상에서 리터러시 교육은 심각한 문제에 부딪히게 될 수도 있다. 심지어 심각한 위험에 처하게 될 수도 있다. 디지털 네트워크 세상에서 넘쳐나고 있는 수많은 정보들의 올바른 접근을 위해서는 주어진 텍스트를 해독하는 정도의 리터러시 능력만으로는 매우 미흡하다. 오늘날 초등학생에게 가장 기본이 되는 읽기 리터러시 능력은 다음과 같은 6가지 뉴 리터러시 능력들이 될 것이다. 이러한 6가지 뉴 리터러시 능력을 갖추기 위해 도움이 되는 자료들을 알고서 알려주는 것도 뉴 리터러시 교사들이 갖추어야 할 역량이다. 새로운 정보를 얻고자 할 때 학생들이 제대로 읽어내도록 돕는 것은 초등학교 뉴 리터러시 교사들의 역할이고 의무이다. 학생들이 필요할 때 다양한 자료들을 사용하도록 소개해줄 수 있어야 한다.

초등학생들에게 필요한 6가지 뉴 리터러시 능력

첫째	궁금증을 끌어내기 위한 문제제기 하기
둘째	원하는 정확한 정보를 탐색하여 찾고 확인하기
셋째	찾은 정보 읽고 내용을 분석하고 통합하기
넷째	읽은 정보에 대해 성찰하고 평가하기
다섯째	얻은 정보를 개인용 데이터 파일로 잘 분류해서 정리하기
여섯째	필요할 때 축척된 정보로 사회 구성원들과 소통하기

첫째, 학생들이 인터넷을 뒤지는 것은 궁금한 것을 찾을 때다. 학습자가 관심 있고 흥미 있고, 문제가 있을 때 인터넷을 탐험하게 된다. 뉴 리터러시 교육은 바로 학생들의 궁금증을 끌어내는 문제제기부터 시작하는 것이다. 이것이 바로 학습자가 인터넷을 탐험하게 만드는 동기이며 뉴 리터러시 교수학습에서 가장 중요한 전략이다.

둘째, 정보를 찾는 일은 궁금증이나 문제에 대한 관련 정보가 인터넷 어디에 있는지를 알아내기 위해 정보를 추적하는 것을 의미한다. 읽기 리터러시 능력에서 가장 기본은 학생들이 필요한 정보가 무엇인지 알아내는 능력, 정보를 찾기 위해 웹 서칭 도구를 사용하는 능력, 그리고 최고의 정보를 찾아내고 운용하는 능력을 포함한다. 특정 주제를 주고 학생들에게 정보를 찾게 하는 경우 학생들은 엄청난 정보에 압도되고 만다. 특히 주제에 대한 단순한 용어를 구글Google 같은 검색 엔진 속에 입력하면 특별한 순서도 없이 수많은 정보가 보이고, 사용가능한 수 만 페이지들이 화면에 나타난다. 초등학생들이 주제통합 교과 과정에 관련하여 인터넷에서 효과적으로 정보를 찾는 뉴 리터러시 활동을 초등학교 리터러시 전 수업과정에 포함하여 자연스럽게 익힐 수 있도록 하는 것이 뉴 리터러시 교육에서 중요한 교수학습 활동이 될 수 있다.

셋째, 초등학교 뉴 리터러시 교육에서 필요한 스킬은 정보를 해석하여 읽고 통합하여 요약해 내는 능력이다. 어떤 문제의 올바른 답을 찾기 위해서는 질문이나 문제가 무엇인지를 이해할 때 가능하다. 읽기를 잘 하기 위해서는 먼저 올바른 질문을 가져보는 것이 가장 중요하다. 왜냐하면 올바른 질문을 묻는 것은 바로 비판적 도전을 하는 것이며 탐구활동을 위한 동기가 되기 때문이다. 학생들이 정보이해를 더 잘하도록 이끌고, 문제에 대한 더 나은 답을 얻기 위해 정보를 더 심오하게 이해하고 해석하도록 돕는 것은 쉬운 일이 아니다.

Dr. Jamie McKenzie는 모든 읽기에서 질문도구Questioning Tool Kit 사용을 제안한다.

읽기에 필요한 질문도구 사이트

http://www.sfsu.edu/~teachers/download/Inquiryframework.pdf

초등학교에서 읽기 리터러시 교육은 텍스트를 단순히 해독하는 수준을 넘어, 초등학교 주제 통합 교과교육과정과 관련된 정보를 디지털 멀티미디어 콘텐츠와 연계하여 의미 있는 정보에 대해 깊이 있게 해석하고 통합하며 제대로 읽어낼 수 있는 능력이 필요하다. 이러한 이유 때문에 초등학교 뉴 리터러시 교사들은 학생들에게 가능한 많은 참고자료를 소개하고 심오한 의미를 읽어내도록 도와야 한다. 다음과 같은 사이트가 도움이 될 수 있다.

뉴 리터러시 교사들이 참고할 수 있는 디지털 매체 정보 사이트

CTAP IV Information Literacy	www.ctap4.org/learning_rsrc/info_lit.htm
Information Literacy Standards for Student Learning	www.ala.org/ala/aasl/aaslproftools/informationpower/informationLitercyStandards_final.pdf)
QUICK: The QUality Information Checklist	www.quick.org.uk

넷째, 초등학교에서 필요한 뉴 리터러시 능력은 올바른 정보인지를 평가해내는 능력이다. 학생들이 특정 정보를 찾고자 할 때 접하게 되는 수많은 정보들을 걸러내는 평가능력을 배우고 학생들의 학습목표에 맞는 정보의 가치에 부합한 것을 끌어내는 능력은 매우 중요하다. 찾아낸 정보가 유용한 자료인지를 결정하기 위해 정보를 분석하고 통합하는 융합적 사고능력은 21세기 스킬에서 가장 기본이 되는 매우 중요한 뉴 리터러시 능력 중 하나이다. 개인 정보 중 가장 신뢰 있는 웹사이트를 찾아내는 능력 또한 정보를 평가하는 능력에서 중요하다.

다섯째, 평가된 정보를 개인의 즐겨찾기bookmark 같은 디지털 도서관에 잘 정리하여 정보를 잘 관리하는 능력을 갖추는 것도 21세기 뉴 리터러시 교육에서 매우 중요한 능력 중 하나다. 디지털 지식 정보화 사회에서 엄청난 양의 정보를 취급하는 핵심적인 뉴 리터러시 전략은 개개인 들이 디지털 도서관을 구축하고, 가꾸어 나가는 능력을 갖추는 것이다. 현재 하는 일과 관련 있고, 목표와 관련된 정보를 재조직할 수 있는 능력을 갖추면 후에 자신의 배경지식이 될 것이며, 주어 진 질문에 쉽게 답을 찾을 수 있게 된다.

컴퓨터의 즐겨찾기에 폴더를 만들어 흥미 있는 사이트를 정리해 두고 정보를 관리하는 일은 개인적으로 매우 효율적인 인터넷 도서관이 될 수 있다. 즐겨찾기는 학생들이 웹사이트와 연결을 축척해 가는 자기만의 지식정보의 세상을 만드는 것이다. 이처럼 초등학생들은 학교나 실생활에 서 필요하고 관심 있는 영역에 대한 정보를 일관성 있게 제공해주는 웹사이트와 연결할 수 있게 된다. 하지만 인터넷상의 개인 도서관을 제작하기 위해 자신의 컴퓨터에 북마크 된 사이트를 수업 에서나 다른 곳에서는 이용할 수 없다는 단점에 있다. 이러한 컴퓨터 즐겨찾기의 문제점을 해결해 주는 온라인 북마크 서비스가 있다. 다음과 같은 사이트에서는 학생들이 웹에서 자신의 북마크를 유지하고 저작하게 한다. 그 결과 어떤 곳에서든 언제든 학생들이 인터넷상에 있는 시간과 공간에 서 유용할 수 있다.

뉴 리터러시 교사가 참고할 수 있는 온라인 북마크 사이트

BackFlip	www.backflip.com
Bookmark Tracker	www.bookmarkfracker.com
iKeepBookmarks.com	www.ikeepbookmarks.com
PiNet Library	pinetlibrary.com/index.pdp

여섯째, 학생 자신의 정보로 세상과 소통하는 일은 뉴 리터러시를 마무리 하는 활동이 될 수 있다. 학생들이 창조하고 조직한 생각이나 정보를 자신의 말이나 글로 표현해낼 수 있다면 학생들은 세상과 소통이 가능해진다. 이러한 능력은 누구에게나 오픈된 인터넷 세상에 자신의 생각을 표현하여 세상과 소통하는 산출물을 만들어내는 힘이 된다. 초등학생들이 잘 사용할 수 있는 소통 도구는 포털사이트의 카페Cafe나 블로그Blog, 소셜 네트워크SNS 방식의 페이스북Facebook 과 트위터Twitter 등이 있다. 특히 블로그는 자신의 관심영역과 흥미분야에 대해 자신의 색깔로 자기 생각을 세상에 알리는, 즉 초등학생들이 사용할 수 있는 훌륭한 개인 소통 공간이다.

뉴 리터러시 교육을 위한 마지막 능력은 학생이 바로 자신의 생각이나 아이디어를 세상 사람들이 욕심을 낼 정도로 표현해내는 능력이다. 정보가 넘치는 디지털 세상에서 어떤 정보를 선택할 때를 되새겨보면, 초등학생들이 관심 있어 하는 분야에 대해 눈에 띄게 잘 표현된 경쟁우위에 있는 정보를 우선 클릭해 사용하고 싶어 한다는 것을 알 수 있다. 넘쳐나는 지식 정보화시대에 개인들이 만든 콘텐츠는 산업사회와 비교해본다면 저장 선반위에 정돈된, 디자인이 잘 된 전시 상품들과 같은 방식으로 우리의 관심을 끌기 위해 경쟁하고 있다. 우리가 선택하는 정보는 가장 잘 어필되는 것을 선택하게 되기 때문이다. 뿐만 아니라 필요한 정보가 효과적이고 효율적으로 소통되고 있는 것처럼 보일 때 신뢰성과 권위를 가진 정보로 비친다.

21세기에 필요한 4Cs 능력 중 소통능력은 학생들이 자신의 생각과 아이디어를 표현해내는 쓰기 능력이 될 수 있다. 이러한 소통능력은 뉴 리터러시 능력 중 차별화된 능력의 하나가 될 것이다. 어떤 정보는 단순히 텍스트로만 소통되기도 하고, 또는 그림·소리 애니메이션을 사용해 표현되기도 한다. 학생들은 자신의 생각이나 아이디어를 눈에 띄는 아이디어로 표현하기 위해 자신이 만든 정보를 보다 많은 사람들이 관심을 갖고 많이 읽도록 꾸민다. 그러기 위해서는 실제 적용 가능한 기술적인 능력도 마스터 할 필요도 있다.

자신의 생각이나 아이디어를 세상과 효과적으로 소통하기 위해 표현하는 쓰기능력은 쓰기 기술뿐 아니라, 전보다 더 효율적으로 텍스트를 사용하는 방법을 배워야 한다는 것을 의미한다. 디지털 멀티미디어 소통 방식을 알면, 초등학생들도 자신이 전달하고자 하는 메시지를 가장 소통 이 잘되는 매체와 연결하는 방법도 쉽게 배울 수 있다. 그리고 독자나 청중의 관심을 끌기 위해 정보를 창조하고 수정할 적절한 도구들을 사용하는 방법도 쉽게 배우게 된다.

21세기를 대비하기 위해서 초등학교에서 기본이 되는 뉴 리터러시 능력을 익히는 것은 중요 하고 기본이 되는 스킬이다. 하지만 정보사용에 대한 윤리성을 갖추는 자세도 무엇보다 더 중요하 다. 지식 정보화 사회에서 정보가 우리의 삶 속이나 사회·경제 그리고 문화에서 차지하는 비중이 중요해짐에 따라, 정보 위력은 점점 더 큰 힘으로 우리에게 엄청난 피해를 입힐 수도 있다. 이렇듯 우리 삶에 강력한 힘을 가지게 되는 정보 위력 때문에라도 학생들이 다른 사람들의 정보를 도덕적으로 사용하도록 가르쳐야 한다.

정보의 신뢰성은 학생들이 접근하고 사용할 정보에 대한 정확한 판단 근거를 갖고 정보를 평가하는 데 매우 중요하게 작용한다. 학생들도 자신이 제작한 정보에 대해 정확성과 신뢰성에 대한 근거를 제공하는 것이 정보 저작활동에서 매우 중요한 뉴 리터러시 능력이라 할 수 있다. 지식 정보시대에 우리 모두는 정보재산의 소유자들이다. 우리 모두는 주어진 정보를 읽고 사용하기도 하지만 정보를 생산하면서 우리 삶을 이어갈 것이다.

따라서 학생들은 다른 재산을 존중하듯 개개인들이 만든 정보를 지켜주어야 할 재산으로 인식하는 정보 저작권에 대한 인식이 중요하다. 학생들이 신뢰 있는 정보를 모아주고 저장해주는 인터넷 사용을 배우게 된다면, 자료를 효과적으로 인용하는 방법도 배우게 된다. 인터넷 세상에서는 다른 사람에 의해 인용된 자료들을 학생들도 원하게 된다. 학생들이 접하게 되는 모든 자료들은 다른 사람에 의해 창조된 것이고 그 자료들은 저작권법에 의해 보호받은 재산들이다. 초등학교 뉴 리터러시 교육은 다른 사람의 자료를 무작위로 사용하는 것은 사이버 범죄 이상의 잘못된 행위라는 사실을 배우고 가르쳐야 한다. 초등학생들이 인터넷 정보를 활용하게 되는 시기에 이러한 인터넷 지식 정보에 대한 신뢰성과 도덕성에 대한 교육이 함께 수반되어야 한다. 다른 사람의 정보를 해킹하는 것은 개개인의 재산을 침해하는 경제적 범죄라는 점도 이들에게 교수학습해야 한다. 다른 사람이 만든 지식정보에 대한 저작권을 포함해 유용한 사이트를 활용하려면, 초등학생들을 인터넷 자료를 효과적으로 활용하도록 이끌어주는 교육도 뉴 리터러시 교육에서 빼놓을 수 없이 중요하다.

Leu와 Rethinking2005은 디지털 매체 정보에 대한 뉴 리터러시 교수학습에서 가장 핵심이 되는 스킬들에 대해 오랜 기간 연구를 해왔다. 디지털 매체 정보에 대한 뉴 리터러시 과정문제제기와 이해, 정보접근, 비판적 정보평가, 정보통합, 정보 소통은 디지털 매체 정보에 대해 무엇을 교수학습 해야 하는지 체크리스트를 제공해주고 있다.

디지털 매체 정보에 대한 교수학습 내용에 대한 체크리스트 제공 사이트

http://www.newliteracies.uconn.edu/pub_files/Leu_et_al_Final_Chaptersinglespaced.pdf

결과적으로 디지털 매체 읽기 리터러시에 관한 다양한 연구들은 공통적으로 다양한 사이트에서 제공하는 자료들을 효과적으로 활용하면서 다양한 사고를 가진 교사와 학생, 그리고 교육 관계자들이 함께 뉴 리터러시 교수학습 활동에 참여하기를 제안한다. 이러한 제안을 제대로 실행만 할 수 있다면, 앞으로 뉴 리터러시 교육은 교사와 학생들을 성공적으로 이끌 수 있으며, 그 성과는 이전과는 다른 많은 차이를 만들 수 있을 것이다.

초등학교 뉴 리터러시 수업은 무엇이 다른가?

01. 초등학교 뉴 리터러시 교육에서 수준을 나누는 기준
02. 초등학교 뉴 리터러시 교육에서 논픽션 읽기

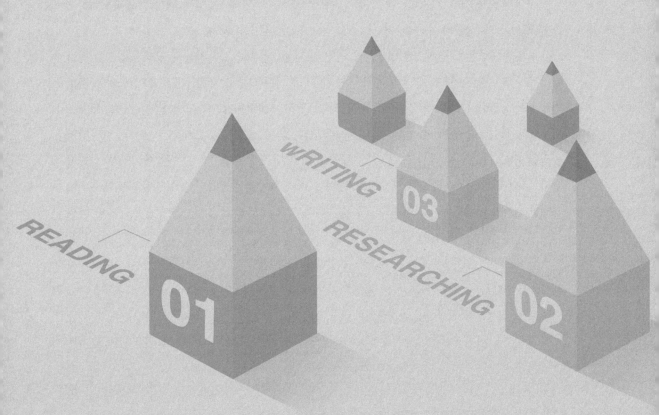

01. 초등학교 뉴 리터러시 교육에서 수준을 나누는 기준

뉴 리터러시 수준을 나누는 기준은 디지털 매체 정보를 읽고 생각하고 쓰는 능력이 되어야 한다.

세상과 소통하며 살아가야 할 21세기 글로벌 세상에서 창의·융합적 인재를 길러내야 하는 초등학교에서 학생들의 수준을 나누는 기준은 무엇이 되어야 할까?

올바른 수준별 교육이 되려면 다양한 수준의 학생들이 개개인의 수준에 맞게 다양성이 인정된 학습이 이루어져야 한다. 그런데 점수를 기준으로 인위적으로 학생들을 나누어 동일한 것을 가르치고, 동일한 결과를 내도록 수업을 하고 있으면서 수준별 수업이라고 말한다. 수준별 학습은 학생들의 관심사나 흥미, 자신의 학습능력이 학생들을 나누는 기준이 되고, 학생들의 다양성이 인정될 때, 그리고 학습 성과도 학생들의 수준에 따라 다르게 평가되고 인정될 때 수준별 학습이 된다. 그런데 학생들의 점수를 기준으로 편의상 나눈 수준별 반편성에서 동일한 학습내용으로 동일한 결과가 나오도록 동일한 방식으로 수업하여 그 안에서 등급을 나누는 학습은 도리어 학생들의 수준을 없애는 수업이 될 수 있다.

중요한 점은 수준을 나누는 기준이 무엇인가 하는 점이다. 학교성적은 일반적으로 교과목 내용을 암기해서 주어진 연습문제를 잘 풀어 얻은 점수이다. 이것이 학생들의 수준을 나누는 기준이 된다면 학생들의 잠재력이 문제풀이로 모두 쓰일지도 모른다. PISA 2009나 2012는 세계 각국에서 공교육을 마친 15세 미만의 학생들을 대상으로 세계시민으로 성장하는 데 필요한 가장 기본인 리터러시 능력을 평가한다. PISA 2012 결과에서 이미 발표하였듯이, 우리나라 학생들은 PISA에서 요구하는 아주 높은 수준의 리터러시 능력을 갖추고 있다. 다양한 텍스트를 읽고, 읽은 내용을 비판적 사고로 평가하고, 해석하고, 통합하고, 요약하며 표현하는 뉴 리터러시 능력을 갖추고 있다고 국제적으로 인정을 받았다. 그렇다면 학생들의 수준을 나누는 기준은 바로 모든 교과목 학습을 성공적으로 이끄는 데 필요한 비판적 읽기, 융합적 사고하기와 창의적 쓰기를 해내는 뉴 리터러시 능력을 갖추고 있는지가 학생들의 수준을 나누는 기준이 되어야 할 필요가 있다.

학교 교육은 동일한 학습내용을 동일한 수준에서 동일한 학습활동을 통해 동일한 학습결과를 이끄는 수준을 없애는 수업을 해왔으면서 아이러니하게도 암기용 문제풀이를 통해 다시 학생들의 순위로 나누고 있는지도 모른다. 그러다 보니 교사가 어느 수준의 학생을 대상으로 교수학습내용과 방법을 제시했는가에 따라 어떤 학생은 이해하고, 어떤 학생은 전혀 이해하지 못하는 수업이 되고 만다. 만일 우수한 수준의 학생들에 초점을 둔 교수학습이 이루어졌다면 뒤처진 수준의 학생들은 거의 이해하지 못하는 수업이 될 것이고, 뒤처진 학생들의 수준에 초점을 둔 교수학습이 이루어졌다면 우수 학생들은 흥미를 잃고 엎드려 잠을 자는 수업이 될 수도 있다. 그리고 어떤 수준의 학생들을 대상으로 한 어떤 평가가 주어지는가에 따라 학업성취 결과에도 엄청난 차이가 있을 수 있다.

10년 전만 해도 초등학생들의 읽기 리터러시에 대한 연구는 재미읽기pleasure reading나 폭넓은 자유읽기extensive free reading에 관한 연구들이 대부분이었다. 하지만 디지털 매체의 거대한 변화로 인해 읽기 리터러시에 대한 연구주제들은 매우 복잡해지고 다양해지고 있다. 이러한 변화는 초등학교 학생들이 인쇄기반 책 읽기에서 디지털 매체 기반 스크린 읽기로 읽기 리터러시 양태가 바뀌고 있기 때문이다. 디지털 기술의 발달이 점차 스마트화 되면서 이제는 들고 다니면서 디지털 매체 기반 스크린 읽기 리터러시가 이루어질 정도로 읽기 리터러시 형태가 다양해지고 있다.

또한 초등학교 읽기 수업에서 집중 읽기intensive reading와 즐겨 읽기pleasure reading 같은 읽기 개념은 점점 약해지고 있는 듯 보인다. 초등학생들은 컴퓨터 전자게임을 하면서 학교에서 배운 스토리를 사용하게 되고, 수학이나 영어시간에 배운 수업내용이 집이나 PC방에서 노는 게임으로 만들어지면서 재미 읽기라는 기존의 특징은 더욱 모호해지고 있다. 학생들이 재미 읽기를 하는 책이나 어린이를 위한 디지털 매체 정보가 있는 사이트가 상품광고나 상품전시 장소로 사용되기도 한다. Nagy2009의 말대로 초등학교 학생들을 겨냥한 스토리의 주인공들이 상품화되고 있다. 이렇듯 동화책이나 어린이를 위한 인터넷 사이트에 광고나 판매 목적의 상품이나 인물들이 등장하다보니 이제는 즐겨 읽기나 자유 읽기를 하라고 할 때도 학생들이 왜, 무엇을, 어떻게 읽어야 하는지를 제대로 이끌어주지 않는다면 학생들은 읽기 리터러시 활동에서 점점 어려움을 느낄 수 있다. 초등학생들이 학교나 삶속에서 마주치게 되는 읽기 리터러시 자료들을 바르게 읽어낼 수 있도록 학생들이 왜, 무엇을, 어떻게 읽어야 하는지를 학습자 수준이나 연령에 맞도록 단계적 질문으로 제시하고 학생 스스로 답을 찾아가도록 이끌어주는 뉴 리터러시 교수학습 방법이 제시 되어야 한다.

초등학생들이 점차 디지털 매체 스크린에서 읽기를 하게 되면서 학교 밖에서도 읽기가 자유로워졌다. 그러면서 초등학교 학생들의 읽기 리터러시에 관한 기본 질문이 점차 달라지고 있다. 과거에는 학생들의 읽기 양과 읽기 시간이 학생들의 지적 삶에 어떤 이로운 점이 있는지가 중요하였다. 하지만 최근에는 초등학생들의 읽기에 대한 질문이 새롭게 달라지고 있다. 디지털 매체 읽기에 비해 전통적인 인쇄 매체 읽기는 어떤 매력이 있는가? 디지털 매체 읽기에서는 인쇄 매체 읽기에서 하던 평가, 암기나 이해력이라는 개념과 과정이 어떻게 변화되었는가? 에 대한 질문이 생겼다. 그리고 들고 다닐 수 있는 디지털 매체 읽기 장비는 이제 인쇄 매체 책 읽기의 끝을 알리는 것일까? 그리고 초등학생들을 위한 전자책 버전들은 학생들에게 어떤 만족을 주는가? 이 같은 질문들이 디지털 시대 읽기 리터러시 연구를 재촉하게 한다.

예측 불가능하고 불확실한 미래를 준비하기 위해 초등학교 읽기 리터러시 교육에서 학생들이 반드시 배워야 할 것이 무엇일까? 국가 간 경쟁이 심화하고 변화무쌍한 국제화 환경에서 잘 살아가기 위해 초등학생들에게 무엇을 어떻게 가르칠 것인가는 현재 우리들이 심각하게 고민해야 할 사항이다. 검증되지 않은 개개인들이 엄청나게 쏟아내고 있는 개인 정보화 환경에서 급변하는 현재와 불확실한 미래의 성공을 위해 초등학생들이 올바른 정보를 찾고 읽어내는 읽기 리터러시 능력을 갖추고, 또한 새로운 리터러시를 사용하도록 가르치는 것이야말로 미래를 준비시키는 가장 시급한 사항일 것이다. 초등학생들이 태어나서 성장해온 지난 10여 년간, 학생들의 생활 주변에서는 새로움이 끊임없이 쏟아지는 변화무쌍한 환경에 노출되며 살아왔다. 그들에게 요구되는 정보의 특성은 필요하거나 호기심이 생기면 적정한 정보가 있는 곳을 찾고, 그 프로그램에 접근하고, 실제 적용해보면서, 그리고 다양한 SNS을 통해 친구들과 자연스럽게 소통하는 경험을 해오며 살아왔다.

이런 점에서 볼 때 초등학교 학생들이 살아갈 삶속에서 일어나는 변화들에 대처하며 잘 살아갈 수 있도록 삶의 가장 기본이 되는 뉴 리터러시 능력이 자연스럽게 습득되도록 뉴 리터러시 교수학습 활동들을 제공해주어야 한다. 뉴 리터러시 교수학습 활동은 무엇보다 과거가 아닌 현재의 정보와 기술 환경을 반영하고 미래의 정보와 기술 환경을 예측하며 학생들의 흥미, 관심, 성향과 초등학생 수준에 맞는 뉴 읽기 리터러시 스킬을 길러주는 것들이어야 할 필요가 있다. 초등학생들이 세상을 살아가면서 이전에 전혀 경험해보지 못한 새롭게 변화된 정보가 필요할 때, 어떻게 정보를 찾아 읽어내고 해결하는지에 대한 뉴 리터러시 능력을 길러주는 것이야말로 초등교육 리터러시 교육에서 가장 중요한 사항일 것이다.

전통적인 리터러시 교육은 누군가에 의해 주어진 글을 읽고, 읽은 내용을 잘 파악해서 요약하면 리터러시가 되었다고 생각했다. 이때는 작가가 전하고자 하는 메시지를 잘 파악하고, 작가가 말하고자 한 내용이 무엇인지 제대로 요약하면 리터러시 능력이 있다고 여겼다. 다시 말해 주어진 지문에서 전하는 사실을 기반으로 텍스트를 이해하기만 하면 되는 수동적 리터러시 능력을 요구했다. 하지만 오늘날 뉴 리터러시 능력은 작가가 전하고자 하는 메시지를 있는 그대로 이해하는 능력보다, 작가의 생각을 비판적으로 읽어내고, 작가가 말하고자 하는 내용에 대해 자신의 생각은 어떤 입장을 취하는지, 정화된 자신의 입장을 좀 더 다른 또는 더 나은 창의적 생각으로 승화하여 소통하는 뉴 리터러시 능력을 요구한다. 왜냐하면 디지털 세상은 객관적 사실facts보다는 개개인의 주관적이고 독특한 의견opinions들이 세상을 바꾸어가기 때문이다. 뉴 리터러시 능력은 태어날 때부터 가지고 태어난 아무나 범접할 수 없는 타고난 지능이 아니라, 노력에 의해 얼마든지 길러질 수 있는 능력이다. 그래서 이러한 뉴 리터러시 능력이 바로 학생들의 수준을 나누고 평가하는 잣대가 되어야 한다.

뉴 리터러시 능력을 기르기 위해서는 우선 잘 읽어야 한다. 잘 읽었다는 말은 읽기를 하는 동안 자신의 사전지식과 연결하면서 수많은 질문을 떠올리며, 그 질문에 답을 찾기 위해 내용을 비판적으로 해석하고, 자신의 생각을 통합하여 요약하고, 새로운 생각으로 창의적 의견을 끌어낸다는 뜻이다. 읽기를 잘하기 위해서는 많이 읽는 것이 중요한데, 무엇을 많이 읽어야 하는가는 자신의 흥미나 관심에 따라 읽고 싶은 것을 읽는 것이 좋다. 읽기의 목적에 맞는 인쇄 매체 정보뿐 아니라, 디지털 매체 정보를 읽고, 우선 무슨 메시지를 전달하고 있는지 간단명료하게 요약하는 능력도 필요하다. 하지만 요약하는 능력만으로는 안 된다. 요약된 지식으로 어떻게 할 것인지에 대한 자신의 입장을 분명히 표현하고 전달할 수 있어야 진정한 뉴 리터러시 능력을 갖추었다고 말할 수 있다. 특히 오늘날 디지털 매체 정보는 누구든 올릴 수 있는 정보이므로 어떤 정보를 읽을 것인가에 대해 비판적으로 판단할 수 있는 능력도 필요하다.

디지털 기술의 발달로 인해 디지털 이민자인 어른들은 매일 매일 뉴 리터러시 능력에 대한 불안감을 느끼며 살고 있다. 디지털 이민자로 디지털 원주민에게 미래 성공적인 삶을 잘 살아가도록 이끌어야 하는데, 디지털 이민자인 교사조차도 미래에 무슨 일이 일어날지에 대해 확신도 없고 이렇다고 말해줄 자신도 없다. 그래서 학생들에게 미래 세상을 살아가는 동안 마주치게 되는 다양한 문제들을 스스로 해결해내는 뉴 리터러시 능력을 길러주어야 한다. 왜냐하면 뉴 리터러시 능력이야말로 바로 세상의 이치를 제대로 파악하는 힘이며, 학생들이 성공적으로 학업성취를 달성하는 데 필요한 기본 엔진이기 때문이다.

뉴 리터러시 능력은 디지털 지식 정보화 사회에서 넘쳐나는 다양한 정보를 제대로 읽어야 하는데, 제대로 읽는다는 것은 보이지 않은 의미도 통찰력으로 재해석해내고review, 여기에 자신의 다양한 사전지식과 생각을 통합하고 정화과정을 거쳐 바람직하게 반영하며reflect, 이를 자신만의 독특한 생각으로 세상과 소통하는 힘으로 대응하는react 과정을 통해 읽어내는 것이다. 이러한 능력이 바로 미래 세상을 잘 살아가는 기준이 되는 뉴 리터러시 능력이다. 그리고 세상에 떠도는 다양한 콘텐츠를 다르게 비판적으로 읽어내고, 저자의 생각을 통찰하고 자신의 생각과 연결해 이를 남과 다른 자신의 입장에서 재창조해내는 능력이다. 이렇게 읽어내지 못한 읽기지식은 정화작용을 거치지 않아 바로 부패되어 버린다. 이제 제대로 읽고, 비판적으로 제대로 해석해서 요약하고, 제대로 전달하기 위해 주어진 콘텐츠를 통합하여 새로운 콘텐츠로 재창조해내는 뉴 리터러시 능력이 학생들의 수준을 나누는 기준이 되어야 할 것이다. 그리고 어떻게 하면 매혹적으로 표현해서 남다른 가치로 재생산해낼 수 있을까 라는 창의적 표현능력이 오늘날 뉴 리터러시 교육의 목표가 되고 있다.

디지털 정보화 시대를 살아갈 학생들이 갖추어야 할 뉴 리터러시 능력은 넘쳐나는 다양한 정보에 자신의 비판적 생각을 넣어 창의적 산물로 표현해내는 능력이다. 따라서 미래를 살아가야 할 학생들의 수준을 나누는 기준은 교과목을 암기한 시험점수가 아니라 비판적 읽기 리터러시 능력, 융합적 탐구하는 리터러시 능력과 창의적 쓰기 리터러시 능력이 되어야 한다. 따라서 뉴 리터러시 수준을 나누는 기준은 인쇄 매체 읽기와 디지털 매체 읽기를 연결하는 뉴 읽기 리터러시 능력에 공통적으로 필요한 비판적인 읽기능력, 융합적인 탐구능력과 창의적인 쓰기능력을 갖추었는지가 핵심적인 요인이 된다. 따라서 뉴 읽기 리터러시 수준을 나누는 기준은 다음과 같은 비판적, 융합적, 그리고 창의적 리터러시 능력들이 된다. 1)자신의 비판적, 융합적, 창의적 생각을 담아 글을 읽어낼 수 있는지, 2)저자가 전하는 메시지를 있는 그대로 요약할 수 있는지, 3)읽기를 하고 나서 무슨 말인지 이해는 되는데 간단명료하게 요약할 수 있는 능력을 갖추지 못한 것인지, 4)읽기를 하고 나도 무슨 말인지 파악이 어려운지, 그리고 5)읽기 리터러시 자체에 어려움이 있는지 등의 읽기 수준에 따라 선택된 비판적 읽기 리터러시에 대한 수준별 학습활동으로 뉴 리터러시 교육이 이루어져야 한다.

읽기 리터러시 수준을 나누는 기준

수준 5	자신의 비판적, 융합적, 그리고 창의적 생각을 담아 글을 읽어낼 수 있는지
수준 4	읽기를 하고 난 후 저자가 전하는 메시지를 간단히 요약할 수 있는지,
수준 3	읽기를 하고 난 후 내용이해는 되는데 간단명료하게 요약할 수 있는 능력은 갖추지 못한 것인지
수준 2	읽기를 하고도 무슨 말을 하는지 이해가 어려운지
수준 1	읽기 리터러시 자체(해독이나 문식력)에 어려움이 있는지

이 같은 수준별 리터러시 능력에 따라 그에 맞는 뉴 리터러시 교수학습 활동이 주어져야 수준별 리터러시 교수학습이 이루어질 수 있다. 수준에 맞는 뉴 리터러시 교수학습 활동을 통해 인쇄 매체 읽기와 디지털 매체 읽기의 연결, 디지털 매체 정보 탐색과 찾기, 비판적 읽기와 융합적 탐구과정을 통해 창조적 쓰기로 연결하는 뉴 리터러시 능력에 따른 평가가 이루어질 수 있다. 왜냐하면 인터넷 기반 디지털 매체 정보를 읽는 것은 인쇄기반 책을 읽고 이해하는 것과는 구조적으로 다르다는 연구결과들이 있고, 학생의 뉴 리터러시 수준에 따라서 수행능력이 다를 수 있기 때문이다. 즉, 인쇄기반 텍스트 페이지에서 읽기를 잘하는 학생이 디지털 매체를 통한 스크린 텍스트에서도 읽기를 항상 잘하지는 않는다는 결과들이 있다Coiro, 2007. 이와 같이 글로벌 지식 경제 사회에서 다양한 매체 정보책이나 디지털 매체 정보를 이해하고 사용하는 능력을 갖춘 시민으로 성장시키기 위해 초등학교 뉴 리터러시 능력에 따른 수준별 교육시스템에도 변화가 필요해지고 있다. 이러한 점에서 디지털 매체 정보를 읽고 쓰는 능력에 따른 뉴 리터러시 수준별 교육은 전통적인 리터러시 교육과는 많은 면에서 재정의 되어야 할 이유와 목표가 있어 보인다.

02. 초등학교 뉴 리터러시 교육에서 논픽션 읽기

| CCSS(주공통핵심성취기준)는 뉴 리터러시 학습을 위한 기준을 제시한다.

인터넷과 디지털 기술은 전통적 리터러시 능력에 새로운 사고방식과 새로운 리터러시 능력을 요구한다Coiro, Knobel, Lankshear & Leu, 2008. 앞으로 학생들이 일상의 삶, 상급학교나 사회에서 성공하기 위해서는 디지털 매체를 사용하여 정보를 찾고, 이해하는 디지털 매체 정보사용에 대해 배워야 한다CCSS, 2012. '주공통핵심성취기준'CCSS, 2012은 디지털 시대에 살아갈 학생들이 미래를 위해 준비해야 할 사항들을 제시한다. 그리고 CCSS는 디지털 시대에서 학생들을 어떻게 교수학습해야 하는가에 대한 새로운 목표를 제시해준다Drew, 2013. CCSS는 디지털 시대에 필요한 뉴 리터러시 스킬을 위해 학생들이 무엇을 어떻게 교수학습해야 하는가에 대한 질문을 던진다. 학생들이 배워야 할 가장 중요한 것이 무엇이고, 또한 어떻게 교수학습 하는 것이 가장 중요한가에 대한 이슈를 던진다. 이렇듯 CCSS는 학생들이 인터넷을 통해 다양한 매체 정보기반 텍스트를 찾고 읽고 쓰기를 배우는 데 필요한 뉴 리터러시를 가르치고 평가할 필요가 있다는 점을 강조한다.

이미 언급했듯이, CCSS는 학생들이 도달해야 할 학습기준이지 커리큘럼이 아니다. 다시 말해 CCSS는 어떤 내용을 어떻게 교수학습 해야 하는가에 대한 내용, 방법과 전략에 대한 교육과정을 제시하는 지침서가 아니라 학생들이 각 학년을 마칠 때마다 뉴 리터러시 능력에 도달해야 할 학습목표와 학습성취 기준을 제시한다. 또한 CCSS는 교과목 전반에 관한 사항이 아니라 교육과정에서 가장 중요한 수학과 영어 과목 내용을 마스터 하도록 요구한다. 특히 가장 기본인 읽기 리터러시literacy 능력을 모든 학과목에 통합해야 함을 강조한다. 이를 위해 다양한 매체를 통한 정보적 텍스트와 논픽션을 많이 읽도록 강조하고 있다. 이러한 점에서 유치원, 초등학교, 중학교 와 고등학교 과정에서는 영어 읽기 리터러시 기준과 이를 과학, 역사, 사회에 통합하는 읽기 가이 드라인도 제시되고 있다. 하지만 각 과목에 대한 개별기준은 아직 마련되어 있지 않고 있는 상태 이다. CCSS는 이러한 기준에 따라 학습자가 주도적으로 건강한 배움을 경험하고 엄격하고 깊은 인지적 참여와 적용을 하도록 이끈다. 그리고 이러한 인지적 책략을 학생들이 학습에 책임을 갖 고 스스로 개발하도록 요구한다. 그 결과 학생들이 학습에 대한 책임과 주인의식을 갖도록 강조 한다.

이렇듯 CCSS는 미국 전 공립 교육에 일관된 기준을 제공하는 역할을 하고 있다. 현재 미국 각 주에서 사용하는 학습기준은 같은 학년이라도 각 주마다 난이도 측면에서 상당히 차이를 이끌 어왔다. 하지만 이번 CCSS가 제시한 기준은 이러한 각 주 마다의 난이도 차이를 줄임으로써 전국적으로 일관된 학습기준을 제시하여 일관된 기준에 따라 다양한 교육을 시행할 수 있다는 기대감을 갖게 하고 세계적 수순의 학습결과를 도모할 수 있게 해준다. 그 결과 CCSS가 제시한 학습기준에 도달한 학생들은 미래에 대학이나 사회에서 성공적일 수 있다는 점을 강조한다.

많은 국가들은 디지털 매체 리터러시를 포함한 교육환경 변화에 맞춘 국가적 표준을 만들어 새로운 리터러시의 변화에 대응하도록 가이드라인을 제시하고 있다. 이러한 시도들은 다양한 디 지털 매체 정보를 모으고, 정보를 읽고, 평가하고, 통합하고 소통하는 능력을 포함한다. 그리고 학생 스스로 온라인 디지털 매체 정보를 읽고 탐험하고 표현하는 과정을 통해 문제해결 능력을 이끌고자 한다. 이러한 학습과정이 바로 학생 주도 학습이며, 학습자 중심의 학습이며, 그리고 학생이 학습의 책임을 갖고 문제해결을 해나가며 비판적 사고, 융합적 탐구와 창의적 표현을 이끄 는 뉴 리터러시 교수학습 과정이라 할 수 있다.

CCSS에서 강조하듯 다양한 디지털 매체 정보 읽기를 해야 하는 이유에 대해 지금껏 다음과 같은 많은 연구들이 있어 왔다. 그리고 이 연구들은 바로 뉴 리터러시 실제가 일어나는 다음과 같은 문제해결 과정을 보여준다.

1) 중요한 문제나 질문을 정하기 위해 읽기를 한다Leu, Kinzer, Coiro & Cammack, 2004.
2) 정보를 찾기 위해 읽기를 한다Bilal, 2000; Guinee, Eagleton & Hall, 2003.
3) 정보를 평가하기 위해 읽기를 한다Sanchez, Wiley & Goldman, 2006.

4) 정보를 해석하고 통합하기 위해 읽기를 한다_{Goldman, Wiley & Graeser, 2005; Jenkins, 2006}.

5) 정보를 소통하기 위해 읽고 쓰기를 한다_{Greenhow, Robelia & Hughes, 2009}.

디지털 사회에서 대학진학을 준비하거나 직장생활이나 일상생활에 잘 적응하기 위해서 사람들은 정보나 아이디어를 모으고, 이해하고, 평가하고, 통합하고, 보고하는 능력이 필요하다. 또한 질문에 답을 찾거나 문제해결을 위해 탐구를 실행하는 능력, 그리고 새로운 디지털 매체 정보나 인쇄 매체 정보들에서 광범위한 정보를 분석하고 재창조할 수 있는 능력이 필요하다. 이 모든 과정은 디지털 사회에 살아가는 사람들이 갖추어야 할 뉴 리터러시 능력이다. 따라서 문제를 제기하고, 답을 찾기 위한 탐구과정을 거치는 동안 다양한 유형의 디지털 매체 정보를 읽고, 새로운 매체 정보를 생성하고 소비하는 요구가 초등학교 뉴 리터러시 교육과정의 전반에 녹아있어야 한다_{CCSS, 2012}.

특히 다양한 디지털 매체 정보를 탐구하고 이해하기 위해서는 인쇄기반 텍스트 읽기를 위해 필요한 읽기 전략과 능력이 기본적으로 필요하다. 뿐만 아니라 인쇄 매체 읽기를 위해 필요한 능력과는 사뭇 다른 디지털 매체 정보 읽기와 이해를 위한 독특한 능력, 전략과 특성도 필요하다. 이러한 디지털 매체 정보에 대한 탐구와 이해 능력을 평가하는 것은 초등학교 뉴 읽기 리터러시 교육의 핵심으로 초등학교 주제통합 교실수업에서 뉴 리터러시 교육이 실행될 때 중요한 요인으로 작용하게 될 것이다.

초등학교 읽기 교과서 텍스트는 일반적으로 스토리 동화 같은 픽션들이 대부분이었다. 하지만 앞으로 디지털 사회의 뉴 리터러시 교육을 위해 얻게 되는 정보는 주로 다양한 디지털 매체 논픽션 텍스트가 될 수 있다. 이를 위해 논픽션이란 정의와 이해가 우선 필요하고, 주제관련 특정 어휘에 대한 이해도 중요하다. 다양한 주제의 논픽션 텍스트 읽기를 하면서 발생될 수 있는 문제에 답을 찾아가는 과정에서 얻은 생각을 글로 표현하는 뉴 리터러시 교육이 주제통합 교과목 수업에서 매우 중요해지고 있다.

국어나 영어교과 같은 언어학습, 사회, 수학 그리고 과학교과 수업에서 논픽션 텍스트를 통한 주제통합 리터러시 교수학습 활동을 할 수 있다. 주제통합 리터러시 학습을 위한 논픽션 텍스트는 학생들이 자신들의 삶과 텍스트를 연결하고, 콘텐츠 내용을 이해하기 위해 다양한 분야의 정보를 넘나들며 필요한 배경지식을 확장하는 실제적인 뉴 리터러시 경험을 제공한다_{Olness, 2007.5}. 특히 역사, 사회, 과학과 기술과목에서 언어학습과 내용학습의 통합을 강조하는 CCSS는 학생들_{K-12th grade}이 지식을 쌓고, 경험을 넓히고, 세계관을 넓히기 위해 질 높은 논픽션 텍스트 읽기를 통한 뉴 리터러시 교육의 기회를 가져야 한다는 점을 강조한다. 그리고 수학, 사회, 과학과 언어교육을 통합하는 주제통합 리터러시 학습은 다양한 장르의 콘텐츠픽션과 논픽션에 다양한 뉴 리터러시 전략들을 적용하도록 이끈다. 이러한 초등교육 주제통합 뉴 리터러시 교육은 앞으로 초등교육 현장에서 교사들에 의해 활성화 될 것이다. 따라서 초등학교 리터러시 교사들은 다양한 디지털 정보들픽션이나 논픽션을 통해 주제통합 리터러시 학습에 깊은 이해를 가져야 한다. 그리고 다양한 디지털 정보를 읽고, 탐구하고, 쓰고 논의하는 학습활동이 용이하게 적용될 수 있는 교수 학습 방법과 과정을 제공할 수 있어야 한다. 디지털 매체 논픽션 정보들을 뉴 리터러시 학습과정에 통합하기 위해서 교사들은 과제가 어떻게 성취되고 왜 그런 문제해결 전략이 그런 과제에 효과적인지에 대한 교수방법을 설명할 수 있어야 한다. 초등학교 주제통합 리터러시 교사들이 이러한 시간, 관심과 에너지를 바쳐야 미래 초등학교 리터러시 수업이 효과적일 수 있으며 학생들을 21세기 주도적 학습자로 이끌 수 있을 것이다Anders & Guzzetti, 2005, 68.

디지털 매체 정보에서 자주 접하게 되는 다양한 논픽션 텍스트는 사실에 근거한 사례들이다. 이러한 논픽션 읽기 자료를 통해 질문을 도출하고, 질문에 답을 찾기 위해 또 다른 읽기를 통한 탐구과정을 거치면서 다른 사람들에게 자신의 생각을 전하는 소통을 위한 글쓰기 활동은 바로 논픽션 읽기의 결과물이 된다. 논픽션 텍스트의 주목적은 정보를 제공하고, 설명하고, 논쟁하고 예시하는 것에 있다Kristo & Banford, 2004.12. 논픽션 장르는 여러 가지 유형으로 구성되는데 즉, 그림책 · 학년별 책 · 브로슈어 · 매뉴얼 · 사진 · 에세이 · 전략과 방법관련 책 · 세계 정보관련 책 · 신문 · 잡지 · 일대기 · 사전과 인터넷Pike & Mumper, 2004 등이 있다. 이렇듯 논픽션은 작가가 단어들로 표현한 내용보다 더 많은 정보를 제공하기 위해 사진이나 그림이 가득하기도 하다. 내용을 표현하기 위해 논픽션 작가가 선택한 포맷이 무엇이든 간에 논픽션은 초등학생들이 주로 접해왔던 담화적 장르가 아닌 또 다른 장르의 텍스트로 학생들의 뉴 읽기 리터러시 학습을 지원한다.

배경지식이 많지 않아도 이야기 형식예를 들어, 배경 · 등장인물 · 문제 · 구성 · 해결 · 사건의 줄거리 · 시작 · 중간 · 결말을 따르는 담화적 텍스트와는 다르게, 논픽션 텍스트는 다양한 조직적인 형식구조 organizational structures에 따라 배치된다. 이러한 구성 포맷들은 숫자별, 순서별, 시대별, 비교와 대조, 원인과 결과, 의문과 답, 그리고 담화 형식을 포함한다. 학생들은 정보를 제공하는 다양한 텍스트 구조에 그다지 익숙하지 않다. 따라서 교사들은 학생들이 논픽션에서 제시한 정보를 깊이 이해하도록 논픽션 작가들에 의해 사용된 다양한 구조 포맷을 직접 가르칠 필요가 있다. 교사는 학생들에게 텍스트에 사용된 특별한 구조를 인식하도록 가이드하면서 학생이 다양한 논픽션을 읽고 탐구하는 경험을 할 수 있도록 논픽션 읽기 리터러시 활동을 이끌어야 한다.

디지털 매체 논픽션 텍스트에서 발견된 다양한 구조적 패턴은 디지털 매체 정보를 출판하는 다양한 특징을 포함하기도 한다. 디지털 매체 논픽션 텍스트 요소들은 접근 특성e.g., 목차, 소개, 제목을 포함하고, 정확성과 신뢰성을 결정하는 특징저작권 데이터, 개인정보, 감사의 말 그리고 비주얼 정보사진, 그림, 그래프, 사진, 표, 지도 등를 포함하기도 한다Kristo & Bamford, 2004. 그래서 교사들은 학생들이 탐구활동 과정에서 다양한 디지털 매체 정보를 찾고자 할 때 디지털 매체 정보로서 논픽션 텍스트 구성이 어떤 특성을 가지고 있는지를 지도해야 할 필요가 있다. 왜냐하면 디지털 매체 정보를 전달하는 구조형식은 작가가 전달하고자 하는 메시지에 대한 작가의 심오한 의도가 포함되어 있기 때문이다. 이러한 이유 때문에 학생들은 디지털 매체 정보의 다양한 텍스트 특징을 인식하고 경험하고 적용하는 학습활동을 가져야 한다.

디지털 매체 정보인 논픽션 텍스트 읽기 리터러시 학습은 주어진 정보를 정확히 이해하고 재해석해내는 비판적 읽기활동이 매우 중요하다. 논픽션 텍스트를 성공적으로 읽고 이해하기 위해서는 무엇보다 사전읽기 기법이 중요하다. 사전읽기 활동은 학생들의 읽기 리터러시 활동을 용이하게 이끈다. 그리고 학생들이 논픽션 텍스트나 정보에 대한 특이한 특징을 발견하도록, 그리고 질문을 갖고 인터넷 탐험을 계속하도록 이끌어야 한다. 질문에 답을 찾아가는 탐구활동에서 학생들은 텍스트 내용에 대한 자신들의 사전 지식과 경험을 활성화하는 다양한 연습을 제공받게 된다.

먼저, 주어진 정보를 정확히 읽어내기 위한 효과적인 사전읽기 기법은 전통적인 읽기 리터러시 학습에서 사용해온 KWLOgle, 1986 활동이다. KWL 활동에서 학생들은 그들이 무엇을 알아야 하고what they know (K), 무엇을 배우고 싶은지what they would like to learn (W), 읽기 후 그들이 배운 것은 무엇인지what they learned (L)에 따라 브레인스토밍을 한다. 하지만 KWL 활동은 학생들을 주어진 텍스트 내에 머물게 하거나, 텍스트 범위 내에서 읽기 리터러시 활동으로 이끈다는 한계가 있다. 하지만 KWL을 사후 읽기 활동이 아닌 사전 읽기 활동으로 사용하면 폭넓은 읽기를 이끌기 위한 명확한 목표를 제시해 줄 수 있다. 둘째, 속기 작문Quick Write 활동은 학생들이 3~5분 동안에 주제에 대해 알고 있는 모든 것을 쓰는 활동이다. 이는 학생들의 스키마를 활성화시키는 효과가 있다. 마지막으로 생각공유하기Think-pair-share 활동을 사전 읽기 활동으로 사용하는 경우, 주제학습에 대한 학생들의 사전지식을 서로 공유할 수 있는 효과가 있다. 특히, 이 활동은 학생들이 처음에 교사가 제시한 질문에 반응하고, 다음에 파트너와 공유하고 마지막에 교실 전체 앞에서 자신들이 정화한 생각을 발표하는 협동학습과 사고학습을 함께 이루게 하는 장점이 있어 수업 전반에서 사용할 수 있다.

　　읽기 전에 행하는 사전 읽기 전략은 새로운 것이 아니다. 교사는 사전 읽기 전략적 질문을 통해 학생이 텍스트에 포함된 정보에 대해 무엇을 알고 있는지를 알게 된다. 그리고 학생들이 주제에 관해 잘못 알고 있는 것이 무엇인지도 알 수 있다. 학생들의 지식에 대해 알고 있으면 교사가 차후 교수학습 활동에 대한 계획을 세울 수가 있다. 텍스트 유형이나 과목을 성공적으로 이해하기 위해 차후 학습내용을 계획할 수가 있다. 무엇보다 사전 읽기 전략은 주제에 대해 학생들마다 다른 스키마를 갖고 있어 여러 가지 상황에서 주제에 관해 폭넓게 생각할 수 있는 기회를 갖게 해준다. 따라서 교사들은 수업시간이 부족하다는 이유로 이러한 사전 읽기 활동을 소홀히 하지 않도록 해야 한다.

▎단어지식을 위한 리터러시 기술

　　학생들이 읽기 텍스트를 이해하기 어려워하는 것은 단어 인식이 어려울 때나 익숙하지 않은 특별한 용어를 접할 때 나타나는 현상일 수 있다. 디지털 매체 정보인 논픽션 텍스트의 주제는 학생들의 사전 경험과 지식을 불러내는 특별활동과 함께, 교사들이 학생들이 읽기를 하면서 접하게 될 특정 주제에 대한 새로운 개념이나 용어에 도전하는 다양한 연습활동을 포함할 수 있다. 교사는 학생들이 논픽션 텍스트를 접할 때 어려움을 느낄 수 있는 장애물을 사전에 제거해준다는 의미에서 텍스트에 놓인 특별한 용어나 개념에 대해 읽기 전에 공유를 해야 한다. 그리고 텍스트에 대한 학생들의 이해를 높이기 위해서는 학생들이 관심 있어 하는 주제에서 다양한 어휘지식을 얻기 위한 뉴 리터러시 전략과 활동을 사전에 소개할 필요가 있다.

　　논픽션 텍스트에서 마주치는 복잡한 용어나 개념을 학생들이 이해하도록 사전에 도와주는 활동이 필요하다. 그리고 교사가 이끄는 사전활동을 관찰함으로써, 교사는 수업에서 어떤 활동을 사용할지, 얼마나 많은 단어가 텍스트 읽기를 하면서 연습하게 될지를 예측하게 된다. 그리고 학생들의 연령, 학년 및 수준에 따라, 콘텐츠에 대한 학생들의 사전 지식과 경험에 따라, 그리고 학생의 읽기능력에 따라 교사는 학생들이 마주치게 되는 새로운 어휘들을 위해 어떤 학습전략과 학습활동을 해야 할지를 결정해야 한다.

탐구활동을 이끌어 갈 질문과 토론기술

디지털 매체 기반 읽기 리터러시 수업에서 사전 읽기활동으로 사전지식과 어휘 활동을 하는 경우 교사들은 학생들이 읽고 있는 텍스트에 적극적으로 참여하도록 질문을 통해 학생들의 궁금증을 격려하는 교실수업 환경을 제공할 필요가 있다. 왜냐하면 학생들이 적극적인 독자가 될 때, 작가의 배경에 대해 궁금해 하고 텍스트에 대한 목적, 텍스트 내용을 향한 관점, 글쓰기 스타일과 단어의 선택에 관심을 갖기 때문이다. 그리고 학생들이 읽기에 대해 궁금증을 가질 때 메타 인지적 독자가 되기 때문이다. 특히 텍스트가 그들에게 약간 이해하기 어려운 주제를 읽어야 하는 경우에는 학생들이 텍스트 읽기에 소극적으로 참여하고 반응하지 않도록, 직접적이고 적극적인 질문을 제공할 필요가 있다. 이때 학생들이 읽고 있는 텍스트와 학생자신의 생각이 상호작용하도록 교사는 절적한 유도질문을 주거나 생각말하기think aloud 모델을 통해 비판적 읽기 시범을 보여주어야 한다. 교사의 시범을 보면서 학생들은 비판적으로 텍스트를 읽고 분석하는 것에 대한 가치를 발견하게 된다. 학생들이 텍스트를 읽을 때 의문이 생기는 점을 동료들과 생각말하기 과정에서 서로에게 묻고, 교사와 학생이 이러한 질문을 통해 담화할 때 학생들은 텍스트를 깊이 적극적으로 탐험하게 된다. 학생들이 텍스트를 깊이 탐구하는 동안 교사의 질문에 답을 찾으면서 교사와 학생간의 소통이 이루어진다. 그 외에도 학생들이 읽기활동에 적극적으로 참여하도록 이끌기 위해 읽기활동 전에 제시적 단서 질문signpost question을 제시하면 학생들이 무엇에 초점을 두고, 무엇에 대한 답을 찾기 위해 읽어야 하는지에 대한 정확한 읽기목표를 제시하는 효과가 있다.

학생들이 디지털 매체 기반 논픽션 텍스트를 읽을 때 상호작용하고 탐구활동에 적극적으로 참여하도록 이끄는 생각말하기 과정과 질문의 유형은 다양하다. 이러한 다양한 유형의 질문전략들은 읽기 전, 읽기동안, 읽기 후 활동에서 적절하게 사용될 수 있다. 이러한 질문들은 개인적인 질문이 될 수도 있고, 파트너, 소그룹과 수업전체 학생들과의 상호작용을 포함하기도 한다. 읽기 과정에서 작가의 의도와 자신의 생각사이에 상호작용을 이끌기 위해 질문을 사용하는 것은 뉴 읽기 리터러시 과정을 효과적으로 이끌어주는 핵심 전략이다Stephens & Brown, 2005.

읽기는 심리언어학적 추측게임이듯Goodman, 1987 읽기 리터러시 활동을 할 때 학생들은 질문을 사용하며 텍스트에 있는 정보에 대해 많은 생각을 한다. 예를 들어, 누가? 무엇을? 언제? 어디서? 어떻게? 그리고 왜?Manzo, 1969라는 의문을 가질 때 학생들은 읽기에 몰입하게 된다. 따라서 뉴 읽기 리터러시 학습활동을 하는 동안 교사가 학생들이 궁금증을 갖도록 읽기 모델을 보이면,

학생들이 새로운 정보를 혼자 읽을 때도 궁금한 것에 대해 질문기법discussion, questioning techniques을 사용하며 읽기에 몰입하게 된다. 예를 들어, Harvey와 Goudvis2007는 수학수업에서 심오하고 가벼운 질문Thick and Thin Questions 형식을 병행하여 묻고 대답하는 연습을 하면서 문제해결을 이끄는 실례를 보여준다. *Fibonacci Numbers in Nature* Campbell, 2010 연구에서도 읽기활동에서 '*Thin and Thick*'가볍고 깊이 있는 질문들을 쓰도록 한다. Thin가벼운 질문은 내용파악을 명확히 하기 위해 묻는 질문이다. Thick깊이 있는 질문은 왜, 어떻게? 하는 의문으로 심오한 답을 요구하는 질문이다. 학생들은 교사가 제시하는 'Thin and Thick' 질문들을 사용하며 텍스트에 대해 논의할 수 있다.

논픽션 텍스트에 반응하는 기술

최근 PISA나 CCSS 기준에서는 다양한 정보기반 논픽션 텍스트 읽기를 강조하고 있다. 이유는 학생들이 논픽션 텍스트를 읽고 논의할 때 다양한 반응을 이끌 수 있기 때문이다. 특히 논픽션은 학생들이 글쓰기 수단으로 읽기를 사용하는 경우 좋은 자료가 될 수 있다. 쓰기는 읽기 과정에서 경험한 비판적 사고에 대한 반응일 수 있다. 학생들이 글을 쓸 때, 자신들이 읽은 텍스트를 종종 사용하곤 한다. 문자로 표현하는 글쓰기 기술은 학생들이 그날의 읽기를 요약하고 읽는 동안 비판적 사고 작용을 통해 반응했던 자신의 생각을 글로 표현한다. 읽기는 쓰기를 위한 효과적인 준비과정이 될 수 있다. 그래서 글쓰기 활동은 개인적으로 읽기에 반응하는 대화저널을 쓰기도 하거나, 학생들이 그림이나 단어를 통해 텍스트 콘텐츠를 설명하는 내용 관련 글을 쓰거나, 학생들이 텍스트에서 표현하는 정보에 관해 자신의 해석을 공유하는 학습자료를 만드는 학습활동들이 포함될 수 있다. 특히 학생들은 논픽션 읽기를 통해 언어적, 논리 수학적, 시각 공간적, 운동적, 음악적, 외향적, 내향적Gardner, 1983 다지능multi-intelligence 활동을 연습하는 창의적 활동creative arts을 할 수 있다.

논픽션 읽기를 통한 창의적 활동은 다음과 같은 다양한 반응이 있을 수 있다.

1) 학생들은 논픽션 텍스트에서 발견된 주요 정보에 반응하는 포스터를 만들 수 있다.
2) 학생들은 인쇄 매체 읽기에서 특정 사건이나 과정에 반응한 쓰기활동을 한다.
3) 학생들은 읽기로부터 배운 주요 정보에 대해 반응을 표현하기 위해 랩송을 쓰거나 표현할 수 있다.

4) 학생들은 다른 사람들과 자신의 탐구활동을 공유하거나 인쇄 매체 읽기에 관한 주제를 확장하는 탐구활동을 통한 보고문을 쓰기도 한다.

탐구기반 반응활동 중 하나는 '내탐구용지'I-search paper : 5장에서 구체화 / Macrorie, 1988 쓰기활동이다. 다양한 인쇄물이나 전자 자료를 사용하면서 학생들은 더 심오한 탐구활동을 하고 이러한 탐구과정과 내용을 내탐구용지에 표현한다. 내탐구용지는 주제에 관한 학생들의 사전 지식을 포함하고 주제관련 궁금한 문제에 대해 탐구하면서 사용된 탐구자료 과정을 묘사한다. 학생들은 주제에 관해 배운 것들에 대해 논의하기도 한다.

학생들은 글쓰기 같은 다양한 창의적 표현활동을 통해 탐구활동을 확장한다. 학생들이 논픽션 읽기에 반응하든 아니든, 교사는 학생이 선택할 수 있는 다양한 논픽션 읽기 자료를 제공해야 한다. 이러한 논픽션 자료들에 반응하면서 학생들은 읽기학습 활동에서 주인의식 같은 책임감을 갖게 되기도 한다. 이처럼 다양한 논픽션 자료를 통한 주제통합 교과 리터러시 수업은 다양한 뉴 리터러시 전략들을 적용하게 된다. 학생들은 자신의 관심사나 사전 언어지식이나 화용지식에 따라 인터넷을 통해 다양한 디지털 매체 논픽션 텍스트에 대한 또 다른 수준을 표현하게 된다Giblin, 2009, 37. 이러한 디지털 매체 논픽션 정보를 통한 주제통합 뉴 리터러시 경험들은 읽기 리터러시 전 과정에서 학생들이 정보 수준과 흥미에 따른 다양한 능력을 갖게 해준다.

V. 어떻게(How) : 뉴 3Rs 리터러시 교육은 어떻게 다른가?

Unit 01.

뉴 3Rs 리터러시 교수학습은 어떻게 실행하는가?

01. 뉴 3Rs 리터러시 교수학습 모형 개발 I
02. 뉴 3Rs 리터러시 교수학습 모형 개발 II
03. 뉴 3Rs 리터러시 교수학습 3가지 접근방법

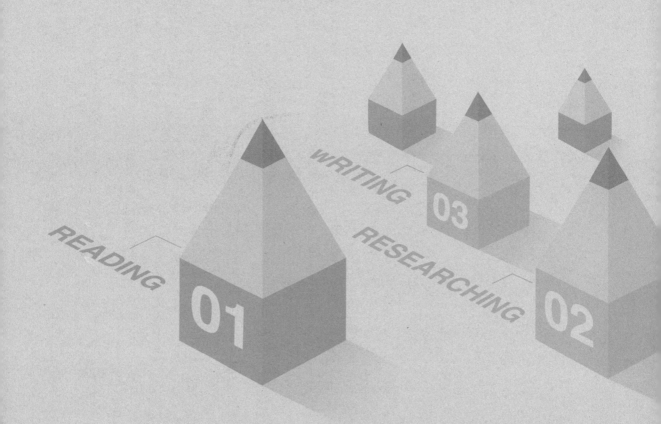

01. 뉴 3Rs 리터러시 교수학습 모형 개발 I

▌ 뉴 3Rs 리터러시 교수학습은 질문에 답을 찾는 탐구활동을 한다.

리터러시 역사를 볼 때, 읽고, 쓰고, 소통하기 위해 인터넷만큼 많은 장소들에서 많은 사람들에게 정보, 학습, 그리고 읽기 리터러시라는 강력한 힘을 가져다준 매체는 없었던 것 같다. 이렇듯 리터러시 도구로서 강력한 힘을 가진 인터넷은 초등학교 뉴 리터러시 교육에서 디지털 매체 읽기 리터러시 능력에 대해 더욱 강력한 의미를 부여해준다. PISA 2012 보고서를 보더라도, 학생들의 디지털 매체 읽기 리터러시는 최근 교육계나 사회의 화두가 되고 있으며, 구체적으로 이를 어떻게 지원해야 하는지에 대한 연구를 촉진시키고 있다.

디지털 매체 읽기를 학교 교실수업에 적용한 가장 대표적인 최근 연구는 디지털 매체 읽기 리터러시 교육 과정을 7학년 교실수업에 실제 적용한 Leu, et al.2004, 2007, 2010의 연구를 들 수 있다. Leu et al.2004의 연구는 학교 교과목 읽기학습과정에서 학생들의 디지털 매체 읽기 리터러시 능력이 어떻게 구축되는지를 보여준다. 그리고 교과목 읽기 교수학습 과정에서 디지털 매체 읽기는 전통적 인쇄 매체 읽기와 무엇이 다른지를 보여준다. 특별히 다른 연구들과의 차이점은 교과목 학습과정에서 어떤 문제가 제기되면, 그 문제에 대한 가능한 해결책을 인터넷에서 찾고, 찾은 정보들을 비판적으로 분석, 평가하고, 평가된 정보들을 통합하여 소통하기 위해 인터넷 매체 정보를 사용한다는 점이다. 그럼에도 이 연구에서 강조하고 있는 점은 디지털 매체 읽기 능력은 읽고 쓰는 기초 리터러시 능력이 중심이 된다는 점을 강조한다. 다만 디지털 매체 읽기 리터러시 과정은 학습자의 사회적 능력을 성장시키는 읽기 전략으로서 자신의 삶과 연계된 문제기반 탐구과정problem-based inquiry process을 거치게 한다. 문제해결 방식을 통한 탐구과정을 거치면서 학생들은 인쇄 매체 읽기 리터러시 능력을 활용해 디지털 매체 읽기 리터러시 능력을 자연스럽게 구축하게 된다는 점을 강조한다.

Leu, et al.2004 연구에서 특이한 점은 디지털 매체 읽기 리터러시 교수학습은 전통적 인쇄 매체 읽기 리터러시 교수학습 모델과 무엇이 다른가를 보여준 점이다. 크게 보면 디지털 매체 읽기 리터러시 능력은 목적과 과제문제뿐 아니라, 자기 주도적 텍스트 읽기 능력의 구축과정을 포함한다Coiro & Dobler, 2007. 학생들은 자신들이 읽은 디지털 매체 텍스트를 자신의 버전으로 재구축하기 위해 무한정한 정보공간을 항해하면서 자신의 답을 찾아가는 문제해결식 탐구학습 과정을 가지게 된다. 세부적으로 보면 이러한 문제해결 과정은 전통적 인쇄 매체 읽기 능력을 벗어난 능력이라기보다, 디지털 매체 읽기 과정에서 전통적 리터러시 기초능력을 적극적으로 활용하게 해준다. 일반적으로 전통적 인쇄 매체 텍스트 읽기에서는 학습자 주도적 탐구과정을 갖기가 사실상 어려울 수 있다. 그럼에도 Leu, et al.2004, 2010의 연구에서 보여준 인쇄 매체 읽기와 디지털 매체 읽기 리터러시 과정 둘 다에서 필요한 기초 리터러시 능력은 뉴 리터러시 교수학습에서 필요한 능력을 더욱 정교하게 해준다. 이들 연구는 7학년을 대상으로 이루어지고 있다. 인터넷 매체 정보를 접하게 되는 연령이 점차 낮아짐에도 불구하고 초등학교 교실수업에서 디지털 매체 정보 리터러시 교수학습 적용에 대한 연구는 안타깝게도 사실상 거의 없는 실정이다. 이러한 점을 고려해볼 때, 초등학교 주제통합 학습에서 문제해결식 뉴 리터러시 교수학습에 대한 연구를 가속화해야 할 시점이라고 여긴다.

Leu, et al.2004, 2010에서 보여준 문제해결식 디지털 매체 읽기 리터러시 능력을 성공적으로 이끌기 위한 리터러시 전문코칭과 전략은 무엇인가? 인쇄 매체 읽기와 디지털 매체 읽기를 통합하는 주제통합 교과목 기반 리터러시 교수학습 과정은 학습자가 교과목과 관련된 주제에 대해 인쇄 매체 읽기 통해 제기된 문제나 질문에 답을 찾거나 제기된 문제를 해결하기 위해 디지털 매체 읽기를 활용하여 문제해결을 위한 더 많은 정보를 얻게 된다. 달리 말해, 학습자는 교과목 관련 주제에 관하여 충분한 정보를 인터넷에서 찾고자 한다. 예를 들어, 교과목 관련 문제해결을 위해 학생들은 정보 위치를 검색하며, 추적하고, 정보들을 비판적으로 분석하고, 통합하고, 판단하여 선택된 정보를 일상의 삶과 접목해보면서 다른 사람들과 소통할 수 있는 융합적 탐구읽기 과정을 거치게 된다.

Leu와 Reinking2005은 디지털 매체 정보 읽기 리터러시에서 가장 핵심이 되는 능력에 대해 연구해오고 있다. 이들에 따르면 디지털 매체 정보 읽기에 필요한 특별한 능력은 일반적으로 학생들이 왜 인터넷을 탐색하는가에 대한 이유를 알면 금방 알 수 있다고 말한다. 학생들이 인터넷 정보를 찾는 이유는 궁금한 것이 생기거나 문제가 생길 때, 그리고 더 자세한 내용이나 더 깊은 지식을 알고자 할 때 인터넷을 뒤지게 된다. 디지털 매체 읽기를 위해 가장 필요한 능력은 바로 뭐가 문제인지 궁금한 질문을 만드는 일, 문제를 이해하고, 문제해결을 위한 정보를 찾고, 문제해결을 위해 적정한 정보인지를 비판적으로 평가하고, 모아진 정보를 통합하여, 자신의 생각으로 표현된 새로운 정보로 소통하는 능력이다. 이렇듯 학생들이 인쇄 매체 읽기와 디지털 매체 정보 읽기 리터러시 교수학습 과정이 통합되는 뉴 리터러시 교육은 학생들이 인터넷을 탐색하는 이유를 이해하는 것부터 시작되어야 한다.

뉴 리터러시 교수학습의 핵심은 다양한 매체 정보를 제대로 읽어내는 기초 읽기 리터러시 능력과 읽기를 통해 고차원적 사고능력을 개발할 수 있는 질문을 만들고, 질문에 답을 찾기 위한 문제해결 방식의 탐구읽기, 그리고 소통을 위한 쓰기 리터러시를 위한 뉴 3Rs 리터러시 교수학습 활동이 주어진다는 점이다. 뉴 3Rs 리터러시 교수학습은 다양한 매체 읽기를 학생들이 비판적으로 읽어내어, 창의적으로 표현하도록 다양한 질문전략과 문제해결식 탐구읽기전략을 통합한다.

뉴 3Rs 리터러시 교수학습 모형

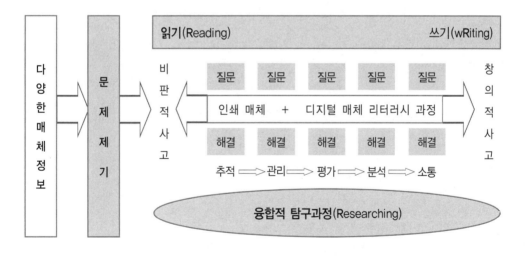

이렇듯, 뉴 3Rs 리터러시 교수학습 모델은 다양한 매체 읽기를 통해 학습자가 문제를 만들고, 문제해결을 위해 탐구읽기 활동을 하고, 탐구읽기 활동을 통해 얻은 정보를 평가하고 종합하는 비판적 사고와 융합적 탐구과정을 거쳐 자신의 스토리로 재구축하여 창의적으로 소통하는 쓰기 활동을 포함한다. 이러한 뉴 리터러시 교수학습 활동은 학생 수준별, 영역별, 연령별, 그리고 학습

자의 흥미나 관심이 반영된 학습자료 선택과 학습 운영체계로 이루어져야 한다. 이러한 뉴 리터러시 교수학습 과정을 반영한 모델이 바로 주제통합 교과목 리터러시 학습에서 학습자들의 협업적이며 문제해결식 탐구활동을 접목한 Q/S 기반 문제해결식 뉴 3Rs 리터러시 교수학습 과정이다.

Q/S 기반 문제해결식 차세대 뉴 3Rs 리터러시 교수학습 모형

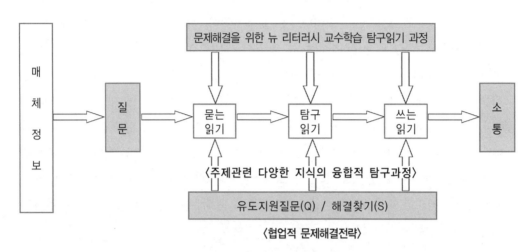

뉴 3Rs 리터러시 교수학습 모형은 다양한 매체 정보를 비판적으로 읽어 학습자 자신의 창조적 소통 자료로 표현하기 위해 질문과 문제해결전략을 사용한다. Q/S 기반 문제해결식 뉴 3Rs 리터러시 교수학습 모형은 다음과 같은 교수학습 과정을 거치게 된다.

1. 문제점이나 목적에 맞는 읽기를 하면서 질문을 만들고, 또한 질문을 가지고 비판적으로 읽는다.

일반적으로 사람들은 문제를 해결하기 위해 정보를 찾고, 질문에 답을 찾고자 인터넷 자료를 읽는다. 초등학생들도 문제해결과 질문에 답을 찾고자 할 때 인터넷을 뒤지고 읽게 된다. 중요한 것은 초등학교 주제통합 교과목 학습에서 교사가 어떤 문제나 질문을 제시하는가에 따라 학습자를 인터넷 탐색과정에 적극적으로 참여시킬 수 있다. 또한 학습자는 읽기 목적에 맞는 어떤 궁금증과 문제를 갖는가에 따라 인터넷 읽기 활동에 몰입 정도가 달라질 수 있다. 뿐만 아니라 학습자가 이러한 문제를 어떻게 구축하며, 제기된 문제나 질문이 디지털 매체 정보를 통해 어떻게 이해되고 해결되는가가 뉴 리터러시 교수학습 과정에서 매우 중요하다. 결국 문제해결을 위한 탐구읽기 과정을 이끌기 위해 어떤 질문이 주어져야 하는지가 Q/S 기반 문제해결식 뉴 3Rs 리터러시 교수학습 과정에서 중요한 핵심이다.

Q/S 기반 문제해결식 뉴 3Rs 리터러시 교수학습 과정을 성공적으로 이끌기 위해 가장 중요한 시작은 효과적인 탐구읽기 활동을 이끌 질문을 제시하는 능력과 전략을 교수학습 과정에 녹여내는 것이다Leu, Reinking, Carter, Castek, Coiro, Henry, Malloy, Robbins, Rogers & Zawilinski, 2007. 이러한 점에서 디지털 매체 정보 읽기를 초등학교 리터러시 교육에 접목하는 뉴 리터러시 교수학습 과정에서 요구되는 능력과 전략에 대해 구체화할 필요가 있다. 전통적 인쇄 매체 정보 읽기 리터러시에 관한 연구Taboada & Guthrie, 2006에서도 질문으로 시작된 읽기는 그렇지 않은 읽기와는 중요한 면에서 다르다는 연구가 있었다. 디지털 매체기반 읽기 리터러시 교수학습 활동은 항상 질문과 문제제기로 시작한다는 사실은 디지털 매체 기반 리터러시와 인쇄 기반 리터러시 사이에서 중요한 차이가 될 수 있다.

2. 적정한 정보 위치 추적과 문제에 대한 올바른 정보를 찾기 위한 협업적 탐색 읽기를 한다.

인터넷에서 문제에 대한 답을 찾기 위해 어떤 정보탐색 엔진을 사용할 것인가를 결정하는 일은 매우 중요하다. 뉴 리터러시 교수학습에서 디지털 매체 정보 읽기의 또 하나 특징은 찾고 있는 인터넷 정보 위치를 추적하는 능력이다. 초등학교 주제통합 교과목 학습에서 제기된 문제나 궁금한 질문들에 대한 답을 찾기 위해 적정한 디지털 매체 정보 위치를 추적하고, 올바른 정보를 찾아내는 일은 뉴 3Rs 리터러시 교육에서 디지털 매체 읽기가 갖는 또 다른 특징이다.

적정한 정보 위치추적을 위한 탐색읽기 단계에서는 어떠한 탐색 엔진을 사용하고, 탐색 엔진 결과에서 어디를 읽어야 하는지 등 찾고자 하는 정보에 맞는 링크를 하고, 정보 위치추적을 위해 웹페이지를 빨리 읽는 능력이 필요하게 된다. 이러한 탐색 읽기 능력은 디지털 매체 읽기 리터러시 교수학습 과정에서 체득되어야 하는 중요한 읽기 능력들이다. 사실 초등학생들은 이러한 능력이 많이 부족할 수 있다. 탐색 엔진을 사용하는 학생들 중에도 탐구 검색 결과를 어떻게 읽어야 하는지를 아는 학생은 그다지 많지 않다. 초등학생들이 데이터를 읽어보기 위해 마우스를 클릭하여 정보를 찾고 추적하는 것을 잘 하지 못하면 디지털 매체 정보 읽기 리터러시 전 과정에서 병목현상을 일으킬 수 있다Henry, 2007. 이러한 이유에서 협업적 탐구전략이 필요하다.

적정한 정보를 찾기 위해 정보에 대한 위치추적을 잘하는 디지털 매체 정보 리터러시 기술을 가진 사람은 특정한 문제나 질문과 관련된 정보를 다른 사람들보다 많이 읽기 때문에 더 쉽게 문제해결을 할 수 있다. 사실상 정보를 찾고 추적하는 디지털 매체 정보 읽기 리터러시 활동은 인쇄 매체 읽기와 비슷한 읽기 수행을 이끈다. 하지만 인쇄 매체 읽기활동에서는 정보를 찾기 위한 정보 양에 상당한 제약이 있다. 반면에 디지털 매체 읽기를 위한 뉴 리터러시 능력을 소유한 사람은 무한한 정보를 추적함으로써 문제해결을 위해 필요한 정보를 끊임없이 읽고 평가해낼 수 있게 된다. 이러한 정보 추적 능력을 갖지 못한 사람은 필요한 정보탐색을 할 수 없게 되므로 뉴 리터러시 교수학습 탐구과정의 진행이 막히게 된다. 문제에 답을 찾기 위해 많은 정보를 읽지 못해 문제해결을 해내지 못하면 뉴 리터러시 과정뿐 아니라 전통적 리터러시 과정에서도 유사한 형태의 수행부족 현상을 갖게 된다. 따라서 뉴 3Rs 리터러시는 협업적 탐구과정을 강조한다.

3. 찾은 정보에 대해 다양한 질문과 비판적 사고로 평가하며 읽는다.

디지털 매체 정보 읽기에 필요한 또 다른 능력은 비판적 평가능력이다. 비판적 평가는 인쇄 매체 책 읽기 때도 중요한 읽기 능력 중 하나이다. 하지만 디지털 매체 정보 읽기에서는 훨씬 더 중요하다. 인터넷상에서는 누구든 아무나 무엇이든 출간할 수 있다. 읽기활동에서 작가의 편견 이나 입장, 그리고 시대적 배경 등을 알고 이해한다는 것은 메시지 이해나 리터러시 학습에 매우 중요하게 작용한다. 디지털 매체 정보에 대한 뉴 리터러시 환경에서 무작위로 제공된 정보를 비판 적으로 평가할 수 있는 능력은 뉴 리터러시 교육에서 매우 중요한 능력이며 전략이다.

인터넷 환경에서 작가의 편견이나 입장을 추적해내는 일은 인쇄 매체 읽기 리터러시 활동을 통해 얻지 못하는 미래형 읽기 리터러시 능력이며 전략이다. 예를 들어, 학습자가 링크한 사이트 에서 정보를 만들었던 사람에 대해 연결하는 방법을 알고 있다는 것은 매우 중요한 뉴 리터러시 능력이다. 왜냐하면 작가나 저자에 대한 정보는 추적해서 찾아낸 정보의 신뢰성에 대한 비판적 평가를 가능하게 해주기 때문이다. 디지털 환경에서 무한정한 정보들에 대해 비판적 평가를 해내 는 능력은 많은 사이트에서 제공되는 서로 다른 정보들로부터 정보의 신뢰성을 가려내고 점검하 는 방법을 안다는 것과 같다. 뉴 리터러시 학습활동을 올바르게 익히지 못한 학생들은 결국 이러 한 정보평가능력을 갖고 있지 못하게 된다Leu, et. al., 2007.

4. 다양한 분야의 정보를 넘나들며 통합하여 창의적 정보로 재구축하여 소통한다.

디지털 매체 정보에 대한 뉴 리터러시 능력 중 가장 두드러진 것은 다양한 정보를 통합하여 자신의 버전으로 재창조해내는 능력이다. 그리고 문제해결 과정에서 다양한 분야의 정보를 넘나 들며 동료들과 협업하며 비판적 사고와 문제해결식 융합적 탐구과정을 거치면서 재구축된 정보를 다양한 소셜 네트워크 기술을 활용해 다른 사람과 소통하는 자신의 스토리로 바꿔준다. 디지털 매체 읽기 리터러시를 통한 소통방식은 자신의 생각을 정리하여 다른 사람에게 전달하는 쓰기 리터러시 능력을 갖추는 일이다. 이러한 소통 능력은 전통적 인쇄 정보 리터러시 활동에서도 필요한 능력이다. 하지만 전통적 인쇄 매체 읽기는 문자 기반 글쓰기 활동이 주를 이루지만, 디지털 매체를 활용한 소통방식은 문자 외에 사진, 그림, 동영상, 등 다양한 매체 형식을 통한 창의적 쓰기활동을 이끈다.

뉴 3Rs 리터러시 교육은 다양한 매체 읽기를 하는 동안 학생들은 문제에 대한 질문을 가지고 동료들과 협업하며 비판적 읽기를 하게 된다. 이때 학생들은 문제해결을 위해 다양한 영역의 정보를 넘나들며 동료 친구들과 협업하며 다양한 매체지식을 공유하고 통합하는 융합적 탐구과정을 경험하면서 자신의 생각을 재구성하여 자신의 스토리로 표현해내는 창의적 쓰기로 이끈다. 이러한 점에서 뉴 3Rs 리터러시 교육은 디지털 시대에 걸맞은 다양한 매체 읽기 리터러시 활동을 통해 학생들의 비판적 사고력, 융합적 탐구력, 그리고 창의적 표현력을 길러줌으로써 21세기 시대가 요구하는 창의·융합적 인재를 길러내는 초등학교 뉴 리터러시 교수학습 방법의 차세대 모델이라 할 수 있다.

02. 뉴 3Rs 리터러시 교수학습 모형 개발 II

> 뉴 3Rs 리터러시 교수학습은 학생중심의 비판적 사고와 협업적 탐구활동을 통해 창의적 표현활동으로 지식의 사회적 능력이 길러진다.

초등학교 교실수업에는 다양한 학생들이 있다. 공부 잘하는 수행 능력이 뛰어난 학생도 있고, 공부가 뒤떨어지는 수행 능력이 뒤떨어진 학생도 있다. 음악과 미술에 소질이 있는 학생이 있는가하면 수학과 과학에, 또는 언어영역에 흥미를 보이는 학생도 있다. 21세기 미래 교육은 이렇게 다른 학생들을 동일하게 만드는 교육이 아니라, 서로 다른 학생들을 서로 다른 학생으로 길러내는 수월성 교육이 필요하다. 다양한 학생 개개인들이 자신의 잠재된 소질과 능력에 적정한 교육을 받을 수 있는 기회를 제공하여 학생 개개인들이 성공의 경험을 통해 목표에 도달하도록 지원하는 교육이 되어야 한다. 조성미2012는 뉴 리터러시 학습은 '학생 개개인의 잠재력을 최대한 개발하는 데 필요한 기회를 균등하게 제공하려는 노력'이 있어야 한다는 점을 강조하였다. 이를 위해서는 학생 개개인의 흥미와 관심, 학습 방식에 따라 교수방법도 달라야 한다. 하지만 초등학교 주제통합 교실 수업에서 이렇듯 학생들의 차이를 인정하는 교육은 그리 쉽지 않다.

뉴 3Rs 리터러시 교수학습 모델은 PISA 읽기 리터러시 평가나 미국의 CCSS에서 요구한 세계시민으로 성장하는 데 필요한 가장 기본이 되는 뉴 읽기 리터러시 능력을 갖추도록 이끌어주는 교수학습 형태이다. 특히 이 모델은 학생들을 현 수준보다 한층 더 높은 성취수준으로 이끌기 위해 학습자 수준, 흥미나 관심에 따라 학습자들의 다양성을 인정한 교수학습 형태라 할 수 있다. 뉴 3Rs 리터러시 교수학습 모델이 학생들의 뉴 리터러시 교육을 위해 가장 적정한 모델이라는 당위성을 설명하기 위해 몇 가지 사항을 살펴보고자 한다.

뉴 3Rs 리터러시 교수학습에서 가장 중심이 되는 초등학교 읽기 리터러시 스킬과 전략을 어떻게 교수학습해야 하는가 하는 점이다. 인쇄 매체 읽기와 디지털 매체 정보 읽기를 통합하는 뉴 3Rs 리터러시 교수학습 과정에서도 초등학교 교과학습에서 가장 기본이 되는 인쇄 매체 읽기 리터러시 전략과 스킬이 기본적으로 필요하다. 이러한 점에서 뉴 3Rs 리터러시 교수학습 방법을 이해하기 위해서는 먼저, 기존의 인쇄 매체 읽기 리터러시를 가르치는 데 가장 효과적인 교수학습 방법에 대한 연구들을 리뷰해볼 필요가 있다. 인쇄 매체 읽기 리터러시 학습을 위해 가장 실질적이고 효과적인 모델은 상보적 교수학습Reciprocal Teaching이라고 할 수 있다Brown & Palincsar, 1989.

상보적 교수학습 모델은 다음과 같은 핵심요소와 특징을 보인다Leu, 2010.

- 전통적 인쇄기반 텍스트를 사용하며 읽기 리터러시 학습을 한다.
- 일상에서 흔히 접할 수 있는 담화형식의 텍스트를 통해 읽기를 한다.
- 소규모 그룹 학생들이나 읽기가 부진한 학생들을 주로 가르치는 협업적 모델이다.
- 읽기 리터러시 학습에 필요한 전략과 기술에 대해 교사가 모델링을 한다.
- 예견하고, 질문하고, 명확화하고, 요약하는 읽기 전략에 초점을 둔 모델이다.
- 학생들이 협업적 읽기전략을 사용할 때 교사들은 책임감에서 점점 멀어지게 된다.
- 상보적 교수모델에 참가하는 모든 참가자들 사이에는 협조와 토의가 있다

인쇄 매체 읽기를 위한 상보적 교수학습 모델은 중재환경intervention setting에서 일관성 있게 수행될 때 학생들의 읽기 리터러시 능력을 꾸준히 증가시킨다는 많은 연구들이 있다Alfassi, 1998; DeCorte, Vershaffel & Van De Ven, 2001; Fung, Wilkinson & Moore, 2003. 특히 Rosenshine과 Meister1994는 상보적 교수학습은 학생들의 읽기 리터러시 능력에 일관성 있게 상당히 긍정적인 영향을 미쳤다는 것을 보여주었다.

인쇄 매체 읽기에서 상보적 교수학습 모델은 교사와 학생들은 소규모 그룹 활동으로 텍스트에 대해 질문과 답을 하면서 읽기 리터러시 전략을 선보인다. 읽기 리터러시 전략을 연습하는 동안 읽기학습의 책임감은 점점 학생에게로 전이된다. 학생들은 자신들이 읽을 것에 대한 문제를 만들고, 문제를 해결하기 위해 읽은 것을 보다 더 잘 이해하기 위해 교사가 보여준 메타 인지 전략을 사용하기 시작한다. 인쇄 매체 읽기 리터러시 과정이 진행되는 동안 학생들은 자기 주도적

self-regulated으로 의문을 갖고 궁금증에 답을 찾아가는 새로운 뉴 읽기 리터러시 환경으로 변화한다Cooper, Boschken, McWilliams & Pistochini, 2000.

　　뉴 3Rs 읽기 리터러시 교수학습 모델은 바로 이러한 상보적 교수학습 모델의 변형으로 변화해가는 교수학습 환경을 반영한 모델이다. Leu와 Reinking2005도 학생들이 인터넷상에서 읽기를 잘하도록 준비시키기 위해 먼저 중학교 영어수업과 중학교 과학수업Leu, et. al., 2005에서 상보적 교수학습 모델의 진행을 연구하였다. Leu와 Reinking2005의 상보적 교수학습 모델은 읽기 리터러시 능력이 우수한 학생과 읽기 리터러시 능력이 뒤처진 학생들을 서로 섞은 소그룹 학생들이 읽기 리터러시 학습과정에 참여하는 협업적 학습으로 이끌어진다. 하지만 이러한 상보적 교수학습 모델을 초등학교 주제통합 리터러시 학습에서 적용한 연구는 지금까지 거의 없다.

　　본인은 앞으로 초등학교 주제통합 학습에서 소그룹 학생들을 대상으로 상보적 교수학습 모델에 기반을 둔 뉴 3Rs 교수학습 모델을 적용하고자 한다. 하지만 뉴 3Rs 리터러시 모델은 인쇄 매체 리터러시 교육을 위한 상보적 교수학습 모델을 한층 발전시킨 초등학생들에게 맞는 협업적 교수학습 모형이다. 특히 인쇄 매체 리터러시 교육을 위한 상보적 교수학습 모델과 디지털 매체 리터러시 교육을 위한 디지털 상보적 교수학습 모델을 통합한 Q/S 기반 문제해결식 뉴 리터러시 교수학습 형태라 할 수 있다.

　　뉴 3Rs 리터러시 교수학습 과정을 거치면 학생들은 자신의 언어지식, 화용지식과 배경지식에 대한 경험이 점점 정교해진다. 뉴 3Rs 리터러시 교수학습 과정에서 훈련될 수 있는 능력들은 다음과 같다.

뉴 3Rs 리터러시 교수학습 과정에서 훈련되는 능력과 전략

뉴 3Rs	전략	뉴 리터러시 과정	성과
읽기 (Reading) ↓ 탐구하기 (Researching) ↓ 쓰기 (wRiting)	Q/S 기반 협업적 문제해결식 탐구과정을 통한 비판적 사고와 창의적 표현력	문제제기	학습자 흥미나 관심에 따른 문제 찾기와 질문 만드는 능력
		정보접근	필요한 정보를 찾기 위해 검색하고 접근하는 능력
		정보관리	관련 청보를 확인하고 조작하는 능력
		정보통합	정보를 요약, 비교, 대조하고 해석하는 능력
		정보평가	정보의 품질, 관련성, 유용성을 판단하는 능력
		정보생성	기존정보를 편집, 적용, 재구성하여 새 정보와 통합하여 새 정보를 생성하는 능력

뉴 3Rs 리터러시 교수학습 모델은 기존의 상보적 교수학습 모델에서 많은 요인들이 수정되었다. 책 내용에만 국한되어 학습활동이 이루어지던 상보적 교수학습 모델은 질문에 답을 찾는 디지털 매체 정보 읽기 리터러시 학습을 연결하면서 인쇄 매체 정보와 디지털 매체 정보 읽기 환경 간의 통합한 뉴 3Rs 리터러시 교수학습 모델로 한층 발전되었다.

Leu, et. al.2005의 상보적 교수학습 연구는 수행능력이 높은 중학교 학생들에게 적용하여 효과를 보여준 교수학습 모델이었다. 인터넷 사용의 연령층이 점점 낮아지고 있음에도 불구하고 상보적 교수학습 모델을 초등학교에 적용한 연구는 거의 없다. 뉴 3Rs 리터러시 교수학습 모형은 초등학교 주제통합 학습과정에서 수행능력이 높은 학생과 낮은 학생이 하나의 그룹에 속하면서 생각말하기 활동을 통해 동료티칭peer teaching이 이루어지는 협업적 학습자 주도 형태이고, 동시에 뉴 리터러시 교사들의 요구나 지원도 수렴하는 절충적 초등학교용 뉴 리터러시 교수학습 모델이라 할 수 있다. 무엇보다 뉴 3Rs 리터러시 교수학습 모델은 읽기 리터러시 과정을 통해 비판적 사고, 융합적 탐구과정, 그리고 창의적 표현능력을 이끌기 위한 목적으로 개발되었다.

이미 인터넷 환경에 익숙한 초등학생들은 인터넷이 가능한 디지털 기기를 가지고 교실수업에서 뉴 3Rs 리터러시 교수활동에 참여하도록 이끌어진다. 왜냐하면 뉴 3Rs 리터러시 교수학습 활동에서는 디지털 기기에 익숙한 학생들이 무선 인터넷 접속이 가능하도록 컴퓨터나 모바일 폰이라도 가져야 하는 것이 중요하기 때문이다. 이 교수학습 활동은 초등학교 컴퓨터 랩실에서 교과목 주제관련 문제에 대해 인터넷 매체 자료를 읽는 그룹 활동과 비교해볼 때 시대변화가 반영된 한 단계 진보된 뉴 리터러시 교수학습 형태라 할 수 있다. 이 교수학습 형태는 초등학교 학생들이 컴퓨터 랩실을 사용하는 시간이나, 랩실 시간표 운영시간을 맞추는 일이나, 학생들이 랩실을 찾아 오고가는 시간들에 제약이 있던 불편함을 해소하고, 더불어 미래 유비쿼터스 환경을 대비한 뉴 리터러시 교수학습 모델로 진화해가는 형태라 할 수 있다. 이러한 이유 때문에 뉴 3Rs 리터러시 모델에서는 학생들이 자신의 랩톱 컴퓨터나 모바일 폰을 가지고 무선 인터넷 연결이 가능한 곳이 필요하다.

기존의 교과서 기반 상보적 읽기 리터러시 교수학습 모델과 뉴 3Rs 리터러시 교수학습 모델 간 또 다른 차이점이 있다. 먼저, 두 모델에서 사용되는 텍스트를 보면, 기존의 교과서 기반 상보적 교수학습 모델은 전통적 인쇄 매체 정보 읽기로, 담화형식의 인쇄기반 텍스트를 사용하곤 했다. 반면에, 뉴 3Rs 리터러시 교수학습 모델은 교과서와 디지털 매체 자원을 통합하는 멀티 매체 정보 텍스트를 활용한다. 그래서 뉴 3Rs 리터러시 교수학습 모델 수업에서는 기존의 교과서 텍스트 기반 교수학습 모델과는 다른 폭넓은 학습 기회와 도전이 주어진다. 초등학교 읽기 자료는 일반적으로 스토리 북 같은 담화문 형식이 대부분이다. 하지만 뉴 3Rs 리터러시 교수학습 모델은 담화문이나 정보전달식 설명문 텍스트expository texts 등의 다양한 논픽션 텍스트가 주어지며, 다양한 주제통합 교과서와 인터넷 매체 정보자료를 결합하는 융합적 교수학습 활동을 요구하게 된다.

뉴 3Rs 리터러시 교수학습 모델의 읽기 자료선택은 학습자가 궁금해 하고 학습자가 호기심을 갖는 구체적이고 특별한 주제나 어휘를 갖게 되므로 학습자에게는 보다 도전적인 교수학습 형태가 된다. 무엇보다 인터넷 매체 텍스트는 인쇄 매체 교과서 텍스트에서는 가능하지 않은 다양한 멀티미디어 디지털 기술과 자료로 읽기 리터러시 능력을 폭넓고 다양하게 지원한다. 특히 학생들은 자신이 관심 있고 흥미 있는 주제관련 디지털 매체 자료들을 직접 찾고 읽을 수 있다. 따라서 학생들은 디지털 매체 텍스트 안에 내포된 잠재된 특성을 효과적으로 탐험하기 위해 자신의 수준이나 성향에 맞는 보다 새로운 읽기 리터러시 스킬과 전략을 요구한다. 그래서 뉴 3Rs 리터러시 교수학습 모델에서는 인쇄 매체 교과서 기반 읽기 리터러시 전략과 기술 이상의 고차원적인 비판적 사고력, 융합적 탐구력과 창의적 표현력을 이끌 수 있다.

인쇄 매체 교과서 기반 상보적 읽기 교수학습 활동에서는 학생들이 쭉 읽어가는 직선형linearly 텍스트를 읽는다Palincsar & Brown, 1984. 하지만 뉴 3Rs 리터러시 교수학습 모델에서는 인쇄 매체 텍스트뿐 아니라 디지털 매체 정보를 사용한다는 특성 때문에 학생들은 개인별 하이퍼링크hyperlinks를 하거나 개인의 흥미나 관심사에 따라 독창적인 텍스트 데이터를 구축할 수 있다. 따라서 인터넷 매체 정보 읽기를 통한 뉴 3Rs 교수활동에서 읽기수업은 학생들 자신이 관심 있는 텍스트를 찾아 항해하면서 일상의 텍스트 읽기와 특별한 교수학습 과정 둘 모두에 초점을 두는 뉴 리터러시 학습이 된다.

또한 두 모델의 교수학습 과정을 보면, 뉴 3Rs 리터러시 교수활동에서 교사와 학생들은 질문을 공유하고 답을 찾기 위해 어떤 링크links가 질문과 가장 관련이 있는지를 생각말하기thinkaloud 활동을 통해 서로 공유한다. 학생들은 다른 웹사이트에서 효율적인 정보를 어떻게 찾았는지, 멀티 텍스트에서 아이디어를 어떻게 종합할지, 그리고 질문에 대한 답을 어떻게 잘 표현할지를 생각말하기를 통해 동료와 협업적 학습을 한다. 어떤 사이트를 읽을 것인가에 대한 선택을 공유하고, 그런 사이트들에 대해 어디에서부터 읽을지, 추가 정보를 얻기 위해 다음에는 어떤 링크를 어떻게 할지, 그리고 새로운 찾기를 언제할지 등에 대한 협업활동을 통해 선택들이 주어진다. 그리고 학습자는 이 과정에서 자신들의 생각을 정리해간다.

인쇄 매체 교과서 기반 상보적 읽기 리터러시 전략에 대한 교사의 모델링과 뉴 3Rs 리터러시 교수학습 전략에 대한 교사와 학생의 상호작용 모델링을 비교하면 다른 차이가 있다. 인쇄 매체 교과서 읽기를 하는 상보적 교수활동의 핵심 요소는 읽기를 하는 동안 교사가 읽기 리터러시 전략을 모델링하는 것이다. 하지만 디지털 매체 정보 읽기를 하는 뉴 3Rs 리터러시 교수활동에서 교사는 학생들의 협업적 참여를 이끄는 질문을 제공한다. 그 외에도 인쇄 매체 읽기를 하는 상보적 교수학습 모델과 인쇄 매체 읽기와 디지털 매체 읽기를 통합한 뉴 3Rs 리터러시 모델은 다음과 같은 서로 다른 특징을 보인다.

	Leu, et. al. (2005)의 상보적 교수학습 모델	뉴 3Rs 리터러시 교수학습 모델
대상	중학교 7학년	초등학교 4~6학년
인터넷 환경	랩실 컴퓨터	무선 인터넷이 사용 가능한 곳 **랩톱 컴퓨터나 모바일 폰**
텍스트	인쇄 매체 정보 텍스트(교과서)	멀티 매체 정보 텍스트 (인쇄 매체 교과서 + 디지털 매체 정보)
	담화문 형식의 픽션	담화문과 설명문의 논픽션
	직선형 텍스트	**개인별 하이퍼링크 된 독창적 텍스트**
문제제기	교사가 제시하거나 교과목 관련 주제	학습자의 호기심, 흥미, 관심, 궁금 사항
학습능력	이해력과 암기력	비판적 사고력, 융합적 탐구력과 창의적 표현력 질문에 답을 찾는 협업적 문제해결능력
리터러시 전략	읽기 전략에 대한 교사의 모델링 이해력 강화 읽기 리터러시 전략	생각말하기를 통한 상호작용 탐구적이며 비판적인 디지털 읽기 리터러시 전략 질문, 협업과 피드백 전략

특히 뉴 3Rs 리터러시 교수학습 활동에서 학생들은 탐구적이며 비판적인 디지털 매체 읽기 리터러시 전략을 소유하고 있다. 하지만 교사들에게는 그러한 디지털 매체 읽기 리터러시 전략들이 때때로 익숙하지 않은 것일 수도 있다. 그리고 학생들은 읽기 리터러시 학습의 중심이 된다. 뉴 3Rs 리터러시 교수학습 활동에서는 학생 자신들이 탐구활동의 중심이 되어, 학생자신이 중요한 읽기 리터러시 스킬을 가진 전문가로서 다른 사람들과 탐구 자료를 공유하고 서로를 돕는다. 이러한 협업적 문제해결 방식이 뉴 리터러시 교육의 귀중한 교육적 혜택이라 하겠다Coiro, 2007.

뉴 3Rs 리터러시 학습과정에서 학습자의 기여를 칭찬해주고 격려해주는 것은 학습자의 참여 학습을 더욱 증가시킬 수 있다. 뉴 3Rs 리터러시 교수학습 과정에서는 인쇄 매체 교과서 기반 읽기 리터러시 학습에서 수동적이거나 수행능력이 뒤처진 학생들도 자신의 일상과 관련한 문제제기를 하게 된다. 그리고 이들은 인터넷을 통해 자료를 찾아내는 디지털 매체 읽기 리터러시 과정에서는 도리어 선도 학습자로서의 역할을 하는 경우가 종종 관찰되기도 한다.

인쇄 매체 교과서 기반 상보적 리터러시 교수학습 모델과 뉴 3Rs 리터러시 모델 사이에는 기본적인 읽기 리터러시 전략에 현저한 차이가 있다.

인쇄 매체 교과서 기반 상보적 교수활동	디지털 매체 정보 기반 뉴 3Rs 리터러시 교수활동	
예견하기 질문하기 명시화하기 요약하기	예견하기 질문하기 명시화하기 요약하기 **+**	질문을 이해하기 인터넷 정보위해 질문사용하기 비판적 평가하기 정보 종합하기 디지털 매체 활동으로 소통하기

인쇄 매체 교과서 기반 상보적 교수활동은 예견하고, 질문하고, 명료화하고, 요약하는 4가지 기본 읽기전략을 강조한다. 반면에 뉴 3Rs 리터러시 교수활동은 인쇄 매체 교과서를 기반으로 한 상보적 학습활동에 사용된 전략도 포함하지만, 질문을 이해하고, 인터넷 정보를 찾기 위해 질문을 사용하고, 비판적으로 평가하고, 정보들을 통합하고 소통하는 미래형 읽기 리터러시 전략에 더욱 초점을 둔다. 특히 뉴 3Rs 리터러시 교수활동에서는 이 전략뿐만 아니라, 디지털 매체 정보 리터러시를 위해 필요한 메타 분석meta-analysis과 같은 고차원적 사고 전략을 사용한다Rosenshine & Meiter, 1994.

뉴 3Rs 리터러시 교수학습 과정에서는 교사의 책임감을 감소시키며 학생들의 뉴 리터러시 효과를 증대시키는 다음과 같은 3가지 특징을 보인다.

먼저, 디지털 매체 읽기 리터러시 교수학습 과정에서는 인터넷 사용에 대한 기본 기술 및 전략을 자연스럽게 익히게 된다. 왜냐하면 학생들의 인터넷 사용은 학생들의 뉴 리터러시 교수학습 활동의 일부가 되기 때문이다. 둘째, 학생들끼리 상보적 그룹 활동이나 동료티칭 같은 협업적 학습 활동을 통해 디지털 매체 읽기 리터러시 전략을 직접 경험하게 된다. 마지막으로, 뉴 3Rs 리터러시 교수학습 과정은 질문으로 시작한다. 이어 학생들이 탐구읽기 학습과정을 거치는 동안 서로 협력하며 자신의 생각을 표현하는 기회를 갖게 된다. 특히 뉴 3Rs 리터러시 전략에서 가장 유용하게 보이는 것은 교과서 읽기와 인터넷 읽기를 하는 동안 여러 단계의 생각말하기 활동을 통해 학생들은 협조, 토론과 논의에 참여하게 된다. 이러한 과정을 통해 학생들은 읽기 리터러시 전략들을 완전히 이해하게 된다. 그리고 학생들의 사고과정은 점점 강화된다Palincsar & Brown, 1984.

뉴 3Rs 리터러시 교수활동은 다양한 매체 환경에서 새로운 전략들질문하기, 비판적 읽기, 탐구읽기, 쓰기 등을 사용함으로써 학생들은 자신만의 독특한 호기심과 잠재성을 이용하게 한다. 또한 질문을 가지고 다양한 인터넷 매체 읽기를 함으로써 비판적 사고력, 융합적 탐구력과 문제해결력이 강화된다. 이러한 뉴 리터러시 교수학습의 협업적 탐구과정을 통해 학생들은 건강한 배움의 경험을 갖게 되고, 이때 얻은 지식과 경험을 자신의 일상생활과 연계하고 적용하면서 지식의 사회적 능력을 갖추게 된다.

03. 뉴 3Rs 리터러시 교수학습 3가지 접근방법

뉴 3Rs 리터러시 교수학습은 수준에 따라 서로 다른 절충식 접근방법을 취한다.

　　뉴 리터러시 수업에 대한 연구는 초등학교 주제통합 교과 교실수업에 중요한 의미를 제공한다. Kist2007는 교실수업의 교수학습 환경에서 뉴 리터러시 학습이 어떻게 이루어지는지를 관찰하였다. 뿐만 아니라 전통적인 인쇄 매체 리터러시 수업에 디지털 매체 뉴 리터러시를 통합 시도하는 교사들의 교실수업 실례를 보여주었다. 이러한 연구에 근거하여 본서는 뉴 리터러시가 우리나라 초등학교 주제통합 수업현장에서 어떻게 접목되고 조화를 이룰 수 있을까 라는 질문에 답을 제시하고자 한다.

　　Leu, Coiro, Castek, Hartman, Henry, Reinking2008은 디지털 매체 리터러시 환경과 인쇄 매체 리터러시 환경의 차이점을 인식하고 교실수업에서 인터넷 매체에 대한 상보적 교수학습 모델을 적용해보는 연구를 시작했다. 이는 인터넷 매체 리터러시 스킬을 교실수업에서 어떻게 사용하는지를 보여준 연구이다. 이 연구는 다음과 같은 몇 가지 중요한 점을 확인시켜주었다. 먼저, 인터넷 매체 읽기 리터러시 교육을 위한 상보적 교수학습 모델에서, 학생들은 그룹 활동과 토의를 하는 동안 모바일이나 PDF, 또는 개인용 랩톱으로 인터넷을 사용하면서 그룹 구성원들과 논의하는 상보적 전략을 사용한다는 점을 보여주었다. 그리고 인터넷 매체 읽기 리터러시를 위한 인터넷 상보적 교수Internet Reciprocal Teaching 활동에서는 인쇄 매체 텍스트 읽기에서보다는 학생들이 다양하고 색다른 학습전략을 사용한다는 점을 구체적으로 보여주었다. 예를 들어, 교사와 학생, 또는 학생들 간 생각말하기think-aloud를 통해 학생 자신들이 스스로 질문을 선택한다는 점을 보여준다. 학생들은 디지털 매체를 활용하면서 정보를 어떻게 효과적으로 찾을 것인지, 다양한 인터넷 매체 텍스트를 통해 아이디어를 어떻게 통합하는지, 정보의 질이나 정보를 제공한 저자의 수준을 어떻게 판단할지, 그리고 질문에 답을 어떻게 잘 표현 할 것인지 등에 대해 생각말하기 활동으로 논의하는 것을 관찰하였다.

특히 Sinclair와 Coulthard1975는 교실수업에서 교수학습 방법에 관한 세 가지 모델을 제시한다. 교실수업에서의 3가지 교수학습 모델은 Lyster2007와 비슷한 분류로 교사 주도적 모델과 학생 중심 모델, 그리고 교사와 학습자가 협조하는 절충적 모델이다. 디지털 매체 읽기 리터러시를 위한 상보적 교수학습에 대한 Kist2007의 연구는 디지털 매체 읽기 리터러시 학습에서 나타날 수 있는 여러 가지 문제점을 해결하고자 다음과 같은 교수학습 전략의 사용을 제안한다.

첫째, 인터넷 사용에 관한 기본기술과 전략을 전체 수업활동에 포함해야 한다.

둘째, 디지털 매체 읽기 리터러시 전략에 대해 동료들과 상호 교류하는 상보적 그룹 활동을 포함해야 한다.

셋째, 다른 반 학생들이나 심지어 세계 다른 지역의 학생들과도 협력하면서 디지털 매체를 통해 질문에 답을 찾는 문제해결 전략을 사용해야 한다.

이 연구들에 따르면, 학생들은 교사가 제시하거나 학생 스스로 만든 질문과 관련된 정보에 접근해서 비판적 사고를 통해 지식을 재창조하는 글로벌 생산자가 된다. 때때로 그들은 면대면으로 만날 수 없는 사람들과도 소통하면서 문제해결을 하는 사회적 스킬을 익힌다. 또한 문제해결을 위한 탐구학습을 운용하기 위해 더 많은 책임이 필요하다는 점도 이해한다. 학생들은 학교를 사각 시멘트벽으로 둘러싸인 공간으로 인식하지 않고 열린 글로벌 소통 센터로 인식한다는 점을 확인시켜준다.

Kist2007의 상보적 교수학습 연구결과에 근거한 뉴 3Rs 리터러시 교수학습 모형은 인쇄 매체 리터러시와 디지털 매체 리터러시를 통합하면서 한 단계 발전된 상보적 교수활동 스킬과 전략을 초등학교 주제통합 리터서시 수업에 적용한 문제해결식 교수학습 방법이라 할 수 있다. 이러한 문제해결식 교수학습 방법은 다음과 같은 5단계 과정을 따른다.

1) 탐구문제를 생성한다. (어떤 점이 궁금한가요?)
2) 정보를 찾아 추적하게 한다. (궁금증을 풀기 위해 무엇을 어디서 알아봐야 할까요?)

3) 정보를 비판적으로 평가한다. (정보가 올바른 것인지 어떻게 알 수 있나요?)

4) 정보를 통합한다. (찾은 정보를 통합하고 정리해서 요약해보세요)

5) 학생들 사이에 정보를 소통한다. (요약내용에 자신의 의견을 담아 표현해보세요)

위와 같은 5단계 교수학습 과정에서 사용될 수 있는 뉴 3Rs 리터러시 교수학습 과정은 우선, 학생들이 주제통합 교과목 학습에서 자신의 삶과 연결한 문제점이나 궁금한 점에 대한 질문을 갖고서 비판적 읽기를 하게 된다. 이때 학생들이 제기한 문제에 답을 찾는 문제해결식 협업적 탐구읽기 활동이 효과적으로 이루어지도록 교사는 단계적 질문을 제공하거나 학생 스스로 끈질기게 질문을 만들면서 비판적 읽기를 하도록 유도해야 한다. 이 때 교사나 학생자신이 만든 단계적 질문에 따라 단계적 탐구읽기 활동이 진행된다. 그리고 학생들은 질문과 관련된 디지털 매체 자료를 탐색하고, 해석하고, 평가하기 위해 팀원들과 생각말하기를 통한 문제해결식 협업적 탐구 활동을 한다. 이러한 과정에서 학생들은 비판적 읽기를 통해 얻은 지식을 통합하여 자신의 글쓰기로 재창조해낸다. 이러한 뉴 3Rs 리터러시 교수학습 과정을 거치는 동안 학생들은 자신만의 미래형 교수학습 전략 패턴을 형성하게 된다.

디지털 매체 사용 연령이 점차 낮아짐에 따라 질문을 통한 문제해결식 상보적 교수학습 활동을 초등학교 주제통합 학습에 적용하는 것은 의미 있는 연구가 될 것으로 보인다. 이러한 점에서 질문을 통한 문제해결식 뉴 3Rs 리터러시 교수활동에 대한 구체적 교수학습 모형 개발이 가능해졌다. 초등학교 주제통합 교과에서 질문을 통한 문제해결식 뉴 3Rs 리터러시 교수학습 과정을 진행하는 동안 학생들이 어떻게 뉴 리터러시 기술과 전략을 사용하는지를 관찰할 수 있다. 그리고 교사와 학생들의 인터뷰를 통해 초등학생들의 뉴 3Rs 리터러시 전략사용이 어떻게 구조화되는지도 관찰할 수 있다. 특히 초등학교 주제통합 학습에서 무엇이 가르쳐지고 어떻게 가르쳐지는지를 체계화 할 수 있다.

뉴 3Rs 리터러시 교수학습 과정은 인쇄 매체 읽기 리터러시 활동과 디지털 매체 읽기 리터러시 활동을 통합하면서 질문을 만들고, 질문에 답을 찾아가는 탐구읽기 과정을 통해 자신만의 창의적 글로 소통하도록 이끈다. 뿐만 아니라, 뉴 3Rs 리터러시 교수학습 과정을 통해 학생들이 어떻게 언어지식과 교과목 내용을 통합하며, 학문적 참여를 증가하는지를 관찰할 수 있다. 특히 학생들이 질문에 답을 찾는 탐구읽기 활동을 통해 얼마나 학습자 주도적이고 적극적으로 읽기와 쓰기를 하는지, 그리고 질문에 대한 문제해결을 위해 디지털 매체 읽기 리터러시 능력이 얼마나 발전할 수 있는지도 보여줄 수 있다. 뉴 3Rs 리터러시 교수학습 모델은 문제해결을 위한 정보 찾기 과제를 통해 다양한 리터러시 전략을 적용하도록 단계적 교수학습 지원이 제공될 것이다.

뉴 3Rs 리터러시 교수학습 과정을 거치면서 학생들은 비판적 사고력, 융합적 탐구력과 창의적 표현력을 갖추게 된다. 뉴 3Rs 리터러시 교수활동에서 보여준 학습과정의 패턴은 학생들이 동료 간이나 교사와 학생 간 단계적 질문뿐 아니라 다양한 협업적 지원이 필요하다. 뉴 3Rs 리터러시 교수학습 전략지도에 대해 학습자 주도의 교수학습이 되기 위해서는 교사의 책임을 줄이는 교수학습으로 이끄는 것이 중요하다. 니체Friedrich Nietzsche가 말했듯이 어느 날 나는 것을 배운 사람은 먼저 일어서고, 걷고, 달리고, 오르고 춤추는 것을 먼저 배워야 한다. 어떤 사람도 처음부터 날 수 있는 사람은 없다. 이처럼 뉴 3Rs 리터러시 교수학습 과정이 학습자 주도적이 되기 위해서는 학습자의 리터러시 능력언어지식, 배경지식, 화용지식에 따라 단계적 지원의 정도를 조정하는 3단계 교수학습 접근전략이 필요하다.

뉴 3Rs 리터러시 교수학습이 온전한 학습자 주도적 과정이 되기 위해서는 학생들의 리터러시 능력에 따라 교사의 단계적 지원을 점차 줄이고 학습자의 책임을 증가해가는 3단계 접근전략이 있어야 한다.

1단계는 교사 주도적 접근이다. 뉴 리터러시 능력이 초급수준의 학생들에게는 교사가 주도하는 Q/S 기반의 뉴 리터러시 교수학습에 참여하게 한다. 학생들은 주제통합 교과수업을 하면서 일상적인 것들과 가장 근본적인 인터넷과 컴퓨터 기술을 익히기 위해 교사에 의해 설계된 교사 주도 수업에 참여한다. 이 때 교사는 명시적으로 뉴 3Rs 리터러시 교수학습 과정을 절차적으로 모델링한다. 먼저, 교사는 학습자 수준에 맞도록 주제와 관련하여 문제를 제기하거나 질문을 제시한다. 학생들은 소그룹으로 논의하면서 교사의 질문에 답을 찾아가는 탐구적 교수학습 과정을 따르게 된다. 이러한 탐구활동 과정에서도 교사는 학생들의 탐구활동을 돕기 위해 교사가 주도하는 단계적 질문을 제시하며 학생들의 탐구읽기 과정을 이끈다. 이때 교사의 단계적 질문에 학생들은 서로 협업적으로 그룹 활동을 하면서, 뉴 3Rs 리터러시 교수학습 과정으로 설계된 문제해결식 탐구읽기 활동에 적극적으로 참여한다. 질문으로 이끌어지는 문제해결식 뉴 3Rs 리터러시 교수학습은 근본적으로 읽기 리터러시 스킬과 전략이 강조된다. 예를 들어, 문장을 읽는 언어지식뿐 아니라, 랩톱을 다루고, 컴퓨터를 열고 닫고, 멀티 윈도우롤 조정하는 인터넷 사용을 위한 기본 리터러시 스킬 등도 강조된다. 뿐만 아니라 언어학습과 교과학습이 자연스럽게 통합되는 주제통합 리터러시 교수학습도 이루어지게 된다. 특히 영어교과 학습에서는 본격적인 뉴 리터러시 활동에 앞서, 해독decoding이 강조되는 문장 읽기를 위한 지식, 기술과 전략 사용을 강조한다. 해독능력이 가능한 학생들에게는 본격적으로 내용학습을 위한 교사가 읽기 리터러시 교수활동을 주도한다. 먼저 교사가 질문을 제기하고, 학생들이 질문에 답을 찾기 위해 인터넷을 통해 정보 찾기, 정보 분석하기, 정보 평가하기, 정보 표현하기 등의 인터넷 매체 리터러시 교수학습 활동이 이루어진다. 이때 교사는 학습자가 단계별 질문에 적정한 답을 찾아 읽고, 정보를 분석하고, 통합하고, 요약하고, 재정리하는 과정에서 경험을 통해 학습된 지식에 대해 점검한다. 그리고 마지막에는 그날 수업에 참여한 학생들이 무엇을 배웠고, 자신의 삶에 적용할 수 있는 방법에 대해 표현해보는 실습을 한다. 교사주도의 문제해결식 뉴 3Rs 리터러시 교수학습 모델을 정리하면 다음과 같다.

1) 교사가 직접 교과목 주제관련 문제를 제시한다.
2) 교사는 학생들이 인터넷 매체를 통해 비판적 탐구활동을 하도록 질문을 제시한다.
3) 교사의 질문에 따라 학습자들은 그룹 활동으로 생각말하기를 통해 질문에 답을 찾는 협업적 인터넷 탐구활동을 한다.
4) 교사가 이끄는 방식으로 인터넷 탐구활동을 통해 얻는 자료를 요약하고, 질문의 답을 정리한다.
5) 교사가 제시한 질문에 그룹이나 개인적으로 정리된 답을 자신의 삶에 적용할 수 있는 창의적 생각을 글로 표현한다.

두 번째는 협업적이나 절충적 접근이다. 문제해결식 뉴 3Rs 리터러시 교수학습 과정이 교사와 학생 간 협조적으로 학습활동이 이루어지는 절충식 Q/S 기반 뉴 리터러시 교수학습 모델을 말한다. 뉴 3Rs 리터러시 교수학습에서 교사는 학생들에게 뉴 리터러시 전략들이 언제 어떻게 가장 유용할 수 있는지 모델을 보여주기도 한다. 그리고 뉴 3Rs 리터러시 전략을 소개함으로써 학생들과 책임을 공유하기 시작한다. 이 때 뉴 3Rs 리터러시 수업은 주제통합 교과목 수업에서 학생들과 토의 같은 상보적 협업학습을 통해 문제나 질문을 함께 만든다. 특히 문제제기는 초등학교 주제통합 교과목 교육과정의 표준이나 목표에 적합하며, 뉴 3Rs 리터러시 교수학습에 따라 뉴 리터러시 기술과 전략을 학생들로부터 이끌어내기 위해 질문식 교수학습 활동이 설계된다.

이 단계는 교사가 모델 제시 후 학습자가 비슷한 과제수행을 스스로 할 수 있도록 이끄는 절충식 교수학습 과정을 따른다. 또는 교사와 학생이 상보적 협의를 통해 문제를 함께 만들거나, 교사는 학생들이 답을 찾는 과정을 도와주는 조력자 역할로서 단계적 지원을 제공하는 모델이다.

예를 들어, Kist2007의 상보적 교수학습 연구에서는 교사가 그룹들에게 3가지 문제를 제시하고 인터넷을 통해 문제에 답을 해결하도록 한다. 예를 들어, '한라산'이라는 주제에 대해 수업한다면, 1)한국에서 한라산은 얼마나 높은지, 2)이 같은 질문에 또 다른 답을 찾도록 한다. 3)어떤 답이 가장 정확한지, 4)그리고 왜 그렇게 결정하는지에 대해 논의하면서 답을 찾도록 한다. 각 그룹 학생들은 이 같은 문제해결을 위해 어떻게 시작해야 할지를 논의하고, 정보를 찾고, 찾은 정보를 비판적으로 평가하기 위해 읽기 리터러시 전략 사용에 대해 생각말하기를 하면서 협업 학습으로 해결책을 찾아간다. 이 때 교사는 학생들의 문제해결 과정에서 어려움에 부딪히거나 문제해결 방안을 찾지 못하고 있을 때 개입하여 질문이나 단서를 주어 문제해결 방법을 이끌어낸다. 이 모델은 교사가 문제를 제시하거나 또는 학생들과 서로 협업적 논의과정을 거치며 문제에 답을 찾는 교사 주도와 학습자 주도가 결합하는 모델이라 할 수 있다.

뉴 3Rs 리터러시 수업에서 절충적 모델은 교사의 말을 최소화 하도록 하고, 학생들이 문제에 답을 찾는 과정에 참여하는 시간을 극대화하도록 이끌어야 한다. 이 때 교사와 학생들은 주제통합 교과목 수업에서 주제와 관련해 궁금한 점이나 문제점에 대해 논의한다. 그리고 협의과정을 거쳐 문제를 도출하고 학생들은 그룹 활동을 통해 정보를 찾을 위치를 정하고, 정보를 비판적으로 평가하고, 정보들을 통합하면서 자신의 생각을 정리하여 창의적 아이디어를 표현하는 데 초점을 맞춘다. 특히 다양한 디지털 소통도구(예를 들어 이메일, 블로그, 위키스, 구글 등)를 뉴 3Rs 리터러시 교수학습 활동에 적용하고 멀리 있는 다른 사람들과도 소통하도록 한다. 뉴 3Rs 리터러시 교수학습에서 협력적 절충 모델은 교사와 학생들이 협력하여 구조화된 질문을 만들고, 이를 탐색하는 과정에서 실질적으로 배움을 경험하고 도움이 필요할 때 교사가 조력자로서 문제해결 과정에 도움을 준다. 이때 교사는 직접 답을 제공하기보다 질문을 통해 학생들이 스스로 문제점을 인식하고 해결하도록 유도하는 방식을 취한다. 교사는 가능한 한 학생들이 디지털 매체 정보를 읽고 표현하는 지식과 숙련도를 갖추도록 이끈다.

뉴 3Rs 리터러시 교수학습의 협업적 모델을 정리하면 다음과 같다.

1) 교사와 학생이 협의하에 자신의 일상과 연계한 주제관련 문제를 만든다.
2) 문제해결과정을 그룹끼리 협업한다.
3) 조력자로서 교사의 도움을 받으며 인터넷 탐색을 한다. 이때 교사는 답을 주기보다 질문으로 학생들의 협업적 탐구읽기 과정을 돕는다.
4) 조별이나 학습자가 인터넷을 탐색하는 과정, 학생들이 얻는 자료를 요약하고, 정리하는 과정을 지켜보며 질문을 통해 협업하게 한다.

5) 학습자들이 협업적 그룹 활동이나 개인적으로 정리된 답을 자신의 삶에 적용할 수 있도록 창의적 생각을 글로 표현하게 한다.

마지막은 학생 주도적 접근이다. 뉴 3Rs 리터러시 교수학습은 학생들 스스로가 Q/S 기반 뉴 리터러시 교수학습을 이끄는 모델로서 학생들은 자신의 일상생활과 연계된 주제관련 질문을 만드는 것부터 시작한다. 학생 주도적 접근은 초등학교 주제통합 교과교육과정과 자신의 삶과 연계된 주제에 대한 질문을 학생들이 직접 만든다. 뉴 3Rs 리터러시 교수학습 활동은 개인적으로나 소그룹으로 이루어지고, 교사는 학생들이 스스로 만든 질문에 답을 찾기 위해 인터넷 매체 자료를 효과적으로 활용하는지 지켜본다. 학생들은 주제통합 교과목 수업에서 학생 스스로 질문을 만들고, 질문에 답을 찾는 과정에 디지털 매체를 활용하면서 문제해결의 기회를 갖게 된다. 학생들은 인터넷을 통해 찾고, 비판적 사고로 평가한 자료를 다른 학생들과 소통할 수 있게 통합하고, 요약하고 재작성 한다. 이 과정은 Kist2007 연구에서 학생들이 분석하고 통합하여 추려낸 정보를 수업에서 상보적으로 다른 팀원들과 공유하던 협업활동과 비슷하다. 교사는 학생들에게 뉴 3Rs 리터러시 교수학습을 지원하는 방향에서 조력자 역할을 최소화한다. 그리고 교사는 학생 자신의 생각을 여러 곳에 있는 다른 학생과도 협업하고 공유하며 소통할 수 있도록 다양한 SNS를 활용하도록 돕는다.

학생들은 주제통합 교과교육과정과 자신의 삶과 연계된 주제관련 질문을 개발하고, 질문에 답을 찾기 위해 디지털 매체 읽기를 통해 다양한 읽기 전략을 적용하는 동안 비판적 사고력을 갖게 된다. 특히 다양한 정보를 추적하면서 왜 그 자료가 질문에 옳은 것인지를 서로 공유하고, 문제해결을 위해 인터넷을 사용하는 전략도 협의를 통해 자연스럽게 습득하게 된다. 특히 문제해결을 위해 다른 사람들과 정보를 공유하며 협업하는 소통능력도 길러진다. 이점에서 학생들은 주제통합 교과학습에서 탐구읽기를 통해 건강한 배움의 경험을 갖게 되면서 주도적 교수학습이 얼마나 중요한가를 깨닫게 된다. 처음에는 훈련이 되지 않아 질문을 만드는 자체도 힘들고, 왜, 어떤 질문을, 어떻게 만들어야 하는지조차도 어려워 할 수 있다. 따라서 처음에는 어떤 질문을 하고, 인터넷에서 어떻게 자료를 찾고, 평가하고, 통합하고, 소통하는지를 이해하는 것이 중요하다. 그리고 나면 점차 이러한 정보를 얻고 자신의 생각을 세상과 공유하고 소통하며 세상을 바꾸는 의견을 만들어낼 수 있다는 참여적 학습능력과 창의적 표현능력을 갖추게 되면서 자신감을 갖게 된다.

특히 학습자들은 생각말하기 활동으로 상호작용을 통해 협력하고 토론하며 문제를 해결해나가는 교수학습 전략을 사용한다. 학습자의 수준이나 인지능력이 점차 향상되면서 뉴 3Rs 리터러시 교수학습 활동은 간단한 읽기 리터러시 과제에서 점차 복잡한 과제로 발전해갈 수 있다.

　　학습자 주도적 뉴 3Rs 리터러시 교수학습 모델을 정리하면 다음과 같다. 예를 들어, 처음에는 단순한 특정 인터넷 웹페이지에서 정보를 찾기 위해 훑어보고 난 후, 정밀하게 이를 검토하는 기술과 전략을 기를 수 있다. 인터넷 매체에서 구체적 정보에 대해 학생들끼리 논의를 하는 것은 학생들이 교과서 한 페이지에 있는 정보를 구체화하도록 이끄는 교수학습의 특성과 비슷하다. 특히 이러한 활동은 학생들끼리 이루어지는데, 학생들은 생각말하기 활동으로 디지털 매체의 웹페이지를 보다 정밀하게 검토하는 방법과 명료화하는 전략을 공유하게 된다. 그리고 다른 웹페이지에 있는 비슷한 자료를 찾아 공유함으로써 내용을 점검하는 전략도 학생들끼리 협업하며 공유하게 된다.

1) 학생들 스스로 또는 학생 간 협업을 통해 주제관련 문제를 만든다.
2) 문제해결과정에서 그룹끼리 협업하고 논의한다.
3) 질문에 답을 찾는 인터넷 탐색을 한다. 학생들이 도움을 요청할 때까지 교사는 과정을 지켜본다. 도움 요청이 있는 경우 질문을 제공하여 스스로 답을 찾도록 유도한다.
4) 조별이나 학습자가 협업 학습을 통해 인터넷을 탐색하고, 학생들이 얻는 자료를 요약하고, 정리한다.
5) 협업적 그룹 활동이나 개인적으로 정리된 답을 자신의 삶에 적용할 수 있도록 창의적 생각을 글로 표현한다.

　　하지만 학습자 주도적 교수학습 활동의 문제점은 인터넷 매체 웹사이트에 대한 저자의 신뢰성과 타당성을 어떻게 조사하고 평가하는지에 관한 것이다. 이를 위해 학생들에게 질문을 통해 저자의 신뢰성과 타당성, 그리고 인터넷 사이트의 신뢰성을 평가해내는 전략을 갖추도록 이끌어야 한다. 특히 정보가 발견된 웹사이트에 있는 추가 페이지를 전략적으로 살펴보고, 이어 정밀 검토하도록 이끌어줌으로써 학생들이 인터넷 매체 정보에 대한 올바른 평가능력을 갖추도록 도와준다.

　　학습은 교사가 하는 것이 아니라 학생들이 해야 한다. 그러기 위해서는 학습의 책임을 누가 가지는가는 매우 중요하다. 뉴 3Rs 리터러시 교수학습은 학습에 대해 교사의 책임을 줄이고 학생이 학습의 책임을 갖는 수업을 이끌게 된다.

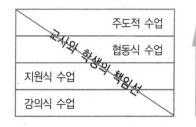

뉴 3Rs 리터러시 교수학습에서 교사의 책임의 전이

주도적 수업	학생이 혼자 책임 (학생주도)
협동식 수업	학생들 간 상호 책임 (협조적)
지원식 수업	교사와 학생이 상호 책임 (절충적)
강의식 수업	교사가 책임 (교사주도)

교사와 학생의 책임선

    질문을 활용한 Q/S 기반 문제해결식 뉴 3Rs 리터러시 교수학습은 학생들이 문제에 관한 정보를 찾고자 할 때 교사는 학생들이 웹사이트에서 정보를 신속하게 찾도록 도와줄 수 있다. 특히 검색 엔진을 어떻게 작동하는가에 대한 교사의 질문을 통해 디지털 매체 정보 읽기 리터러시 능력에 대한 다양하고 새로운 전략을 배울 수 있게 된다. 예를 들어 학생들에게 주제 중심어를 좁히도록 하는 전략이나, 같은 주제에 대해 구체적인 정보를 찾아 수정할 수 있도록 비슷한 중심어를 사용하는 전략, 그리고 중심어를 효과적으로 찾고 결합하는 전략을 사용하여 또 다른 특별한 정보를 찾는 기회를 제공할 수 있다.

    교사와 학생들이 질문을 만들어 답을 찾아가는 문제해결식 뉴 3Rs 리터러시 탐구읽기 과정과 그 결과를 만들어내는 뉴 리터러시 교수학습 전 과정은 질문과 생각말하기 활동을 이끌어낸다. 특히 Q/S 기반 문제해결식 뉴 리터러시 교수학습은 학생들이 어디서 읽고, 어떻게 신뢰적인 사이트를 찾아야 할지에 대해, 그리고 어떻게 자료선택을 하는지에 대해 스스로 경험을 통해 체득하게 된다. 학생들이 보다 더 다양한 웹사이트를 여행하며 더 많은 디지털 정보를 더 많이 읽도록 이끄는 교수학습 전략이 중요하다. 그리고 학생들은 중요한 정보를 요약하고, 분석하고, 통합하고 평가한 정보를 다른 사람에게 설명하고 대화하는 협업활동에 많은 시간을 할애하도록 해야 한다. 뉴 3Rs 리터러시 교수활동은 아이디어를 웹사이트에서 조직화하는 전략에도 초점을 둔다. 또한 이 활동에는 모아진 데이터와 멀티미디어 자료들을 통합하고 요약하는 전략, 그리고 편집하는 전략, 특정 독자를 위한 메시지를 구성하고 적절한 소통 툴을 선택하는 전략도 경험을 통해 자연스럽게 익히게 된다.

    뉴 3Rs 리터러시 교수학습은 인쇄 매체 리터러시 전략과 디지털 매체 리터러시 전략을 병행하는 과정을 거치면서 디지털 매체 리터러시 교수학습에서도 전통적인 리터러시 전략이 더 충실하게 필요하다는 점을 알게 된다. 게다가 디지털 매체 읽기 리터러시 활동에서는 학습자 주도로 IT 정보기술을 활용한 리터러시 전략을 추가로 사용한다. 이렇듯 뉴 리터러시 교수학습에서는 전통적인 리터러시 전략이 매우 중요함에도, 초등학교에서 이루어지는 뉴 리터러시 교육은 읽고 쓰는 전통적 리터러시 교육이 이루어지지 못한 상태에서 ICT 컴퓨터를 도입하는 데만 초점을 맞추는 수업이 이루어지고 있는 실정이다. 뉴 3Rs 리터러시 교수학습에서 중요한 점은 전통적인 읽고 쓰는 리터러시 능력이 충실한 상태에서 뉴 리터러시 수업이 이루어져야 한다는 점이다. 다시 말해, 전통적 리터러시가 제대로 이루어지지 않은 상태에서는 뉴 리터러시 교수학습도 제대로 이루어질 수 없다는 말이다. 뉴 3Rs 리터러시 교육이 제대로 이루어지기 위해서는 전통적 3Rs 리터러시 스킬에 4Cs 교수학습 방법과 전략이 뉴 리터러시 교수학습 전 과정에 녹아났을 때 가능해진다. 왜냐하면 PISA 2015나 미국의 CCSS도 사회적 네트워크가 중요해지면서 뉴 3Rs 리터러시 교육도 지식의 사회적 능력에 초점을 두는 협업적 교수학습 전략을 요구하기 때문이다. 뉴 3Rs 리터러시 교수학습은 학습자의 일상생활과 연계된 주제관련 문제에 대해 정보를 찾고, 검색하고, 통합하고 평가해서 자신의 삶과 관련된 다양한 답을 찾는 문제해결식 읽기 리터러시 교수학습 전략을 요구하기 때문이다.

뉴 3Rs 리터러시 교수학습은 학생들의 관심에 따라 다양한 답들이 많이 나올 수 있으므로 교사의 역할이 더욱 중요하게 된다. 그럼에도 학습자 자신에게 재미있고, 흥미롭고, 즐거운 것, 즉 학습자 자신이 좋아하는 것을 탐구하게 되는 진정한 학습자 주도적 교수학습 과정이며 전략이 요구된다. 이렇듯 교사의 적절한 지원을 통한 학습자 주도적 교수학습의 묘미는 인쇄 매체 학습에서는 경험할 수 없는 건강한 배움의 경험이며 재미다. 결국 뉴 3Rs 리터러시 교수학습 모델은 학생들이 비판적 사고로 융합적 탐구과정을 거쳐 창의적 표현으로 사회와 소통하는 세계 시민의식을 교실수업에서 체득하도록 이끄는 교수학습 방법이다.

Unit 02.
뉴 3Rs 리터러시 핵심은 궁금해 하는 Questioning

01. 뉴 3Rs 리터러시 교수학습 질문전략
02. 뉴 3Rs 리터러시 교수학습 피드백 전략
03. 스토리 동화 읽기에 적용한 뉴 3Rs 리터러시 교수학습 질문전략

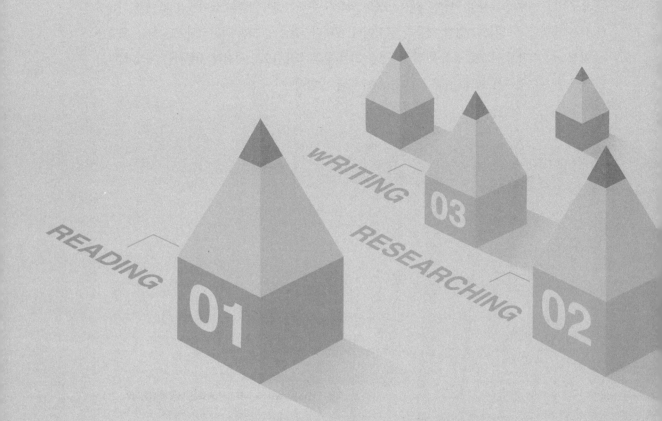

01. 뉴 3Rs 리터러시 교수학습 질문전략

잘 물어야 잘 읽을 수 있다.

　뉴 3Rs 리터러시 교수학습은 초등학교 주제통합 교과 리터러시 학습에서 다양한 매체 정보인 쇄 매체나 디지털 매체 정보를 비판적 사고로 읽어 창의적 소통을 구현해내는 학습자 주도적 학습을 이끌고자 한다. 이를 위해 초등학교에서 뉴 3Rs 리터러시 교수학습을 효과적으로 이끌기 위해서는 조력자로서 교사의 교수학습 지원이 매우 중요하게 작용한다. 초등학교 뉴 3Rs 리터러시 교수학습 모델에서 적극적이고 주도적인 학습자의 뉴 리터러시 교수학습 활동을 위해 교사의 '질문'은 매우 중요한다. 교사의 질문은 학생들이 읽어야 할 목적과 이유를 주어 학습동기를 갖게 하기 때문이다. 또한 이는 학습내용의 방향을 알려주고 학생들이 왜, 무엇을, 어떻게 해야 한다는 학습의 내비게이션 역할을 해준다. 뿐만 아니라 문제에 부딪힐 때 단서나 실마리가 되어 학생들이 스스로 혼자 문제를 해결할 수 있도록 도와준다. 교사가 제시해주는 질문은 학습활동을 시작하게 하는 힘이고 학습을 이끄는 표지판signpost이 되기도 하며, 학습의 방향과 길을 안내하는 내비게이션이기도 하고, 학생들을 격려하고 칭찬하는 보상이 되기도 한다. 교사가 제시한 질문을 보면서 학생들은 주도적 리터러시 학습을 하는 과정에 스스로 끊임없이 질문을 만들며 답을 찾는 과정을 배우게 된다. 그래서 질문은 뉴 3Rs 리터러시 교수학습의 핵심이다.

　뉴 리터러시 코칭 과정에서 교사가 학생들의 뉴 리터러시 교수학습 활동을 지원하기 위해 사용하는 다양한 질문유형p. 84들을 목적에 따라 효과적으로 사용하는 2가지 질문전략이 필요하다. 하나는 학습자의 탐구활동에 동기부여를 최대화할 수 있는 유도질문표지판 같은 질문 등 전략이

뉴 3Rs 리터러시 교수학습에서 질문유형

교수학습 과정	질문유형	
	유도 질문	지원 질문
1) 질문하기	O	O
2) 읽기	O	O
3) 탐구하기	O	O
4) 쓰기	O	O
5) 소통하기	O	O

고, 다른 하나는 각 단계별 교수학습 활동을 효과적으로 이끌기 위해 학습자가 자신의 잠재력과 사전지식을 끌어내어 문제해결 능력을 극대화할 수 있도록 이끄는 지원질문절차적 질문, 정리요약 질문, 성공적인 질문 등 전략이다. 따라서 이 두 가지 질문방식을 전략적으로 사용함으로써 학습자는 비판적 사고능력, 융합적 탐구 능력과 창의적 소통능력을 기를 수 있다. 두 가지 질문유형은 뉴 3Rs 리터러시 전 과정에서 상황에 따라 적절히 사용될 수 있다.

첫 번째는 학생들의 학습동기를 부여하고 탐구활동을 유도하기 위한 목적으로 여러 상황에서 사용되는 유도질문 전략이다. 뉴 3Rs 리터러시 교수학습의 시작은 학습자가 인터넷 탐구활동에 주도적으로 참여할 수 있도록 동기부여 하는 데 있다. 유도질문은 뉴 3Rs 리터러시 교수학습 활동의 시작뿐 아니라 각 단계마다 학습의 처음 도입부분에서 학생들을 동기부여 할 때마다 사용된다. 특히 인터넷에서 탐구활동은 일반적으로 학습자가 궁금한 사항이 있을 때 하는 활동이다. 뉴 3Rs 리터러시 교수학습 첫 단계인, '어떻게 학습자를 동기부여 하는가'에서부터 학생들이 인터넷 탐색활동을 주도적으로 참여할 수 있도록 읽고, 탐구하고, 쓰고, 소통하는 뉴 리터러시 교수학습 전 과정에서 유도 질문은 매우 중요하다. 이러한 유도 전략과 방법을 찾아내는 것이 뉴 리터러시 교사들의 핵심역량이라 할 수 있다. 무엇보다 초등학생들에게 특정한 주제나 관심분야에 호기심, 흥미, 재미나 필요를 갖도록 동기부여 시키는 강력한 방법으로 '유도 질문'hooking question 전략은 매우 효과적일 수 있다.

두 번째는 학생들이 교수학습 과정 중 문제해결에 대한 어려움을 겪고 있다거나, 교사에게 도움을 청할 때, 학생들이 주도적으로 문제를 해결할 수 있도록, 그리고 주어진 질문에 답을 스스로 찾도록 힌트나 실마리를 제공하는 지원질문 전략이다. 학생들이 뉴 3Rs 리터러시 교수학습 단계별 과정읽기-탐색-쓰기을 거치는 동안 교사는 뉴 리터러시 교수학습 전 과정에서 각 단계마다 학습자가 효과적인 학습활동을 수행할 수 있도록 단계별 활동을 지원하는 '단계별 지원질문'scaffolding question을 제공한다. 이때 교사는 학습자의 수준, 연령, 지식 등을 고려하여 단계적 지원질문을 어떻게 제공하는지가 뉴 3Rs 리터러시 교수학습을 성공적으로 이끄는 데 지대한 영향을 미친다. 이를 위해 뉴 3Rs 리터러시 교사는 학습자 수준에 맞는 이해 가능한 질문을 제공하고 상호작용과 학습활동을 강화하여 학습자가 자신의 사전지식을 최대한 사용하여 학습자 스스로 문제해결을 할 수 있고, 자신의 생각을 창의적으로 표현할 수 있도록 단계적 지원질문을 제공하는 것이 무엇보다 중요하다.

따라서 뉴 3Rs 리터러시 교수학습은 교사와 학생, 학생 간 상보적 협조학습이 이루어질 수 있도록 2가지 질문을 적절하게 사용하여 학생들의 비판적 사고력, 융합적 탐구력과 창의적 표현력을 최대화하는 방안을 제시하고자 한다. 특히 질문을 통한 문제해결식Q/S 방식 : Question & Solution 교수학습 전략 사용은 21세기에 살아갈 초등학생들에게 비판적 사고력, 융합적 탐구력과 창의적 표현력을 길러주어 창의·융합적 인재육성STEAM을 위한 뉴 리터러시 교수학습에서 핵심이 되는 전략이라 할 수 있다.

학생들의 비판적 사고력, 융합적 탐구력과 창의적 표현력을 최대화하기 위해 뉴 3Rs 리터러시 교사가 학습 목적에 따라 어떻게 단계적 질문전략들을 제시할 것인가에 대한 연구도 필요하다. 왜냐하면 초등학교 주제통합수업에서 뉴 3Rs 리터러시 교수학습 모형의 성공여부는 바로 교사가 제공해줄 수 있는 질문전략에 달렸다고 해도 과언이 아니기 때문이다. Lindberg와 Hakansson1988 이 언급하듯이 학생들의 학습수행은 교사가 묻는 질문들에 반응하는 결과이기 때문이다. 뉴 3Rs 리터러시 교수학습에서는 Tardif1994가 제안한 닫힌 질문close–ended과 열린 질문open–ended 유형 모두를 사용한다. 그리고 이러한 질문들은 학생들의 수준이나 학습활동 전략에 따라 5가지 범주예/아니오 질문, 의문사 질문, 둘 중 하나 질문, 틀린 질문, 되묻기의 질문을 단계적으로 사용하면서 학생들의 문제해결을 돕는다김지숙, 2009.

학생들의 수준에 따라 제공하는 질문유형들 (출처 : 김지숙, 2009)

1. 예/아니오 질문(yes/no questions)

학생들의 수준에 따라 제공할 수 있는 질문유형 중 예/아니오 질문yes/no questions은 학생들이 문제해결을 전혀 하지 못하고 있는 경우, 교사가 직접 방법제시를 주기보다 단순하게 예/아니오 질문으로 일단 학생들의 참여나 반응을 끌어내기 위해 제시하는 질문유형이라 할 수 있다. 이는 유도질문에서나 지원질문 둘 모두에서 사용가능하다. 특히 예/아니오 질문은 초보 수준의 학생들이나 문제해결 능력이 부족한 학생들, 그리고 소극적인 수행을 보이는 학생들에게 교사 주도적으로 문제해결식 교수학습을 이끌어야 할 때 제공하는 질문전략이라 할 수 있다.

초등학교 주제통합 뉴 3Rs 리터러시 수업에서는 수준이 다른 학생들을 함께 이끌어가야 한다. 예/아니오 질문으로도 학생들의 참여를 끌어들이지 못하거나 스스로 문제해결 수행에 대한 의지를 보이지 않은 경우는 간단한 설명이나 기술을 하면서 지시를 주거나 모델을 보여 학생이 문제해결을 할 수 있도록 도와야 한다. 이때도 학생 스스로 문제해결을 할 수 있도록 이끌어야 한다. 하지만 수행능력이 부족한 학생들에게 교사는 조력자 역할로서 문제해결을 위한 모델을 보이거나 때로는 직접적인 제시가 이루어져야 한다.

예/아니오 질문전략이 다른 상황에 쓰이는 경우는 교사의 의문사 질문에 문제해결을 제대로 해내지 못한 학생에게 다시 자세히 설명하듯, 그리고 학생들이 텍스트 내용을 제대로 이해하는지를 확인하기 위해 예/아니오 질문으로 학생들의 문제해결을 위한 명확한 도움을 주어 학생들의 문제해결 수행을 최대화 하도록 유도한다. 예/아니오 질문은 부진한 학생들이나 소극적인 학생들에게 보다 명확한 설명식 질문을 주어 이들이 학습활동 수행에 적극적으로 참여할 수 있도록 유도하는 질문이다.

예/아니오 질문유형은 특히 초등 저학년에서는 상당히 의미 있는 질문유형이다. 왜냐하면 Lindberg와 Hakansson1988이 언급하듯 문제해결을 위한 탐구활동을 수행할 때 학생입장에서는 새로운 정보에 대한 이해가 필요하기 때문에, 이 경우 예/아니오 질문은 학생들이 학습활동에 보다 직접적인 지원을 받으며 문제해결의 힘을 갖게 되기 때문이다. 하지만 다른 한편으로는 예/아니오 질문은 학생들이 고개만 끄덕이는 것인지 혹은 정확히 이해하고 있는지를 점검하기 힘든 점이 있기도 하다. 특히 Swain1985이 지적하듯 예/아니오 질문담화는 학습자의 수행을 확인하지 못하는 단점이 있다. 따라서 학생들의 교수학습 활동이 점차 심화됨에 따라 학생들이 문제점이라고 여기는 것들에 대해 자신들의 의사나 의견을 명확히 묻고 대답하도록 유도하는 다른 형식의 질문을 추가 제공해주어야 한다.

2. 의문사 질문(wh-questions)

뉴 3Rs 리터러시 교수학습 과정의 질문전략 중 또 하나는 의문사 질문이다. 의문사 질문은 어느 정도 문제해결 수행을 진행하고 있는 학생이 어려움을 겪고 있을 경우 단서나 실마리로 의문사 질문을 주어 학생이 스스로 질문의 답을 찾아 문제를 해결해갈 수 있도록 지원 및 유도하는 질문유형이다. 언제, 어디서, 무엇을, 누가라는 보다 구체적인 질문으로 탐구과정에서 잘못하거나 놓치고 있는 점을 다시 상기시키고자 할 때 사용되는 질문이기도 하다. 다양한 수준의 학생들을 함께 이끌어야 하는 뉴 3Rs 리터러시 교수학습에서는 문제해결 능력이 아주 높은 학생들이라도 탐구활동은 학습자 자신의 흥미나 관심에 따라 수준에 맞게 수행되므로 높은 수준의 학생들에게도 보다 나은 교수학습 활동의 수행을 위해서는 의문사 질문이 효과적일 수 있다. 의문사 질문 중에는 무엇what, 누가who, 누구의whose, 언제when, 어디에서where, 그리고 어느 것which one처럼 구체적인 답을 찾을 수 있도록 보다 명확한 단서를 제공하여 문제를 해결할 수 있도록 지원 및 유도할 수 있다. 의문사 질문은 뉴 3Rs 리터러시 교수학습 활동에서 학생들의 문제해결 수행을 효과적으로 이끌기 위해 가장 흔히 사용하는 질문유형이라 할 수 있다.

또 다른 의문사 질문유형은 왜why나 어떻게how 같은 보다 고차원적인 사고, 즉 비판적이며 한 층 더 나아가 창의적인 발상으로 문제해결을 이끌기 위한 질문유형이다. 이는 일반적으로 탐구 활동을 잘 수행하고 있는 문제해결 능력이 높은 학생들에게 보다 고차원적인 창의적 해결을 이끌기 위한 질문전략이다. 이러한 질문은 탐구활동이나 쓰기활동의 후반부에 주로 제시되며 저학년 보다는 고학년에게 주로 사용하는 질문유형이다. 특히 뉴 3Rs 리터러시 교수학습 과정에서 우수한 학생들에게 질문을 하거나, 쓰기활동 후 피드백으로 탐구활동을 상기시키거나, 혹은 교수학습의 마지막단계에서 점검하고 확장하고자 사용되는 질문들이다.

3. 둘 중 하나 질문(either/or questions)

둘 중 하나 질문은 학습활동을 수행하고 있는 학생들이 해결방법을 잘 모르고 있을 때 선택적 단서를 제공하여 올바른 선택을 할 수 있도록 모델을 제공하고 도움을 주는 질문유형이다. 둘 중 하나의 질문은 초등학교 뉴 3Rs 리터러시 교수학습 과정에서 문제해결 능력이 낮은 학생들에게 답을 이끌어내고자 단서를 제공할 때 사용하는 질문유형이기도 하다. 이 질문들은 학습자의 수행능력에 따라 보다 다양한 모델이나 방법을 2개 중 선택에서, 또는 3개 중 선택으로 선택항목을 늘려 학생들의 의견을 점점 더 구체적으로 묻는 제시형 질문유형이다.

특히 둘 중 하나 질문을 사용하는 경우는 모든 학생들이 비슷한 과제수행을 하는 경우, 팀별 다양한 과제수행을 이끌고자 할 때나, 지나치게 다른 방향에서 목적과 다른 수행을 하고 있는 학생들에게 모델을 제공하여 올바른 과제수행을 이끌고자 할 때 사용한다. 특히 다른 팀들의 활동과 균형과 조화를 이루고자 할 때 예를 보여주며, 문제해결 방향을 잃지 않도록 확인시키고자 할 때 사용하는 질문유형이다. 또는 잘못된 과제수행을 하고 있는 학생들에게는 반대되는 예를 제시하여 비교할 수 있도록 기회를 제공하는 경우에도 사용한다. 교사들이 대체로 수행능력이 낮은 학생들에게 직접 답을 제시하기보다는 이것과 저것 중 선택 질문으로 제시된 사항을 학생이 선택하도록 기회를 주고자 할 때 사용하는 질문전략이다.

4. 틀린 질문(wrong questions)

교사가 학생들의 수행을 돕는 과정에서 틀린 질문을 제공하는 전략은 제대로 문제의 답을 찾도록 이끌기 위함이다. 예를 들면, 반대 단어나 내용과 다른 엉뚱한 질문을 제시하여 학생들의 내용이해에 여부를 확인하고자 할 때 사용한다Met, 1994. 틀린 질문은 전혀 엉뚱한 예를 제시하여 학생들이 교사가 제시한 것에 학생 자신들이 생각 없이 무조건 따라 하는 행위를 지양하기 위해 사용하는 질문전략이다. 그리고 학생들이 읽기나 탐구활동에 더 집중하고 긴장하여 해결하고자 하는 문제에 주목하고 있는지를 확인할 때 사용한다. 특히 의도적으로 게임처럼 틀린 질문을 주어 학생들이 스스로 잘못하고 있다는 점을 인식하도록 이끌고자 사용하기도 한다. 특히 교사가 틀린 질문을 사용하는 경우, 저학년 학생들은 교사의 실수를 보면서 재미있어 하며 학생들이 도리어 교사의 틀린 점을 교정해주며 학습에 적극적으로 참여하도록 이끌 수 있다. 또는 교사가 잘 모르는 듯 틀리게 질문하여 학생들 스스로 답을 찾도록 유도하고, 학생들이 적극적으로 리터러시 활동에 집중할 수 있는 동기를 부여하기 위한 활동으로 사용한다. 틀린 질문들은 궁극적으로 뉴 리터러시 교수학습 과정 중 학생들의 집중도를 높이고 학생들에게 마지막 선택을 할 기회를 준다.

5. 되묻는 질문(reversing questions)

되묻는 질문은 교사의 질문에 학생들이 동문서답을 하거나, 읽기나 탐구활동에 잘못된 이해를 하고 있을 때 학생들의 대답이나 행동을 되물어 스스로 잘못된 점이 무엇인지를 깨닫게 하도록 이끌고자하는 데 목적을 둔 질문유형이다. 학생들이 필요한 활동에 익숙해지도록 유도할 때나, 또는 비교나 대조되는 내용학습을 반복지도 해야 할 때 되묻기 질문유형을 사용한다.

되묻기는 처음에 예/아니오 질문형태로 묻지만 약간 차이를 두고 표정 등 비언어적 단서를 전략적으로 병행한다. 또한 수준이 다른 학생들의 적극적인 뉴 리터러시 교수학습 활동의 참여를 유도하고 스스로 문제해결을 찾도록 이끌어내고자 할 때, 한 학생이 한 질문을 다른 학생들에게 되물어 동료의 대답에서 자신의 잘못됨을 고치도록 동료티칭을 이끌어내는 질문 전략이다.

6. 신호나 제스처를 사용하는 유도전략(paralinguistic strategy)

뉴 리터러시 교사는 직접적인 답을 제시하기보다 학생들의 올바른 뉴 리터러시 활동을 위해 "무엇이에요?"What?, "그건 무엇이에요?"What is that?, "뭐라고 말했죠?"What did you say?, "아는 사람...?"Anybody know...? 같은 질문을 준다. 또한 교사는 마치 학생들의 말을 잘못 알아들은 척, 이해가 안 되는 척, 아쉬운 표정이나 몰라서 쩔쩔 매는 듯한 몸짓을 사용하는 신호 전략을 사용한다.

이 경우 학생들은 교사가 정말 몰라서가 아니라 학생 자신의 과제수행에 잘못이 있다는 점을 알리는 신호로 인식하여 제대로 답을 수정하는 시도를 보인다_{김지숙, 2009}. 또한 학생들은 교사의 이러한 신호를 정확히 해석하고, 교사가 무엇을 말하고자 하는지에 대한 내용을 잘 이해한다. 특히 학생들은 교사가 모르는 척하는 실수에 대해 아주 좋아하므로, 이러한 신호나 몸짓을 사용한 유도전략들은 학생들을 뉴 리터러시 교수학습 활동에 적극적으로 참여시킨다.

새로운 학습내용이나 탐구활동에서 학생들이 자주 발생하는 실수나 오류에 대해 이러한 신호전략을 사용한다. 교사가 사용하는 신호전략들은 주로 학생들의 실수나 잘못된 과제수행에 대해 '잘할 수 있는데 이번에는 뭔가 좀 아쉽다'는 듯 '아쉬운 표정이나 신호로 고개를 갸우뚱'하는 몸짓을 사용하거나, 교사가 '잘 모르는 듯, 학생들의 교정을 기다리는 듯 도와달라는 표정'을 짓기도 하고, 학생들이 자신의 잘못된 활동을 수정하는 경우 '손으로 이마에 땀을 닦는 듯' 또는 '엄지손가락을 세워' 잘 하고 있다는 몸짓을 보여주기도 한다.

교사의 다양한 질문이나 몸짓에 대해 대부분 학생들은 정확하게 교사의 의도를 해석하지만 때때로 그 신호들이 학생들에게 혼동을 일으키는 경우도 있다. 이 경우는 학생들에게 교사의 질문을 다시 반복하게 해보는 질문, "내가 뭐라고 했는지 말해줄 수 있나요?"_{Can you tell me what do I say to you?} 혹은 "내가 하라고 한 것을 다시 말해줄 수 있나요?"_{Can you tell me again what I ask you to do?} 등의 질문을 줌으로써 학생들이 교사의 도움을 제대로 이해하고 있는지를 확인할 수 있다. 그리고 제한된 시간 내에 학생들이 자신의 오류를 인식하도록 도와줄 수 있다. 왜냐하면 교사들은 학생들의 교수학습 능력이 어느 정도인지를 거의 알고 있기 때문이다.

질문 외에도 교사가 학생들에게 단계적 지원을 주는 다른 방법들이 있다.

1) 촉진하기 : 교사가 어떤 질문 할 것 같니?
2) 설명하기 : 기억해, 요약은 간추린 버전이지, 자세한 구체적인 모든 사항을 포함하지 않는단다.
3) 행동 수정하기 : 질문에 대해 답을 생각하기 어렵다면 먼저 요약을 해보는 게 어떨까?
4) 칭찬과 피드백 : 질문을 잘했다. 네가 원하는 정보가 뭔지 아주 분명하다.
5) 개선이 필요한 행동 모델링하기 : 묻게 되는 질문은 내기를 하는 것일지도 모른다.
6) 명시적으로 말하기 : 전략이란 읽고 있는 것을 이해하도록 도와주는 방법이란다. 전략이 있으면 읽기를 할 때마다 전략을 사용하게 될 것이다. 모든 정보를 읽을 때 전략을 실행해야 한다.

때로는, 특정 구문을 사용한 단계적 지원방식도 사용할 수 있다.

예견하기

- 내가 생각하기에는 _____
- 내가 궁금한데 _____.
- 내가 기대하는 건 _____.
- 나는 _____에 관해 호기심이 있는데.

명확히 하기

- 내가 좀 혼동되는데,

    난 이런 것다시 읽기를, 천천히 하기를, 그림이나 그래프를 보기를, 명확한 용어 등이 필요한데.

요약하기

- 내 말은 바로 _____란다.
- 중요한 점은 바로 _____란다.
- 전반적으로 _____란다.

뉴 3Rs 리터러시 교수학습에서 교사가 학습목적에 따라 제시한 다양한 질문유형은 학생들의 학습활동을 성공적으로 이끄는 데 매우 유용하다. 뉴 3Rs 리터러시 교사는 교수학습 활동을 설계할 때 무엇보다 학습목적에 따라 단계별 질문을 만드는 일에 보다 많은 시간을 투자해야 할 필요가 있다. 교사의 질문 제시 능력은 학생들의 학습활동에 모델이 되어 학생 스스로 읽고 쓰는 리터러시 활동을 하는 동안에 학생 스스로 끊임없이 질문을 만들면서 학습에 임하게 될 것이다. 학생이 만든 질문은 바로 학습동기이며 적극적인 참여 학습의 엔진이며 원동력이 된다. 결국 교사나 학생이 만든 질문의 수준이 바로 뉴 3Rs 리터러시 교수학습 과정에서 읽기, 탐구하기, 쓰기활동의 수준이라 해도 과언이 아니다. 그래서 질문을 잘하는 학생은 강력한 공부 엔진을 갖게 되어 공부 잘하는 학생이 될 수 있는 것이다.

02. 뉴 3Rs 리터러시 교수학습 피드백 전략

잘 묻고 잘 피드백 주면 학생들은 공부를 더 잘할 수 있다.

　　뉴 3Rs 리터러시 교수학습은 디지털 지식 정보화시대에 다양한 매체 정보를 비판적으로 읽고, 디지털 세상에 전시된 여러 분야의 정보를 넘나들며 융합적 탐구과정을 통해 문제의 답을 찾고, 자신의 생각을 담아 창의적으로 표현하여 소통하도록 이끌어준다. 이 같은 뉴 3Rs 리터러시 교수학습 과정을 효과적으로 이끌기 위해 사용되는 첫 번째 전략은 학생들이 비판적 읽기활동, 융합적 탐구활동, 그리고 창의적 쓰기활동에 적극적으로 참여하도록 문제제기를 하는 질문전략이다. 이러한 질문전략은 학생들의 고차원적 사고능력과 세상과 소통하며 살아가는 데 필요한 기본적인 리터러시 능력을 길러주는 뉴 리터러시 교육의 핵심 전략이라 할 수 있다. 뉴 3Rs 리터러시 교수학습의 또 하나의 전략은 학생들의 뉴 리터러시 교수학습 활동을 격려하고 지원하는 적절한 피드백 전략이다. 질문과 적절한 피드백을 이용한 뉴 리터러시 교수학습 전략은 초등학생들의 읽기활동, 탐구활동, 쓰기활동을 게임을 하듯 문제해결 방식으로 이끌기도 한다. 특히 적절한 피드백 전략은 학생들의 사고력뿐 아니라 자신감과 잠재력을 이끌어준다. 학생들이 뉴 3Rs 리터러시 학습과정을 거치는 동안 학생들의 수준과 수행방법에 따라 적절한 질문과 피드백을 제공함으로써 초등학생들의 비판적 사고력, 융합적 탐구력과 창의적 표현력을 길러주어 창의 · 융합적 인재를 육성하는 것이 뉴 3Rs 리터러시 교육학습의 목적이다.

　　교사가 잘 묻고 적절한 피드백을 제공해주어야 학생들이 더 잘 읽고, 더 잘 탐구하고 더 잘 쓰게 되어 뉴 3Rs 리터러시 교수학습은 성공적인 효과를 얻을 수 있다. 하지만 잘 묻고 학생들의 반응에 적절한 피드백을 제공하지 못한다면 학생들의 잠재력이나 사고력의 엔진이 달아오르지 않아 제대로 된 효과를 얻지 못하게 될 수도 있다. 학생들은 아직 배우는 과정에 있다. 신호등이나 내비게이션 같은 질문을 잘못 알아듣거나 잘못 해석하기도 하고, 잘 해석한다고 해도 가다가 샛길로 빠지기도 한다. 또는 교사의 피드백이 부정적이면 초등학생들은 마음의 상처를 받게 되고 궁극적으로는 뉴 리터러시 학습을 싫어하게 될 수도 있다. 이는 뉴 리터러시 학습에 부정적인 효과를 초래할 수도 있다. 뉴 3Rs 리터러시 교수학습에서 이루어지는 디지털 매체 읽기 과정에는 학생들을 부정적으로 유혹할 수 있는 수많은 가능성들이 있을 수 있다.

뉴 3Rs 리터러시 교수학습 활동은 초등학교 주제통합 교과학습 내용과 디지털 매체 자료를 연결하여 학생들의 흥미나 관심, 그리고 수준에 맞는 학습내용과 방법을 학습자가 주도적으로 선택하고 학습결과에 대해서도 학습자가 책임을 지도록 한다. 그러면서도 모든 학교 교과목에 적용 가능한 실용적인 교수학습 활동이다. 이러한 학습자 주도적 학습이 이루어지기 위해서는 학습자가 학습에 대한 적극적인 학습동기를 갖도록 이끄는 것이 무엇보다 중요하다. 뉴 3Rs 리터러시 교수학습 과정에서는 각 단계마다 학생들의 학습동기와 잠재력을 끌어내기 위해 문제해결식 탐구학습 전략과 학생들이 학습활동의 주인의식을 갖고 학습결과에 책임을 지도록 이끄는 질문과 피드백 전략 방식을 사용한다.

먼저 문제해결식 탐구활동 방식을 통한 뉴 3Rs 교수학습 과정은 주제통합 학습에서 학습자가 자신에게 흥미 있는 관심 분야에 대해 문제를 제기하고, 그 문제에 답을 찾기 위한 탐구과정을 따른다. 특히 초등학교 주제통합 교과수업에서 학생들은 교과목에 제시된 주제에 관한 각자의 사전경험과 흥미에 따라, 그리고 자신의 일상과 연계된 서로 다른 탐구문제를 제기할 수 있다. 따라서 학생자신의 흥미나 수준에 따라 각기 다른 탐구활동과 탐구결과를 이끌어낼 수도 있다. 특히 탐구읽기를 하는 동안 부딪히는 여러 가지 문제점에 대해 동료들과 생각나누기 등의 협동학습 활동을 하며 동료 학생들의 생각과 학습방법을 배울 수 있는 기회를 갖게 된다. 그리고 학생의 관심과 수준에 따라 다르게 창조된 독창적인 쓰기 결과물을 동료들과 공유하고 피드백을 교환함으로써 친구들의 뉴 리터러시 스킬과 전략을 배울 수 있는 동료 학습코칭이 이루어질 수 있다.

뉴 3Rs 리터러시 교수학습 과정을 거치는 동안 학생들은 다양한 문제를 경험하게 된다. 이때 학습자는 그 문제들을 스스로 해결하기도 하지만 교사의 도움을 받기도 한다. 뉴 3Rs 리터러시 교수학습 과정에서 교사가 도움을 주어야 하는 경우에도 교사는 해결방안이나 답을 직접 제공하거나 가르쳐주지는 않는다. 학생들이 문제를 스스로 해결할 수 있도록 선택의 기회를 주거나 단서나 실마리를 제공하는 등, 대상이나 목적에 따라 다양한 유형의 질문을 제시한다. 교사가 제시한 질문에 학생들은 반응을 하게 되고, 또한 교사는 이러한 학생들의 반응에 피드백을 하게 된다. 때론, 학생들이 생각말하기 활동을 통해 문제해결을 하는 수행행위에 대해 교사는 피드백을 주기도 한다. 교사의 피드백에 따라 학생들의 반응적 수행이 이끌어지는데, 이때 교사는 적절한 피드백을 제시하면서 학생들이 주도적으로 문제해결을 하도록 이끌어야 한다. 이러한 피드백 전략은 뉴 리터러시 교사가 갖추어야 할 또 다른 역량이라 할 수 있다.

뉴 리터러시 교사가 제시한 질문이나 학생이 스스로 만든 문제에 대한 학생들의 해결 과정을 지켜보면서 뉴 리터러시 교사는 다음과 같은 피드백 전략들을 사용할 수 있다. 우선 뉴 리터러시 교사는 학생들이 뭔가 잘못된 방법이나 문제해결을 하고 있다고 판단되는 경우, 학생들의 수행에 대해 수정을 목적으로 제시하는 개정 피드백과 명시적 교정 피드백을 제공한다. 또는 교사가 학생들의 수행활동에 어떠한 수정도 주지 않고 학생들이 스스로 잘못을 수정하도록 이끄는 반복, 유도나 단서 피드백들을 제공할 수 있다. 하지만 이 경우 학생들의 수준이나 성향을 고려하여 교사는 치밀한 피드백 전략을 제공할 필요가 있다. 왜냐하면 초등학생들은 교사의 반응이나 피드백에 상처를 받을 수도 있고, 자신감을 갖기도 하기 때문이다. 뉴 3Rs 리터러시 교수학습 모델에서 사용되는 피드백은 주로 유도나 단서를 제공하는 질문식 피드백이 될 수 있다. 이는 학생들의 비판적 사고, 융합적 탐구활동과 창의적 수행을 이끌고자 할 때도 사용된다. 또한 칭찬을 병행하는 수긍하고 인정하는 의미의 긍정적 피드백으로 학생들의 자신감과 잠재력을 자극하기도 한다. 뉴 3Rs 리터러시 교사는 이 같은 다양한 피드백을 사용하면서 학생들의 문제해결을 지원하게 된다.

교정이 주어지는 개정 피드백

상보적 학습에서 사용되는 피드백 중에 프롬프트 다음으로 많이 나타나는 피드백은 교사의 수정이 제공된 암시적 개정 피드백이다Lyster, 2006; 김지숙, 2009. 개정 피드백 전략은 학생들의 잘못된 수행을 수정해주기 위해 교사가 학생의 잘못된 수행에 대해 재수정을 만들어주는 경우이다. 뉴 3Rs 리터러시 교수학습 활동에서 학생의 잘못된 수행에 대해 교사의 수정이 주어지는 개정 피드백 유형은 초반에는 거의 사용하지는 않는다. 하지만 학생들이 뉴 리터러시 교사가 도움을 주고자 제시된 지원질문이나 유도 질문이 주어짐에도 불구하고, 학생들이 과제 수행 방식을 이해하지 못할 때 답을 직접 제시해주지 않고 학생이 잘못 이해한 부분을 수정하도록 개정 피드백 전략을 사용한다.

뉴 리터러시 교사는 학생이 문제와 상관없는 다른 사이트를 찾고 있을 때,

> 학생 : 우리 조는 감기에 안 걸리는 작전이에요.
> 교사 : 그래? 감기에 걸리지 않으려면 검색 사이트에서 무슨 키워드로 찾아야 할까?
> 학생1 : '따뜻한 것'을 먹어야 돼요.
> 학생2 : (교사 눈치를 보며) 따뜻한 물이요.
> 교사 : 과연 '따뜻한 물'이라는 키워드로 물어야 할까? 학생의 말을 반복하여 자가 수정의 필요를 알림.

교사와 학생 간 상호작용 신호들에 익숙한 학생들은 교사가 주는 개정 피드백에 바로 주목하는 경향이 있다. 이어 학생들은 올바른 중심어를 사용하려고 노력하는 적극적 태도를 보인다. 때로는 학생이 잘못된 단어를 말하면 교사는 학생들의 답을 되받아 질문함으로써 학생들이 잘못을 느끼도록 해준다. 개정 피드백은 명시적 교정처럼 교사가 결코 '아니야'라는 표현을 사용하지도 않으며, 무엇인가 틀렸다는 것을 분명하게 지적하지도 않는다. 하지만 학생의 대답을 다시 반복 사용하여 오류에 주목하도록 한다는 점에서 직접 지적하는 명시적 교정과는 약간 차이가 있다.

교정을 주지 않은 프롬프트(반복, 유도와 단서 등) 피드백

프롬프트는 학생들의 잘못된 수행에 대해 모델이나 답을 제시하지 않고 교사가 제시하는 모든 피드백들을 의미한다. 하지만 학생들에게 잘못한 수행에 대해 수정하도록 간접적인 강요를 한다. 프롬프트를 제공함으로써 교사는 학생들이 스스로 자신의 잘못된 학습 활동을 수정하도록 단서들을 제공해준다. 이런 점에서 프롬프트는 교사가 수정을 제시해주는 개정 피드백과는 차이가 있다김지숙, 2009.

초등학교 뉴 리터러시 수업에서 가장 흔히 발견되는 피드백 전략으로 교사가 교정된 예시를 제공하지 않고 유도나 단서가 되는 질문을 주어 학생들에게 잘못된 수행을 상기시켜 수정을 요구하는 학습전략이다. 이러한 프롬프트 전략은 학생들에게 사전지식을 상기시켜 올바른 탐구활동을

강요하기 위한 학습활동으로 사용되기도 한다. 이 전략은 학생들의 성공적인 자가 수정을 이끌어내기 위해 뉴 3Rs 리터러시 교수학습 과정에서 가장 많이 사용하는 상보적 피드백 전략이라 할 수 있다.

일반적으로 프롬프트 피드백은 학생자신의 잘못된 수행을 스스로 인식해 수정하도록 강요하는 피드백 전략으로 Lyster와 Ranta₁₉₉₇의 5가지 프롬프트 유형 중 뉴 3Rs 리터러시 교수학습 활동에서는 유도elicitation, 메타 언어학적 단서metalinguistic clues, 부가언어학적 신호paralinguistic signals 등 3가지 유형을 주로 사용한다.

첫째, 유도 프롬프트는 뉴 리터러시 교사가 학생들에게 '다시 말해볼래?'Can you say it again? 같은 질문을 하거나 '그러니까 네가 생각하는 건...?'Then, what you think is...처럼 학생이 교사의 유도 문장을 완성하도록 약간 멈춤을 주는 듯한 질문으로 학생들이 자신의 잘못된 수행에 대해 스스로 수정할 시간을 제공하고자 이끄는 피드백 전략이다. 또한 유도전략으로는 교사가 학생들 스스로 배경지식을 이용하도록 비슷한 질문이나 다른 예들을 계속 던지는 경우이다. 예를 들면 '다시 한번 설명해줄래?' 등 억양을 올리거나 추가 프롬프트를 제공함으로써, 학생들에게 교사의 피드백에 반응하면서 정확한 수행방법을 찾도록 유도하는 방식이다. 또한 유도 피드백은 학생이 잘못된 수행을 했을 때 '평소에 너는 잘 알고 있는데, 오늘 좀 이상하네'라는 안타까운 표정을 지어주거나, 학생들의 잘못된 수행에 대해 '그것이 저자의 생각일까?'처럼 억양을 약간 올려 묻거나 하여 학생들이 자가 수정하도록 유도하는 피드백 유형이다. 교사는 학생들의 잘못된 수행이 안타깝다는 표정을 짓거나 몸짓을 주어 수업참여를 격려하고, 학습자의 자존심을 상하지 않도록 해주면서 적극적으로 뉴 리터러시 교수학습 활동에 참여하도록 유도한다.

다음은 뉴 리터러시 교사는 학생이 문제와 상관없는 다른 사이트를 찾고 있을 때, 유도 프롬프트를 사용하는 예이다.

교사 : 찾고자 하는 문제가 무엇이지?
학생 : "감기에 걸리지 않으려면 무엇을 해야 하는가"예요.
교사 : 어떤 키워드로 찾고 있니?
학생 : (교사 눈치를 보며) '따뜻한 물'이요.
교사 : 다시 말해볼래?
　　　 또는, 그러니까 네가 생각하기에는 감기에 걸리지 않으려는 이유를 찾기 위해 어떤 키워드로 찾아야 한다고 생각하니? (유도)

둘째, 뉴 3Rs 리터러시 교수학습 활동에서 사용하는 교정 피드백은 메타 언어학적 단서 프롬프트가 있다. 메타 언어학적 단서는 교사가 "그것을 그렇게 쓰는 것 같지 않은데 '동물의 주거지'를 뭐라고 하지?"와 같이 수정을 유도하는 질문들을 제공하는 경우이다. 메타 언어학적 단서는 "그것이 옳아? 그 일이 이전에 발생 했니, 나중에 발생했니?"처럼, 이것인지 저것인지 둘 중 하나를 고르도록 힌트나 실마리를 제공하여 학생들이 반응하도록 유도한다. 메타 언어학적 힌트 피드백은 학생들에게 정확한 정답을 제공하지 않고, 정확한 수정이 아닌 메타 언어학적 단서나 힌트를 주어 학생들이 스스로 오류 수정을 하도록 유도하는 프롬프트로 분류한다. 메타 언어학적 단서 피드백은 학생들에게 비슷한 예문이나 예시 등, 학생들이 알고 있는 지식에 실마리가 될 만한 힌트가 되는 질문을 주어 게임을 하듯 수정을 유도한다. 이 유형은 이것이 맞는지 저것이 맞는지에 대한 정보를 제공해 주기도 한다.

다음은 뉴 리터러시 교사가 학생이 문제와 상관없는 다른 사이트를 찾고 있을 때, 메타 언어학적 단서 프롬프트를 사용하는 예이다.

교사 : 찾고자 하는 문제가 무엇이지?

학생 : '감기에 걸리지 않으려면 무엇을 해야 하는가요'

교사 : 어떤 키워드로 찾아야 할까? '감기', '손발', '따뜻한 물'? (단서)

학생 : (교사 눈치를 보며) '따뜻한 물'이요.

교사 : 감기에 안 걸리려면 무엇을 해야 하는지에 대한 답을 찾기 위해 '감기'가 중요할까? '따뜻한 물'이 중요할까? (단서)

이 경우에 교사는 수준이 낮은 학생들이 보다 주도적 탐구활동을 유도하고자 둘 중하나 질문 같은 단서를 제공한다. "5분정도 남았는데, 자료를 더 많이 찾아보고 정리를 하는 것이 좋을까, 아니면 찾은 자료들을 적절하게 요약해가는 것이 효과적일까?" 이러한 교정 피드백은 학생들이 정보추적과 평가 및 종합하는 탐구활동에 대한 효과적인 방식을 학습자가 선택하도록 유도하는 메타 언어학적 단서라는 프롬프트 방식이다. 결국 학생들의 선택에 따라 학습활동의 결과는 수업 후 학생들의 책임으로 평가를 받게 된다.

셋째, 부가언어학적 신호를 사용한다. 초등학생들의 정의적 상황을 고려하여 교사의 교정 피드백으로 인해 상처를 받지 않도록 이끈다. 예를 들어, 학생의 잘못된 수행에 대해 교사가 안타까움이나 기다림을 주는 신호를 보내는 부가 언어적 신호를 프롬프트 피드백에 포함시켰다.

뉴 3Rs 리터러시 교수학습에서 사용하는 프롬프트 교정 피드백 유형 (김지숙, 2009)

자가 수정을 유도하는 프롬프트	내용
유도 (Elicitation)	– 다름을 알려주어 다시 사고하도록 유도 – 억양을 올려 의문을 가진 듯 반복하는 피드백 – "Could you say that again?" 같은 프롬프트를 추가하거나 억양을 올려 되묻는 방식으로 학생들이 오류에 주목하도록 함. – 질문을 주고 이것이 맞는지를 묻는 피드백으로 학생들이 다시 사고하고 행동하도록 유도하는 피드백 – 학생들의 반응에 안타까운 표정이나 제스처를 주거나 잠시 미소 지으며 기다려주는 피드백
메타 언어학적 단서 (Metalinguistic clues)	– 학생 반응행위나 탐구과정에 수정이 필요한 점을 분명히 지적하는 구두 프롬프트를 제공 – 명백한 메타 언어학적 표현을 추가하여 학생의 실수나 수정이 필요한 반응적 행동에 대해 수정을 강요하는 피드백 – 억양을 올려 반응을 반복하고 표시해 줌으로써 자가 수정을 스스로 이끌어내려는 피드백 – 원하는 단서나 틀린 단서 둘 모두를 주고서 둘 중 어느 것이 올바른 활동인지 학생에게 올바른 행동이나 활동을 자가 수정하도록 유도하는 피드백
부가언어학적 신호 (Paralinguistic signals)	학생들의 정의적인 면을 고려하여 학생들의 수정을 기다려주는 신호나 안타까움을 표현하는 몸짓 등을 사용하는 피드백

뉴 3Rs 리터러시 교수학습 과정에서 교사가 사용하는 위의 3가지 프롬프트는 초등학교 학생들이 주도적으로 읽고 탐구하고 쓰는 뉴 리터러시 활동과정에서 발생하는 문제들에 스스로 해결하는 문제해결 능력과 비판적 사고, 융합적 탐구력이며 창의적 사고력을 기르기 위해 사용되는 교정 피드백 전략이다.

긍정적 칭찬 피드백

초등학교 주제통합 교과목 수업의 뉴 3Rs 리터러시 교수학습 과정에서 사용하는 피드백 유형은 먼저, 학생들의 반응을 그대로 사용하면서 학생들이 자신의 잘못된 수행을 스스로 수정하도록 하는 개정 피드백과 학생들에게 단서나 유도적 질문을 주어 학생들이 주도적으로 자신의 오류를 수정하도록 이끄는 프롬프트 피드백 전략이 있다. 이 두 가지 피드백을 사용하면서 학생들의 학습활동을 보다 더 격려하고 지지하는 긍정적 칭찬 피드백을 제시한다. 그래서 학생들이 보다 더 적극적으로 뉴 리터러시 교수학습 활동에 자신감을 가지고 참여하도록 이끌 수 있다.

긍정적 칭찬 피드백 전략은 "그렇지, 맞아, 잘하는데" 등과 같은 간단한 최소한의 긍정적인 수긍이나 인정을 해주는 피드백이다. 교사는 가끔 영어로 'good', 'yes'나 'well done' 같은 칭찬의 표시를 많이 사용하여 학생들의 학습활동을 격려하는 것도 필요하다. 초등학생들의 뉴 리터러시 활동을 가능한 적극적으로 이끌기 위해서는 교사의 적극적인 칭찬 추임새는 효과적인 면이 있다. 하지만 일부 교사는 칭찬 피드백을 제공하면 자만심이 생겨 학습활동의 흐름이나 다른 학생들의 활동에 간섭을 하려는 조짐을 보이므로 칭찬 피드백에 약간의 조심스런 행동을 보이기도 한다. 하지만 학생들의 노력과 열정에 대해 적극적인 칭찬 피드백을 학습자의 잠재력을 끌어내는 학습 동기로 유도한다면 부정적인 영향보다는 긍정적인 영향을 더 미칠 수 있다. 때로는 말로 칭찬하기보다는 적절한, 혹은 약간 과장된 칭찬 제스처예를 들어, 엄지손가락을 올려주는를 동반한 교사의 격려는 학생들의 뉴 리터러시 활동에 자신감을 불어 넣어주고 뉴 리터러시 교육을 성공적으로 이끄는 긍정 피드백이 될 수 있다.

03. 스토리 동화 읽기에 적용한 뉴 3Rs 리터러시 교수학습 질문전략

▌ 스토리 동화는 뉴 3Rs 리터러시 질문읽기와 유창한 읽기에 유용한 자료이다.

스토리 동화 읽기Story Reading는 초등학생들의 읽기 리터러시 교육을 시키는 효과적인 학습도구이다. 스토리 동화 읽기는 재미도 주지만 리터러시를 가르치는 아주 좋은 수단이 되기 때문이다. 스토리 동화 읽기는 이야기를 통해서 스토리텔러Storyteller가 되는 방법을 배우는 것이 아니라 학생들이 읽기를 제대로 하도록 이끌어주는 데 목적이 있다. 외국어로서 영어를 배울 때도 인위적인 상황을 만들어 표현학습을 하게 되면 빨리 잊어버리거나 실제 사용기회가 없어 습득이 어렵지만, 스토리 동화 읽기를 통해 영어를 배우면 언어학습 환경의 제약을 초월하는 효과적인 영어 교수방법이 될 수 있다.

초등학교 읽기 리터러시를 배우는 데 스토리 동화 읽기가 좋은 이유는 더 많다.

1) 스토리 동화는 학생들에게 재미를 준다.
2) 스토리 동화는 문학작품으로서 사회 · 문화를 대변하는 글이므로 자연스럽게 표현된 실제 사용된 언어를 배울 수 있다.
3) 교과서로 언어를 가르치는 것보다 언어학습에 더 효과적이다. 교과서에 비해 스토리 동화는 실제 사용되는, 즉, 살아있는 언어를 접할 수 있는 기회를 준다. 그렇기 때문에 국어

교과서에 스토리 동화 같은 문학작품을 많이 투입하자는 의견이 있다. 우리나라 주제통합 교과서에도 읽기가 강화된 점도 이러한 이유에서일 것이다. 언어를 배울 때 스토리 동화를 이용한다는 점은 바로 언어를 총체적 언어접근Whole Language Approach으로 배우는 방법이기도 하다.

4) 스토리 동화는 심리적인 면에서도 학생들의 심리상태를 치료해주는 효과가 있다.

그런데 스토리 동화를 초등학생들에게 어떻게 쉽게 전달하는가의 문제는 여전히 뉴 리터러시 교사에게 남겨진 과제이다.

읽기는 작가의 메시지를 독자가 가지고 있는 사전지식schema primary knowledge과 역동적인 상호작용을 하면서 의미를 구축해가는 과정이다. 그래서 독자가 가지고 있는 사전지식은 읽기 과정에서 매우 중요하다. 왜냐하면 정보는 작가에 의해 쓰인 언어지식을 독자가 가진 읽기 지식과 상황에 의해 얻어지는 것이기 때문이다. 따라서 초등학교 읽기활동에서는 브레인스토밍으로 사전지식을 끄집어내주는 것이 읽기 리터러시 교수학습에서 매우 중요한 부분이다. 읽기 리터러시 교사들의 가장 큰 실수는 교사 자신들이 브레인스토밍을 통해 스토리 동화 읽기에 대한 배움의 기쁨을 경험해보지 않았기 때문에 시간이 없다는 핑계로 이 브레인스토밍 단계를 생략해버리는 것이다.

스토리 동화를 통한 읽기 리터러시 능력을 키워주기 위해서는 어떤 주제의 동화를 읽는 것이 좋을까? 초등학교 주제통합 교과목과 연계된 주제에 관한 스토리 동화를 읽는 것이 효과적이다. 초등학교 주제통합 교과서에서 다루고 있는 주제들로 나-가족-이웃-국가 등과 같이 공동체 범위를 넓혀가는 주제와 봄·여름·가을·겨울과 같이 시간의 변화에 따른 다양한 주제를 다루고 있다. 초등학교 주제통합 교수요목에서 다루고 있는 주제관련 동화 읽기를 학교생활과 연결하는 읽기 리터러시 교수학습은 초등학생들의 읽기 리터러시에 매우 효과적일 수 있다. 따라서 이러한 주제통합 교육과정의 교수요목과 관련된 다음과 같은 주제의 스토리 동화를 읽으면 된다. 1)나에 대하여All about me(가족, 친구, 나의 몸, 내가 좋아하는 음식이나 장난감, 그리고 나와 관련된 다른 것들, 즉 집의 형태나 음식과 나의 애완동물 등) 2)가족My family 3)건강Health 4)신체Body Part 5)동물들Animals(Farm animals / Zoo animals) 6)계절Season 등.

인쇄 매체 스토리 동화는 연령에 맞게 다양한 유형의 스토리 북들이 있다. 특히 우리나라 동화책에 비해 영어동화책은 형태와 내용에 따라 더욱 다양하다.

1) 어린이 도서baby/children book는 책의 질감에 따라 Board Book, Block Book, Cloth Book 등으로 구분된다.

2) 장난감 책Toy Book은 자동차나 동물모양으로 만들어진 책이다.

3) 개념도서Concept Book는 숫자, 색깔과 모양 등의 정보나 지식을 주기 위한 입학 전 학생들을 위한 동화책이다.

4) 너서리 라임Nursery Rhyme은 구전동화 등이 라임에 맞춰 쓰인 책이다. 예를 들어, Terry Bear와 같은 Mother Goose 등이다. 특히 Tickery Dickery나 My first mother goose 같은 동화는 글의 순서, 리듬이나 파닉스를 지도하기 좋은 책이다.

5) 상호작용 책Interactive Book은 대체로 옛날의 친숙한 등장인물을 가지고 질문과 대답할 수 있도록 쓰인 동화책이다.

6) 과학책Science Book은 First Dictionary, Magic school bus와 같은 어린이에게 읽어주면 좋은 쉬운 과학 책이다. 또한 정보를 주는 책들은 처음 읽기를 하는 아이들에게 읽어주면 좋은 책이기도 하다.

7) 노래책Song Book은 Nursery Rhyme을 가진 노래로 부를 수 있는 책이다.

8) 패턴 북Pattern Book은 What do you like? I like…. 같은 한 패턴의 문장이 계속 반복되는 책이다. 이런 책은 오래 사용하면 아이들이 지루해 한다. 다른 스토리 북을 읽으면서 그 중 문장이 반복되는 패턴 문장이 있을 때 이런 패턴 북을 보조책으로 사용하면 효과적이다.

9) 전래동화Falk Tales, Fairy Tales는 Little Red Riding Hood나 Three Little Pigs 같은 오래 전부터 내려온 동화책이다.

10) 그 밖에도 시Poetry, 소설Novel, 지식 책사회, 과학, 수학 등의 주제를 다룬 책 등도 있다.

특히 초등학교 주제통합 수업에서 스토리 동화를 이용한 읽기 리터러시 교수학습을 하고자 할 때는 모든 유형의 스토리 동화를 잘 섞어 읽기 수업을 할 수 있어야 한다. 초등학생들에게는 책 크기를 골고루 하는 것도 효과적이고 재미를 줄 수 있다. 하지만 다양한 크기의 동화책은 책 정리가 조금 힘들 수 있다. 이렇듯 다양한 인쇄 매체 스토리 동화들의 정리는 수준별, 영역별, 주제별마다 빨강, 주황, 노랑 등 색상이 다른 스티커를 부착하여 단계를 구분해두면 책을 순서대로 쉽게 찾을 수 있다. 처음부터 케이스나 박스에 작가별이든 주제별이든 연령별이든 정리를 하는 것이 좋다.

초등학교 주제통합 수업에서 디지털 매체 읽기 리터러시 교수학습을 위해 인터넷에서 어떤 스토리 동화를 선택하는 것이 좋은가? 스토리 동화는 일반적으로 실제적 소재authentic materials를 다루는 순수 이야기와 동화가 있다. 그리고 읽기를 목적으로 쓰인 리더스readers들이 있는데 이러한 읽기 자료들은 단어, 어휘, 문법, 리듬, 그리고 이야기 내용 등을 레벨에 따라 통제하여 실제 언어학습을 위해 쓰인 스토리 동화라 할 수 있다. 하지만 학생들은 읽기 지도를 목적으로 교사가 선택한 스토리 동화로 읽기를 하는 경우, 공부한다는 느낌을 가지며 읽기에 흥미를 갖지 못할 수 있다. 그리고 실제 살아있는 언어표현을 접하기도 어려울 수도 있다. 따라서 교과관련 주제에 대해 학생들이 관심 있는 소재나 부제들을 정하여 그와 관련된 동화를 찾아 읽게 하면 훨씬 적극적인 읽기를 이끌 수 있다.

다양한 매체를 통해 얻을 수 있는 초등학교 학생들의 뉴 읽기 리터러시 교수학습을 위해 좋은 동화는 예측 가능한predictable 스토리 동화이다. 초등학교 학생들은 주제통합 교과서에 있는 읽기 자료를 읽으면서 관련 주제에 대한 다양한 스토리 동화를 인터넷에서 찾아 더 확장해서 읽어볼 수도 있다. 스토리 동화는 자신들의 언어, 기억, 경험들을 통해 동화 속 단어들의 의미를 예측할 수 있다. 그래서 스토리 동화 읽기에서는 학생들이 가진 사전지식을 이끌어주는 과정이 정말 중요하다. 예를 들어, 영어를 정말 못했던 아이가 공용에 대한 사전지식이 해박하니까 다른 아이들은 이해가 안 되는 공용내용의 이야기도 척척 알아듣고 이해한다. 특히 디지털 매체를 통한 스토리 동화읽기는 세심하게 표현된 그림이나 영상을 통해 폭넓은 지식을 얻을 수 있다.

디지털 매체 스토리 동화story book는 다음과 같은 특징이 있다.

1) 내용을 지원해주는 그림이 있다. 때로는 글자가 없이 그림만 가지고도 말할 수 있도록 그림으로 표현된 스토리가 있다. 이러한 그림은 동화가 말하고자 하는 것을 학생들이 이해하도록 도와준다.
2) 스토리에 녹아있는 반복된 문장이나 표현들을 읽고 들으며 학생들이 쉽게 느끼며 재미를 갖는다.
3) 스토리에 사용된 리듬이나 라임을 자유롭게 들을 수 있어 학생들이 언어를 기억하기 쉽게 해준다.
4) 읽기를 하면서 익히게 되는 표현들의 패턴이 있다. 문장이 반복되고 스토리가 더해지면서 관련 표현들이 학생들의 기억에 쌓여간다.
5) 스토리 라인이 익숙한 문화적 순서를 따르게 되어 추가적 문화적 팁을 얻을 수 있다. 예를 들어 요일, 숫자세기, 가족 관계 등의 내용을 담고 있다.

6) 특히 익숙한 표현들과 패턴들이 주어져 학생들의 유창한 읽기에 아주 효과적일 수 있다.

7) 다양한 그림이나 삽화, 그리고 동영상들이 함께 제공되어 흥미를 더해줄 수 있다.

그 밖에도 스토리 동화를 읽으면 좋은 이유가 있다.

1) 내용이 예측 가능하므로 처음부터 읽기에 대한 성공적인 느낌을 가지고 다시 하고 싶다는 느낌을 갖도록 해준다.

2) 학생들은 스토리 동화 읽기를 하는 동안 스토리 내용에 대하여 정확하게 이해해낸다.

3) 읽기가 공부라는 느낌보다는 즐거운 놀이 활동이라고 느낀다. 특히 그림은 이해를 도와주는 단서가 된다. 또는 어떤 한 단어를 모른다 할지라도 역할극이나 성우처럼 읽기를 하면 금방 이해하게 된다.

4) 학생들은 재미있는 스토리는 반복해서 읽고 싶어 한다. 일상에서 익숙한 스토리 읽기를 하면서 익숙하다는 느낌을 갖기 때문에 계속 읽고 싶어 한다. 그래서 자연스럽게 유창한 읽기가 가능하게 된다.

5) 스토리 의미를 이해하고 예측하면서 학생들은 많은 읽기 스킬과 전략을 사용하게 된다.

6) 스토리 동화는 그림만 보고도 이야기 내용을 예측하고 이야기 의미를 파악하거나 자신만의 독특한 스토리를 만들어내는 학생들의 상상력을 키워준다.

이렇듯 스토리 동화를 통한 읽기 리터러시 교수학습을 하면 동화에서 반복되는 패턴언어의 특징을 사용하므로 읽기를 쉽게 도와주어 유창한 읽기로 이끌어준다. 학생들이 읽기를 재미있어하고 성공하는 느낌으로 읽기에 자신감을 갖게 된다. 읽기를 반복적으로 읽고 싶어지고, 더 어려운 자료를 더 읽을 수 있는 능력으로 성장하게 해준다. 계속 읽고 싶어지게 됨으로써 자연스럽게 유창한 읽기 스킬이 길러진다. 뿐만 아니라 주제관련 내용에 대한 배경지식뿐 아니라 언어지식과 담화지식이 확장되어 말하기도 유창하게 도와준다.

스토리 동화는 어떻게 교수학습 되어야 할까?

무엇보다 먼저 스토리 동화가 전하고자 하는 메시지와 개념을 찾아주어야 한다. 일반적으로 교사는 자신에게 중요한 것을 자신의 입장에서 설명하고 가르치려는 경향이 있다. 하지만 질문을 통해 학생들이 궁금한 내용을 스스로 찾아내도록 이끌어주면 학생들은 스토리에 흥미를 가지며 자신감을 갖게 된다. 학생들이 자신감이 생기면 읽기 리터러시가 점차 능숙한 단계에 이르게 된다. 읽기 리터러시가 유창해지면 성공 관성에 따라 다른 교과학습에서도 더 좋은 성과를 낼 수 있다.

초등영어 교과목에서도 스토리 동화 읽기를 통해 영어 공부를 하면 어떤 다른 방법보다도 쉽고 재미있게 영어를 배우게 된다. 굳이 알파벳 순서는 몰라도 되기 때문에 알파벳을 따로 가르치지 않아도 스토리 동화 읽기를 하게 되면 알파벳은 자연스럽게 익히게 되고 파닉스도 스스로 터득하여 글자를 연결하며 읽어낸다.

또한 스토리 동화 읽기는 다양한 삶에 대한 간접경험을 하게 해준다. 그리고 다양한 주인공들의 연령, 성격, 특성, 환경, 삶과 사건과 희로애락에 따른 스릴과 서스펜스가 녹아있다. 따라서 스토리가 있는 동화를 통해 자연스럽게 말하듯 유창한 읽기를 하면 말하기 능력도 향상될 수 있다. 특히 큰소리로 자연스럽게 말하듯 유창한 읽기를 하면, 읽으면서 내용을 바로 이해하게 되고, 읽고 이해한 내용을 자연스럽게 말하기로 연결할 수 있게 된다.

유창한 읽기 리터러시 능력은 문장의 의미단위 어휘군청크를 정확히 읽고, 문장의 의미를 풍부하게 표현하고, 말하는 속도로 읽어내는 능력이다. 특히 디지털 매체 스토리 동화를 통해 할 수 있는 유창한 읽기 리터러시 활동은 단어 읽기, 주인공들의 느낌을 살려 읽기, 의미단위 어휘군으로 끊어 읽기, 그리고 분당 속도를 조정하며 읽기 등이 있다. 이러한 읽기 활동은 녹음하여 들어볼 수도 있고, 잘못된 부분을 교정하여 다시 읽어볼 수도 있다. 이 같이 거듭되는 유창한 읽기활동은 유창한 말하기로 이끌 수 있게 된다. 뿐만 아니라, 디지털 매체 스토리 동화는 그림과 음성이 거의 동시에 제공되어 유창한 읽기 리터러시를 익히는 데 매우 효과적이며 이를 통해 표현력 강화효과도 가질 수 있다. 이렇듯, 말하는 듯 유창한 읽기를 하면 문장을 의미에 맞도록 끊어 읽기가 가능해지므로 읽으면서 바로 이해할 수 있게 해준다.

디지털 매체를 통해 얻은 스토리 동화 읽기에서도 다음과 같은 인쇄 매체 동화책 읽기활동에서 사용한 읽기 전, 읽기 동안, 읽기 후 3단계 읽기 리터러시 교수학습 과정과 각 과정에 적절한 활동을 적용하면 유창한 읽기 리터러시 교수학습에 매우 효과적이다.

1) 읽기 전 활동 : 그림 읽기로 이야기 이해 예측활동 등.
2) 읽는 동안 활동 : 의미 점검을 위한 이해활동, 어휘, 단어와 표현 익히기 활동, 그리고 듣기, 말하기 활동 등.
3) 읽기 후 활동 : 교과목 연계 탐구읽기 활동, 쓰기 활동, 블로그 탑재 과제 활동.

다음은 초등학교 주제통합 수업에서 스토리 동화를 통한 유창한 읽기 리터러시 능력 향상을 위해 적용할 수 있는 뉴 3Rs 리터러시 교수학습 활동을 소개한다.

스토리 동화를 통한 인쇄 매체 읽기와 디지털 매체 읽기를 통합한 뉴 3Rs 읽기 리터러시 교수학습 적용

스토리 읽기 과정	뉴 3Rs 과정	스토리 읽기 활동	매체 읽기
1. 책 표지그림 읽기		스토리 커버 그림을 보면서 스토리 전체 내용을 예측한다.	
2. 저자와 삽화가에 대해 읽기	비판적 읽기 탐구읽기	작가와 일러스트레이터에 대해 알아본다. 인터넷을 통해 저자나 북 리뷰에 대해 찾아 읽도록 한다.	인쇄+디지털 매체 읽기
3. 첫 번째 읽기	질문하기 비판적 읽기 탐구읽기	모델 읽어주기, 함께 읽기, 짚어 읽기를 하며 페이지마다 그림을 중심으로 간단한 질문을 주며 읽는다. 이때는 글을 읽지 않고 그림에 대해 질문을 하면서 이야기에 익숙해지도록 이끈다. 주제관련 관련 자료나 그림을 인터넷에서 찾도록 질문을 준다.	
4. 두 번째 읽기	비판적 읽기 탐구읽기	페이지마다 글을 읽고 질문을 통해 표현에 익숙하도록 이끈다. 주어진 글을 반복하거나 사용하도록 이끄는 질문을 제시한다. 주제관련 관련 자료를 인터넷에서 찾아 더 읽도록 한다.	
5. 파닉스나 표현 익히기		파닉스나 중요한 표현들에 대해 익히는 활동을 한다.	인쇄+디지털 매체 읽기
6. 글의 내용파악	비판적 읽기	내용파악을 위한 활동을 한다.	
7. 주제통합 교과학습 연계	탐구 읽기	교과목과 연계한 주제통합 학습을 한다.	인쇄+디지털 매체 읽기
8. 출판 활동	창의적 쓰기	그림이나 간단한 스토리 책을 만들거나 블로그를 꾸민다.	

위의 8단계 뉴 읽기 리터러시 교수학습 과정은 디지털 매체 정보 읽기와 연계한 읽기활동으로 문제해결식 뉴 읽기 리터러시 교육으로 적용이 가능하다. 혹시, 학생들이 이미 예습을 해왔거나 이미 알고 있는 스토리거나 어떤 학생이 읽었거나 내용을 알고 있을 땐 "누가 얘기해볼까?"라고 질문을 주어 사전에 시켜보는 것이 더 효과적이다. 그리고 칭찬해주고, 다른 생각을 한 학생이 있는지 물어보고, 더 많이 칭찬해주는 것이 필요하다. 교사의 칭찬은 학생들의 비판적 사고력, 융합적 탐구력과 창의적 표현력을 이끌어낼 수 있기 때문이다.

스토리 동화를 통한 유창한 읽기 리터러시 교수학습 활동을 수업차시로 구분하여 구체화하면 다음과 같다.

뉴 3Rs 리터러시 교수학습 과정의 수업 차시

차시	활동유형	읽기 리터러시 활동
1교시	읽기 전 활동	표지 및 그림 읽기ー마인드 매핑과 스키밍
2교시	읽기 중 활동	1st 읽기ー배경지식 끌어내기 활동 / 책 만들기 활동
3교시	읽기 중 활동	2nd 읽기ー리터러시 이해력 활동 / 의미점검과 파닉스
4교시	읽기 중 활동	2nd 읽기ー파닉스, 단어, 중심 문장 점검
5교시	읽기 중 활동	듣고 따라 하기ー리듬, 강세, 암기 : 빈칸 채우기, 역할극 활동
6교시	읽기 후 활동	3rd, 4th 읽기ー추론이해 활동, 교과목 연계 탐구읽기 활동
7교시	읽기 후 활동	5th, 6th 읽기ー탐구읽기 자기표현 정리, 쓰기 활동
8교시	읽기 후 활동	자기표현 쓰기 활동, 블로그 발표, 긍정 피드백 활동

　　뉴 3Rs 리터러시 학습과정의 각 단계에서 인쇄 매체 스토리 읽기와 디지털 매체 스토리 읽기를 연결하며 질문전략을 통해 주제관련 스토리 읽기를 확장하고 동화 내용에 대한 이해의 깊이를 더 할 수 있다. 초등학교 주재통합 언어수업에서 스토리 동화 읽기에 뉴 3Rs 리터러시 교수학습 질문전략을 적용한 예를 보면 다음과 같다.

교수학습 과정	뉴 리터러시 스토리 읽기 과정에서의 질문들
표지읽기 작가	작가는 누구인가요?
표지읽기 그림 작가	그림은 누가 그린건가요?
스토리 주제	무엇에 관한 이야기인가요?
스토리 개념	무슨 말을 하고 있지요?
단어/표현 익히기	언어능력을 키우기 위해 어떤 학습활동을 하나요? (어휘, 주제문장, 문법, 파닉스 관련 활동)
이야기 담화 구조	글의 전개가 어떠한가요? (리스트나 순서전개방식, 문제해결식, 원인과 결과 등)
읽기 전략	어떠한 읽기 전략을 사용하고 있나요? (그림과 글자 매체, 비교와 대조, 결론 이끌어내기 등)
듣기/말하기 활동	어떤 추가 활동을 할 수 있나요? (주제관련 시 들려주기, 이야기 예측 말하기 활동 등)

교과목 연계 탐구읽기 활동	주제통합 학습으로 어떤 교과학습과 언어학습을 통합하나요? (사회, 과학, 수학, 미술과 음악 등 기타 관련 탐구활동)
쓰기 활동	어떤 의견을 글로 표현하고자 하나요? (주제관련 자신의 생각을 넣어 글쓰기, 책 만들기 활동)
블로그 탑재 과제활동	어떻게 소통하려 하나요? (자신의 창의적 작품을 블로그에 올리기 활동, 다른 친구 결과물에 긍정적 피드백 주기)

초등학교 주제통합 수업에서 인쇄 매체 스토리 동화나 디지털 매체 스토리 동화를 통한 유창한 읽기 리터러시 능력 향상을 위해 뉴 3Rs 읽기 리터러시 교수학습 과정을 이끌 수 있는 3단계 읽기활동의 구체적인 활동과 가능한 질문을 살펴보면 다음과 같다.

1. 읽기 전 활동(Before Reading)

스토리 동화를 통한 유창한 읽기 리터러시 교수학습에서 가장 중요한 것은 읽기 전에 학생들을 어떻게 이끌어 갈 것인지가 이다. 읽기 전 읽기 활동으로 가능한 예들이 있다. 다음은 주제통합 교과수업에서 주제관련 스토리 동화를 인터넷에서 찾아 뉴 읽기 리터러시 교수학습의 읽기 전 활동으로 사용할 수 있는 질문 전략들이다.

1) 동화 소개하기Opening the Story

등장인물들 소개 등으로 스토리에 친숙해지도록 한다. 공룡그림을 보여주고 주인공 공룡에 대해 그림을 보면서 학생들이 말하도록 이끄는 질문을 한다. 또는 공룡에 대한 노래나 시를 들려주고 그림을 그려보게 하는 것도 좋다. 이 활동은 읽기 전이나 읽기 후에도 가능한 읽기활동이다.

2) 사전지식Prior Knowledge

일반적으로 학생들의 사전지식을 이끌어내기 위한 질문을 제시한다. 특히 학생들이 이야기에 흥미를 갖도록 스토리 동화에 대한 이해와 아이들의 사전지식을 공유하기 위한 질문을 할 수 있다. 학생들이 동물들farm animals에 대해 이미 알고 있다면 동물에 대한 다른 특별한 특성이나 특징을 말해보도록 질문을 할 수 있다. 그리고 이 스토리 동화와 관련된 시를 디지털 매체를 통해 들려줄 수도 있다.

사전지식 공유를 위해 읽기 전 활동으로 사용할 수 있는 질문들

국어 스토리 읽기 유도질문	영어 스토리 읽기 유도질문
돼지는 주로 무엇을 먹지?	What does the pig eat?
돼지는 어떤 소리를 내지?	What does the pig make sound?
돼지는 어디에 살지?	Where does the pig live?
전에 보거나 만져본 적 있니?	Have you ever seen / touch____?
그것은 무엇처럼 보이니? 또는 어떻게 보이니?	How does it look like?
이건 어디에서 살까? 집에서 살까 아니면 잎사귀 위에서 살까?	Where does it live? In your home? on the leaf......
이것은 무엇을 먹을까?	What does it eat?

3) 주제관련 주요단어 망 만들기Word Mapping

주제관련 질문을 주어, 학생들이 답하는 주요 단어들을 의미별·특징별로 위미 망을 만들어 본다. 사전지식 끌어내기 활동과 주제 망 만들기는 생각 끌어내기brain storming나 마음속 지도 그리기mind mapping를 통해 학생들의 사전지식이나 주제관련 단어를 모으고 공유할 수 있다. 이 활동은 스토리 동화 읽기를 할 때 장애가 되는 단어나 사전지식이 없는 학생들과 사전지식을 공유하여 스토리 이해를 도와주는 활동이다. 브레인스토밍은 학생들의 생각을 끌어내어 생각지도mind map을 만드는 활동이다. 이 때 학생들은 농장에서 사는 동물farm animals에 관한 색깔 칠하기, 그리기 그리고 쓰기 활동을 할 수 있다. 그리고 이러한 동물들이 봄, 여름, 가을, 겨울에 무엇을 하는지를 알아보기 위해 인터넷을 탐험하여 작성하는 활동을 할 수도 있다.

4) 표지와 뒤표지 읽기Cover & back cover Talk

앞표지와 뒤표지 그림을 보면서 스토리의 제목과 표지의 그림에 대해 이야기 해보고 스토리의 내용도 예측해보는 질문을 한다. 표지에 대해 말해보기 활동은 제목을 읽고, 작가나 삽화가에 대한 정보를 인터넷에서 찾아 읽어보고, 표지 그림에 대한 이야기를 나누기도 한다. 그리고 표지 그림을 보고 스토리 동화가 무엇에 관한 이야기인지 예측해보는 질문도 한다. 그리고 스토리 동화의 제목 읽기Title Reading를 한다. 제목을 인터넷에서 찾아보고 다른 사람들의 리뷰를 읽어보거나 책에 대한 정보를 찾아보는 활동도 할 수 있다.

5) 스토리 동화의 내용 읽기Story Talk

스토리 동화의 그림을 살피면서 내용파악에 도움이 되는 요소들에 대해 물어보는 질문을 한다. 그림을 보면서, 또는 스키밍Skimming하고서 이야기에서 어떤 일이 일어날지에 대해 예측해보도록 한다. 또는 5~7분 정도 시간을 주고 각 스크린마다 이야기 내용에 대해 이야기 해보도록 질문을 한다. 각 스크린에서 제시한 그림을 빠르게 훑어보고 주인공과 아이디어에 대해 말해보도록 한다.

6) 대충 읽기Skimming

그림만 보면서 스토리 의미를 파악하는 활동이다. 스크린을 넘기면서 이야기를 예측할 수 있는 질문을 한다. 예측한 내용을 그림으로 그려보거나 '-을 보니까 -인 것 같다.'라는 제시 문장을 주어 학생들이 이야기 전개에 대한 예측을 말하도록 이끈다. 그리고 대충 읽기를 한 후 결론을 예측해보는 활동을 한다. 그러고 나서 자신에 대한 스토리를 만든다. 브레인스토밍으로 이끌어지지 않으면 그림을 그리는 활동을 할 수도 있다.

스토리 예측을 위한 읽기 전 활동으로 적절한 질문

국어 스토리 읽기 유도질문	영어 스토리 읽기 유도질문
스토리 표지에 뭐가 있니?	What do you see on the cover?
제목 읽어볼까?	Can you read the title?
작가가 누구지?	Who is the author?
무엇에 대한 이야기일까?	What do you think this story is about?
이게 뭐야?	What's this?
주인공에게 무슨 일이 일어날까?	What happens to the character?
이 그림에는 어떤 것들이 있지?	What can you see in this picture?
다음에는 어떤 일이 일어날까?	What will happen next?
또 다른 것은?	What else can you see?
이것이 뭔지 알아?	What do you know about this/that?
오리도 있니?	Can you see duck?
동물들이 뭐하고 있지?	What are they doing?
돼지는 어디에 있지?	Where's this pig?
이것은 뭐 같이 보이니?	How do they look like? wow, good guess!!

네가 주인공이라면 어떤 느낌일 것 같니?	If you were the character, how would you feel?
_____ 때 어떻게 느끼지?	How do you feel when _____?
이 그림에서 어떤 일이 일어나고 있지?	Let's find what happen in this picture.

2. 읽기 중 활동(While Reading)

1) 첫 번째 읽기First Reading

스토리에 흥미를 이끌기 위해 큰소리로 실제 연기하듯 드라마틱하게 읽게 한다.

스크린에서 스토리 표지·제목·목차를 먼저 읽고 스토리 내용에 대한 그림을 보면서, 이야기 중 가장 중요할 것처럼 보이는 것에 대해 말해보도록 질문을 한다. 첫 읽기를 하고 난 후 이야기를 좋아하는지, 즐기는지를 물어보는 것도 중요하다. 이때는 가능한 한 의문사 질문을 사용해서 질문을 하면 학생들이 스토리를 예측하고 이해하도록 이끄는 데 효과적이다.

첫 번째 읽기에서 그림을 보며 사용할 수 있는 질문들은 다음과 같다.

1st 읽기에서 사용할 수 있는 질문들

국어 스토리 읽기 유도질문	영어 스토리 읽기 유도질문
이 이야기 좋아하니?	Do you like (enjoy, love) this story?
누가 주인공이지?	Who is the main character?
오리가 주인공이니?	Is duck main character?
거위는 어때?	How about goose?
(칭찬 피드백을 주면서) 그렇지, 돼지가 주인공이지.	Yes, Pig is also main character.
돼지는 어디에 살지?	Where does pig live?
그림은 어디에서 일어난 일이니?	Where is this picture taken place?
(칭찬 피드백을 주면서) 대단한데, 돼지는 ___ 농장에 살고 있지.	Right, pig lives in ___ 's farm.

이때는 재미있게 읽어주기Read aloud를 통해 읽기의 좋은 모델을 보여주는 활동교사, 부모, MP3, YouTube 및 인터넷 사운드 등을 한다. 특히 답을 이끌어내기 위한 질문이나 피드백 전략을 사용할 수도 있는데, 학생들의 적극적인 참여를 이끌기 위해서는 가능한 한 칭찬 피드백을 사용하도록 한다.

처음에는 일반적인 질문을 하지만 점차 더 구체적인 질문을 주도록 한다. 그리고 첫 번째 읽기의 마지막 활동은 인터넷 음성기능을 사용하여 듣기를 하도록 한다.

2) 두 번째 읽기 Second Reading**는 이해력을 위한 읽기 리터러시 활동을 한다.**

이때는 다양한 읽기활동으로 학생들의 이해력과 유창한 읽기를 이끌 수 있는 다양한 읽기활동을 할 수 있다.

- 학생들과 함께 읽기Shared Reading : 학생들을 읽기에 참여시켜 함께 반복 읽기를 한다. 이때는 모델을 따라 읽기를 하거나 큰소리로 박자 맞춰 읽기를 한다.

- 듣고 따라 하기Listen & Repeat : 다양한 디지털 매체를 사용하여 듣고 따라 읽기를 한다. 이때는 스토리를 보지 않고 내면화 활동으로 스토리 라인을 재정리하는 활동도 할 수 있다. 그리고 듣기를 한다.

- 파닉스 익히기Phonics Study : 영어 스토리 동화 읽기의 경우, 파닉스 학습을 할 수 있는 단계이다. 예를 들어 Sound [p] – Pig, Pond에서 [p] sound 알아차리기나 또는 '첫 음 찾기'find the word with initial [p] 활동이나 교사가 읽는 [p] 소리에 박수를 치게 하는 활동을 할 수 있다. 파닉스 규칙을 확장하여 단모음에서 장모음, 이중모음 등의 변화를 통해 단어를 해독decoding하고, 단어 패턴bat/hat, act/fact, go/show을 통해 유추하여 읽기의 정확도를 높이는 활동을 한다.

- 단어 짚어주기Word Study : 배운 단어를 효과적으로 익히는 활동으로 기본 패턴에서 유추하여 단어를 해독하는 연습을 하거나 유창하게 읽기를 위한 첫 단계인 단어 읽기의 정확성 향상을 위한 연습을 하게 된다.

- 단어 감각 익히기Word Building : 익힌 단어를 기반으로 모음이나 자음을 변경하여 단어를 유추하는 연습hay, say, way, pay을 한다. 단어학습 활동으로는 그림에 라벨을 달게 하거나 이름이나 스티커를 붙이게 하고, 그림사전을 만들도록 하는 활동도 한다. 문장학습 활동으로는 그림 카드를 연결하여 문장을 만들도록 한다. 그리고 듣기활동을 한다.

- 어휘 확장하기Vocabulary : 새로운 어휘들을 등장인물의 행동과 책의 그림과 연결하여 의미 파악을 하도록 이끄는 활동이다. 예를 들어 사람people, 거리street, 집house 등 주변에서 쉽게 의미 파악making meaning을 할 수 있는 단어들을 확장하는 읽기 전략이다.

두 번째 읽기에서 사용할 수 있는 질문들은 다음과 같다.

2nd 읽기에서 사용할 수 있는 질문들

국어 스토리 읽기 유도질문	영어 스토리 읽기 유도질문
같은 소리를 가진 단어를 찾아볼래?	Can you find out the words with same sound.
이 단어 한번 읽어볼래?	Read the word.
___는 어디에 있지?	Where is the _____?
___는 연못에 있어.	The ____ is in the pond.
___ 글자를 빼고 한번 읽어볼래?	Take away the letter _____ and read it.
___ 글자를 넣어 한번 읽어볼래?	Put the letter _____ and read it.
어떤 글자가 이 소리로 발음되지?	Which letter makes the sound _____?
이 그림에서 빠진 것을 찾아볼래?	Find the missing one in the picture card.
이 단어의 의미가 뭐지?	What does it mean?
단어를 읽어보고 의미를 말해볼래?	Read this word and tell me its meaning?
첫음과 끝음을 나눠볼래?	Divide onset and rime.
같은 패턴을 가진 단어를 찾아볼래?	Can you find the word with the same patterns?
문장을 읽고 이 단어 의미를 추측해볼래?	Read this sentence and guess the meaning of the word _____.

3) 3번 째 읽기Third Reading

추론하는 이해력을 점검하기 위해 질문을 통해 상호작용 읽기를 한다. 이야기 내용과 자신의 경험을 연결하는 활동을 할 수 있다.

4) 4번 째 읽기Fourth Reading

괄호 넣기Cloze 학습활동을 통해 읽기를 할 수 있다. 때로는 빈칸을 주고 빈칸을 채우면서 읽기를 하도록 한다.

5) 5번 째 읽기Fifth Reading

혼자읽기Independent Reading를 한다.

6) 유창한 읽기Fluency

정확하게 발음, 감정을 사려 자연스럽게 말하듯 약간 빠른 속도로 의미전달 하도록 읽는 것이다. 큰소리 읽기를 통해 말하기 능력을 강화할 수 있다.

위와 같은 읽기 활동으로 가능한 것들은 다음과 같다.

다양한 읽기 중 활동으로 사용할 수 있는 질문들

	국어 스토리 읽기 활동	영어 스토리 읽기 활동
3번째 읽기	─물속으로 뛰어 들어가본 적 있니? ─연못에서 놀았던 경험을 그려보기 ─방학에 일어났던 일에 대해 일기쓰기 ─물속에 빠진 나에 관한 그림에 대해 글쓰기 ─버슬 스티커 사용하여 대화글 만들기 ─동물과 동물의 소리를 연결하기 (글씨가 없는 경우도 가능)	─Have you ever jump into the water? ─Draw about the experience that he played in the pool. ─Keep a diary about things happened on vacation. ─Write on his own picture "I'm in the water". ─Make dialogue using speech bubble sticker. ─Connect animal sound to a animal.
4번째 읽기	─듣기를 하면서 빈칸 채우기 활동하기	─Fill in the blank in worksheet listening to the tape.
5번째 읽기	─교사가 분명하고 또렷한 발음으로 읽어주기 ─학생들과 큰소리로 함께 읽기	─Read aloud by teacher. ─Read together with kids.
유창한 읽기	─캐릭터의 분위기 감정을 이입하여 큰소리로 끊어 읽기 ─문장의 강세/리듬감, 높낮음을 연습하는 읽기	─Chunk Reading with emotion. ─Rhythm Reading.

이러한 다양한 읽기 활동은 학생들의 읽기 유창성을 길러주는 데 효과적이다.

3. 읽기 후 활동(After Reading)

읽기 후 활동에서는 주제관련 다양한 디지털 매체 읽기 활동을 할 수 있는 단계이다. 스토리 동화에서 자신의 학교생활이나 일상생활과 관련된 문제에 대해 탐구질문을 만들고 이를 찾기 위해 인터넷에서 관련된 디지털 매체 스토리 동화를 찾는다거나 스토리에 대한 다양한 리뷰를 읽고 자신의 생각과 비교하는 글쓰기 활동을 할 수 있다. 그리고 스토리 동화와 관련된 주제에 대한 교과목과 연계한 탐구읽기를 위해 디지털 매체 논픽션 자료를 찾는 뉴 읽기 리터러시 과정의 탐구과정으로 연결하는 학습이 이루어질 수 있다. 이는 다양한 주제통합 교과목 연계학습이 되기도 한다. 탐구학습 결과는 자신의 생각을 더해 쓰기 활동으로 연결될 수 있다. 쓰기writing활동은 빈도수가 높은 문장을 이용하여 문장 만들기를 하거나, 문장 안에 자신의 단어를 넣어 문장 변형하기 활동을 할 수도 있다. 또는 디지털 매체 탐구활동 결과를 쓰기 활동으로 연결하여 인쇄 매체 스토리 동화 읽기를 디지털 매체 논픽션 읽기로 연결하고, 결국 쓰기라는 결과물을 만들어내는 총체적인 뉴 리터러시 활동으로 확장할 수 있다. 특히 이러한 읽기 후 활동을 이끌 수 있는 질문들을 통해 다음과 같은 다양한 활동을 추가할 수도 있다.

읽기 후 활동으로 사용할 수 있는 질문들

국어 스토리 쓰기 유도질문	영어 스토리 쓰기 유도질문
____으로 문장을 만들어볼까요?	Let's write some sentence with ____.
새로운 이야기로 만들어볼까요?	Let's make a new story.
다음에 어떤 일이 일어날지 상상해볼래요?	Would you imagine what will happen to ____?
어떤 스토리였지요?	Do you remember the story?
스토리에서 무슨 일이 일어났지요?	What happened in the story?
스토리 주인공에게 일어났던 일에 대해 써볼까요?	Write about what happened to the main character through out the story.

1) 회상하고 요약하기recalling & summarizing

사건이나 사실적인 이야기의 도입·전개·결말을 나누어 간추려 정리해보는 쓰기 활동이다.

2) 등장인물 묘사하기describing characters

주인공들의 특징과 생김새, 성격과 이야기 속 역할에 대해 말해보는 쓰기 활동이다.

3) 이야기 장소 묘사describing the story setting

이야기가 발생한 장소를 오감을 통해 구체적으로 묘사해보는 쓰기 활동이다.

스토리 동화 읽기 후 쓰기 활동으로 이끌 수 있는 질문들은 다음과 같다.

읽기 후 쓰기 활동으로 사용할 수 있는 질문들

	국어 스토리 쓰기 유도질문	영어 스토리 쓰기 유도질문
요약하기	스토리를 요약해볼까요? 처음에 무슨 일이 일어났지요? 다음에 무슨 일이 일어났던가요?	Let's summarize the story. What happened at first? What happened next?
인물묘사	주인공에 대해 말해볼까요? 그는 어떤 사람이었던가요? 그는 어떻게 느꼈지요?	Let's talk about the main character. What did he look like? How did he feel?

| 장소묘사 | 어디서 일어난 일인가요?
스토리가 일어난 장소를 묘사해볼래요?
무엇을 보고/느꼈가요? | Where did it happen?
Draw the place where the story happens?
What did you see/hear/touch? |

4) 스토리 구조 파악하기finding the story structure

다양한 스토리 구조를 그림이나 도표로 정리하여 시각화하면 이야기나 문장에 대한 이해도를 증진시키는 이해활동이며 표현활동이 된다. 스토리 구조 파악하는 방법은 일반적으로 다음과 같다.

- 사건의 순서대로 나열하는 방법sequencing
- 원인과 결과를 파악하는 방법couse & effect
- 비교와 대조를 파악하는 방법compare & contrast
- 원인인식과 해결하기problem & solving

5) 나와 관련짓기asking personal connection

이야기를 학생 자신의 경험과 관련지어 생각해보는 과정으로 스토리를 능동적이고 흥미롭게 이해하도록 도와주는 쓰기 활동이다.

6) 교과목과 연관 찾기making curriculum connection

이야기 주제를 교과목수학/과학/사회/음악/미술/체육 등과 연계하여 학습활동으로 확장하는 표현활동이다. 이때 특히 디지털 매체 리터러시 활동으로 연결할 수 있다.

7) 이야기 평가하기evaluating the story

읽은 내용을 평가해보는 활동으로 작가가 이야기를 흥미롭게 썼는지, 어느 부분이 흥미로웠는지, 내가 작가라면 이야기를 어떻게 더 재미있게 만들 수 있는지, 작가의 작품에 대해 다양하게 이야기를 공유해보는 읽기 후 활동이 될 수 있다.

8) 블로그 올리기blogging the story

블로그에 자신의 글이나 탐구 학습활동 결과에 대한 글을 올리기도 하고, 다른 학생들의 글에 대해 긍정적 피드백을 올리기도 한다. 그 외에도 그룹 활동으로 동물농장 만들기나 교실 앞에서 역할놀이 같은 활동을 할 수 있다.

뉴 읽기 리터러시 능력을 갖추기 위해 교사나 학생들은 협업활동을 통해 디지털 매체에서 제공하는 다양한 주제관련 스토리 동화를 선택하게 된다. 학생들의 유창한 읽기를 위해 디지털 매체에서 찾을 수 있는 좋은 동화는 다음과 같은 특징을 갖춘 내용이면 효과적이다.

1) 어려운 단어들보다는 큰소리로 읽으면서 소리의 리듬감을 느낄 수 있는 운율rhyme이 들어 있는 스토리 동화가 좋다. 운율이 있는 표현들은 속도를 내어 읽으면 리듬감이 살아 읽는 재미를 느낄 수 있고 말하는 느낌이 들어 기억하기도 쉽기 때문이다.

2) 익숙한 패턴으로 이루어진 단어나 표현들이 풍부한 스토리 동화는 학생들이 쉽게 해독decoding할 수 있어 '유창하게 읽기'를 가능하게 해준다.

3) 이야기 내용이 실제 말하는 표현들로 쓰인 스토리 동화이면 더욱 좋다.

4) 다양한 문장 부호, 의성어, 의태어를 접할 수 있는 다양한 표현의 스토리 동화는 '문장 부호'가 표현해준 대로 읽으면 문장의 의미뿐 아니라 느낌도 접할 수 있게 된다.

5) 특히 다양한 의성어나 의태어가 포함된 스토리 동화는 유창한 읽기를 위해 더욱 효과적이다. 이러한 스토리 동화는 이야기를 오감을 통해 느끼면서 읽게 해주고 문장의 의미를 잘 살려 읽을 수 있는 '유창하게 읽기' 능력을 갖추게 해준다.

6) 무엇보다 이야기의 내용이 재미있고 구어체로 표현되어 있으면서 다양한 인물들의 특징과 묘사가 문장 속에 잘 나타나는 스토리 동화는 의미대로 끊어 읽기가 용이하고 이해도 쉽다.

7) 마지막으로 이야기 속의 다양한 주인공들이 말하는 다양한 표현들에서 주인공마다의 다양한 표현, 성격, 인물 특성, 환경, 내면세계를 이해하도록 도와주고 실감나는 표현연습도 가능하게 해준다.

이러한 다양한 특성을 갖추고 있는 디지털 매체를 통한 스토리 동화읽기는 문제해결식 역량을 길러줄 수 있는 뉴 읽기 리터러시 교수학습을 위한 최고 조건임이 틀림없다.

Unit 03.
뉴 3Rs 리터러시 과정은 생각하는 Reading

01. 뉴 3Rs 읽기 리터러시 교수학습에서 길러야 할 역량
02. 주제통합 수업에서 필요한 뉴 3Rs 읽기 리터러시 전략
03. STEAM 접근의 뉴 3Rs 읽기 리터러시 전략
04. 영어읽기 수업에 적용한 뉴 3Rs 읽기 리터러시 실제

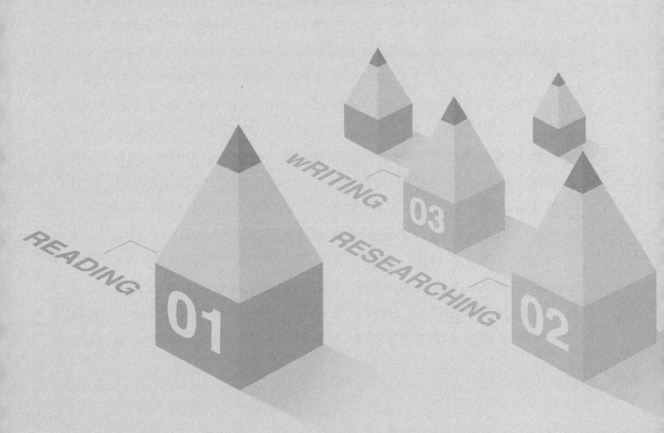

01. 뉴 3Rs 읽기 리터러시 교수학습에서 길러야 할 역량

▌ 뉴 읽기 리터러시 학습활동은 고차원적 사고 작용을 필요로 한다.

읽기는 해독능력과 독해능력이 필요하다. 해독능력은 하나의 문장을 구성하는 단어와 구문들이 구조나 문법에 의해 쓰인 글을 정확하게 읽어내는 능력이다. 독해력은 해독과 해석을 바탕으로 저자가 전달하고자 하는 메시지를 제대로 이해하는 능력이다. 특히 독해는 여러 문장이 모여 하나의 메시지나 스토리를 담고 있는 단락을 이해하는 과정에서 보다 빠르고 바르게 이해하기 위해 다양한 읽기 기술과 고도의 사고 작용을 필요로 한다. 읽기는 집에서 재미로 폭넓게 읽기를 할 수도 있고, 읽기수업에서 집중읽기를 할 수도 있다. 어떤 읽기의 경우에도 다음과 같은 다양한 독해기술이 필요하다. 1)글의 내용을 예견하고 예측하는 능력Previewing, 2)필요한 정보를 빨리 찾는 정독Scanning과 글의 의미를 빨리 대충 읽어내는 능력Skimming, 3)효과적으로 읽기를 위한 풍부한 어휘지식Building Vocabulary, 4)모르는 단어의 의미를 추측해내는 능력Guessing, 5)담화나 단락의 주제문 찾는 능력Finding Topic, 그리고 6)단락의 중심생각을 찾는 능력Finding Main Idea 등이 필요하다. 그 외에도 장르에 따른 다양한 단락의 글을 읽어내야 하는데, 이때 7)글의 전개가 나열식으로 설명되고 있는지Sequence, 시간별로 설명하고 있는지Time Order, 원인과 결과로 설명하고 있는지 Cause & Effect, 비교나 대조관계를 설명하고 있는지Compare & Contrast, 또한 8)글 속에 나타난 변인들 간 관계뿐 아니라 보이지 않은 변인간의 관계도 추론해낼 수 있는 능력이 필요하며Inference, 9)글을 읽고 내용에 대해 요약할 수 있는 능력Summary도 필요하다. 그 외에도 10)글의 내용의 신뢰성을 평가하고, 자신의 배경지식과 상호작용을 하면서 글의 내용을 평가하고, 분석하고 통합하는 고차원적 사고능력Higher Level Thinking Skills 등이 필요하게 된다.

독해를 잘하려면, 먼저 문장을 구성하는 단어들과 의미를 구성하는 표현들의 질서체제를 알아야 한다. 그리고 단락을 구성하고 있는 각 문장들 간 질서체계, 즉 담화내용에서 의미연결 관계를 잘 이해해야 한다. 글이 표현되는 형태를 보면 이미 규칙에 의해 완성된 표현, 즉 단어와 어휘들이 조합되어 형식과 의미를 갖춘 문장과, 단락을 구성하는 문장 간 질서체계, 한 덩어리의 생각을 나타내기 위해 내용상 밀접한 관계가 있는 문장들이 논리적으로 배열된 글의 단락의 구성 체제도 잘 알아야 한다.

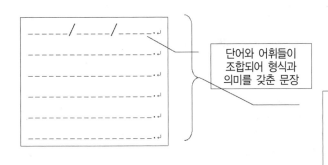

단어와 어휘들이 조합되어 형식과 의미를 갖춘 문장

문장 간 질서체제 및 한 덩어리의 생각을 나타내기 위해 내용상 밀접한 관계가 있는 문장들이 논리적으로 배열된 글의 단락

문법, 문장구조, 담화와 단락에 관한 능력

문법 (Grammar)	– 어휘 들이 조합되는 규칙성을 이해하고 표현하는 능력 * 문법은 정확한 문장해석을 위한 도움 장치이기 때문이다.
문장구조 (Structure)	– 문장을 의미단위로 이어가고, 한 번에 읽는 눈의 범위(eye span)로 끊어가며 읽어내는 능력
담화 (Discourse)	– 단락을 구성하는 문장 간 질서체계에 대한 능력 – 둘 이상의 문장이 연속되어 이루어지는 말의 단위 이해능력 – 각 문장은 서로 연관성을 가지며, 문장의 연속은 스토리를 가질 때 바로 글이 된다. 따라서 독해를 잘하기 위해서는 담화구조를 잘 이해할 수 있는 능력
단락 (Paragraph)	– 한 덩어리의 생각을 나타내기 위해 내용상 밀접한 관계가 있는 문장들이 논리적으로 배열된 글의 단위를 이해하는 능력 * 단락을 이루는 몇 개의 문장들은 '일정한 의미나 내용을 중심으로 유기적 관련'을 맺는다. 한 덩어리의 생각으로 의도하는 바에 대한 주제를 다루기 때문이다.

특히 글의 형식을 갖춘 단락은 주제를 중심으로 글의 통일성과 완결성을 갖추기 위해 다음과 같은 글의 질서체제를 갖춘다.

1) 주제 중심개념이 담긴 주제문으로 서두에이 있고,
2) 이어 사실적, 예시문, 물리적 설명, 구체적 세부항목 표현과
3) 마무리 짓는 결론을 유도하는 문장이 포함된다.

단락을 구성하는 중심요소는 주제문이다. 주제문은 주제에 관한 명확하고 완전한 문장으로 쓰인다. 그리고 주제의 요지중심개념를 나타내는 특별하고 한정된 문장이다. 단락에서 주제문을 찾는 전략은 주로 다음과 같은 기능어가 쓰인 문장들로 의미나 주제에 대한 작가의 견해가 주어질 가능성이 높다.

주제문 찾기 : 전략적 방법

국어 글	영어 글
– 역접으로 전환되는 문장 – 내 생각/주장은… – 가장 중요한 것은… – 정의하는 문장, 주장하는 문장 등 – 명령문, 의문문일 경우 응답문장 – 구체적 예를 드는 이전 문장이나 – 마지막 결론문장 – 직접, 간접 보조문 – 통일성과 일관성, 응집성이 있는 문장	– but/yet/however – for example/for instance – the most/best, 최상급 – be important 등 중요성 암시 찾기 – must/should/have to – so/therefore/thus – I think/believe/feel, Colon(:)이 있을 땐 콜론 바로 앞 문장 – 명령문, 문단의 처음이 의문문일 경우 질문에 응답 문장

다음으로, 다양한 형식의 글을 잘 읽고 독해를 잘하기 위해서 어떠한 역량이 필요 하는지를 알아보는 것은 읽기 리터러시 교수학습 방법을 찾는 데 중요한 의미가 될 것으로 보인다. 읽기 리터러시에서 독해를 잘하기 위해 다음과 같은 기초언어능력과 언어사용능력이 필요하다.

기초언어능력

어휘력	문맥에 의한 어휘의 의미파악, 기초적 조어 규칙 이해하기
문장구조	문법적 판단력, 문장 속 담긴 정보이해능력, 문장전환 능력
담화구조	연결사 넣기, 문맥과 무관한 문장 골라내기, 단락 구성하기
사회언어학적 지식	어색한 표현 고르기, 격식 갖춘 말 고르기, 인터뷰 완성하기, 찬반논란, 완곡한 거절 표현하기

언어사용능력	
사실적 이해	특정 정보 찾기 / 특정 정보의 통합과 분류하기 / 글의 주제나 제목 찾기 / 글의 요지나 대의 파악하기 / 주 사실 파악하기 / 내용 일치하기
추론적 이해	문맥 속에서 특정 정보 파악하기 / 주제나 요지 추론 / 전후 관계 추론 / 빈 칸 추론 / 지칭추론 / 원인이나 결과 추론 / 함축된 의미추론
비판적 이해	맹목적 수용을 거부하고 가치관, 수준, 사실의 정확성까지 따져가며 평가하는 능력 / 글의 내용을 판단해 가면서 읽는 능력 / 글을 분석해가며 읽는 능력
종합적 이해	견해, 사실 판단 및 목적, 필자의 견해와 감정, 그리고 적합성을 판단하는 능력 / 글이 주는 정서와 분위기를 판단하는 능력 / 글의 내용과 원전을 판단하는 능력

글을 읽고 독해하는 데 필요한 역량은 인쇄 매체 텍스트 읽기 학습뿐 아니라 디지털 매체 읽기 학습 환경에서도 강조되는 능력이다. 다양한 글을 제대로 독해하기 위해서는 다음과 같은 4단계 독해능력에 충실해야 한다.

1. 정보에 대한 사실적 이해 (쓰인 그대로 뜻 파악) 능력은 다음과 같은 능력을 포함한다.

1) 정보의 사실 여부를 이해하는 능력

2) 정보의 주제를 알아내는 능력

3) 정보가 어느 방향으로 흘러가고 있는지 파악하는 능력

4) 정보 중 중요한 것을 추려내는 능력

5) 정보간의 논리적 원인결과를 이해하는 능력

6) 정보를 비교하는 능력

7) 정보를 대조하는 능력

8) 등장인물을 분석하는 능력

2. 해석적 이해 능력은 다음과 같은 능력을 포함한다.

기존 정보지식에 기반이 된 변인 간 유의미 관계를 찾는 해석 능력으로 드러나지 않은 숨은 의미, 행간의 의미, 더 깊은 의미를 파악하는 능력이다.

1) 사실적 이해 능력에 기초하여 정보를 추론하는 능력

2) 어떤 정보의 결론이 더 좋고 나쁘다는 것이 없이 나름대로 자신의 결론을 끄집어내는 능력

3) 독자의 환경이나 경험에 따라 정보 자료를 일반화하는 능력

4) 정보에 대한 가능성을 찾는 창의성을 들여다보는 능력

5) 다음 정보에 대한 예측 능력

6) 관련 정보를 예측하는 기대감

7) 검색 정보에만 의존치 않고 위의 7가지를 참고로 한 단계 높은 수준의 요약 능력

3. 비판적 이해 능력은 다음과 같은 능력을 포함한다.

1) 정보의 맹목적 수용을 거부하고 그 글의 가치관, 수준, 사실의 정확성까지 따져가며 평가하는 능력

2) 정보 내용이 전달하고 있는 바를 탐지하는 능력

3) 정보 내용을 판단해 가면서 읽는 능력

4) 정보를 분석해가며 읽는 능력

5) 정보 타당성을 따져가며 읽는 능력

6) 저자의 명성, 견해의 공평성, 목적을 평가하고 따지며 읽는 능력

4. 창의적 이해 능력은 다음과 같은 능력을 포함한다.

1) 정보의 의미 이해뿐 아니라, 읽은 것을 토대로 새로운 정보를 생각하고 자신의 문제해결과 관련짓는 창의적 이해 능력

2) 읽은 정보를 새로운 상황에 적용하는 능력

3) 정보에 대해 정의적으로 반응하는 능력

인쇄 매체 텍스트나 디지털 매체 텍스트의 종류에는 논설문, 설명문, 문학작품, 실용문, 스토리텔링 등이 있다. 그리고 단락의 내용을 시각화하는 방법, 즉 글을 읽고 내용을 표현하는 도식화 방법도 다양하다. 읽기 리터러시 과정에서 작가가 전하는 메시지를 제대로 독해하는 방법으로는 훑어보기, 머릿속에 그리기, 모니터링, 개요하기, 요약하기 등이 있으며 이러한 독해방법은 효과적인 독해 리터러시 활동을 가능하게 해준다. 특히 하이퍼텍스트와 하이퍼미디어의 결합은 의미 파악을 위한 도식화 유형으로 차트, 망, 도표, 박스, 칼럼, 매트릭스, 다이어그램 등의 구현을 가능하게 한다. 이들 도식화 유형은 주제통합 수업의 디지털 매체 학습활동에서 문제해결식 뉴 읽기

리터러시 학습전략이 되기도 한다.

초등학교에서 문제해결식 뉴 읽기 리터러시 능력을 기르기 위해 단편소설이나 스토리를 활용하는 것이 효과적일 수 있다. 특히 뉴 리터러시 능력을 위해서도 이러한 소설이나 스토리가 유용한 이유가 있다. 소설 안에 녹아있는 수많은 등장인물과 사건, 묘사 시간적 공간적 배경, 즐거움, 교훈, 사상, 철학, 종교, 역사, 과학, 시사 등 모든 삼라만상이 들어있는 더 많은 이야기들을 디지털 매체 텍스트나 미디어를 활용해 읽을 수 있기 때문이다. 그리고 스토리에는 삶의 이야기가 살아 숨 쉬고 있기 때문이다. 특히 일상생활에서 활용되는 디지털 매체 읽기는 하이퍼미디어와 링크를 통해 읽기 활동에 더욱 생동감과 즐거움을 준다. 하지만 최근 전 세계 읽기 리터러시에 대한 동향이 점차 다양한 매체정보의 다양한 형식의 글픽션과 정보전달식 논픽션 글 읽기를 지향하고 있다. 특히 다양한 디지털 매체 정보읽기를 위해 체득되어야 하는 뉴 리터러시 능력은 소설이나 스토리를 통한 인쇄 매체 읽기 리터러시 기술이 기반이 되어야 가능할 수 있다.

▌ 초등학교에서 다양한 매체 읽기 리터러시를 해야 하는 이유는 다음과 같다.

1) 개인의 흥미나 관심에 따라 즐거움을 얻기 위해 다양한 읽기를 할 수 있기 때문이다.
2) 그 안에 녹아있는 지식이나 정보 찾고 배우는 과정으로서 읽기를 할 수 있기 때문이다.
3) 무엇보다 언젠간 자신의 글을 쓰기 위한 준비과정으로서 다양한 매체 읽기를 강조한 뉴 읽기 리터러시 교육이 더 쉽고 효과적일 수 있기 때문이다.
4) 읽기의 목적과 학습자의 수준이나 흥미나 관심사, 그리고 학습자의 눈높이에 맞는 정보나 자료, 주제 등을 폭넓게 고를 수 있기 때문이다.
5) 다양한 주제 읽기가 가능한 디지털 매체 읽기 활동이 쓰기 활동을 위해서도 더욱 효과적일 수 있기 때문이다.

지금까지 많은 연구들은 인쇄 매체 읽기 리터러시 능력과 디지털 매체 읽기 리터러시 능력을 별개의 작업으로 논의해 왔다. 하지만 다양한 매체 읽기인쇄 매체 읽기나 디지털 매체 읽기에서 필요한 역량 모두가 뉴 읽기 리터러시 학습활동을 위해 중요한 읽기 리터러시 역량들이다. 그럼에도 앞에서 논의하듯 인쇄 매체 읽기 능력과 다르게 디지털 매체 읽기에서만 특히 필요한 능력들이 있다. 디지털 매체 읽기를 위해 필요한 역량은 인쇄 매체 읽기 리터러시 능력에 뭔가를 하나 더해야 하는 능력이 아니라, 끊임없이 질문을 만들어내고 끈질기게 고차원적 사고과정을 경험하면서 얻은 새로운 비판적, 융합적, 창의적 읽기 리터러시 능력들이다.

뉴 읽기 리터러시 학습활동에서 비판적 읽기를 위해 필요한 고차원적 사고 능력들은 다음과 같다.

1) 정보접근 : 필요한 정보에 접근하기 위한 문제를 제기하고, 그 외 관련된 해결점을 찾기 위한 방법을 아는 능력.
2) 정보관리 : 관련 정보를 확인하고 조직하는 능력.
3) 정보통합 : 요약, 비교, 대조 등을 통해 정보를 해석하고 표현하는 능력.
4) 정보평가 : 정보의 품질, 관련성, 유용성 등에 대해 판단하는 능력.
5) 정보생성 : 기존의 정보를 편집, 적용, 재구성하고 새로운 정보와의 통합을 통해 새로운 정보를 생성해내는 능력.

각 단계를 거치는 동안 학생들은 문제해결에 대한 지식과 경험이 점차 구체화된다. 뉴 읽기 리터러시 교수학습 활동을 통해 숙달되어야 할 문제해결능력은 다음과 같다.

문제제기와 문제해결능력

인지적 숙달 능력 Cognitive Proficiency		기술적 숙달 능력 Technology Proficiency
정의(define)		인지적(Cognitive)
접근(access)		
관리(manage)	→	윤리적(Ethical)
통합(integrate)		
평가(evaluation)		기술적(Technical)
생성(create)		

* 출처 : www.ets.org/Media/Tests

국제 ICT 리터러시 패널2001에서는 뉴 읽기 리터러시 교수학습을 통해 길러질 수 있는 역량을 다음과 같이 구체적으로 정리해주고 있다.

뉴 리터러시 영역	인지능력	기술능력
계획 plan	인지적 과제 수행에 대한 계획 수립 문제제기	계획하고 의사결정 하는 도구 사용
접근 access	다양한 매체와 출처에서 적정한 기술과 도구를 선택	컴퓨터 이용하여 정보 검색 컴퓨터 유지 관리
관리 manage	기존의 조직, 분류 스키마를 적용, 유목화, 정보 저장, 기록	소프트웨어 패키지 내에서 일반적인 작동을 하고 데이터를 관리 설계
통합 integrate	자료나 개념의 요약, 대조, 비교, 연관성을 이해	다양한 자료의 정보를 종합하여(워드 문서, 엑셀 문서 등) 문제해결
평가 evaluate	평가 기준을 정의 정보의 질을 평가, 유용성, 적합성을 판단 선택	웹페이지 등의 자료, 정보, 도구의 적절성 판단
제작 create	정보를 적용, 새로운 아이디어를 제안, 설계물, 산출물을 생성	그래픽, 문서, 파워포인트, 웹페이지 등 제작
의사소통 communicate	문제해결책을 다양한 형태로 청중에게 전달 카피라이트, 프라이버시 존중	프레젠테이션과 네트워크를 이용하여 내용을 전달하고 출판
협동(대인관계) collaborate	다양한 맥락에서 사람들과 협동하여 의사소통 다양한 학습맥락에 적용	이메일과 네트워크(동시적, 비동시적) 도구를 통해 가상의 학습공간에서 의사소통
메타 인지(성찰) meta cognitive	최종 결과물을 판단, 문제해결 과정을 성찰	자기 관리 및 성찰 도구의 활용

　　'계획'은 과제수행에 대한 계획을 수립하는 능력, '접근'은 정보 수집방법을 아는 능력, '관리'는 정보를 조직하고 분류하고 적용하는 능력, '통합'은 정보를 해석·요약·비교·대조하는 능력, '평가'는 정보의 질, 관련성, 유용성, 효율성 등을 판단하는 능력, '제작'은 정보를 재생성하는 능력이라고 규정하였다ETS, 2002. 이 같은 점을 고려할 때, 뉴 읽기 리터러시 능력은 디지털 매체 기술관련 업무와 인지적인 정보를 성공적으로 완성하는 기술능력과 일반적 인지능력을 포함한다. 특히 뉴 읽기 리터러시 교수학습 과정에서는 끊임없이 질문을 만들며 읽는 비판적 읽기능력과 디지털 매체 정보의 이해, 지식, 태도 기능, 활용 능력과 같은 디지털 매체 읽기 리터러시 정보 관련 능력뿐 아니라, 정보의 탐색·통합·생성·평가 등 정보와 관련된 고차원적인 사고능력이 길러진다. 그리고 정보사회를 이해하고 윤리의식을 갖출 수 있도록 유도하는 사회적이며 정의적 능력까지도 길러지는 뉴 리터러시 교육을 이끈다.

02. 주제통합 수업에서 필요한 뉴 3Rs 읽기 리터러시 전략

뉴 3Rs 리터러시 교수학습 과정에는 4Cs가 녹아있다.

초등학교 리터러시 교육의 목표는 상급학교에서 접하게 될 다양한 매체 정보를 바르게 이해하고 빠르게 잘 읽어내기 위한 뉴 읽기 리터러시 능력을 갖추는 데 있다. 특히 인쇄 매체 읽기를 위한 기본적인 리터러시 능력뿐 아니라 디지털 매체 정보에 대한 질문을 만들고, 정보를 정의하고, 정보를 찾고, 정보를 평가하고, 정보를 통합하고, 자신의 스토리로 정보를 재창조해내는 능력을 갖추어야 한다. 그래서 뉴 3Rs 리터러시 교수학습 전략은 다양한 매체 정보를 바르고 빠르게 잘 읽어낼 수 있는 비판적 사고력, 융합적 탐구력과 창의적 표현능력, 그리고 이를 바탕으로 미래 글로벌 세상에서 창의·융합적 인재로 성장하는 데 필요한 4Cs 스킬이 녹아있는 교수학습 과정을 따르는 것이다.

뉴 3Rs 리터러시 교수학습에 필요한 스킬

뉴 3Rs	➕	4Cs
읽기(Reading) 탐구하기(Researching) 쓰기(wRiting)		비판적 사고(Critical Thinking) 협업(Collaboration) 소통(Communication) 창의성(Creativity)

뉴 3Rs 리터러시 교수학습 활동 중 읽기 리터러시 능력은 초등학교 교육과정 전반에 영향을 미치는 가장 기본이 되는 리터러시 능력이다. 초등학교에서 읽기를 제대로 잘하면 전 교과목 학습을 성공적으로 이끌 수 있는 자원이 된다. 민덕기 외 2인2013에 따르면, 읽기 과정에는 장기기억에 저장된 언어지식, 실용지식, 그리고 배경지식이 사용된다고 한다. 언어지식은 의미를 구성하는 글자·어휘·문장·담화에 관한 지식이며, 화용지식은 의사소통의 상황에 따른 담화에 관한 지식이고, 배경지식은 담화가 선험적 지식구조를 반영하는 지식이라고 하겠다. 초등학교에서 이러한 단계별 읽기 지식을 갖추기 위해 어떤 읽기 자료와 어떤 학습절차와 교수학습 활동이 주어져야 하는지를 알아보는 것은 학습자의 언어지식·화용지식·배경지식을 쌓는 데 도움이 될 것으로 보인다. 그리고 읽기를 잘하기 위해 어떤 지식이 필요한지를 알아보는 것은 초등학교 리터러시 교수학습 모형을 개발하는 데 매우 유용한 자료가 될 것으로 보인다.

초등학교 읽기 능숙도를 위해 필요한 지식

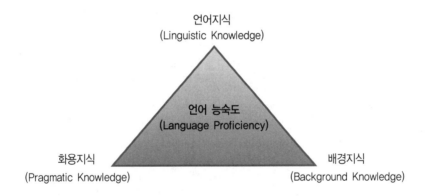

디지털 세상에서 소통되고 있는 정보의 거의 대부분은 영어로 쓰여 있고, 초등학교 학생들은 이제 이러한 디지털 매체 영어정보 읽기를 피해가기는 어렵다. 영어 디지털 자료가 많아지면서 학생들의 외국어로서 영어능력을 길러주는 일이 만만치 않은 과제이다. 하지만 국어든 영어든 언어능력은 무엇보다 다양한 매체 읽기자료를 통해 언어표현들을 가능한 많이 듣고, 읽는, 즉 언어에 많은 양의 노출이 있어야 향상될 수 있다. 물론 읽기활동을 위해 요구되는 학습자의 언어능력은 사회문화적 환경과 심리 내면에 축적되어 있는 배경 지식이 매우 중요하게 작용된다는 점을 부정할 수 없다. 하지만 그보다 더 중요한 것은 이해가능하게 입력된 다양한 언어표현들을 사용할 기회가 실제 의사소통 상황에서 가능한 많이 주어질 때 언어 사용능력이 증진될 수 있다.

초등학교 국어교육의 목표도 의심할 바 없이 다양한 매체 정보를 제대로 읽어낼 수 있는 국어능력을 증진시키는 데 있다. 이러한 점에서 바람직한 언어학습 환경은 언어학습 시간과 언어 사용 시간을 점차 늘려 언어습득에 가장 적합한 학습조건을 갖추는 것이 무엇보다 중요하다. 언어 노출과 사용시간이 제한된 언어학습 환경에서는 언어의 다양한 표현과 사용을 정확하고, 유창하고, 그리고 자동화 되도록 이끌기 어렵다. 언어는 얼마나 많이 그리고 꾸준히 반복 훈련하는지가 언어습득을 위해 매우 중요한 조건이 된다.

Skehan1998은 읽기 능력에는 세 가지 지식인 언어지식, 화용지식, 배경지식이 작용한다고 말한다. 하지만 읽기 능력을 증진시키기 위해 필요한 언어지식과 화용지식에는 언어학습 환경에서 언어에 노출되는 정도가 중요하게 작용한다. 따라서 국어든 영어든 이를 정확하고, 유창하고, 자동화 하도록 이끌 수 있는 효율적인 교수학습 모델이 제공되어야 한다.

초등학교 읽기 리터러시 능력 향상을 위한 기능

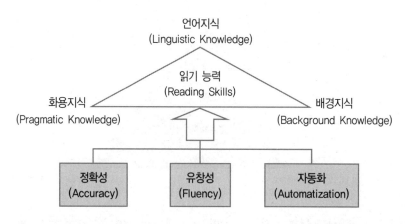

2013년부터 초등학교 1~2학년 학생을 시작으로 주제통합 교과서로 학습을 하고 있다. 초등학교 교과서는 국어와 수학, 그리고 주제통합 교과서로 구성되어 있다. 학년별 국어는 국어책학기당 2권, 학년별 총 4권과 국어 활동책학기당 2권, 학년별 총 4권으로 구성되어 있으며, 수학은 수학책학기당 1권, 학년별 2권과 수학 익힘책학기당 1권, 학년별 총 2권으로 구성되어 있다. 특히 주제통합 교과서는 나·가족·이웃·우리나라와 봄·여름·가을·겨울이란 주제로 1년간 교육과정이 총 8권으로 학생들이 살고 있는 생활환경과 연계한 교육과정으로 구성되어 있다.

초등학교 교과목 편제

학년	교과	국어	수학	통합
1학년	1학기	국어 1 (국어/국어활동)	수학 1 (수학/수학익힘책)	학교
				봄
				가족
				여름
	2학기	국어 2 (국어/국어활동)	수학 2 (수학/수학익힘책)	이웃
				가을
				우리나라
				겨울
2학년	1학기	국어 3 (국어/국어활동)	수학 3 (수학/수학익힘책)	나
				봄
				가족
				여름
	2학기	국어 4 (국어/국어활동)	수학 4 (수학/수학익힘책)	이웃
				가을
				우리나라
				겨울

　　교육과학기술부에서 [2013년 1-2학년 군 우리아이 새 교과서 알아보기]라는 새 교과서 소개 안내서를 보면 주제통합 교과서에 대해 자세히 이해할 수 있다. 이를 위해 네이버 사이트에서 다음 이미지들을 소개한다.참고 : http://imagesearch.naver.com/search.naver?sm=ext&viewloc=0&where=idetail&rev=17&query=......

초등학교 주제통합 교과서와 관련된 그림들을 소개하고 있는 이 사이트를 보면 교과부가 창의·융합적 인재양성STEAM을 위한 주제통합 교과서를 토대로 국어 및 수학 등의 수업활동을 동시에 할 수 있게 하여, 사실 언어와 교과목 주제를 통합하여 학습하게 한다. 물론 학년 군에 따라 어휘 단위 등이 수준별로 다르게 사용되고 있다. 초등학교 주제통합 교과서는 2013년에 1~2학년을 시작으로 2014년에는 3~4학년, 2015년에는 5~6학년까지 초등학교 전 학생들이 주제통합 교과서로 학습할 수 있게 된다. 그렇다고 초등학교 주제통합 교과에서 언어 읽기 리터러시 교육이 소홀히 다루어져서는 안 되며, 교과목 주제관련 언어사용의 정확성, 유창성, 자동화 학습활동을 통해 언어지식이 강화되어야 한다. 여기에 일상생활과 연계하여 학습자의 화용지식을 강화하고, 배경지식을 구조화스키마하여 점점 폭넓은 언어지식으로 확대되어야 한다. 이러한 언어지식을 위해 디지털 매체 읽기 리터러시 학습을 병행하면서 스킬을 바탕으로 협동학습과 탐구학습을 통한 비판적 사고력, 융합적 탐구력과 창의적 표현력이 더욱 증진되는 뉴 리터러시 교수학습이 이루어져야 한다.

디지털 매체 건강관련 사이트에서 이미지를 클릭하여 관련 정보를 접속하여 읽게 하면, 학생들은 다양한 건강관련 정보 사이트를 항해하며, 보다 심층적인 읽기 학습활동에서 다양한 읽기전략 사용이 가능해진다. 이런 디지털 매체 읽기 활동에서는 필요한 정보에

* 출처 : 상기 사이트

접근하는 방법을 아는 일에서부터, 관련 정보를 확인하고 조직하고, 요약, 비교, 대조 등을 통해 정보를 해석하고 통합하며, 정보의 품질, 관련성, 유용성 등에 대해 판단하고, 기존의 정보를 편집, 적용, 재구성하고 새로운 정보와의 통합을 통해 새로운 정보를 생성해내는 일까지 디지털 매체 읽기 리터러시를 통해 뉴 리터러시 학습을 확장시킨다.

위와 관련된 이미지와 연계된 링크는 다음 이미지들과 함께 어린이 간식 만들기 정보 텍스트로 이어진다.

* 출처 : http://cafe.naver.com/birthdatparty09/288131 재인용. 원본 및 내용 출처는 http://mamatok.co.kr/10169888401. [어린이 건강기능식품]

이러한 점에서 볼 때 앞으로 초등학교 교육과정에서 뉴 3Rs 리터러시 교수학습 전략은 더욱 중요하게 취급되어야 한다는 점을 알 수 있다. 질문하며 읽고, 탐구하고, 쓰기Reading, Researching, wRiting의 학습과정을 중시하는 뉴 3Rs 리터러시 교수학습 전략은 주제통합 읽기수업에서 인쇄 매체 읽기 리터러시에 디지털 매체 읽기 리터러시 학습활동을 통합하면서 학습자의 주제관련 문제 찾기와 문제해결식 탐구읽기 학습을 효과적으로 이끈다.

민덕기 외 2인2013은 읽기 리터러시 학습활동을 읽기목적, 읽기기능, 언어지식과 담화지식 등에 따라 다양하게 구분하고 있다. 이들에 따르면, 읽기 리터러시 활동은 읽기목적 달성을 위한 학습활동이므로 읽기 목적에 따라 주요 내용파악하기, 세부내용 이해하기, 특정정보 찾기, 정보 이용하기, 변인 찾기, 변인 간 관계 이해하기, 보이지 않은 변인 찾기, 보이지 않은 변인 관계 등으로 세분화 되고 있다. 이러한 구분은 읽기 기능과 읽기 목적에 따라 언어지식과 화용지식이 작용되고 주요 내용, 세부 내용, 특정 정보, 정보 이용하기 등의 읽기 활동을 이끈다. 이러한 기능 과 목적은 상호작용하여 언어사용 능력을 발달시킨다민덕기 외 2인, 2013. 이러한 읽기 활동을 통해 학생들의 언어사용이 자동화되고 유창하고 정확한 영어를 구사하게 된다.

하지만 이러한 읽기 활동에서 학생들은 자신의 언어지식과 화용지식을 사용하면서, 언어사 용 능력이 강화된다고 말하기는 어렵다. 언어사용 능력은 다양한 교과목 학습에서 읽기 학습활동 이 실생활과 연계된 리터러시 학습으로 발전될 경우, 학습자의 화용지식이 늘어나고 동시에 배경 지식이 강화되기 때문에 언어사용 능력이 보다 정교해지며 유창하고 정확해질 수 있는 것이다. 특히 읽기 활동은 언어지식과 화용지식을 자연스럽게 읽기 과정에서 적용하는 행위이다. 하지만, 학습한 지식을 학습자 자신의 언어로 사용하는 능력은 쓰기 리터러시 활동과 관련이 깊다. 정확성 측면의 쓰기 리터러시 활동도 언어에 노출되는 양이나 정도에 따라 학습자가 무의식적으로 적용 할 수 있는 유창한 리터러시 능력을 갖추도록 도와준다.

읽기 활동에서 단어, 문장 및 담화의 의미를 이해하기 위해 언어지식이 중요한 역할을 한다. 그리고 단락이해를 위해서는 학습자의 실용지식과 배경지식이 매우 중요한 역할을 하게 된다. 하지만 읽기 목적에 따라 이러한 읽기 기능이 상호작용하기도 하지만 궁극적으로는 언어사용에 노출되는 정도에 따라 읽기 기능은 강화된다.

무엇보다 읽기 활동에서 언어지식, 실용지식, 배경지식을 많이 노출시키고, 이러한 기능들이 읽기 과정에서 상호작용할 때 리터러시 능력은 강화되며 그 결과로서 언어사용 능력이 자동화되 어 정확하고 유창해진다. 따라서 읽기 목적에 따라 읽기 활동에서 언어지식, 실용지식, 배경지식 이 조화를 이룰 때 리터러시 능력은 탄탄해진다. 따라서 민덕기 외 2인2013의 자료를 좀 더 넓은 의미의 읽기 학습 활동으로 확대하면 다음과 같다.

넓은 의미의 읽기 학습 활동 (민덕기 외 2인, 2013)

읽기 학습 활동		
〈읽기 목적〉 내용 파악 활동 특정 사실 찾기 활동 (드러난/숨겨진) 변인 찾기 활동 (드러난/숨겨진) 변인간 관계 이해 활동		〈읽기 기능〉 유창성 관련 활동 정확성 관련 활동 자동화 관련 활동
〈언어지식〉 알파벳 학습활동 어휘 및 청크 학습활동 문장 학습활동 담화 학습활동	〈실용지식〉 상황 중심 활동 기능 중심 활동 주제 중심 활동 과제/문제해결 중심 활동	〈배경지식〉 경험 중심 활동

상기 읽기 학습활동은 인쇄 매체 리터러시와 디지털 매체 리터러시 활동을 특별히 구분하고 있지 않다. 하지만 일단 이러한 기초 리터러시 능력이 강화되면, 학습자가 다양한 매체 읽기를 하는 경우에도 이러한 읽기 능력은 탁월하게 작용한다. 민덕기 외 2인2013이 소개한 Hudson2007의 읽기 학습활동 형태는 공유읽기shared reading, 유도읽기guided reading, 독립읽기independent reading, 유창읽기fluent reading 등으로 구분되고 있다. 이러한 다양한 읽기 활동을 통해 리터러시 능력이 강화되면 수업현장에서 교사나 학습자가 어떤 매체의 텍스트를 읽거나, 학습부진 학생에게 어떤 도움을 주거나, 잘 읽는 학생이 혼자 읽거나, 어떤 경우에도 학생들이 큰소리로 유창하게 읽는 것이 가능해진다. 민덕기 외 2인2013이 설명한 인쇄 매체 읽기 활동들을 디지털 매체 읽기에도 적용할 수 있다. 다음은 뉴 읽기 리터러시 학습활동으로 사용할 수 있는 예들이다.

공유읽기는 교사가 글을 읽어주고 주요내용에 대해 학생들과 함께 의사소통하듯 읽기를 함으로써 읽기에 대한 흥미를 갖게 하는 읽기 활동이다. 학생들이 소리와 글자 관계를 인식하고 시각 단어를 익힌 후 큰소리로 교사의 모델 읽기를 따라 하면서 읽기 학습을 한다. 특히 학습자의 수준에 맞는 디지털 매체 읽기 자료를 통해 공유읽기를 할 수도 있다. 교사는 하이퍼미디어가 사용된 사이트를 학습자 주도로 검색하도록 하고 그 결과물로 공유읽기를 수행할 수 있다.

유도읽기는 학생들이 글을 읽을 수 있도록 교사가 여러 가지 도움을 제공하는 읽기 활동이다. 교사는 손가락을 짚어가며 읽기 시범을 보이는 등 다양한 읽기 전략을 시범보이고, 학생들은 교사의 모델을 보고, 자신에게 적용하면서 읽기에 자신감을 갖게 된다. 이 방식은 교사가 학습자 수준에 맞는 다양한 읽기 매체를 제공해주기 위해 학생들 각자의 전자 태블릿을 활용해 읽기 자료를 찾게 하여 유도읽기를 수행할 수도 있다.

독립읽기는 학생들이 스스로 글을 읽게 하는 활동으로 학생수준에 맞는 읽기 자료를 제공하는 일이 필요하다. 독립읽기는 95% 이상 아는 단어가 있는 책을 선정하는 것이 좋다. 90% 정도 아는 단어가 있는 경우는 약간 어려움을 느끼게 되며, 그 이하는 독립읽기에는 어려운 텍스트일 수 있다. 디지털 매체 읽기의 경우 중심어나 어휘 혹은 문장을 계속해서 검색해가면 다양한 하이퍼텍스트를 읽는 즐거움을 줄 수 있다. 애니메이션의 경우 즐거움과 유익함이 동시에 진행되어 읽기 리터러시 학습은 더욱 생동감을 갖게 된다.

유창읽기는 Hudson2007에 소개되지 않는 읽기 유형이다. 하지만 유창읽기는 원어민처럼 자연스럽게 읽어내는 읽기 리터러시 활동이다. 이는 의사소통에도 도움이 되며, 내용 이해에도 많은 도움이 된다. 읽기의 궁극적인 목적은 문자로 전달하고자 하는 저자의 메시지를 이해하는 것이다. 메시지를 이해하기 위해 일상생활과 관련성이 있는 다양한 디지털 텍스트를 접하는 경우 읽기 리터러시 능력이 유창해질 수가 있다. 이 때 글을 읽는 학습자가 적절하고 풍부한 배경지식을 가지고 있거나, 관련 정보를 인터넷을 통해 탐구할 수 있다면 주제와 메시지 의미를 이해하는 데 훨씬 도움이 될 것이다. 그렇지 못한 경우는 사전에 배경지식을 공유할 필요가 있다.

배경지식을 이해하는 데 선험적 지식구조라 할 스키마schema 이론이 상당한 도움이 된다. 디지털 매체 읽기 리터러시 활동의 경우 메시지를 이해하는 데 기초 언어지식 활동을 먼저 하고 점차 학습자의 화용지식 관련 활동을 하는 상향식 접근bottom-up approach이 있다. 반대로 학습자의 화용지식을 중심으로 디지털 정보를 이해하고 난 후 학생의 언어지식이나 스키마를 형성하는 하향식 접근top-down approach의 이해학습 활동이 있을 수 있다. 민덕기 외 2인2013은 이 두 접근을 주로 인쇄 매체 읽기 활동으로 설명하고 있지만 이를 디지털 매체 읽기에 확대 적용해볼 수 있다. 두 가지 읽기활동에서 근원적인 부분은 바로 기초 리터러시 능력이다. 기초 리터러시 능력은 인쇄 매체 읽기뿐만 아니라 디지털 매체 읽기에서도 그대로 적용될 수 있다. 교사는 이 둘을 읽기 리터러시 학습 환경과 학습자의 조건에 따라 적절하게 병행하는 경우 효과적인 상호작용 접근의 interactive approach 읽기 활동으로 이끌 수 있다. 민덕기 외 2인2013은 이를 소위 상향식과 하향식 접근의 장점을 결합한 절충적인 상호작용식 학습활동이라고 규정한다.

상향식 접근법	하향식 접근법	상호작용식 접근법
이해력	사전지식(스키마)	사전지식(스키마)
↑ ↑ ↑	↓ ↓ ↓	↕ 이해력 ↕
사전지식(스키마)	이해력	언어지식과 화용지식

* 출처 : 민덕기 외 2인, 2013.

　　기초 리터러시 능력을 균형적으로 강화하는 데에는 Nation2000의 균형적 읽기 학습활동이 있다. Nation2000은 의미를 중시하며 언어지식을 입력하는 의미초점 입력meaning-focused input, 의미를 중시하며 언어지식을 출력하는 의미초점 출력meaning-focused output, 언어지식을 강화하는 언어초점 학습language-focused learning, 그리고 의미기반 언어사용의 유창성 신장fluency development을 단계적 언어 학습활동으로 제안한다민덕기 외 2인, 2013 재인용. 언어 학습활동을 의미초점으로 접근하든 형태초점으로 접근하든, 달리 말해 하향식 접근이든 상향식 접근이든 의미와 언어를 동시에 상호작용식으로 접근하는 것이 기초 읽기 리터러시 능력을 발달시키는 데 매우 유용한 접근방식이라고 하겠다.

균형적 읽기 학습활동 전략			
의미초점 입력 (meaning-focused input)	의미초점 출력 (meaning-focused output)	언어초점 학습 (language-focused learning)	유창성 신장 (fluency development)
그림, 사진 활동 질문을 통한 이해 가능한 입력 활동	읽기를 쓰기나 의사소통 활동과 연계한 표현활동과 통합	읽기를 통해 어휘력이나 문장 구조감 등을 통합하는 활동	읽기를 의사소통 스킬과 통합할 수 있도록 음성언어와 문자언어의 연계활동

* 출처 : 민덕기 외 2인, 2013.

　　이를 다시 풀어 설명하면 의미초점 입력은 의미semantics에 중심을 두고 알파벳phonics, 어휘vocabulary, 단어군chunk, 문장sentence 단위로 언어지식에 대한 입력을 강조한 읽기 이해력 활동을 말한다. 의미초점 출력은 의미를 밖으로 표현하고자 언어지식을 활용하는 읽기를 쓰기로 연결하는 표현활동의 입장이다. 언어초점 학습은 언어의 정확성을 중시하는 읽기학습을 말한다. 유창성 신장 측면의 읽기 학습은 의사소통 환경에 따른 언어사용을 중시하는 의사소통 중심의 활동이라 하겠다. 어느 경우이든 다양한 읽기자료와 활동을 통해 자연스럽게 읽을 수 있는 능력을 길러주는 읽기 리터러시 전략이 중요하다. 비록 네 유형의 읽기 활동 전략이지만 학습자의 능력이나 수준,

연령 그리고 학습태도나 성향에 따라 리터러시 코치 교사는 학생들의 기초 읽기 능력을 균형적으로 신장시키기 위해 융통성 있는 읽기 전략을 사용하는 것이 바람직하다고 생각한다.

이제 학생들의 미래를 위해 초등학교 교사나 학부모들에게 주어진 과제는 과거 10년 동안 변화해온 디지털 정보환경을 읽기 리터러시 학습활동에 효과적으로 활용하는 일이다. 과거 10년 동안 정보의 특성은 외형적인 점에서, 위치적인 점에서, 접근적인 점에서, 적용적인 점에서, 그리고 소통적인 점에서 많은 변화가 있어왔다. 초등학생들에게 읽기 리터러시를 가르칠 때 과거가 아닌 현재의 정보환경을 반영해보는 뉴 3Rs 리터러시 능력을 강조할 필요가 있다. 이미 학생들이 원하든, 원하지 않든 학생들 앞에는 새로운 정보시대가 다가왔다. 전통적 3Rs 리터러시 학습활동은 기초 읽기 능력을 균형적으로 신장시키고자 한다. 하지만 이러한 균형적인 기초 읽기 능력은 디지털과 네트워크 세계에서도 본질적인 리터러시 능력으로 평가되고 있다. 그 이유는 뉴 읽기 리터러시 교육도 초등학교 주제통합 교과학습이 추구하는 언어학습과 교과목 학습, 혹은 언어와 의미 학습의 통합을 추구하면서 그 저변에 언어지식, 화용지식, 배경지식 등을 활용한 기초 읽기 능력을 강조하고 있기 때문이다.

뉴 읽기 리터러시 학습활동은 초등학생들이 수많은 디지털 매체 정보로 쌓인 전자 도서관 앞에서 무수히 새로운 정보들을 경험하게 한다. 인터넷에서 제공되는 자료들은 누군가에 대해, 뭔가에 대해, 어떤 이유에서든 출판된 자료들이다. 만일 학생들에게 이런 정보를 누가 쓰고 있는가, 무엇을 말하고 있는가, 어떤 이유로 이 정보를 노출시키고 있는지 등을 읽고 제대로 이해하도록 가르치지 않는다면 초등학생의 경우 때론 어려움에 처할 수도 있다. 왜냐하면 엄청나게 증가하는 디지털 네트워크 세상에서 제공되고 있는 디지털 매체 정보에 접근하는 것은 주어진 텍스트를 해독하고 이해하는 수동적인 리터러시 능력만으로는 많이 부족하기 때문이다. 여기에 광범위한 디지털 정보를 탐색하고 평가하고 재해석하는 뉴 읽기 리터러시 능력을 학습자에게 동시에 요구하고 있기 때문이다.

초등학교 주제통합 리터러시 학습에서 학생들이 이렇게 넘쳐나는 인터넷 정보를 제대로 읽어내도록 리터러시 능력을 강화하려면, 기본적인 읽기 리터러시 능력을 기반으로 적정한 정보를 찾아내는 정보검색 능력과 평가능력이 필요하다. 이러한 필요한 정보를 정확히 파악하는 능력, 적정한 정보를 찾기 위해 웹 검색 툴을 사용하는 능력, 이렇듯 가장 적정한 정보를 표현하고 있는 정보를 찾아내는 탐색 전략은 뉴 3Rs 읽기 리터러시 학습활동에서 가장 핵심이 되는 전략들이다. 이를 위해 뉴 3Rs 읽기 리터러시 교수학습은 질문을 통한 문제해결 방식의 교수학습 전략으로 21세기에 필요한 뉴 리터러시 능력을 자연스럽게 강화시킨다.

03. STEAM 접근의 뉴 3Rs 읽기 리터러시 전략

우리나라의 창의 · 융합적 인재양성 교육(STEAM)을 위한 뉴 리터러시 교육

21세기 글로벌 사회가 필요로 할 미래교육의 방향은 사실 중심의 지식전달 교육에서 사고 · 경험 중심의 창의 · 융합적 인재양성을 위한 교육으로 점차 변화되고 있다. 미래사회는 학문 분야 간 영역을 넘나드는 융합적이고 창의적인 사고력을 갖춘 창의 · 융합적 인재를 필요로 한다. 이러한 사회적 현상에 대해 우리나라 교육정책도 다양한 학문분야 간 융합을 의미하는 미국의 STEM Science(과학), Technology(기술), Engineering(공학), Mathematics(수학) 에 인문학을 융합한 STEAM Science(과학), Technology(기술), Engineering(공학), Arts(예술), Mathematics(수학) 분야를 융합한 인재교육● 정책발표가 불가피하게 되었다. 우리나라 국가 경쟁력의 자산인 미래 과학기술의 발전을 주도할 창의 · 융합적 인재양성을 위해서는 CCSS에서도 강조하듯 유 · 초등학교 수준에서부터 교과목 간 영역을 넘나들며 학생들의 흥미와 이해를 높이고, 융합적 사고와 문제해결능력을 배양할 수 있는 창의 · 융합적 인재교육 STEAM이 필요하다는 데 인식을 같이하고 있다 교육과학기술부, 2010.

우리나라에서 창의 · 융합적 인재교육은 시대적 요구에 맞춘 "창의적 설계 Creative Design와 감성적 체험 Emotional Touch을 통해 과학기술과 다양한 분야의 융합적 지식에 대한 흥미와 이해를 높

● 스팀 교육(STEAM)은 Science(과학), Technology(기술), Engineering(공학), Arts(예술), Mathematics(수학)을 가리키는 단어들의 첫 글자를 모은 말이다. 스팀 교육의 근원을 보면 1990년대부터 미국에서는 스팀 교육의 초기 형태로 볼 수 있는 Science(과학), Technology(기술), Engineering(공학), Mathematics(수학)를 의미하는 'STEM'(줄기)이라는 용어를 사용해왔다. 이는 다양한 학문 간의 특성을 융합하여 폭넓은 형태의 과학교육이 이루어지도록 하자는 목적으로 2006년 조지 야크만이 예술까지 포함시킨 융합교육으로서 보다 폭넓게 확장된 스팀 교육으로 발전하게 되었다.

여 문제를 해결할 수 있는, 비판적이고 융합적 사고와 창의적 실천기반의 STEAM 리터러시STEAM Literacy를 갖춘 인재를 양성하는 교육"을 지향하는 의미로 사용된다백윤수 외, 2011. STEAM은 또한 초등학생들에게 과학기술에 대한 꿈과 비전을 제시하고, 흥미와 이해를 높임으로써 우리나라 과학기술교육이 가진 문제를 해결하기 위한 시도라 할 수 있다. 특히 우리나라의 창의·융합적 인재교육STEAM에서 추구하는 핵심역량은 융합적 지식 및 개념 형성convergence과 창의성creativity, 소통communication과 타인에 대한 배려caring 같은, 21세기 건강한 시민으로 살아가기 위해 필요한 기초역량에 초점을 둔 교육이라 할 수 있다백윤수 외, 2012.

    STEAM 교육은 수직적이며 위계적인 교육이 아니라, 수평적이며 융합적인 교육을 강조한다백윤수, 2012. 왜냐하면 미래사회는 다양한 매체를 통해 다양한 학문영역을 넘나들 수 있는 뉴 리터러시 교육환경이 열려있기 때문이다. 이러한 열린 환경에서는 비판적이고 융합적인 사고, 그리고 창의적인 실천이 이루어지기 위해 풍부한 상상력, 과정적 지식, 우뇌의 감성적 기능이 더 중요해지고 있다. 이러한 점에서 과거와는 다른 교육 시스템이 필요하다. STEAM. 교육에서 추구하는 다양한 상상력은 창의성 교육으로 활용된다. 왜냐하면 교육의 힘은 관찰·상상·창의·표현·구성 등의 통합이기 때문이다이대영, 2010. STEAM 교육은 타인과 소통하고 타인으로부터 정서적 공감대를 이끌어내는 사람이 중심이 되는 사회를 지향한다. 즉, 감성을 지닌 창조 지식인을 필요로 하는 사회로 진화한다는 의미이다. 게다가 STEAM 교육은 원활한 소통을 통해 적극적으로 타인을 이해하고 배려할 줄 아는 인성을 강조한다김영식, 2009. 왜냐하면, 21세기는 자신과 타인의 감정을 잘 이해하고 공감하는 능력을 갖춘 사람을 필요로 하기 때문이다.

█ 뉴 리터러시 학습은 학생들을 창의·융합적 인재로 양성한다.

    창의·융합적 인재양성STEAM을 위한 뉴 리터러시 교수학습은 교사가 먼저 교과서 기반 인쇄 매체 텍스트에서 주제를 학습자과 공유하면서 시작된다. 학생들은 교과서 기반 인쇄 매체 텍스트의 주제와 관련한 자신들의 일상생활에서 최근 가장 이슈들이나 관심사항, 그리고 궁금한 것들에 대해 탐구문제를 제기한다. 학습자 개인별 혹은 그룹별로 주제관련 문제제기를 한 후, 학생들은 선택된 문제들에 답을 찾기 위해 디지털 매체 정보기술을 활용하여 STEAM 학습을 향한 탐구활동에 참여한다. 탐구활동을 통한 읽고 쓰는 뉴 리터러시 교수학습 방법이 바로 뉴 3Rs 리터러시 교수학습 모델이다. 뉴 3Rs 리터러시 교수학습은 언어학습과 교과목 학습을 주제로 통합하는

STEAM 교육방식으로서 전통적인 3Rs 리터러시 교육에 21세기에 필요한 스킬인 4Cs를 교수학습 과정으로 녹여낸다. 그리고 인쇄 매체 읽기와 다양한 디지털 매체 읽기 리터러시 교수학습을 통합하고 있다.

다양한 교과목 영역을 리터러시로 연계한 교수학습 활동을 추구하는 것이 바로 초등학교에서 추구하는 창의·융합적 인재양성을 위한 STEAM 교육의 기본이다. 뉴 3Rs 리터러시 교육은 교과목 주제관련 내용을 다양한 매체 텍스트 리터러시 활동을 통해 STEAM 교육을 실현하고자 하는 미래형 리터러시 교수학습 방법이라 할 수 있다. 교과목 주제에 대한 다양한 매체 읽기를 통해 뉴 리터러시 교수학습을 효과적으로 이끌어야 하는 뉴 리터러시 교사는 학생들이 교과목 주제와 관련하여 제기한 탐구문제에 정확한 답을 찾을 수 있도록 컴퓨터 검색 엔진 사용에 대한 뉴 리터러시 코칭을 해야 한다. 이 때 뉴 리터러시 코치 교사들이 Dr. Bernie Dodge가 제안하는 검색 엔진을 통해 자료를 잘 찾는 4가지 망NETS을 참고하면 디지털 정보를 추적하는 뉴 리터러시 교수학습 활동에 도움이 될 수 있다.참고 : webquest.sdsu.edu/searching/fournets.htm. 그는 찾고자 하는 정확한 사이트를 찾기 위한 방법으로 다음과 같은 4가지 망 찾기 유형을 제안한다.

그물망Net 1 : 좁게 시작해라. Start Narrow
그물망Net 2 : 정확한 구절을 찾아라. Find Exact Phrase
그물망Net 3 : URL을 뒤에서부터 잘라내라. Trim Back the URL
그물망Net 4 : 비슷한 페이지를 찾아라. Look for Similar Pages

Dr. Bernie Dodge가 제안하는 검색 엔진을 이용하여 학습자가 찾고자 하는 완벽한 자료를 찾는 4가지 방법을 구체적으로 살펴보는 것은 뉴 리터러시 교수학습을 위한 의미 있는 전략이 될 수 있다. 일반적으로 학생들은 주제관련 문제제기를 하고 이에 대한 답을 찾기 위해 많은 웹페이지를 탐색하게 된다. 하지만 완벽한 웹페이지를 찾기란 쉽지 않은 일이다. 그럼에도 문제의 답을 제시한 완벽한 웹페이지는 어딘가에 있다. 주어진 문제에 답을 알려주는 웹페이지는 어딘가에서 학습자가 찾고 있는 정보를 정확하게 갖고 있을 것이다. 이러한 웹페이지를 발견하고 만나는 일은 학습자에게 산속을 헤매다 산삼을 캐는 것과 같은 건강한 배움의 기쁨을 준다.

대부분의 학습자들은 자료를 찾을 때 구글 같은 검색 엔진을 사용하는데, 이때 몇 개의 단어를 검색란에 입력하고, 나온 검색결과를 스크롤로 내리며 확인한다. 가끔은 학생들의 단어선택이 지나치게 검색 범위를 좁혀 그들이 찾는 검색 정보를 못 찾게 되는 경우가 많다. 결국 마지막 결과는 건초더미 같이 수 없이 붙어있는 상관없는 웹페이지들을 학습자가 육안으로 추려내야 한다. 뉴 리터러시 교사는 학습자가 검색을 잘할 수 있도록 검색 엔진 사용에 대해 학생들을 도울 수 있어야 한다.

우리나라 학생들이 가장 많이 쓰는 검색 엔진은 구글과 네이버일 것이다. 학생들이 가장 많이 사용하는 구글에 초점을 두자면 우선 구글 고급검색Google Advanced Search 기능을 마스터 하는 것이 필요하다. 이것을 툴바Toolbar : 인터넷 창 주소 적는 밑에 설정해두고 메뉴를 사용할 수 있음에 고정시켜 놓고 자주 사용해야 한다.

뉴 리터러시 교사가 학생들에게 다음과 같은 4가지 검색기술을 잘 사용하도록 도와준다면, 학생들은 다른 어떤 웹 사용자들보다 월등히 뛰어난 검색자가 될 수 있다. Dr. Bernie Dodge가 제안하는 다음 네 가지 기술은 학생들이 필요한 정보만을 잘 걸러내도록 도와주는 좋은 그물이 될 것이다.

먼저, 학생들이 구글 검색 엔진 사용 시 가장 큰 문제는 아이러니하게도 성능이 너무 좋다는 점이다. 단어 하나만 검색해도 2만 장의 웹페이지들이 결과로 나온다. 그 중 대부분의 페이지들은 학생들이 찾고 있는 것이 아닐 지도 모른다. 거의 2만 장의 검색결과들을 직접 걸러내려면 시간도 만만찮게 걸릴 것이다. 뉴 리터러시 교사는 학생들이 무엇을 찾는지 안다면, 가능한 한 가장 정확하게 검색을 하도록 이끌어야 한다. 먼저, 학생들에게 완벽한 검색 결과 페이지에 포함되어 있을 것 같은 모든 단어들을 생각해보도록 하라. 그 단어들을 '이 단어(들)를 모두 포함한:' 란에 써넣도록 한다. 만일 학생들이 입력한 단어나 단어들이 하나 이상의 의미를 가지고 있다면 아마 수 만개의 검색결과들이 나오게 될 것이다. 어떤 단어들이 이 같은 귀찮은 페이지들을 검색되지 않게 해줄까? 라고 학생들에게 질문하고 그 단어들을 '이 단어(들)은 포함되지 않은:' 란에 적도록 한다. 만약 동의어가 많은 단어가 학생들이 찾고 있는 검색결과에 있다면, 동의어들을 모두 '이 단어(들) 중 아무거나 포함되어 있는:' 란에 입력하도록 한다. 이 같이 검색한 후, 몇 개의 사이트가 결과로 나왔는지 기록하도록 유도할 필요가 있다. 검색을 할 때마다, 어떤 결과들이 나왔는지 적어놓고, 어떤 단어를 빼야 할지 추가해야 할지 생각하며 조금 더 심도 있는 검색을 해보도록 훈련하는 뉴 리터러시 교육이 필요하다.

```
Google™                        Advanced Search Tips | All About
                    Advanced Search

Find results   with all of the words   [                    ]   [ 10 results ▼ ]
               with the exact phrase   [                    ]   [ Google Search ]
               with any of the words   [                    ]
               without the words       [                    ]
```

결과 찾기   이 단어(들)를 모두 포함한:
           정확히 이 문구가 들어간:
           이 단어(들) 중 아무거나 포함되어 있는:
           이 단어(들)는 포함되지 않은:

검색란	매치된 검색 결과 수
예로, 사라진 전설의 대륙 아틀란티스에 대해서 흥미가 생겼다고 가정해보 자. 단어 "아틀란티스"가 들어간 영화들이 굉장히 많지만, 그것들이 너의 관 심사는 아니라고 하자. 또, 아틀란티스 우주 비행기도 관심 없다고 해보자. **모두 포함** : 아틀란티스 대륙 **포함하지 않은** : 우주 비행기 영화	
이것은 검색 방법의 나쁜 예이다 : **모두 포함** : 아틀란티스	
또 연습해볼 다른 검색 방법 : **모두 포함** : Waterbury **아무거나 포함** : Vermont VT **포함하지 않은** : Connecticut CT	
Vermont 주 Waterbury 도시 검색의 나쁜 예 : **모두 포함** : Waterbury	

* 출처 : http://webquest.sdsu.edu/searching/fournets.htm

둘째, 때로는 단어들이 예상되는 순서대로 꼭 붙어 있어야 할 때가 있다. 만일 **'정확한 구절 :**'란에 적절한 구절을 적는다면, 순서대로 나열된 단어들을 검색결과로 찾을 수 있다. 예를 들어, 장소나, 책 제목, 사람들의 이름과 같이 정확한 순서에 맞도록 단어들을 검색해야 할 때 아주 유용하게 사용할 수 있다. 또한 희미하게 기억나는 구절인데, 다시 찾아야 할 때도 유용하다. "'나 보기가 역겨워 가실 때에는'이라고 시작하던 시가 뭐였더라?"라고 기억이 정확치 않을 때,

기억나는 구절로 검색하면 놀라울 정도의 검색결과를 보여줄 것이다. 뿐만 아니라 뉴 리터러시 교사는 학생들이 작성한 글, 과제나 리포트가 인터넷에서 베꼈는지 또는 복사해왔는지가 의심된다면, 한두 구절을 골라서 검색해보면 된다. 또한 학생들의 글이나 작품이 다른 데서 도용되고 있진 않은지를 검색할 때도 알아볼 수 있다.

검색란	매치된 검색 결과 수
미국 서부의 좋은 국립 학교에 대해서 잠깐 들었고, 그거에 대해서 궁금해졌다면, 이렇게 검색해보자 : **구절** : San Diego State University	
이것은 검색 방법의 나쁜 예이다 : **모두 포함** : San Diego State University	
또 연습해볼 다른 검색 방법 : **구절** : Bill 602P	
구절 : We know he has weapons of mass destruction **구절** : demonstrating genuine leadership **구절** : Jenny kissed me when we met	

* 출처 : http://webquest.sdsu.edu/searching/fournets.htm

다음은 Google에 대한 것은 아니지만 구글링을 잘하게 되면 유용하게 사용할 수 있는 스킬이다. 검색 결과로 나타난 사이트가 가끔은 페이지들을 여러 번 클릭 후에 나오는 화면일 때가 있다. 만약 클릭해서 나가고자 하는 화면이 검색을 더 도와줄 수 있을 것 같다고 생각되면, 뉴 리터러시 교사는 학생에게 URL을 뒤에서부터 하나씩 지우도록 유도하라. 매번 성공하는 것은 아니다. URL을 뒤에서부터 지우다 보면 가끔 없어진 페이지이거나 금지된 사이트라고 나올 때가 있다. 예를 들면, 네이버 카페에 올린 글이었는데 그 전 페이지로 돌아가려고 하면 카페 가입이 되어 있지 않아 내용을 볼 수 없는 경우도 있다. 하지만 URL을 뒤에서 점차 지워가다 보면 이 페이지가 어디서 왔는지 출처를 알아볼 수 있다. 이러한 경우 사용하면 효과적이다. 이 검색 스킬은 학생들이 알고 있던 페이지가 없어졌을 때도 유용하다. 기존에 잘 사용하던 주소에 링크하려고 클릭했더니 오류창이 뜬다면, URL을 하나씩 지우다 보면, 그 창의 기본 사이트를 들어가서 다시 검색해볼 수 있게 된다.

로미오와 줄리엣 웹퀘스트가 굉장히 마음에 든다고 가정해보자. 비슷한 게 또 뭐가 있을까?

여기서부터 시작하자 :
http://oncampus.richmond.edu/academics/education/projects/webquests/shakespeare/

뒤에 부분을 지워보자 :
http://oncampus.richmond.edu/academics/education/projects/webquests/
무엇이 보이나요??

더 지워보자 :
http://oncampus.richmond.edu/academics/education/projects/
http://oncampus.richmond.edu/academics/education/
http://oncampus.richmond.edu/academics/
http://oncampus.richmond.edu/

* 출처 : http://webquest.sdsu.edu/searching/fournets.htm

마지막으로 구글에서 학생이 마음에 드는 검색결과를 찾았을 때, 그것과 유사한 페이지도 쉽게 찾을 수 있다. 우리가 사용해왔던 '구글 고급 검색' 하단에는 두 가지 기능이 더 있다. 이 기능은 어떤 페이지로 가는 링크를 걸어두면 어떤 경우에도 해당 사이트를 검색할 수 있게 해준다. 이미 찾아 놓은 페이지와 연결되어 있는 페이지를 링크하면 더 좋은 정보를 찾을 수 있을 때가 있다. 나만의 웹서핑도 가능하다. 공공 서버에 나의 페이지를 업로드 해두면 이 기능으로 자신의 페이지를 얼마나 많이 링크해가고 있는지 확인할 수도 있다.

검색란	매치된 검색 결과 수
Tapped In (http://www.tappedin.org/)이라는 교육자들의 온라인 커뮤니티 사이트를 알게 되었다고 가정해보자. 그리고 네가 이 같은 사이트가 또 무엇이 궁금해지게 되면 Google의 Similarity Search가 해답을 줄 것이다. **비슷한** : www.tappedin.org	
또, 어떤 사람들이, 어떤 사이트에서 사이트에 tapped in의 링크를 넣고 tapped in을 활발하게 이용하고 있는지도 알 수 있다. **링크 돼있는** : www.tappedin.org	
또 연습해볼 다른 검색 방법 : **비슷한** : kids.msfc.nasa.gov	

* 출처 : http://webquest.sdsu.edu/searching/fournets.htm

학생들이 찾고 있는 올바른 사이트를 찾게 되면 뉴 리터러시 교사는 학생들이 사이트에서 제공된 하이퍼텍스트를 올바로 읽어내도록 코칭해야 한다. 왜냐하면 디지털 매체 읽기 텍스트는 대부분 읽기 자료가 하이퍼텍스트로 구성된다. 하이퍼텍스트는 전통적인 인쇄 매체 텍스트에 비해 비선형적이고 분절적이며 훨씬 더 복합 양식적multimodal이기 때문에 인쇄 매체 읽기에서와는 다소 다른 읽기 능력을 필요로 한다. 따라서 다양한 매체 기반 뉴 리터러시 교수학습을 효과적으로 이끌기 위해 뉴 리터러시 교사가 디지털 매체 하이퍼텍스트의 유형과 그 구조를 잘 이해하고 있다면 학생들이 하이퍼텍스트 읽기를 용이하게 할 수 있도록 코칭할 수 있게 된다. 일반적으로 하이퍼텍스트는 선형방식의 텍스트와는 다른 몇 가지 유형의 지식전달 구조 패턴을 가지고 있다. 따라서 뉴 리터러시 코치 교사가 학생들이 선택한 교과목 주제관련 문제들에 해결책을 찾을 수 있도록 하이퍼텍스트 구조 유형을 이해하고 있다면, 창의 · 융합적 인재양성을 위한 뉴 리터러시 교수학습 방법에 대해 효과적으로 코칭할 수 있다.

하이퍼텍스트 전달구조 유형은 다양하다. Mark Bernstain1998이 분류한 하이퍼텍스트 전달 구조유형에서 가장 많이 발견되는 유형은 '사이클'이라는 유형이다. 사이클 유형의 하이퍼텍스트 전개방식은 해당 정보 사이트 처음 화면에서 중심어를 클릭해서 탐색해가다가 어느 순간 다시 처음 사이트로 돌아오는 텍스트 전개방식이다. 학생들이 교과목 주제에 대한 개인적인 관심사항이나 궁금한 점에 대한 문제를 만들고, 그에 대한 답을 찾기 위해 탐색 엔진 검색란에 검색어를 쳐서 가장 정확한 답을 가진 사이트에서 제공해주고 있는 하이퍼텍스트를 연결하게 된다. 이때 누가, 언제, 어디서, 무엇을 등의 질문에 답을 찾기 위한 다양한 텍스트 읽기를 하게 된다.

탐색 엔진으로 연결된 하이퍼텍스트가 나오는 화면에 있는 메뉴나 링크되어 있는 핵심어를 클릭하면 찾고자 하는 답이 있는 다양한 텍스트를 제공해주기도 한다. 사이클 유형의 하이퍼텍스트 전개방식은 텍스트를 읽어갈 때 본문에 링크되어 있는 중심어나 실례들을 클릭하여 또 다른 텍스트를 심층적으로 이해할 수 있도록 해주는 텍스트 전개과정을 따른다. 이때 학생들은 장기기억 속에 있는 스키마를 활용하며 텍스트의 메시지를 파악하게 된다. 텍스트를 읽고 얻은 지식은 학습자의 장기기억 속에 또 다른 스키마로 남게 된다. 구슬이 꿰어있듯이 줄줄이 연결된 하이퍼텍스트 사이클 유형은 무한정 열려있지 않고, 다시 첫 사이트로 되돌아오는 텍스트 구조를 갖고서 디지털 매체 읽기 리터러시 과정을 제공한다. 하지만 사이클 유형의 하이퍼텍스트 전개방식에서 제공된 정보 화면을 계속 클릭해서 읽어갈 때 어느 부분에서 처음 사이트로 돌아갈 수 있다는 점을 고려하여 중간 중간 주제탐구일지에 내용을 기록하면서 뉴 리터러시 탐구읽기를 해야 할 필요가 있다.

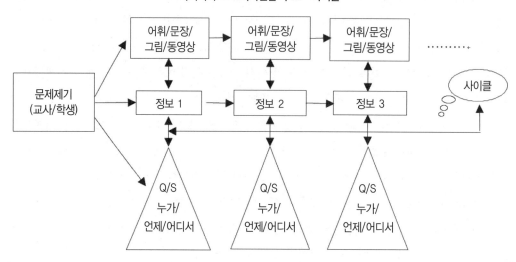

하이퍼텍스트 지식전달 구조 - 사이클

언어이해구조와 하이퍼텍스트 전개방식은 불가피하게 관련성이 있게 된다. 특정 언어에 링크되어 있는 하이퍼텍스트나 이미지들은 주제관련 궁금해 하는 질문이나 문제에 해결책을 제공하듯 서로 연결되어 있다. 이렇게 꼬리를 물고 이어지는 사이클 유형의 하이퍼텍스트 전개방식은 중심어를 통해 이어지는 정보의 의미를 찾아가는 과정을 따른다. 즉, 제기된 문제에 답을 찾기 위해 중심이 되는 단어나 구문 또는 문장을 검색창에 타이핑한 후 주제관련 디지털 하이퍼텍스트 자료를 찾아 읽기를 하게 된다. 예를 들어, 주제통합 교과서 인쇄 매체 읽기 텍스트에서 '동물농장'이란 주제에 대해 학습자가 관심 있는 문제를 제기한다. 한 그룹은 동물관련 다양한 어휘들을 정리하고자 검색 엔진에 '동물 관련 단어들'이라는 검색어로 디지털 매체 하이퍼텍스트를 검색하여 동물농장과 관련 된 다양한 언어들에 집중한 학습활동을 한다Arts. 다른 그룹들은 동물들의 습성과 특성에 대한 정보에 접근하고Science, 다른 그룹의 학습자에게는 다양한 동물 농장들이 기르고 있는 동물의 무리의 수를 통계하고 그들의 사회적 활동을 알아보게 하고Mathematics & Social study, 다른 그룹 학습자들은 정보기술을 활용해 동물농장들에서 필요한 디지털 기술에 관한 내용에 대해 찾아보거나, 동물을 ICT 기술로 어떻게 구현해낼 수 있는지를 알아보고Technology, 또 다른 그룹 학습자에게는 동물이 생존을 위해 어떤 물리적 공간이나 시설물들이 필요한지에 대한 자료를 찾고자 한다Engineering. 이렇듯 같은 교실수업에서도 조별 협업활동으로 STEAM을 위한 다양한 디지털 매체 읽기와 교과목 연계 교수학습 활동을 기획할 수 있다.

이 때 뉴 리터러시 교사는 학습자의 능력에 따라 조별 학습자의 수를 조정할 수도 있다.

문제해결식 조별 탐구 학습활동을 일주일 정도 진행하는 동안 학습자에게 탐구학습 과정을 주제탐구I-Research 용지에 일일이 기록하게 한다. 블로그 형식이든 글쓰기 프로그램을 이용하든 탐구활동 결과를 교실에서 뉴 리터러시 교사나 다른 학생들에게 발표하는 시간을 갖고 탐구결과에 대한 지식을 공유한다. 한 번의 탐구과정을 마치고 나면 다른 교과목 주제관련 또 다른 문제해결식 탐구활동을 돌아가며 계속 진행할 수도 있고, 주제에 따라서는 새로운 주제관련 학습을 새롭게 진행할 수도 있다. 이때는 일상생활에서 주제관련 문제를 찾도록 하되, 그 진행과정은 주간, 또는 시간별로 육하원칙에 따른 탐구과정으로 디지털 매체 정보 검색부터 문제에 대한 답을 찾아 읽고 나의 주제탐구I-Research 용지에 탐구활동 내용을 자신의 글로 표현하게 된다. 이러한 문제해결식 뉴 리터러시 과정을 통해 STEAM 교육이 추구하는 비판적 사고력, 융합적 탐구력과 창의적 표현력이 강화된다.

이렇게 조별 뉴 리터러시 탐구학습 활동이 한번 끝나면 그룹별로 주제통합 교과서에 주어진 주제관련 문제해결식 뉴 리터러시 교수학습을 주간별로 순환할 수 있다. 뉴 리터러시 교수학습 능력이 점점 발전하면, 그에 따라 언어학습을 위한 탐구활동을 했던 조는 다음번에는 과학과목 관련 주제로, 그 다음에는 수학과목 관련 주제로, 그 다음에는 디지털 정보관련 주제로, 그 다음에는 데이터를 처리하도록 다양한 주제통합 인쇄 매체 읽기 리터러시 학습과 다양한 디지털 매체 읽기 리터러시 학습을 연결한다. 다양한 주제관련 읽기 기반 탐구활동을 하는 동안에 뉴 리터러시 교사는 학생들의 비판적 사고력, 융합적 탐구력과 창의적 표현력을 이끌어낼 수 있는 다양한 유도·지원 질문과 피드백을 제공하게 된다. 이러한 전 과정에서 다양한 텍스트 읽기 리터러시 학습을 중심으로 한 협업적 문제해결식 STEAM 교육이 자연스럽게 이루어진다.

언어학습에서는 텍스트, 그림, 이미지나 동영상을 읽고 들을 때 어떻게 읽는지를 생각하면서 읽기지도를 하는 것이 매우 중요하다. 영어의 경우 원어민처럼 읽기 연습을 시켜 혼자 독립 읽기를 유창하고 정확하게 하도록 뉴 리터러시 교수학습 하는 것이 중요하다. 국어읽기 리터러시 학습의 경우도 학생들이 정확한 언어와 개념을 읽고 이해할 수 있도록 적절한 뉴 리터러시 교육이 이루어져야 한다.

읽기는 심리언어학적 추측게임Goodman, 1987이라고 한다. 궁금한 질문에 답을 찾는 과정을 게임을 하듯 검색 엔진을 통해 가장 정확한 사이트를 찾아 가장 적절한 텍스트인지를 평가하고 문제에 대한 자신의 사전지식을 동원하여 디지털 매체 텍스트를 읽어 문제에 답을 찾는다. 이러한 읽기 과정에서 학생들은 앞 텍스트에서 얻은 지식과 주어진 텍스트의 의미를 분석하고 종합하게 된다. 더 나은 답을 찾고자, 또는 문제를 바꾸게 되어 다음 링크에 이어질 내용에 대한 기대를 갖고, 텍스트를 읽고 의미를 파악한 다음, 다시 이전 텍스트 의미와 통합하고, 또 다음 링크에 이어지는 글을 읽고 의미를 파악하고 앞의 의미와 연결하고 다음을 예측하는 읽기 과정을 반복하면서 하이퍼텍스트를 계속 링크 해가도록 이끈다. 이렇게 조별 협업활동으로 하이퍼텍스트 읽기를 하면 아무리 어려운 과제나 문제라도 관련 중심어를 중심으로 문제에 대한 답을 찾을 수 있으며 이러한 문제해결 과정에서 학생들의 비판적 사고능력, 융합적 탐구능력과 창의적 표현력은 강력한 뉴 읽기 리터러시 스킬로 발전한다.

　　다양한 교과목을 연계한 STEAM 방식의 읽기 리터러시 학습이 되기 위해서는 학생들이 교과목 주제와 관련된 단어를 독립적으로 암기하는 어휘학습보다는, 읽기를 통해 문맥에서 새로운 단어의 의미를 예측하고 확인하며 읽어가는 유추방식의 어휘학습이 효과적이다. 예를 들어, '동물'이란 주제와 관련하여 교과목 학습을 하는 경우 다양한 텍스트 읽기를 통해 교과목과 연계하여 동물 관련 어휘 학습과 내용학습을 하게 된다. 그리고 교과목 인쇄 매체 읽기를 디지털 매체 읽기와 연결하기 위해 뉴 리터러시 탐구학습 과정을 이끈다. 학생들의 관심사에 따라 동물들의 습성에 따른 '일어나는 패턴', '동물의 하루활동', '무리들의 움직임', '동물 간의 유사상과 차이점', '특정 동물의 행동 패턴', '동물의 유별난 행위', '동물의 울음소리' 등 동물에 관한 주제관련 학습이 하나의 시스템으로 처리하는 뉴 읽기 리터러시 탐구과정을 통해 학생들을 주제관련 어휘, 문장, 담론을 자연스럽게 습득하게 된다. 이러한 뉴 리터러시 탐구학습 과정은 과학S, 기술T, 공학E, 예술A, 수학M을 연계한 융합적 지식으로 확장할 수 있다. 그리고 학생들은 인터넷에서 실제 동물들의 삶을 애니메이션이나 동영상, 혹은 다양한 이미지로 익히고, 디지털 매체에서 얻은 지식을 자신의 일상생활과 연계해보거나, 소셜 네크워크를 활용해 관심사가 같은 사람들과 소통하면서 사회적 능력을 강화한다. 이러한 뉴 리터러시 과정에서 뉴 리터러시 코치 교사는 학생들의 탐구활동의 패턴이 무한히 열려 있는 디지털 정보를 탐색하도록 이끌기보다, 전략적으로 처음 주제인 '동물'이란 중심어를 의식하게 하는 사이클 학습패턴을 염두에 두고 뉴 리터러시 수업을 이끌어가게 된다.

　　뉴 리터러시 교사는 '동물농장'animal farm 관련 사이트를 제공해 앞에서 언급한 동물들의 이름과 습성 도구들을 과학S, 기술T, 공학E, 예술A, 수학M이라는 내용기반 주제학습으로 연결하고 학습자별로 혹은 그룹별로 국어학습을 영어학습으로 연결하여 주제관련 언어학습이 국어와 영어로 넘나들게 하는 뉴 읽기 리터러시를 통한 탐구언어학습을 이끌 수도 있다. 국어학습에서 사용한 어휘, 문장, 담론을 영어학습으로 연결하거나, 영어어휘와 문장과 담론을 리터러시 언어학습 활동으로 연결하여 국어학습을 통한 영어학습을 수행하게 한다. 이어서 협업활동을 통해 학습자들이 스스로 문제제기를 하여 뉴 리터러시 읽기 탐구학습 과정을 거치면서 학습자들은 자연스럽게 비판적이고 융합적이며 창의적 사고력을 키우게 된다.

교과목 읽기는 독립된 문장읽기를 하기보다는 간단한 담화나 짧은 글 읽기를 하는 것도 필요하다. 담화읽기는 단어나 문장읽기와는 다른 읽기 능력이 필요하다. 다양한 읽기, 혹은 디지털 정보를 접속해 사이클 방식에 따라 다양한 텍스트를 읽는 확대 읽기는 디지털 매체가 전달하는 다양한 하이퍼텍스트 내용에 대한 불확실함을 줄이기 위해 뉴 읽기 리터러시 전략이 필요하다. 다양한 읽기 텍스트의 신뢰도를 평가하는 능력도 절실하다. Marcia Tate와 Jan Alexander는 올바른 정보를 평가하기 위한 뉴 리터러시 스킬을 연습하기 위해 신뢰 있는 웹사이트를 가려내는 방법을 적용해보는 것이 중요하다고 주장한다. 웹사이트를 평가하는 5가지 기준1.Authority, 2.Accuracy, 3.Objectivity, 4.Currency, 5.Coverage에 익숙하기 위해서는 www2.widener.edu/Wofgram-Memorial-Library/webevaluation/webevalhtm을 참고하라고 추천한다. 특히 Usher와 Skinner 2008은 디지털 매체 정보에 대한 신뢰도를 점검하기 위한 방법으로 다음과 같은 8가지 요인들을 구체화하고 있다.

건강한 웹사이트 권위를 찾아내는 8가지 요인들 (Usher & Skinner, 2008)

요인들	특 성
신뢰도(Reliability)	웹사이트에서 찾은 정보나 자료에 대한 신뢰성과 신뢰 수준
1. 권위(Authority)	주어진 교과에 대한 지식을 가졌다고 인정된 사람이나 조직의 창조물인지 정도
2. 정확성(Accuracy)	오류가 없고 신뢰할만한 정보인지 정도
3. 객관성(Objectivity)	개인적인 감정이나 다른 편견(지원)으로 뒤틀려있지 않은 사실이나 정보인지 정도
4. 통용성(Currency)	최근 것으로 확인될 수 있는 자료인지 정도
5. 유효성(Coverage)	작품에 포함되거나 설명되고 있는 주제에 대한 깊이와 범위
6. 의도된 청중(Intended Audience)	누구를 위해 자료가 생성되었는지 – 생성된 자료를 사용할 사람들의 그룹
7. 기밀성(Confidentiality)	건강 웹사이트 등에서 개인의 환자나 방문자와 관련된 자료의 긴밀성 – 개인정보 등은 웹사이트에 의해 보호되어야 한다.
8. 정당성(Justifiability)	특별한 취급, 상업적 상품이나 서비스의 수행이나 혜택이 적절하고 균형적인 증거에 의해 지원되고 있는지와 관련된 주장

읽기는 전통적으로 텍스트와 독자사이에 의미협상을 이끌어내는 리터러시 활동이다. 그리고 읽기 리터러시 교수학습 활동은 텍스트의 문맥상 의미를 분명히 하고 궁금한 것에 대한 답을 찾기 위해 독자가 자신의 언어지식, 화용지식, 배경지식과 함께 다양한 읽기전략들을 사용하면서 텍스트에서 의미를 협상하는 결정적 역할을 돕는다. 뉴 리터러시 학습활동은 이러한 기초 리터러시 활동을 기반으로 이루어진다. 읽기매체가 다르고 읽기 방식이나 전략은 다르지만, 다양한 매체 텍스트를 읽고 텍스트 주제와 구조를 이해하기 위해서 기초 리터러시 교수학습에 충실해야 한다.

기초 리터러시 활동은 한 가지 유형의 인지적 능력으로 이루어지는 것이 아니다. 독자가 읽기 리터러시 활동을 통해 한 가지 일관되고 직접적인 결과를 이끌어내지도 못한다. 왜냐하면 읽기는 다양한 독자들의 지식, 배경, 경험, 환경, 문화 등에 의해 하나의 텍스트도 개인의 사고방식, 인지능력, 마음 상태, 처한 문화, 사회, 경제적, 역사적 배경 등에 따라 여러 가지 방식으로 추측되고 해석될 수 있는 언어 심리적 추측활동이기 때문이다.

이러한 점에서 읽기를 잘한다는 것은 과연 어떤 것일까? 읽기를 잘한다는 것은 "빠르고 읽고 바르게 이해하기"라 할 수 있다. 따라서 디지털 매체 정보를 **빠르고 바르게 잘 읽어내는 읽기**를 하기 위해서는 읽기 리터러시 교수학습 방법에 목적과 원리를 따르되 디지털 텍스트를 읽는 특별한 기술과 전략들이 필요하다.

사이클 하이퍼텍스트 패턴은 반복 순환적이며 대체로 선형적 예측이 가능한 과정에 해당된다. 다시 말해 읽기를 잘 하는 학생들은 주어진 중심 어휘나 문장을 따라 다음 정보로 이동하며 다양한 경험지식과 읽기전략을 총동원하여 찾고자 하는 것을 알아내기 위해 인지적, 심리적 그리고 사회적 활동을 추구한다. 그래서 리터러시 학습자가 이미 가지고 있는 사전지식이 많으면 많을수록 뉴 리터러시 환경하에서도 읽기를 잘하는 데 도움이 된다. 그래서 우리말 독서를 많이 한 학생들이 영어 읽기도 잘하는 것이다. 결국 읽기 리터러시 교수학습 자체가 다른 읽기를 위한 사전지식을 얻는 활동에 도움이 되기 때문에 디지털 텍스트에 의해 노출된 다양한 주제나 장르의 글을 통해 많은 정보를 접하면 궁극적으로 다양한 매체 읽기를 잘하게 된다.

▍ 몽타주, 탱글, 미러 월드, 시브, 트리, 스플릿 등의 하이퍼텍스트 전개방식

읽기 목표는 단순히 저자나 관련 정보 사이트가 전하고자 하는 의미를 정확히 파악하는 수동적 개념의 읽기를 의미하는 것이 아니다. 특히 디지털 매체 읽기의 목표는 저자가 전하고자 하는 메시지를 여러 전개방식으로 인코딩입력한 것을 독자가 자신의 경험과 지식을 통해 디코딩해석하며 저자와 독자가 상호적 의미협상을 하며 소통을 하는 행위라 할 수 있다. 글을 읽는 독자가 자신의 경험과 지식으로 글 속의 변인들의 관계를 비교하고, 판단하고, 통합하고, 평가하는 적극적 해석활동이 이루어지는 것이다. 그래서 뉴 읽기 리터러시 교육의 목표는 학습자가 비판적 글 읽기를 하도록 도와주는 것이어야 한다. 그러려면 다양한 디지털 텍스트의 내용자체와 다양한 하이퍼텍스트를 전달하는 구조 패턴에서 작가가 전하는 메시지를 학습자는 자신의 감정과 경험 그리고 자신의 생각으로 잘 읽어낼 수 있어야 한다. 그리고 뉴 리터러시 교사는 학생들이 다양한 하이퍼텍스트 전개방식에 따른 문제해결 방식의 뉴 읽기 리터러시 능력을 갖추도록 도와야 한다.

학생들이 인쇄 매체 읽기를 통해 얻지 못한 읽기 전략을 디지털 매체 읽기를 통해 배울 수 있는 것은 어떤 것들이 있을까? 읽기의 목적이 단순히 주제관련 지식만을 얻기 위한 것이라면 굳이 인쇄 매체 텍스트 읽기와 디지털 매체 텍스트 읽기를 구분해서 읽기를 할 이유가 없을지도 모른다. 디지털 매체 읽기를 통해 학습자는 다양한 텍스트를 접할 수도 있지만, 그보다도 저자가 전략적으로 메시지를 전달하기 위해 다양하고 특별한 디지털 매체 텍스트 전달방식을 활용한다는 점을 알아야 한다.

정보기술이 발달함에 따라 다양한 디지털 글쓰기 방식이 새로운 형태로 진화하고 있다. 뿐만 아니라 다양한 메시지 전달 형식들이 서로 인터페이스 되도록 통합적인 플랫폼도 발전하고 있다. 따라서 우선 디지털 매체 텍스트를 읽는 이유가 언어학습을 위한 학습자료로서 인터넷에 접속하여 읽는 것인지, 교과목 주제에 부합하는 내용에 대한 사전지식을 얻고자 하는 읽기인지, 아니면 언어학습과 교과목 학습을 주제기반 내용학습을 위해 인터넷 매체 텍스트를 읽는 것인지, 그리고 디지털 기반 언어와 내용의 통합학습 형태로 학습활동을 강화하기 위해 읽는 것인지에 대한 명확한 읽기 리터러시 목표가 있어야 한다. 그리고 교사는 디지털 텍스트 전달구조방식을 인식하고 있어야 학습자에게 뉴 읽기 리터러시 목표에 따라 적절한 정보를 제안할 수 있다. 혹시 학습자가 정보 검색에 오류를 범한다 해도 교사가 디지털 매체 정보전달 패턴을 인식하고 있다면, 읽기 목적에 부합되도록 교사는 디지털 매체 읽기를 통한 뉴 리터러시 교수학습을 효과적으로 이끌수 있게 된다.

디지털 매체 정보의 지식전달 구조 패턴

몽타주 패턴 :
(montage)

탱글 :
(tangle)

곰은
곰과에
속하는
큰 식육류

미러월드 패턴 :
(mirror world)

시브 :
(seive)

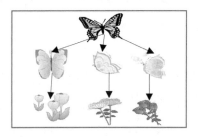

트리 패턴 :
(tree)

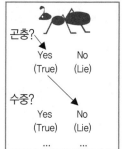

스플릿 :
(split/join)

하이퍼텍스트 지식전달 구조 패턴 (Mark Bernstein, 1998)

하이퍼텍스트 지식전달 구조 패턴 명	디지털 매체 지식전달 구조유형	특 징
사이클	되돌리기 유형	해당 정보 사이트 처음 화면에서 중심어를 클릭해서 점점 탐색해가다가 어느 순간 다시 처음 사이트로 돌아오는 텍스트 전개방식
몽타주	모자이크 유형	각기 다른 각각의 이미지들을 한 화면에 배치에 각 이미지에 따라 학습자가 원하는 정보를 선택하여 검색하게 하는 방식

탱글	혼합하기 유형	사이트 구조에서 충분한 단서를 제공하지 않고 다양한 링크를 임의로 제공하는 방식
미러월드	대비하기 유형	왼쪽 프레임에 텍스트를 탑재하고, 오른쪽 프레임에는 다양한 관련 이미지를 탑재함으로써 서로 비교하고 대조할 수 있도록 배치해 놓는 방식
시브	걸러내기 유형	사이트에 여러 정보가 나열되어 있어 학습자가 주제관련 가장 적합한 정보를 선택해야 하는 비판적 사고를 필요로 하는 구성방식
트리	나뭇가지 유형	나뭇가지처럼 한 주제에 대해 계속해서 학습자의 생각을 끊임없이 다양하여 이어가는 방식
스플릿	확인하기 유형	질문을 통해 학습자의 사전지식과 주제관련 생각을 상호작용하도록 이끌어 자신의 창의적 생각을 구체화하도록 이끄는 방식

뉴 리터러시 교사가 알아야 할 하이퍼텍스트의 전달구조를 간단히 설명하자면, 먼저 사이클 전개방식은 앞서 자세히 설명하였다. 두 번째, 몽타주 유형의 정보전달방식은 각기 다른 각각의 이미지들을 한 화면에 배치에 각 이미지에 따라 학습자가 원하는 정보를 선택하여 검색하게 하는 방식으로 구성되어 있다. 하지만 동물농장에 관한 주제를 검색할 경우, 동물들의 특성과 습성 등을 포함한 관련 자료들이 한꺼번에 나열되어 있는 사이트에서 학습자는 원하는 정보를 클릭하여 심층적으로 탐구 추적할 수 있게 된다. 세 번째, 탱글 유형의 정보전달방식은 사이트 구조에서 충분한 단서를 제공하지 않고 다양한 링크를 임의로 제공하는 방식으로 때때로 학습자의 검색활동을 어렵게 이끌 수도 있다. 따라서 이 유형은 상급학년이나 수준이 높은 학습자의 탐색학습활동으로 더 효과적이다. 넷째, 미러월드 유형의 정보전달방식은 왼쪽 또는 위쪽에 텍스트를 탑재하고, 오른쪽 또는 아래쪽에는 다양한 관련 이미지를 탑재함으로써 서로 비교하고 대조할 수 있도록 배치해 놓는 방식이다. '식육류'처럼 밑줄 등으로 특정 용어 관련 정보를 더 폭넓게 검색할 수 있도록 링크되어 있다는 표시가 되어 있어 관련 정보로 쉽게 연결할 수 있도록 구성되어 있다. 왼쪽 또는 위쪽 동물 이미지 자료를 클릭하면 역시 각기 해당 정보를 검색할 수 있도록 배치되어 있어 저학년이나 초보자들이 검색활동을 하기에 용이한 유형일 수 있다. 다섯 번째, 시브 유형은 '걸러낸다'는 뜻이다. 사이트에 여러 정보가 나열되어 있어 학습자가 주제관련 가장 적합한 정보를 선택해야 하는 비판적 사고를 필요로 하는 전개방식이다. 이 경우 뉴 리터러시 교사는 학생들에게 틀린 질문을 제공하여 학습자가 재고 할 수 있는 기회를 제공하거나, 학습자 스스로 가장 적합한 자료를 찾아내도록 유도할 수 있다. 이 유형은 교사의 질문이나 피드백 전략에 따라 저학년이나 고학년에게도 유용하게 적용할 수 있는 유형이다. 여섯 번째, 트리 유형의 정보전달 방식은 나무의 가지를 연상시키는 방식이다. 즉, 나뭇가지처럼 한 주제에 대해 계속해서 생각을 이어

가도록 이끄는 전개방식이라 할 수 있다. 주제에 대해 어떤 수준으로 의미를 제시하는가에 따라 이 유형은 저학년에서부터 고학년 학습에 까지 활용이 가능하다. 스플릿 유형의 정보전달 방식은 예/아니오 질문유형 혹은 둘 중 하나 질문유형에 어울리는 유형이라 할 수 있다. 예를 들어, 학생들의 사전지식을 끌어내기 위해 개미 이미지를 주고 '곤충' 맞나요? 라는 질문에 학생들이 자신의 사전지식과 화용지식을 근거로 맞으면 'yes,' 아니면 'no'를 선택하고, 다음 질문에 '수중생명체인가요?'라는 질문이 주어지면 'no'를 선택하게 된다. 이 방식은 디지털 매체 텍스트가 스토리인 경우도 있고, 수학이나 과학 같은 교과목의 탐구학습 과제를 위한 설명식 정보전달 구조방식일 수도 있다. 이러한 학습의 경우 학습자의 생각이나 관심에 따라 전혀 다른 자신만의 스토리를 만들어갈 수도 있고, 전혀 다른 탐구과제에 대한 답을 이끌어낼 수도 있다. 특히 이 유형은 저학년이나 고학년에게도 활용 가능한 하이퍼텍스트 전개방식이라 할 수 있다.

교사나 학생 모두가 이러한 디지털 정보전달 유형을 알 필요는 없다. 하지만 뉴 리터러시 교사는 학생들의 뉴 리터러시 교수학습 활동을 효과적으로 이끌기 위해, 학습자의 수준, 관심도, 연령, 그리고 지식의 정도 등을 고려할 때 어떤 정보전달 구조방식이 가장 효과적인지를 알고 디지털 매체 텍스트에 대한 올바른 평가를 할 수 있게 된다. 그리고 뉴 리터러시 교사가 정보전달 구조방식을 잘 알고 있으면 학습자들이 어떤 사이트를 검색하도록 이끌어줄 것인가에 대한 학습코칭이 가능해진다. 그리고 어떤 질문과 피드백으로 학생들의 탐구학습 과정이나 효율적인 정보검색을 유도하고 개입할지를 결정하는 데 도움이 된다. 텍스트의 지식전달구조와 교사의 학습코칭 방법은 유기적 상관관련이 있기 때문에 텍스트 지식전달 구조 방식에 따라 교사의 유도질문이나 지원질문, 그리고 적절한 피드백으로 학습자의 뉴 리터러시 교육을 효과적으로 이끌어 갈 수 있게 된다. 언어학습과 주제관련 교과목 학습을 동시에 시행하려는 STEAM 방식의 학습활동을 위해 이러한 지식전달 구조 방식에 대한 연구는 주제별 지식구조 이해에 상당한 도움이 된다고 하겠다.

언어학습과 교과목 학습이 통합된 읽기 학습은 디지털 매체 텍스트 전달구조방식에 따라 다양화 할 수 있다.

일반적으로 언어학습과 교과목 학습을 통합하는 읽기지도에서는 주제관련 다양한 어휘나 문장읽기를 통해 특정 어휘나 문법을 구축하는 과제가 주어진다. 또는 다양한 텍스트 읽기학습을 통해서 주제관련 어휘들의 의미를 찾고 설명하는 읽기활동이 이루어진다. 때로는 읽기수업에서 주제관련 문장의 구조나 문법을 따지는 학습이 이루어지므로 읽기학습인지, 아니면 어휘나 문장

학습인지 의문이 든다. 다시 말해, 읽기학습 흉내를 내는 단어수업을 하는 경우가 있다. 이렇듯 문장의 구조나 문법을 분석하고 강조하는 읽기학습은 바르게 읽는 읽기능력을 제대로 배우지 못하고 언어 형식만을 강조하는 국소적인 언어지식 활동에 불과하다. 대부분의 읽기 텍스트들에는 언어 학습자들이 알지 못하는 많은 지식들이 포함되어 있다. 다양한 아이디어나 이미지들을 생동감 있게 표현하고 있다. 따라서 교과목 관련 주제가 녹아 있는 교과목 학습에 초점을 둔 읽기 활동을 제공하려면, **디지털 매체 기반 텍스트 읽기를 통해 언어학습과 교과목 내용학습이 동시에 이루어질 수 있는 통합적 접근**의 읽기활동의 제시가 필요하다.

Miller1996가 말한 주제통합 교육은 지나치게 언어형태를 강조한 읽기학습을 하기보다는 학습자의 삶의 경험과 연결하는 내용이해와 연결에 초점을 둔 읽기학습을 강조하는 것이다. 주제통합 읽기 리터러시 교육과정은 전체에서 부분은 전체를 이루기 위해 변인들 간 어떠한 상호 관계를 가지는 지를 보여주는 것을 강조하는 학습이 된다. 주제통합 읽기학습이 이루어지기 위해서는 읽기를 말하기, 듣기 이해력 그리고 분석하고 통합하고 평가하여 자신의 생각을 표현하는 쓰기와 연결하고, 특히 학습자가 속해 있는 사회문화적 변인과 연결하는 학습이 되도록 설계되어야 한다. 결국 효과적인 언어학습은 교과목 주제관련 내용학습과 어휘나 문장을 제대로 읽어낼 수 있는 언어학습이 자신의 지식과 사회문화적 환경과 연결을 이끌어내면서 상호보완적이며 대립 균형적으로 적절하게 통합하는 읽기학습이 이루어질 때 가능해진다. 내용학습과 언어학습이 주제 중심으로 통합된 읽기 학습으로 승화되기 위해서는 디지털 매체 하이퍼텍스트 지식전달 구조방식에 따라 다양한 정보를 항해하며 읽고, 비판하며 읽고, 평가하며 읽고, 종합하며 읽어 창의적 쓰기로 연결하는 뉴 3Rs 읽기묻는 읽기, 찾는 읽기, 쓰는 읽기 리터러시 교수학습의 전략이 필요하게 된다.

STEAM 학습활동을 위한 지식전달 구조방식에 따른 뉴 3Rs 읽기 리터러시 교수학습 과정

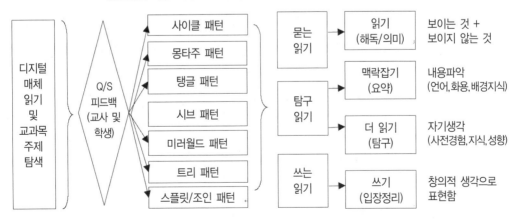

결국 디지털 매체 읽기는 디지털 텍스트 표면에 드러나 있거나 숨어있는 변인간의 관계를 질문을 통해 다음 변인으로 이동하며 관련 의미를 유추하고 이해하는 학습활동이다. 이를 기반으로 한 STEAM 학습은 집요한 생각의 과정과 결과를 끌어낼 수 있는 탐구기반의 학습활동을 수반한다. 그리고 읽기 활동은 어떤 정보가 어떻게 제공되고 있는가를 비판적 관점에서 평가하고 해석하고 통합하여 자신의 생각을 표현해내는 능력을 길러주는 수단이 된다.

읽기는 얼마나 많이 읽었는가보다는 무엇을 읽고 어떻게 표현하는가의 문제일 수 있다. 그러므로 한편으로는 많이 읽어야 간접경험으로 다양한 사전지식을 갖추고 다른 읽기를 더 잘할 수 있게 된다. 하지만 뉴 3Rs 리터러시 교수학습에서 읽기는 그냥 많이 읽고, 읽은 내용에 있는 사실을 찾는 내용파악을 하는 읽기 능력만을 요구하지 않는다. 뉴 3Rs 리터러시에서 읽기는 디지털 텍스트로부터 혹은 디지털 정보읽기 과정에 자신의 사전지식을 끊임없이 끌어내기 위해 꾸준히 질문을 만들어내는 비판적 읽기를 강조한다. 이러한 질문이 답을 찾기 위한 학습동기가 되어 자신의 사전지식과 사고가 소통을 하면서 새로운 생각을 융합해가는 탐구읽기 과정을 포함한다. 이러한 문제해결식 탐구읽기 과정을 통해 자신의 생각을 재구축하여 쓰기라는 창의적 결과물을 이끄는 뉴 리터러시 과정은 읽기를 통한 사회적 참여를 유도하는 협업적 뉴 리터러시 활동이라 할 수 있다. 읽기에 대한 결과물을 블로그에 탑재하거나 혹은 소셜 네트워크에 참여하는 협업적 뉴 리터러시 교수학습의 소통과정은 인쇄 매체 읽기 리터러시 교수학습 방법에서 훨씬 승화된 학습자의 일상과 관련된 사회적 능력을 요구한다.

뉴 읽기 리터러시 교수학습 과정에서 학습자는 읽기 텍스트에서 보이는 것과 보이지 않은 것을 이해하고 추론하면서 정확한 정보를 찾기 위해 학습자 자신의 사전 경험과 생각을 창의적으로 구현해내려는 적극적인 탐구읽기를 하게 된다. 결과적으로 언어학습과 교과목 학습을 통합하는 STEAM은 과학, 기술, 공학, 예술, 그리고 수학 등의 교과목에서 공통된 하나의 주제로 융합시키기 위해 학습자에게 다양한 매체의 다양한 주제 읽기 텍스트를 읽게 함으로써 다양한 질문을 만들어내는 비판적 읽기와 다양한 정보를 넘나들며 융합해가는 탐구활동, 그리고 창의적 표현능력을 생산하는, 즉 창의·융합적 인재를 양성하는 뉴 리터러시 학습과정이라 하겠다. 여기에 디지털 정보를 통해 탐구읽기를 하고 창의적으로 표현하는 과정에 학생 자신의 언어지식, 화용지식과 담화지식 및 그 외 다양한 사회적 경험들로 질문을 만들어가며 탐구하는 문제해결식 학습과정은 뉴 3Rs 리터러시 교수학습 과정의 중요한 단면이라 할 수 있다.

문제해결식 뉴 3Rs 읽기 리터러시 교수학습 과정을 다시 정리하면 다음과 같다.

1) 인쇄 매체 텍스트 정보 해독 읽기와 디지털 매체 정보의 주제통합 읽기활동을 통해 STEAM을 실현하고자 한다.
2) 다양한 지식전달 구조방식에 따른 디지털 정보를 검색하고 끈질긴 질문을 만드는 비판적 읽기로 창의적 결과물을 얻기 위해 융합적 사고과정을 거치면서 협업적 탐구읽기를 한다.
3) 자신의 사전경험, 배경지식, 개인적 성향을 다양한 정보지식에 반영하여 궁금한 사항에 문제를 제기하는 비판적 읽기와 다양한 영역의 정보를 넘나들며 다양한 지식을 융합하는 문제해결식 탐구적 읽기를 통해 자신의 생각을 표현해내는 창의적 쓰기로 이끌고자 한다.
4) 주제관련 다양한 정보를 찾아 자신의 입장을 넣어 창의적으로 정리할 수 있는 생산적 읽기를 한다.
5) 자신만의 창의적 쓰기라는 결과물을 만들어내기 위한 창의적 읽기 리터러시 과정을 따른다.

이러한 점에서 뉴 3Rs 리터러시 교수학습 모형은 교실수업에서 언어지식을 위해서나 주어진 화용지식이나 배경지식을 이해하기 위해 끊임없이 묻고 답을 찾는 과정을 통해 자신의 또 다른 새로운 언어지식, 화용지식, 배경지식을 길러내는 뉴 읽기 리터러시 과정을 경험하도록 이끈다. 이렇듯 학생들은 디지털 정보를 통해 자신의 궁금한 문제점에 대해 다양한 정보를 비판적으로 읽고, 융합적으로 탐구하며 생성된 다양한 정보들에 자신의 생각을 더하여 창의적 글을 완성한다. 이것이 바로 문제해결식 뉴 리터러시 교육을 통해 창의·융합적 인재양성을 위한 초등학교 주제 통합 뉴 리터러시 교수학습의 목표이며 차세대 뉴 3Rs 읽기 리터러시 교육이 추구하는 미션이라 하겠다.

04. 영어읽기 수업에 적용한 뉴 3Rs 읽기 리터러시 실제

▌ 원어민처럼 읽으면 빠르고 바르게 읽게 된다.

오늘날 디지털 정보화 시대에 디지털 매체 정보를 읽는 뉴 리터러시 능력은 영어읽기 리터러시 능력이라 해도 과언이 아니다. 왜냐하면 인터넷 정보의 대부분이 영어로 쓰여 있기 때문이다. 그래서 앞으로 뉴 리터러시 교육에서 영어읽기 리터러시에 대한 고민은 국어읽기 리터러시보다 더 비중이 커질 수 있다. 그런데 영어읽기 리터러시를 잘하기 위해서는 국어읽기 리터러시와 공통적으로 필요한 능력이 있고, 영어읽기 리터러시를 위해 필요한 고유한 능력이 있을 수 있다. 먼저, 국어읽기 리터러시와 영어읽기 리터러시를 위해 공통적으로 필요한 능력에는 음소인식과 음운인식 능력, 단어 형식과 의미 읽기 능력, 단어와 어휘들이 조합되어 형식과 의미를 갖춘 문장읽기와 단락을 구성하는 문장 간 질서체계 등이 있을 수 있다. 특히 읽기 리터러시를 위해서는 궁극적으로 한 덩어리의 생각을 표현하기 위해 내용상 밀접한 관계가 있는 문장들이 논리적으로 배열된 글의 단락을 읽어내는 능력 등이 필요하다. 그리고 단락을 읽고 이해하기 위해 필요한 글의 패턴에 따른 단락을 이해하고, 추론하고, 요약하는 다양한 비판적 사고능력도 국어읽기나 영어읽기 리터러시를 위해 모두 필요한 능력이다. 이러한 읽기 리터러시 능력은 반드시 영어읽기 리터러시에서 길러지는 능력이 아니고 국어읽기를 통해서도 길러질 수 있는 능력이기도 하다.

하지만 영어문장 읽기해독과 독해를 잘하기 위해서는 국어문장 구조와는 다른 영어문장 구조감을 이해할 필요가 있다. 다시 말해 메시지를 전달하고 있는 영어문장 구조에 대한 언어학습이 강조되어야 할 필요가 있다. 왜냐하면 영어문장 구조는 국어문장 구조와 다른 독특한 단어 질서체제를 갖추고 있기 때문이다. 따라서 영어문장 읽기 리터러시를 잘하기 위해서는 다양한 읽기 지문을 통해 문맥 안에서 의미를 구성하는 어휘군Chunks : 이후 '청크'로 칭함과 문장구조 등과 같은 영어읽기 리터러시에 필요한 기본적인 영어지식을 갖추어야 한다.

　무엇보다 초등학교 영어교육에서 고려되어야 할 문제는 초등학교 주제통합 교과과정과 영어 읽기 리터러시 학습과정의 통합문제를 어떻게 이루는가 하는 점이다. 다시 말해, 초등학교 주제통합 교과목 수업에서 디지털 매체 읽기를 통해 영어 언어수업을 어떻게 접목시키는가에 달려있다고 해도 과언이 아니다. 그리고 디지털 매체 영어읽기 리터러시는 다양한 디지털 매체 영어 텍스트를 어떻게 빠르고 바르게 잘 읽어내도록 이끌 수 있는지에 초점을 두어야 한다. 이를 위해서는 국어읽기 리터러시 교수학습과는 사뭇 다른, 영어읽기 리터러시 교수학습을 위한 전략과 과정이 우선 필요하다. 무엇보다도 외국어로서 영어를 학습하는 EFL 환경에서 디지털 매체 영어읽기 리터러시는 영어문장 구조의 언어지식 체제에 초점을 둔 영어읽기 리터러시 능력이 우선 이루어져야 할 필요가 있다. 다시 말해, 디지털 매체 영어지문 읽기를 위해서 먼저 영어문장을 제대로 읽어내는 영어문장 독해능력이 우선 필요하다. 이러한 이유 때문에, 초등학교 영어읽기 리터러시 교육은 영어문장의 언어구조 체제를 이해하도록 도와 학생들이 영어문장 읽기가 수월해지도록 이끌어야 한다.

　20여 년 전부터 영어언어연구소에서 연구원으로 일을 하던 당시 영어가 어려운 이유는 영어문장을 구성하는 단어 질서체제가 국어문장의 단어질서 체제와 다르기 때문이라는 점을 깨달았다. 영어문장의 단어 질서체제는 전하고자 하는 결론을 앞에서 말하고, 그 이유에 대한 영어 의미단위 어휘군청크들이 궁금한 순서대로 구슬 꿰듯 연결되어 쓰인다. 그래서 영어 원어민들은 이러한 영어 구조감각으로 영어문장을 읽고 쓴다는 것을 알았다. 이후 영어문장을 이루는 단어군 질서체제는 국어 문장구조의 단어질서 체제와 어떤 점이 다른지를 구체적으로 살펴보게 되었다.

　국어 문장구조는 [누가-무엇을-했다]의 순으로 이루어져 있다. 반면에 영어문장 구조는 국어와는 달리 [누가-했다-무엇을-어떻게] 순이다. 국어는 결론이 맨 마지막에 나오지만, 영어는 결론이 먼저 오고, 뒤 이어 궁금한 순서대로 청크들이 구슬 꿰듯이 이어진다. 그래서 우리나라 학생들은 영어문장을 해석할 때 국어 문장을 읽을 때처럼 뒤에서 거꾸로 거슬러 올라오면서 결론을 맨 나중에 해석하는 경우를 자주 본다. 반면에 영어는 합리적 사고를 가진 영어 원어민들이 영어를 말할 때는 결론을 앞에서 말하고, 이어 결론에 대한 궁금한 사항은 궁금한 순서대로 추가된다. 따라서 영어문장을 읽을 때 영어 원어민들의 사고를 이해하면 영어문장을 쉽게 읽을 수 있다는 사실을 알게 되었다. 결국 영어문장은 앞에서 결론을 미리 알고, 결론에 대해 궁금한 질문에 답을 찾듯이 앞에서 쭉쭉 읽어가며 영어문장을 이해하면 된다. 이러한 영어문장 구조체제를 알게 되면 아무리 어렵게 쓰인 문장도 영어 원어민들이 영어문장을 말하듯 궁금한 순서대로 이어지는 청크들의 의미를 더해가면서 궁금한 것에 답을 찾듯 쉽게 읽고 이해할 수 있게 된다.

뉴 3Rs 리터러시 교수학습에서는 인쇄 매체와 디지털 매체 읽기를 통합하는 뉴 리터러시 전략을 사용한다. 따라서 인쇄 매체 영어읽기를 할 때나, 디지털 매체 영어읽기를 할 때 영어문장 읽기를 지도하는 경우, 위와 같이 영어 원어민이 영어문장을 말할 때 어떻게 하는지를 생각하면서 읽기지도를 하는 것이 매우 중요하다. 영어 원어민이 말하듯 영어문장 읽기 연습을 시켜야 혼자 독립 읽기independent reading를 할 때도 영어문장을 쉽게 읽을 수 있게 된다. 예를 들어, 먼저 영어문장에서 '누가 뭐했는지'에 대한 궁금증을 갖고 답을 찾듯 다음 청크를 읽는다. 다시 다음에 궁금한 점에 대한 의문을 갖고 다음 청크를 읽고 답을 찾는다. 또 다시 궁금한 점에 의문을 갖고 답을 찾듯이 다음 청크를 순서대로 읽어 가는 문장 읽기를 하는 동안, 학생들은 자신의 언어지식, 화용지식, 그리고 배경지식을 통합하여 구슬이 꿰이듯 문장의 의미를 점점 확장해가면서 의미파악을 하게 된다.

영어 원어민처럼 영어문장을 빠르고 바르게 읽어내는 순서를 다시 정리해보면 다음과 같다. 영어문장을 청크로 나누기 → 첫 번째 청크 읽기 → 의미언어지식+화용지식+배경지식 이해하기 → 다음을 추측하기 → 청크 읽기 → 의미파악 + 이전 의미와 통합하기 → 다음을 추측하기 → 청크 읽기 → 의미파악 + 이전의미와 통합하기 등 청크를 읽고, 의미파악하고, 다음 내용 추측하기를 반복하면서 궁금한 점에 대해 답을 찾아가듯 문장을 앞에서 부터 청크로 쭉쭉 읽어가는 읽기 과정을 따르게 된다. 영어 원어민처럼 청크 읽기는 한 단어씩 앞뒤를 오가며 해석하는 읽기보다 훨씬 빠르고 바르게 읽을 수 있게 된다.

뉴 리터러시 교사는 인쇄 매체 영어정보를 읽을 때나 디지털 매체 영어정보 읽을 때나 학생들에게 영어원어민처럼 청크 읽기 모델을 보이는 것이 중요하다. 문장을 청크로 읽어야 하는 또 다른 이유는, 한 뭉치의 청크로 문장을 읽게 되면, 한 단어씩 문장을 읽을 때보다 훨씬 **빠르게** 읽게 되고 의미구축이 매우 쉬워지게 된다. 영어독해의 목표가 **빠르고** 바르게 읽기를 하는 것이라면, 가능하면 한 번에 읽게 되는 범위가 하나의 단어이기보다는 여러 단어가 모여 하나의 의미를 가진 청크로 읽을 때 훨씬 **빠르고** 바른 영어독해가 가능해지기 때문이다.

교육과학기술부2011가 제시한 3~4학년, 5~6학년을 위한 읽기관련 성취 기준을 보면 글자, 낱말, 구, 문장 수준으로 따라 읽기, 찾아 읽기, 소리 내어 읽기 등 다양한 해독 활동을 언어학습에서 강조하고 있다. 초등학생들을 위한 음성언어 중심의 초등영어교육의 초기단계에서는, 영어의 음성언어와 철자 관계의 특성을 강조하는 것이 중요하다. 하지만 점차 문장수준의 읽기 연습을 할 때는, 위와 같은 궁금한 것들에 답을 찾아가듯 청크 읽기 방식으로 읽도록 하면 고학년이 되어 **빠르고** 바른 읽기 전략을 갖추게 된다. 그리고 빠르고 바른 읽기 리터러시 능력을 갖추기 위해서 학생들이 한 번에 읽을 수 있는 읽기 범위eye span가 몇 단어로 쓰인 청크를 읽어낼 수 있는지에 따라 읽기의 속도가 달라질 수 있다. 예를 들어, 한 번에 한 단어씩 읽는 학생과 한번에 3~5단어의 청크로 읽을 수 있는 학생들의 읽기 속도가 훨씬 **빠를** 수밖에 없다. 이렇듯 인쇄 매체 읽기 리터러시 전략은 디지털 매체 읽기 전략에도 매우 중요하게 작용한다.

이러한 이유 때문에 본인은 초등학교 영어 집중읽기intensive reading 수업에서 청크 단위 영어문장 읽기를 접목한 뉴 읽기 리터러시 교수학습 방법을 발전시켜왔다. 따라서 본서에서는 초등학교 영어 집중읽기 수업에서 영어문장 읽기와 단락읽기를 통합한 뉴 영어읽기 리터러시 교수학습 모델을 소개하고자 한다. 이 방법은 20여 년 전, JC 영어언어연구소 연구원으로 재직한 당시부터 현재까지 다양한 영어수업 현장에서 사용해온 EFL 환경에 접합한 영어집중읽기 리터러시 교수학습법이다. 이 방법은 초등학교 영어 이머전 교육 디렉터로서 영어읽기 리터러시 수업을 운용할 때도, 그리고 대학 고급영문독해 강의에서도, 즉, EFL 환경인 우리나라 어떤 수준의 학생들에게도 빠르고 바르게 영어읽기 능력을 길러주는 효과적인 영어집중읽기 리터러시 교수학습 방법으로 적용해왔다. 단, 대상이나 수준에 따라 일부과정은 수정·보완될 수 있다. 특히 이 교수학습 방법은 오랜 기간 교사교육을 통해 많은 영어읽기 수업현장에서 다양한 연령이나 수준의 학생들에게 적용되어 그 효과성이 검증된 우리나라 영어집중읽기 수업에 적용 가능한 영어 집중읽기 리터러시 교수학습 방법이라 하겠다. 지금까지 본인은 이 모델을 교실 학습활동에서 Q/S 읽기 교수학습 방법이후 Q/S 영어읽기 교수학습법으로 적용해오고 있다. 다시 말해, 'Q'Question는 다음에 오는 청크에 대한 궁금증을 갖고, 'S'Solution는 다음 청크를 읽고 궁금증을 해결한다는 의미이다.

읽기는 근본적으로 정보를 찾기 위해 하는 언어학습 활동으로 작가가 자신의 메시지 의미를 문자화해 놓은 것을 독자가 자신의 사전경험과 지식을 바탕으로 해독해 나가는 과정이다. 이를 독자가 자신의 사전적 지식Schema, Background Knowledge인 문장단위 언어능력Linguistic Schema, 언어형식에 관한 언어능력Formal Schema과 내용이해에 관한 언어능력Content Schema으로 이해하는 사고과정이 필요하게 된다. 이러한 과정을 통해 영어읽기는 정보를 얻기 위한 수단이기도 하지만 효과적인 영어 언어학습 방법이 되기도 한다. 영어로 된 문장을 읽는 건 영어언어 학습의 한 방법임은 부정할 수 없으며 이에 따라 어휘능력 문장이해 및 단락 이해능력 같은 부가적인 언어 습득도 가능해진다.

영어 원어민 학생들이 영어를 읽는 과정을 보면, 처음 글자 하나하나를 읽다가 그 다음에는 단어를, 그리고 좀 더 한눈에 읽는 읽기 범위를 넓혀서 청크로 읽게 된다. 이 때 학생들은 청크나 문장단위로 읽어가면서, 그 다음이 궁금해지기 시작한다. "그래서 다음은 어떻게 될까?" 하는 의문을 가지고 다음을 예측하면서 읽게 된다. 예를 들어, "I called 수지 yesterday." "Nobody answered."라고 쓰여 있는 담화문장이 있을 때, 먼저 이 경우는 "I called 수지"라는 문장이 하나의 청크가 된다. 그러면서 다음을 예측하며 읽어가게 된다. "왜, 언제, 몇 시쯤 전화를 했지? 통화를 했을까 안했을까?" 등을 궁금해 하면서 그 다음을 보면 "Nobody answered."를 읽으면 "아! 통화를 못했구나." 그러면서 곧이어 "왜, 어디 갔길래 통화를 못했지? 뭐 사러 갔을까?" 등을 궁금해 한다. 이러한 방식으로 읽는 내용에 대한 의문을 갖고 예측을 하며 답을 찾듯 영어문장을 읽게 된다. 이러한 읽기 과정 때문에 읽기를 심리언어학적 추측게임Goodman, 1987이라고도 하며 텍스트와 학생간의 상호작용을 한다고 본다. 이렇게 볼 때 읽기는 수동적인 행위가 아니라 독자가 궁금해 하는 것에 답을 찾는 능동적인 행위라고 말할 수 있다.

우리나라 초등학교 학생들이 왜 영어로 쓰인 글을 읽는가? 지식이나 정보를 얻기 위해서라면 꼭 영어로 된 문장을 읽어야 할 필요가 있을까? 국어로 쓰인 글을 읽으면 훨씬 이해도 빠르고 정확하게 빨리 읽어낼 수 있을 텐데 말이다. 디지털 정보 세상에서 목적에 맞는 다양한 디지털 매체 정보를 많이, 빨리 얻기 위해서, 그리고 학교에서나 사회에서 주어진 시간에 치르는 각종 영어읽기 평가에서 높은 점수를 얻기 위해서도 가능한 정확하게 빨리 읽어내는 것이 영어읽기 리터러시에서 가장 중요한 스킬이다. 디지털 정보시대 영어는 선택이 아니라 필수가 되었다. 학생들은 그런 세상에서 살아가야 한다. 그래서 학생들은 어떤 다양한 방법을 통해서든 영어를 빨리 바르게 잘 읽는 뉴 읽기 리터러시 방법을 배워야 한다.

읽기는 근본적으로 정보를 찾기 위해 하는 것이다. 잘 읽어 원하는 정보를 잘 찾아내기 위해서는 그에 앞서 먼저 언어지식을 위한 읽기 리터러시 기반이 있어야 한다. 영어읽기를 잘하기 위해서 선행되어야 할 언어지식에 대한 교수학습 방법은 여러 가지가 있을 수 있지만 다양한 읽기활동을 통해서도 가능하다. 읽기를 통한 영어습득 교수학습 방법은 크게 두 가지로 집중읽기 Intensive Reading와 폭넓게 읽기Extensive Reading가 있을 수 있다.

집중읽기는 학생들이 읽은 단어/내용 모두를 이해하도록 언어지식에 초점을 둔 다양한 읽기 활동을 통해 자세히 읽는 방법이다. 반면에 폭넓게 읽기는 되도록 많은 양의 글을 빠르게 쭉쭉 읽어나가면서 전체적인 내용을 이해하는 읽기학습 방법이다. 학교 영어수업에서 원어민이 영어 를 읽듯이 집중읽기 리터러시 교수학습 방법으로 읽기연습을 하면, 집에서 혼자 폭넓게 읽기를 할 때도 원어민 영어읽기 리터러시 방법을 적용하면서 빠르고 바른 독립읽기 습관을 형성할 수 있게 된다.

영어읽기를 제대로 하기 위해선 바로 '속도'와 '이해도'가 매우 중요하다. 다시 말해 '얼마나 빨리, 얼마나 정확히' 읽는가의 문제가 읽기에서 매우 중요하다. 지금까지 많은 영어 텍스트를 읽어왔지만 영어읽기 리터러시 학습에서 읽기속도에 대해 도외시 해온 것이 사실이다. 읽기와 쓰기를 아무리 많이 해도 읽기 속도를 고려치 않으면 의사소통을 목적으로 하는 외국어 습득이 되기 힘들다. 특히 영어읽기 속도가 빨라지면 경험상 의사소통을 위한 듣고 말하기 능력에도 도움 이 된다. 그렇다면 얼마나 빨리 읽어내야 잘 읽는다고 할 수 있는 것인가? 그에 대한 답은 원어민 이 읽는 속도만큼 빨리 읽고, 원어민처럼 정확히 이해하면 영어읽기를 잘한 것이 되고 제대로 한 것이 된다.

참고로 학생들의 독해속도를 측정하는 방법은 스톱워치를 사용해 한 단락 정도의 영어문장 을 읽기 시작할 때 스톱워치를 누르고 다 읽고 난 후 읽기에 걸린 시간을 측정한다. 이때 영어문장 에 쓰인 단어수준이나 지문의 수준도 중요하겠지만, 현재 학생자신이 공부하고 있는 지문을 읽도 록 한다. 그리고서 총 단어 수에 60초를 곱하고 나서 독해하는 데 걸린 시간(초)으로 나눈다.

독해속도 계산법 : 총단어수 X 60/(걸린시간)초 = (   ) WPM
자신의 1분당 독해 속도 : 170 X 60/( )초 = (   ) Wpm

이해도 계산법 : 정답수 / 문제수 x 100 = (   )%
자신의 이해도 : (   ) / 10 x 100 = (   )%

미국 고등학생은 200wpm 속도에 60% 정도의 이해도, 대학생은 250wpm 속도에 70% 정도 의 이해도를 보인다고 한다. 본인의 경험으로는 우리나라 고등학생 독해능력은 90-100wpm의

속도에 55%의 이해도, 대학생은 100-120wpm 속도에 60-70%의 이해도를 갖고 있다.

원어민처럼 빠르고 정확하게 영어 텍스트를 읽기 위해서는

1) 단어 하나하나에 집착하기보다는 청크로 읽어야 하며,
2) 국어 어순처럼 뒤집어 생각하지 말고 궁금한 순서대로 영어의 어순을 따라 물 흐르듯이 읽어야 하며,
3) 읽으면서 끊임없이 앞으로 전개될 내용에 대해 예측하며 읽어야 한다.

이것이 바로 원어민처럼 바로 읽고, 바로 이해하는 읽기법이며 Q/S식 뉴 영어읽기 교수학습법이다. 영어로 쓰인 글을 빠르고 바르게 잘 읽어내려고 애쓰는 이유는 지식이나 정보를 정확히 얻기 위해 영어 원어민 감각으로 영어문장을 이해하기 위해서일 것이다.

최근 영어를 배우는 방법에도 여러 가지 변화가 있다. 디지털 매체를 통한 영어 스토리 읽기나 인터넷에서 MP3 파일로 다운로드 해서 오가며 영어 노래 듣기를 통한 방법으로, 영어 문법공부는 동영상 강의를 들으면서, TV 인터넷 방송 채널을 통한 다양한 영화를 보면서, 주위 원어민과 회화를 통해서, 그 외에도 멀티미디어 매체나 디지털 매체를 통한 다양한 방송 뉴스를 들으면서 영어를 배운다. 하지만 디지털 매체를 통한 다양한 영어 노출방법 중에서도 다양한 어휘력과 다양한 표현력을 갖춘 영어문장을 접할 수 있는 효과적인 방법으로는 바로 다양한 디지털 매체 영어읽기를 통한 영어읽기 학습법이다. 인쇄 매체 읽기든, 디지털 매체 읽기든, 읽기를 통한 영어 학습에서 가장 중점을 두어야 하는 교수학습 방법은 바로 원어민이 글을 읽는 것처럼 읽어내는 읽기 리터러시 교수학습 활동이 주어져야 한다. 이것이 궁금한 것을 찾는 게임을 하듯 원어민 감각으로 영어를 읽는 전략이 Q/S식 뉴 영어읽기 교수학습법의 핵심이다.

어떻게 영어읽기를 해야 원어민처럼 빠르고 바른 영어읽기 능력을 갖출 수 있을까? 뉴 3Rs 리터러시 교수학습 전략인 궁금한 질문을 통한 문제해결식 영어읽기는 빠르고 바른 영어지문 읽기에 매우 효과적일 수 있다. 하지만 이를 영어수업에서 어떻게 적용할 것인가에 대해서는 의문이 든다. 국어와 달리 영어는 언어지식 자체가 잘 되지 않은 상태이므로 영어 텍스트를 해독하기도 어려운 학생들에게 고차원적인 사고능력을 이끌어내는 읽기 리터러시 전략을 적용하기란 쉽지 않아 보인다. 이러한 점을 고려하여 초등학교 주제통합 영어읽기 리터러시 수업의 집중읽기 교수학습 과정에 영어 언어지식과 내용학습을 통합하는 뉴 3Rs 영어읽기 리터러시 교수학습 활동을 적용한 예를 제시한다.

원어민처럼 읽기 방법은 읽기를 할 때 원어민의 머릿속에서 일어나는 현상을 학습법으로 구체화한 것이다. 문장을 의미단위로 나누어 영어의 어순을 따라 읽어가며, 예측어expectancy words 를 주어 다음 청크에 대한 궁금증과 예측을 유발시켜 읽기를 효과적으로 이끄는 방식이다. 이는 원어민들이 영어를 사용할 때 머리 속에서 일어나는 순리적 과정을 따르는 것이다. 이렇게 원어민 처럼 읽게 함으로써 학생들은 추측게임식 읽기를 습관화하여 원어민이 생각하는 것과 같은 방식 으로 영어를 이해하고 사용할 수 있게 된다. 이것이 바로 영어 원어민처럼 추측하는 Q/S식 영어문 장읽기 교수학습 방법이다. Q/S식 영어문장읽기 능력이 터득되고 나면 그 다음의 사고 작용은 국어읽기 리터러시 능력에서 필요한 사고능력과 비슷한 읽기능력이 필요하다.

영어 원어민처럼 읽는 문장읽기 교수학습을 위해서는 일정한 능력을 갖추어야 한다. 영어문 장은 의미단위 청크들이 문장의 구조와 규칙문법에 의해 연결되어 있는 것이다. 따라서 다음과 같은 능력을 갖추어야 영어 원어민처럼 추측하는 영어문장 읽기가 쉬워진다.

1) 먼저, 영어문장을 각 청크로 끊어 읽을 수 있는 능력,
2) 각 청크들을 보는 즉시 곧바로 의미를 파악할 수 있는 능력,
3) 다음에 이어질 청크를 예측/확인해 나가는 능력 등이 필요하다,

영어 원어민처럼 읽는 문장읽기를 하면 좋은 점이 많다. 읽기를 통해 영어학습을 하게 되면 영어로 생각하게 도와주고, 어휘 실력을 늘려주고, 쓰기 실력을 향상 시켜주고, 빨리 읽어나감으 로써 추후 듣기나 말하기에 도움을 주며, 각종 읽기 평가에서 좋은 점수를 얻게 되고, 새로운 지식 · 사실 · 정보 · 아이디어와 경험을 얻게 된다.

그 밖에도 초등학교 학생들이 원어민처럼 Q/S식 영어문장 읽기교수학습 방법으로 배우면,

1) 영어문장의 구조감이 얻어진다.
2) 영어문장의 구조감이 내재화가 되면 읽기속도가 빨라진다.
3) 읽기의 속도가 빨라지면 사고 작용이 빨라져 듣기와 말하기에도 도움이 된다.
4) 저자의 생각을 따라가며 자신의 생각을 정리하는 여유가 생긴다.

다음은 초등학교 뉴 영어읽기 리터러시 수업에서 영어집중읽기 교수학습 과정을 정리한 예 이다. 이 과정은 20여 년 간 다양한 영어읽기 리터러시 수업에 적용해온 집중읽기 교수학습 과정

이지만 논픽션 정보가 많은 디지털 매체 읽기를 하는 뉴 영어읽기 리터러시 교수학습에 적용하면 효과적이다. 특히 뉴 영어읽기 리터러시 교수학습 과정은 수년간 영어교사를 대상으로 구체적 교수학습 능력과 적용에 대한 읽기학습코칭을 실시해온 예시이다. 실제 영어수업에서는 연령에 따라 일정부분 수정이 있을 수 있으나 이곳에서는 일반화된 초등 고학년 영어읽기 수업에서 언어학습과 디지털 매체 읽기 탐구학습을 통합한 뉴 영어읽기 리터러시 교수학습 과정을 따르고 있는 실제 영어수업의 예시를 보여준다.

초등학교 주제통합 영어수업에서 뉴 집중읽기 리터러시 교수학습 과정

읽기 단계	읽기 교수학습 활동
1. 동기부여(Motivation)	동기유발 및 예측하기
2. 어휘학습(Vocabulary)	주제 읽기 수업을 위한 장애물 제거를 위한 사전 어휘학습
3. 신호등 질문 (Signpost Question)	본 수업의 탐구활동이 가능한 질문 제시
4. 초점읽기 (Focused Reading)	질문에 스키밍과 스캐닝으로 내용에 대한 예측 효과
5. 침묵읽기(Silent Reading)	언어지식인 의미단위 나누기를 하면서 내용지식을 확인하는 빨리 읽기활동 (이때는 시간제한을 두고 읽는다.)
6. 내용이해읽기 (Comprehensive Reading)	궁금증을 추측하는 청크 단위 게임식 읽기를 위해 궁금증 유도 프롬프트 사용하여 의미파악. 의미단위 청크에 따라 가능한 직역과 의역하는 정확한 읽기와 독해능력 점검
7. 상호작용읽기 (Interactive Reading)	영어의 어순감각과 구조감을 내재화시킬 수 있는 방법으로 교사가 궁금증 유도 프롬프트를 주면 학생이 다음 청크를 읽어 이에 답하는 형식으로 유창한 읽기
8. 뉴 3Rs 리터러시 적용 (Digital Reading)	지문내용에서 자신의 일상과 연관된 문제를 제기한다. (교사주도 방식, 협의적 절충방식, 학생주도 방식 중 택)
	인터넷을 통해 문제에 대한 답을 탐색한다. 탐구과정은 모두 I-research 용지에 작성한다. (개인별, 소그룹별, 교사주도로 전체 수업 방식)
	그룹이든 개인이듯 찾은 해결책을 글쓰기 (탐구활동을 통해 얻은 결과를 자신의 삶과 연계한 자신의 스토리로 재정리한다.)
9. 재정리(Wrap-up)	그룹 간 탐구결과에서 얻은 지식을 공유한다. 오늘 탐구과정을 재점검한다.
10. 과제(Homework)	탐색활동에서 미비한 점을 보완하여 블로그에 탑재한다. 동료 탐구활동과 보고문에 댓글을 단다. 교사는 탐구활동에 대한 의견을 집으로 보낸다.

1단계 동기유발은 학생들을 주제관련 그림, 사진, 노래, 간단한 게임, 팁으로 학생들이 오늘 수업에 흥미를 갖도록 유도한다.

2단계 어휘는 읽기 과정에 어려움이 없도록 주제관련 단어들을 사전에 점검해주어 모든 학생들이 주제관련 읽기 학습에 낙오자가 없도록 이끈다.

3단계 방향제시 질문은 학생들이 오늘 읽기 텍스트에 익숙하도록 시간제한을 두고 내용에 대해 예측할 수 있는 질문을 제시한다. 이 질문은 8단계 뉴 3Rs 리터러시 탐색과정에 도움이 될 수 있는 질문이 되면 더욱 효과적이다.

4단계 집중 읽기에서 학생들은 3단계 질문에 답을 찾기 위해 제한된 시간에 원어민처럼 추측 읽기를 하는 동안 의미단위 청크로 나누는 과제가 주어진다.

5단계 침묵 읽기에서는 원어민처럼 추측 읽기 연습을 위해 먼저 영어문장을 의미단위 청크로 나누는 과제가 주어진다. 하지만 의미단위 청크조차 파악이 되지 않은 학생들이 대부분이므로 교사가 모델을 보이면서, 때로는 학생들에게 어디서 끊어 읽는 것이 맞는지 상보적 교수학습 활동을 통해 학생들과 함께 끊어 읽기 연습을 하는 것이 필요하다. 다만, 끊어 읽는 기준은 기본적인 청크로 나뉘지만 항상 정해진 것은 아니고, 학생들의 한눈에 읽는 범위eye span 수준이 어느 정도냐에 따라 달라질 수 있다.

6단계 이해 읽기Comprehensive Reading는 내용파악을 위해 읽기활동을 한다. 이때 문장읽기는 궁금증을 유도하는 예측어를 사용하여 학생들이 다음 청크에 호기심을 갖도록 하는 것이 중요하다. 이 단계에서는 모든 청크나 문장을 이해하는 데는 학생들의 사전 경험이나 지식, 이미 나온 내용에 대한 이해 등이 동원된다. 무엇보다 이 단계는 메시지에 대한 의미를 파악하는 단계이다. 초급단계에서는 교사가 추측 읽기 모델을 보여주면서 의미단위별 명확하고 바른 해석을 해준다. 이때는 읽기를 통한 언어지식청크 어휘나 문장 구조감에 정확성을 학습하면서 의미를 파악한다. 다시 말해 형태초점 의미협상이 이루어지는 단계이다.

뉴 영어읽기 리터러시 과정에서 의미파악 할 때 해석 시 주의사항으로는,

1) 전체적으로는 궁금한 순서로 이어지는 영어어순에 따라 읽는다.
2) 의미단위 청크 내에서는 국어 어순에 따라 하나의 의미로 이해한다.
3) 우리말 어순처럼 절대로 거꾸로 뒤에서 해석해 올라오지 않는다.
4) 손가락 등으로 짚어줄 때도 방향을 거슬러 올라오지 않는다.
5) 교사가 국어 해석을 해줄 때는 문법수업이나 마찬가지이다. 직역으로 바르고 명확하게 해석해준다. 그리고 나서 자연스럽게 다시 한번 의역을 해준다.

6) 해석 중간에 불가능한 문법 설명을 자제한다. 문법 설명은 전체 해석이 끝난 후 따로 설명한다.

특히 청크 단위로 읽어가면서 다음 청크에 대한 궁금증을 예측하는 질문expectancy words을 주는 연습이 필요하다. 다시 말해, 청크 간 다음을 예측하는 의문사를 자연스럽게 넣어보는 읽기 스킬이 필요하다. 이는 청크들이 서로 어떻게 연결되어 있는지, 궁금한 순서대로 이어지는 영어 어순감각질서/규칙을 내재화하는 단계이므로 이를 반영하는 정확한 의문사를 사용해야 한다. 그리고 교사가 제시한 의문사에 학생이 다음 청크 단위로 반응할 때 적절하게 격려하는 추임새를 넣어 학생들이 읽기수업에 적극적으로 참여하도록 읽기수업 분위기를 조성하는 것이 중요하다.

7단계 상호작용 읽기Interactive Reading는 읽기능력이 이미 의사소통 수준으로 발전되는 단계이다. 이 단계는 영어문장을 추측게임을 하듯 읽어가면서 언어지식에 유창성을 기르며 영어문장 구조감을 습득하게 된다. 그리고 영어의 어순감각과 구조감을 내재화시킬 수 있는 방법으로 강사가 해석이나 예측 단어를 주면 학생이 이에 답하는 형식으로 묻고 답하듯 상호작용 읽기를 진행한다. 또한 이때는 해석을 주기보다 영어자체로 주거나 받거나 상호작용을 통해 텍스트를 이해하게 된다. 문장읽기에서 상호작용을 할 때 문장의 시작은 국어로 시작하나 2번째 청크부터는 질문 억양을 사용하거나 단서를 주고 영어로 답하게 한다. 점점 국어 해석이 없이 영어로 상호작용 대화하듯 교사가 궁금증을 유도하면 학생이 다음 청크에서 궁금증을 해소해주듯 주거니 받거니 영어 텍스트를 읽어간다. 단, 문장이 길거나 매끄럽게 진행되지 않을 땐 2~3번 반복할 수도 있다. 특히 초등학생들의 읽기 유창성이 말하기에 영향을 미칠 수 있으므로 리듬 읽기Rythmn Reading로 학생의 읽기 유창성 훈련을 이끌도록 한다.

8단계 뉴 영어읽기 리터러시 학습단계Digital Reading로 주제통합 다양한 매체 읽기를 통해 더 궁금한 내용학습을 확장하는 단계이다. 이 단계에서는 뉴 3Rs 리터러시 교수학습 과정에 따라 3단계 읽기 리터러시 학습활동이 진행된다. 이때 학생 수준에 따라 교사 주도적으로 질문을 제시할 수도 있고, 교사와 학습자가 협업적으로 문제제기를 하기도 하고, 학생들이 그룹 활동을 통해 텍스트를 이해하는 동안 언어학습에서나 내용학습에서 더 탐색하고 싶은 탐구문제를 제시하기도 한다. 이 때 디지털 매체 읽기 리터러시 학습을 통해 다양한 교과목 주제를 융합하는 STEAM 방식의 탐구활동이 가능하다. 학생들은 그룹 활동이나 개인적으로 인터넷에서 원하는 정보를 탐색하게 된다. 이때 교사는 학습자들이 협업적으로 문제해결을 할 수 있도록 단계적 질문을 제공하기도 하고, 학습자가 도움을 요청할 때 조력자로서 질문을 통해 학습자가 스스로 답을 찾도록 도움을 준다. 정리된 정보를 글쓰기 활동으로 연결한다.

9단계에서는 수업의 마무리Wrap-up에 조별 탐구문제와 해결과정 및 해결점에 대한 글쓰기 활동을 한다. 그리고 글쓰기 내용을 학생들과 공유하는 시간을 갖고, 오늘 학습을 통해 배운 점이 무엇이고, 더 확인하고 탐구하고 싶은 내용을 협업활동을 통해 결정하여 Homework로 작성하여 학습 블로그에 탑재하도록 한다.

10단계 과제Homework에서는 학생들은 동료들이 블로그에 올린 추가 탐구결과를 읽고 자신의 의견에 대한 댓글을 달도록 한다. 교사는 학생들의 탐구활동에 대한 코칭 의견을 작성하여 집으로 보낸다.

위의 8~10단계의 구체적 학습활동은 다음 탐구활동에 관한 장에서 구체적으로 다루기로 한다. 주의해야 할 점은 초등학교 영어 집중읽기 교수학습 전 과정을 한 시간 내에 진행할 수 없다. 따라서 초등학교 주제통합 집중 읽기수업에서 뉴 3Rs 리터러시 교수학습 모델을 적용하는 경우 초등학교 영어 집중읽기 교수학습 전 과정을 텍스트의 양이나 난이도에 따라, 수업시간에 따라 2~3차시 또는 그 이상의 수업시수로 나누어 운영하는 것이 효과적이다.

초등학교 주제통합 집중읽기 리터러시 교수학습 과정의 효과적인 운영

	주 2차시 수업 진행	주 3차시 수업 진행
1차시	1~7 단계	1~5 단계
2차시	8~10 단계	6~7 단계
3차시		8~10 단계

초등학교 주제통합 집중읽기 리터러시 교수학습 과정을 2차시 수업으로 운영하는 경우 1~7 단계에서 1차시 수업진행을 하고, 8~10단계는 2차시에 수업을 할 수 있다. 3차시 수업을 진행하는 경우는 1~7단계는 1차시, 7~8단계는 2차시, 8~10단계는 3차시로 나누어 진행하면 효과적인 뉴 읽기 리터러시 수업이 될 수 있다.

집에서 확장읽기를 지도하는 경우도 학교 수업에서 운영하는 초등학교 주제통합 집중읽기 리터러시 교수학습 과정을 따라 학생의 영어지식 수준이나 연령 등을 고려하여 확장읽기를 도와 주면 영어실력뿐 아니라 비판적 사고력, 융합적 탐구력과 창의적 표현력 향상을 길러줄 수 있는 교수학습 방법이 될 수 있다. 특히 국어 확장 읽기를 하는 경우에도 6~7단계에서 교사나 학생들의 우리말 해석 활동만 배제하면 효과적인 국어읽기 리터러시 교수학습 활동으로 적용할 수 있다.

Unit 04.
뉴 3Rs 리터러시 문제해결은 협업하는 Researching

01. 뉴 3Rs 리터러시 교수학습 탐구과정
02. 뉴 3Rs 리터러시 교수학습 탐구전략
03. 뉴 3Rs 리터러시 교수학습 탐구실제

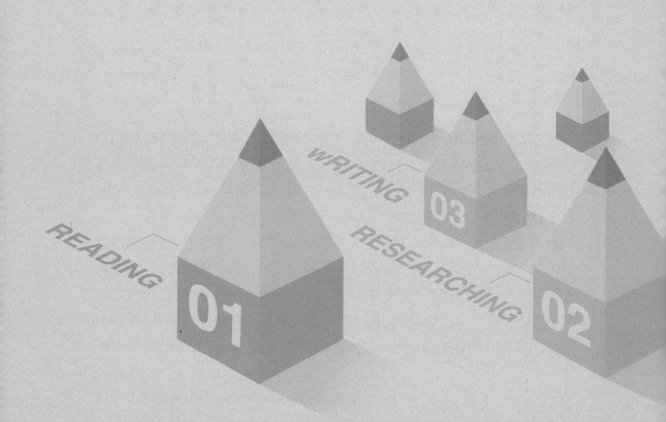

01. 뉴 3Rs 리터러시 교수학습 탐구과정

▎ 묻고 찾는 탐구읽기는 관찰하고, 숙고하고 자신의 생각을 반영하는 능력이 필요하다.

뉴 3Rs 리터러시 교수학습 모형은 질문과 문제해결 방식의 탐구읽기를 통해 비판적 사고로 창의적 성과를 내는 교수학습 모델이다. 글을 읽을 때는 목적이나 이유가 있어야 잘 읽어진다. 목적과 이유를 묻는 질문을 갖고 읽기를 하게 되면 머릿속에 그와 관련된 많은 생각들이 생긴다. "이 말이 옳은지 그른지", "이 둘을 통합하면 어떤 말이 되는지", "그런데 이점은 내 생각과는 뭐가 다른지", "왜 나는 이렇게 하는 것이 좋은지" 등 비판적이고 융합적이며 창의적인 다양한 생각을 하게 된다. 그래서 묻고 찾는 뉴 3Rs 리터러시 교수학습은 비판적 사고로 융합적 탐구과정을 거쳐 창의적 성과를 이끌어내는 방법이라 할 수 있다.

초등학교 교사들은 주제통합 교수학습 과정에서 디지털 매체 정보이용이 필요하고, 디지털 매체 정보를 교수학습 과정에 적절히 적용하고 있다고 말한다. 이는 디지털 매체를 통한 다양한 정보를 읽어내는 읽기 리터러시 교육이 초등학교 교육과정에서 매우 중요해지고 있다는 점을 입증시켜준다. 그럼에도 불구하고, 디지털 매체 읽기를 어떻게 교실수업의 교수학습 활동으로 끌어들일 수 있는지, 교사들이 사용하고 있는 방법이 맞는지, 아닌지에 대한 가이드가 명확히 제시되지 못해 여전히 교사의존도가 높은 전통적인 인쇄 매체 기반 수업이 이루어지고 있는 실정이다. 한편으로는 교실수업에 이러한 디지털 매체 정보 읽기를 왜, 어떻게 소개하고 적용해야 하는지에 대한 교사들의 부정적인 시각도, 그리고 반드시 적용해야 한다는 절실함도 아직은 부족해 보인다. 따라서 디지털 매체 정보 리터러시 교수학습을 초등학교 주제통합 교과수업과정에

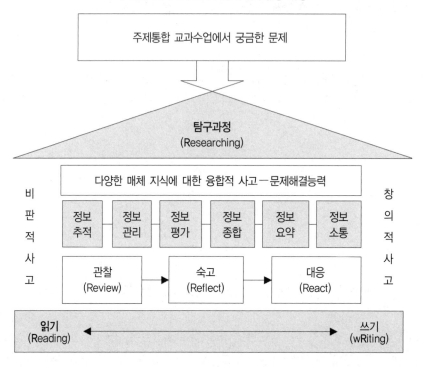

뉴 3Rs 리터러시 교수학습의 탐구활동 과정

어떻게 흡수시킬 것인가에 대한 방법적인 면에서 어려움에 놓여있다.

초등학교 읽기 리터러시 교수학습 과정은 초등학교 주제통합 학습과 연계되어 학생들이 궁금한 사항에 대해 흥미 있고 필요한 자료를 찾아 자유로운 인터넷 여행을 즐기도록 이끈다. 뉴 3Rs 리터러시 교수학습 모델은 학생들이 학습의 주체가 되어 교과목 학습과정에서 야기되는 문제나 궁금한 사항에 대한 해결점을 찾기 위해 디지털 세상을 여행하여 자신의 지식세계를 찾아나서는 탐구학습을 하게 된다. 문제해결을 위한 탐구학습 과정에서 학생들은 수많은 하이퍼텍스트를 접하게 되며 이러한 네트워크를 통해 수많은 지식들을 만나게 된다. 그 결과 검색과정에서 만나게 되는 다양한 하이퍼텍스트가 자신이 꼭 필요한 지식인지를 비판적으로 평가하는 능력이 자연스럽게 길러진다. 그리고 올바른 지식을 저장하고 관리하는 능력도 갖추게 된다. 또한 자신이 원하는 자료로 재구성하기 위해 이 자료들을 다시 분석하고, 통합하고, 재해석하고, 창의적으로 표현하는 능력을 갖추게 된다. 이러한 디지털 매체 읽기 리터러시 과정에서 자신이 원하는 답을 찾아 정리하여 표현해내는, 광산에서 금을 캐는 것 같은 과정을 거치면서 학생들은 창의적 쓰기 능력을 갖추게 된다. 다시 말해 뉴 3Rs 리터러시 교수학습에서 탐구과정은 궁금한 문제에 답을 찾기 위해 디지털 매체 자료들을 찾고, 분석하고, 통합하고, 평가하고, 재해석하여 표현하기 위해 필요한 수많은 뉴 리터러시 능력과 지식을 아우르는 전 과정을 일컫는 말이다.

　뉴 3Rs 리터러시 교수학습 모델에서 탐구과정은 주제통합 교과목 학습과정에서 야기되는 궁금한 점이나 사회적 이슈, 그리고 학생들의 개인적 관심사에 대해 보다 더 깊고 구체적인 지식에 대한 동기와 욕구에서 시작된다. 학습자의 지식에 대한 욕구는 학습자가 탐정소설의 주인공이 되어 답을 찾아 인터넷 세상을 항해하도록 이끈다. 이러한 탐구과정에서 학습자들은 수많은 정보들을 다시보고, 성찰해보고, 행동으로 옮기는 과정에서 만나게 되는 수많은 정보를 추적·관리·평가·통합·요약하고 소통하는 21세기에 필요한 고차원적 사고능력을 경험하게 된다. 근본적으로 디지털 매체 정보 리터러시 교수학습 과정은 인쇄 매체 읽기 리터러시 능력에 Q/S 기반 문제해결 방식의 전략이 가미되어 학생들을 비판적 사고력, 융합적 탐구력과 창의적 표현력을 갖춘 국제 시민으로서 역량을 갖추도록 이끈다.

　뉴 3Rs 리터러시 교수학습 모델에서 탐구읽기는 학생들이 읽는 글의 내용에 비판적, 융합적, 그리고 창의적 사고를 잘 하도록 교사는 적절한 질문과 피드백 전략을 제공하는 것이 중요하다. 탐구읽기는 학습자 자신의 생각을 꾸준히 적용하기 위해 작가가 글을 쓰는 과정을 반영하면서 학습자가 스스로 끊임없이 질문을 하고, 끊임없이 답을 찾는 읽기 과정을 따른다. 탐구읽기가 질문을 갖고 읽는다는 점에서는 묻는 읽기와 비슷하지만, 탐구읽기는 드러난 내용을 정확히 이해하기 위한 읽기라기보다는 심층을 파고들어 자신의 집요한 질문과 자신의 사전지식, 생각, 경험, 그리고 성향이 반영되어 드러나지 않은 심층적 관계까지 분석하고 통합하는 비판적 읽기와 같다. 탐구읽기에서 사용되는 질문은 텍스트가 무슨 내용인지, 저자가 무슨 말을 하고 있는지, 왜 그런 메시지를 전하는지, 이러한 메시지는 나와 무슨 관련이 있는지, 그래서 나는 어떡해야 하는지 그리고 앞으로 어떡하면 되는지, 결국, 내 생각과 입장은 어떤 것인가 등에 관한 질문들이다. 학습자는 탐구읽기를 하는 동안 이러한 질문을 끊임없이 던지게 되는데, 이 때 학습자기 끊임없이 던지는 질문은 읽기 전 과정에서 읽기 목표를 확인시켜주는 나침판이나 내비게이션 같은 역할을 해준다. 그리고 이러한 질문은 저자가 글을 쓸 때 무슨 말을 하는지, 왜 이런 말을 하는지, 목적과 무슨 상관있는지, 그러면 저자의 생각은 무엇인지, 그러면 누구에게 저자의 생각을 어떻게 전하는지 등과 같은 작가의 생각과정을 반영하는 질문들이라 할 수 있다. 결국 학습자는 한편으로는 저자로서 자신이 만든 질문에, 다른 한편으로는 독자로서 답을 찾는 상보적 문제해결식 읽기를 하게 되는 것이다. 이렇듯 Q/S 기반 문제해결식 읽기 과정이 바로 뉴 3Rs 리터러시 탐구읽기 과정이라 할 수 있다.

작가의 글쓰기를 반영한 뉴 3Rs 리터러시 탐구읽기 과정

작가의 글쓰기 과정	뉴 3Rs 리터러시 탐구읽기 과정	
무슨 말을 하지?	무슨 말을 하고 있나?	무슨 말이냐면
왜 이 말을 하려고 하지?	왜 그런 말을 하는 거지?	왜 그러냐면
목표와 무슨 관련이 있지?	나와 무슨 상관이 있지?	너에게 이런 상관있으니
그런데, 내 생각은 뭐지?	그래서 어쩌라는 말이지?	그래서 이것을 해
누구에게 전하지?	그러면 어떻게 해야 하지?	그러면 이렇게 해
어떻게 전하지?	그런데 내 말/입장은 뭐지?	그런데 내 생각은

뉴 3Rs 리터러시 교수학습은 읽기를 쓰기로 연결하는 뉴 리터러시 학습으로 읽기를 통해 글쓰기 거리를 확보하자는 데 읽기의 목적이 있다. 탐구읽기 과정은 글의 내용에 학습자들이 서로의 사전지식과 생각을 반영하는 정화과정을 갖는 읽기를 한다. 이렇듯 끊임없는 질문으로 답을 찾아내는 과정에서 학생들의 비판적 사고를 통해 문제를 해결하고 창의적 성과물을 만들어내는 문제해결 과정으로 이끈다.

비판적 사고는 주제통합 교과에서 동기부여를 위해 궁금한 문제제기부터 시작한다. 그리고 이에 대한 답을 찾기 위해 디지털 매체 텍스트가 제시하는 내용을 이해하고, 재설명하고, 재구성하면서, 학생들은 주어진 글의 내용을 이해하는 데 중점을 두던 전통적인 인쇄 매체 리터러시 능력 이상의 읽기전략이 필요하게 된다. 이러한 읽기 능력과 전략은 질문에 대한 답을 찾는 과정에서 디지털 매체 텍스트 상황에서 접하게 되는 모든 정보를 분석하고, 통합하고, 해석하고 평가하는 능력을 포함한 고차원적 사고를 경험하게 된다. 예를 들어, 학생들은 주제통합 교과에서 제시된 짧은 스토리를 읽고 난 후, 스토리 내용에서 무슨 일이 일어났는지, 주인공 이름이 무엇이며, 그림 스타일을 묘사하는 이상을 할 수 있어야 한다. 따라서 주제통합 교과내용의 의미를 충분히 이해하기 위해 문제해결방식의 디지털 매체 자료 읽기를 통하며 고차원적 사고를 사용할 수 있도록 이끌어야 한다.

뉴 3Rs 리터러시 교수학습의 탐구활동 과정

단계	절차	예
1단계	교과학습에서 인쇄 매체 읽기	주제통합 교과서에서 제시된 짧은 스토리 읽기
2단계	궁금한 탐구문제 및 과제 제기	스토리 내용이나 드러난 사실 이상의 내용에 대한 관심과 의혹, 예를 들어 스토리를 쓴 작가, 이유, 배경, 판매부수, 관련 기사 등
3단계	인터넷 탐구읽기	어디서 찾을지, 어떤 자료가 적절할지, 목적과 부합하는지 등, 다양한 디지털 매체 하이퍼텍스트 읽기 과정에서 고차원적 사고를 증진시킬 수 있는 질문제시
4단계	사고 재구축 및 소통하기	자료 평가, 분석, 통합, 요약정리 후 자신의 스토리를 만들어 블로그 등을 통해 공유하고 피드백 받기

학생들의 고차원적인 사고를 이끌어내기 위해 교사들은 교수학습 과정에서 비판적 사고, 융합적 탐구와 창의적 표현을 이끌어 낼 수 있는 다음과 같은 질문들을 제시할 수 있어야 한다Lockwood, 2013. **Lockwood**는 주제관련 인터넷 매체 자료를 재구성하는 과정에 교사가 작가의 쓰기 과정을 반영하여 학습자에게 제시할 수 있는 유도 및 지원 질문의 예를 보여준다.

1) 텍스트의 가장 훌륭한 부분이 무엇인가요?
2) 주인공 캐릭터가 다른 행동을 선택할 수 있었나요?
3) 다른 나라에서라면 이야기가 어떻게 달라질 수 있었을까요?
4) 다음에는 무슨 일이 일어날 수 있을까요?
5) 이 글은 어떤 사람들을 위해 쓰인 글인가요?
6) 작가는 왜 이런 이야기를 썼을까요?
7) 스토리에 영향을 미치는 그림이나 단서가 있나요?

뉴 3Rs 리터러시 능력은 디지털 매체 메시지나 이미지를 읽어낼 때 적용하는 고차원적 사고를 요구한다. 뉴 3Rs 리터러시 교수학습 모델은 전통적인 3Rs 리터러시 교수학습 내용에 21세기 시민이 갖추어야 할 4CsCritical Thinking, Communication, Collaboration, Creativity 스킬을 교수학습 과정에 포함하고 있다. **Lockwood**는 *Media Alert! 200 Activities to Create Media-Savvy Kids*1997란 그녀의 책에서 다음과 같은 주제들을 디지털 매체 읽기 리터러시 교수학습 과정에 가능한 많이 녹여내려는 시도를 하라고 강조한다.

조엘 교사 탐구수업 과정에서 '진실성'에 관한 주제에 대해 학생들이 만든 질문과 답 (Ken Macrorie, 1988)

주제	질의 #1 생활에서 받는 스트레스가 진실성에 영향을 미치는지?	질의 #2 진실성이 일상생활에 어떻게 영향을 미치는지?	질의 #3 이 기사들에 나와 있는 사람들은 어떻게 진실성이 부족한가?	질의 #4 어디서 진실성을 보여줄 수 있는 기회가 있었다고 생각하는지?	다른 흥미로운 사실이나 키워드들.	다른 질의들
우리가 알고 있는 것들						
소스 #1 농구 스포츠맨십 광고 www.youtube.com/whatch?v=wUUGz3WuqJ	그 소년의 목적은 게임을 이기는 것이었고, 그가 스트레스를 받고 있는 것을 그도 알고 있다.	진실성이나 진실성을 보여주지 않으면 나쁜 일들이 일어난다. 그러나, 조금이라도 보여준다면, 모두가 그것으로 인해 이익을 보죠.	다른 소년들은 그저 이기고 싶어 했다. 그러나 우리 모두는 진실성을 갖고 행동할지 안 할지를 선택해야 한다.	그 소년은 진실성을 보였고, 코치도 또한 그랬다.	놀랐다. 나는 코치가 그를 뒤에서 지지해줄지 몰랐다.	왜 어른들은 진실성을 보여주지 않나요? 왜 오히려 진실성을 단념시키나요?
소스 #2 기사 "Leach is Fired Over Treatment of Player" Evans, Thayer and Thamel, Pete (2009.12.30.)	그렇다. 왜냐하면 스트레스는 누군가의 생각과 행동에 영향을 미치기 때문이죠.	만약 그가 했던 행동에서 나쁜 부분을 무시했다면, 그는 아직도 코치로서 일을 했겠죠.	그는 벽장 안에 선수 하나를 가둬놨습니다.	Leach는 사과하는 편지에 사인을 할 수 있었죠.	그 대학교는 그 코치의 승리했던 경력에도 불구하고 코치를 하고 시켰습니다.	그 학교는 그 코치를 다시 채용했나요? 어떻게 다르게 행동할 수 있었을까요?
소스 #3 기사 "Wood is Drawing Attention" Sandoier, Richard (2009.12.9.)	그렇다. 왜냐하면 그는 유명하고 완벽해져야 한다는 부담감이 있기 때문이다	지금의 정보 사이트는 진정성이 부족하다. 불륜관계들을 통해 오는 진정성 부족.	그는 바람을 피웠다.	그가 해왔던 좋은 일들 때문이라도, 더 좋은 삶을 살 수 있을 것 같아요. 절대 바람은 피우면 안 되겠죠.	불륜 스캔들.	부인이 남편을 용서할까요? 용서하는 것이 좋을까요? 왜 우리들은 유명한 사람들을 못살게 굴까요?
요약	스트레스는 여러 면으로 우리에게 영향을 끼치고, 드라마는 우리 삶 속에 항상 존재할 것입니다. 우리는 선택할 수 있죠.	진실함이 있다면, 다른 사람들과 나누세요. 그렇지 않다면, 찾는 게 먼저 겠죠.	어떤 순간에서는 누구나 진실함이 부족할 때가 있다. 그리고 사람들의 그런 이기적인 모습이 슬프죠.	진실할 수 있는 기회가 여러 번 옵니다. 그 기회를 잘 사용해야 합니다.		평상시 생활 중에서 진실함을 보여줄 수 있는 3가지 예는 무엇일까요?

위의 도표는 Ken Macrorie1988의 조엘 코치 교사의 수업에서 '진실성'이란 주제관련 그룹 학생들의 생각을 '우리 차트'에 적은 예이다. 학생들이 만든 질문에 적절한 답을 찾기 위해 생각하다보면 주제에 집중하게 되고, 자신의 학습에 집중하게 된다. 이러한 점에서 '우리질의응답 차트'를 통해 질문 만들기와 그에 따른 답을 찾는 과정은 뉴 3Rs 리터러시 교수학습의 탐구활동에서도 핵심이라 할 수 있다.

탐구학습 과정에서 학생들의 질문 만들기만큼이나 중요한 것은 바로 기획하는 것이다. 코치 교사 입장에서는 학생들이 탐구과정을 이해했다고 생각해도, 다양한 자료를 통합하고 노트를 작성하는 방법을 이해했는지에 대해 확신이 덜할 수 있다. Ken Macrorie1988의 조엘 코치 교사가 『기버』The Giver, Lowery, 1993와 유토피아에 기반을 둔 '우리탐색'을 구조화한 것도 바로 이런 이유이었을 지도 모른다.

탐구수업의 첫 번째 날엔 책상을 5지점으로 나누고, 각 지점에는 가이드 질문들이 주어지고, 학생들은 각 지점을 돌며, 친구들이랑 글을 읽고 탐구용지에 답을 적는다. 각 지점에서 만난 친구들과 개념에 대해 협업을 하기도 한다.

*The Giver*에 기반을 둔 우리탐색 활동의 협업활동의 예 (Ken Macrorie, 1988)

	글	질문 / 프롬프트	예제 답
1	영화 〈트루먼 쇼〉("The Truman Show")의 예고편 (Feldman, et el., 1988)	〈트루먼 쇼〉와 『기버』의 의 비슷한 점으로 무엇이 있을까요?	"그들 모두 감시당하고 있었습니다. 그들 모두 그들이 살고 있는 세상이 완벽하다고 여겼다가, 완벽하지 않다는 걸 깨닫게 됩니다. 그들 모두 (Jonas and Truman) 저항하였습니다."
2	올비일 심슨(Orville Simpson II)이 만들어낸 가상의 미래 도시 승리도시(Victory City)에 관한 웹사이트 http://www.victorycities.com/index.html	이 사이트의 화폐 시스템에 대한 3가지 찬성 의견과 3가지 반대 의견이 무엇입니까?	"찬성 의견: 잘 정리되어 보호되어 있습니다. 아무도 돈을 훔치거나 할 수 없다는 점입니다. 집값을 낼 수 없다면, 이사를 가야 되죠. 반대 의견: 더 많은 돈을 벌어도, 소유할 수 없는 시스템입니다. 그렇기 때문에, 돈이 있어서 이사를 가고 싶지 않아도 이사를 가야 되겠죠."
3	히틀러 철학의 유토피아 요소에 관한 웹 상의 질문에 답한 글 (http://wiki.answers.com/O/What extactly is Hitler%27s perfect race)	이런 역사적 사건들이 유토피아 사회에 대한 기본 지식들에 어떻게 적용되었나요?	"히틀러가 이 땅에 모든 사람들을 조종하고 싶어한다는 면과 Jonas의 사회에서 나이 많은 사람들이 모든 사람들이 조종하는 모습이 비슷한 거 같다는 의미에서 『기버』를 연상케 하는 거 같습니다."
4	승리도시와 그것의 멤버십 과정 (http://www.victorycities.com/index.html)	사이트의 멤버 선정 과정이 좋은 방법이라고 생각하나요?	"멤버를 선정하는 과정이 인기투표 마냥 유치해서 선정 과정에 거짓이 있더라도 아무도 모를 것이다."
5	구절 1 : "유토피아는 개개인과 어떤 집단이 자유, 의지, 에너지 그리고 부족함과 잔혹한 죽음에 구애받지 않는 삶을 만들고 다시 만들 수 있는 능력을 소유 할 수 있는 세계라고 생각해야 한다." – George Kateb ("Utopia and Its Enemies")	이 구절은 어떤 의미입니까?	"난 우리의 삶을 바꾸고 싶다거나 마음만 먹으면 무엇이든 바꿀 수 있을 것처럼 들린다. 어떠한 부담도 없을 것 같고, 우리의 선택이나 선택권들이 언제나 반영될 것 같다."
	구절 2 : "모든 인류가 찾고 있는 유토피아가 없는 세계지도는 볼 가치가 없다. 그리고 인류가 유토피아에 정착하면, 다시 또 찾는다. 더 나은 나라가 보이면, 다시 떠난다. 이런 과정이 유토피아의 현실화입니다." – Oscar Wilde	이 구절은 어떤 의미 입니까?	"어떤 유토피아는 한 지역사회에 국한 되어 있을 필요는 없다. 많은 사람들은 미국이 유토피아라고 생각하고 있다."
6	이카루스 프로젝트(Icarus Project)의 블로그 http://theicarusproject.net/alternative/replacingmedswhitea	블로그에서 비평한 책이나, 영화를 하나 선택하고, 그것들이 왜 유토피아가 아닌지에 대해 말해보세요.	"Logan's Run에서 사람들은 서른 살 즈음 너무 젊은 나이에 죽고 만다. 당연히 완벽하지도 않은 것이죠."

이번 활동에서는 한 학생이 인터넷 기사를 어떻게 평가하는지를 보여주고 있다. 학생은 생각 말하기think aloud를 사용하며, 기사를 프로젝터로 벽에 쏜 후, 다음과 같이 설명하였다.

내가 이 기사를 선택했을 때, 과연 이 기사의 정보가 실용적이고, 진실한지에 결정해야 했다. 먼저 기사의 제목들을 살폈고, 여러 링크들을 클릭해가며 기사의 정보들이 흥미로운지, 또는 우리의 과제들과 관련이 있는지의 여부를 보며 결정했다. 다음은, 그 링크들과 이미지들에 대해 우리가 그 정보들을 잘 이해하고 있는지 다시 훑었다. 괜찮더라. 최고는 아니지만, 우리가 잘하고 있다고 생각했다. 다음, 정보가 사실인지 궁금해졌다. 정보와 그 정보의 배경을 위해 사이트를 누가 썼는지 찾아보는 일은 어떤 형사가 된 기분이었다. 그 웹사이트를 공개한 사람이 굉장히 부자이고, 승리도시가 진짜가 아니고, 그의 꿈이라는 것을 알게 되었다. 그 웹사이트의 목적은 그가 생각하는 유토피아 사회를 공유하고자 함이었다. 난 그것이 우리가 배우는 것과 잘 맞는다고 생각하여, 이 기사를 사용하기로 결정하였다.

둘째 날엔, 학생들이 소그룹들로 나누어졌고, 어떤 글을 읽고, 그 글에 관한 질문에 답을 하는 시간을 가졌다. 큰 메모장에는 우리 차트에 대한 답을, 중간 메모장에는 더 하고 싶은 유토피아 사회에 대한 질문들을 적게 하였고, 제일 작은 메모장에는 글에 대한 키워드들을 기록하게 하였다.

주제	질의 #1 유토피아는 어떤 사회적 성격을 갖고 있나요?	질의 #2 유토피아가 갖고 있는 일반적인 테마는 무엇입니까?	질의 #3 유토피아 사회 속 삶의 매력은 어떤 것이 있을까요?	질의 #4 왜 사람들은 유토피아를 쫓는 걸까요?	키워드들	다른 질문들
우리가 알고 있는 것들	그곳엔 어떻게 살지에 대한 규칙과 지침서가 존재한다.	모든 사람들이 트루먼처럼 똑같은 지침을 따라 산다.	친구들과 함께하며 내키는 대로 행동할 수 있다. 어떤 스트레스도 없을 것 같다.	모든 사람들이 완벽한 삶을 찾는다. 마치 히틀러처럼.	하나, 같음. 자유. 완벽.	어떤 다른 유토피아 사회들이 있나요?
Lowery, L, (1993). The Giver. New York: Bantam Books.	『기버』에서 규칙들, 지배자, 기대감, 틀에 박힌 일상들이 존재했다. 유토피아에서는, 중요한 요소들이 "완벽한" 세상, 고통이나 두려움이 없다는 점, 지배가 없다는 점 등이 있다. 모든 게 좋아야 하고, 똑같고, 가식적인 보장의 의미를 갖고 있는 모든 것들을 말한다.	일반적인 테마는 완벽, 동일함, 그리고 궁극적 행복이다.	매력적인 점은, 유토피아는 "너만의" 설정되고 꿈에 그린 이상적 세계라는 점일 것이다. 그곳엔 고통도, 두려움도, 스트레스도 없을 것이며, 그러한 점이 유토피아를 더욱 매력적으로 만든다.	사람들은 모든 것이 동일하며 완벽할 수 있도록 유토피아라는 곳을 추구한다. 그것은 사람들이 완벽, 동일함, 궁극적 행복을 원하기 때문일 것이다.	지배 기억들 개념 사회 안전함 느낌 일상 판타지	왜 사람들은 유토피아가 완벽할거라고 생각할까? 어떻게 유토피아 사회는 모든 것이 완벽하다고 여겨지도록 개발될 수 있을까? 어떤 사람이 규칙을 어기면 어떻게 되는 걸까? Lois Lowery가 생각하는 완벽한 세상은 무엇일까? 유토피아는 합법적인 세상일까?

승리도시의 화폐 시스템 http://www.victorycities.com/index.html	승리도시의 화폐 시스템엔 은행, 돈, 기계, 규칙, 은행원, 통장, 사야 할 것들, 승리도시 등이 있다. 도시의 화폐 체계에서는 통장들, 그리고 각 승리의 도시마다 하나씩 있는 은행들이 중요한 요소들이다.	대부분의 유토피아 사회에서는, 보통 한사람이나 한 그룹의 사람들이 절대적 힘을 갖고 있다. 일반적인 테마들 중 하나는 결국 자유나, 자유로운 의지, 자본주의다.	유토피아는 한 사람의 완벽한 세계라고 생각하는 개념이다. 그래서 유토피아의 매력적이다 라고 생각하는 것들은 돈이나, 청구서를 지불하는 거처럼 경제적 구속돼있지 않다. 가장 매력적인 유토피아의 경제적 제도는 모든 거래가 컴퓨터화 되어 있어 확인이 쉬워 보인다는 점이다.	사람들이 유토피아의 개념을 쫓는 이유는 사람들은 자유의지와 자유가 가능하기 때문이다. 사람들은 완벽한 세상을 원하기 때문에 유토피아를 추구한다. 사람들은 돈 관련된 일들을 원하지 않는다.	통장 잡동사니 대회 디지털화 소매 공제 투자 지불 전자기기 환율 집권 중앙집권 할부	승리도시 말고 어떤 사회에서 이런 경제구조를 사용하고 있나요? 범죄를 일으키면 승리의 도시에선 어떤 결말이 오나요? 사람들이 스트레스를 받지 않기 위해 이런 화폐 시스템을 만든 걸까요? 왜 통장을 사용하나요? 사람들은 이 시스템을 좋아하나요?

Macrorie1988의 조엘 코치 교사가 수업을 위해 채택한 문학작품은 청소년 문학이지만 초등학교 학생들을 위한 뉴 리터러시 수업에서는 학생들의 수준이나 관심을 끌 수 있는 조금 더 쉬운 예측 가능한 아동문학이나 흥미로운 주제관련 논픽션 자료를 선택하는 것이 필요하다. 뉴 리터러시 실제 수업의 경우 학생들에게 인터넷 평가질문이 있는 용지를 주고, 인용된 예들이 작성된 참고자료 용지도 나눠준다. 이때 조엘 코치 교사처럼 뉴 리터러시 교사는 텍스트에 나오는 중심어나 어휘를 알아내고 이들을 어떻게 통합하는지를 보여준다. 이후 학생들이 이러한 질문에 대한 답에서 주제관련 중심어나 내용에 따라 통합하는 과정을 일단 마치고 나면 글의 내용과 관련하여 학생들의 수준에서 생각하는 자신의 의견에 대해 짧은 에세이를 쓰도록 한다. 그러면 학생들의 아이디어들이 우리 차트와 비교해 어떻게 변화하는지를 볼 수 있다. 학생들은 다시 개개인의 질문 차트와 주제탐색 용지로 옮겨 자신의 생각을 수정한다.

뉴 리터러시 탐구학습 도구를 잘 활용하고, 그룹 탐구활동에서 개인별 쓰기 학습으로 연결하는 Macrorie1988의 코치 교사의 탐구학습 전략은 우리나라 초등학교 주제통합 뉴 3Rs 리터러시 교수학습의 탐구학습과 쓰기학습을 연결하는 뉴 리터러시 교수학습의 3Rs 전략으로 활용할 수 있다.

다음은 조엘 코치 교사가 디지털 매체 기반 탐구수업에서 사용하는 디지털 매체 자료에 대한 평가의 실례이다. 학생들에게 용지를 나누어주고 "인터넷에 나오는 정보가 정확한지, 믿을 만한지, 객관적인지 어떻게 알 수 있을까요?"라는 질문을 준다. 그러면 학생들이 다음과 같은 질문에 각자의 답을 작성하도록 한다.

인터넷 정보 평가의 실례 (Macrorie, 1988)

카테고리	기준	질문	학생의 답
범위 (Coverage)	주어진 토픽에 대해서 얼마나 많은 정보가 제공되었나요?	이 인터넷 사이트의 내용이 다른 곳에서도 확인 가능한가요? 있다면 그 자료의 출처를 쓰세요.	
정확성 (Accuracy)	기사의 내용이 사실인가요?	같은 내용의 정보를 다른 곳에 찾음으로써 그 기사의 내용의 정확도를 확인 할 수 있나요? 있다면 그 자료의 출처를 쓰세요.	
현재성 (Currency)	그 인터넷 사이트의 생성, 공개, 수정의 날짜는 언제 입니까?	그 사이트의 내용이 최신 버전 입니까? 그렇다면, 어떻게 알 수 있죠?	
권한 (Authority)	사이트의 생성자와 공개자의 자격조건은 무엇입니까?	사이트의 저자가 그 토픽에 관하여 쓸 수 있는 자격이 됩니까? 그렇다면, 어떻게 알죠?	
객관성 (Objectivity)	얼마나 저자의 개인적인 느낌이 공개된 정보에 영향을 미칠 수 있을까요?	그 인터넷 사이트는 양면을 모두 보여주고 있나요? 그렇지 않다면, 왜 그러하였을까요?	

인터넷 평가에 관한 참고할 만한 사이트들은 다음과 같다.

사이트 이름	URL	특징
Yahooligan! Teacher's Guide	www.yahooligans.yahoo.com/tg	인터넷을 사용하여 정보를 찾는, 사이트의 질을 평가하는 활동(activities)을 많이 갖고 있다
인터넷 정보 찾기	www.lib.berkeley.edu/teachinglib/ guides/internet/findinfo.html	어른들에게 맞춰져 있긴 하지만, 자기주도 학습과 단어 목록들과 같이 인터넷에서 정보를 찾을 때 중요하고 도움이 되는 요소들을 많이 갖고 있다.
탐구능력을 키우자: 웹퀘스트	www.milforded.org/schools/simonl ake/ebaiardi/wq/searchskills.html	학생들을 여러 탐구 사이트를 이용하도록 도우고, 탐구엔진에서의 결과를 평가하고 사용하는 방법 위주로 학생들을 이끈다.

다음의 주제탐구 I-Search 는 학생들의 학습을 증진시킬 수 있는 다양한 자료를 포함하고 있어 유용하다. 조엘 코치 교사의 주제탐구 용지를 아래와 같이 소개한다.

주제탐구는 무엇인가요?

주제탐구는 학생이 개인적으로 궁금하거나 교과목 관련된 주제에 대해서 찾아보고 이해할 수 있도록 도와주는 시간이 될 것이다. 주제탐구는 찾는 정보뿐 아니라, 정보를 찾는 과정에서 여러분들은 많은 것을 배우게 될 것이다. 과정이 답보다 더 중요하다.

형식

1. 탐구해야 할 주제
2. 탐구 전에 내가 알고 있던 것들
3. 탐구과정
4. 내가 찾은 것들
5. 아직도 더 알고 싶은 것들

주제탐구는 어떻게 하나요?

주제탐구에는 4가지 요소가 있다.

읽기—여러분이 만든 질문에 대한 정보를 잡지, 웹사이트, 연구 저널, 신문기사 등에서 읽어라. 적어도 3가지는 출처가 정확한 자료를 갖고 있어야 한다.

보기—정보를 관찰하며 여러분들의 질문에 대해 더 알아보아라. TV 시청, 다큐멘터리, 아니면 실생활 관찰 등도 가능하다.

묻기—여러분들의 질문에 대해 지식을 갖고 있는 사람이나 경험이 있는 사람들에게 자기만의 질문들로 인터뷰를 해보아라.

행하기—여러분들이 직접 만든 자신들의 질문을 경험할 수 있는 방법을 찾아보아라. 여러분들의 질문에 관한 활동들을 직접 해보면서 배울 수 있는 시간을 가져 보아라.

주제탐구를 언제 하나요?

충분한 수업시간을 사용해서라도 여러분들이 이 프로젝트를 할 수 있도록 하고 싶지만, 그건 불가능하다. 가끔 수업시간 내에 프로젝트 할 시간을 줄 것이다. 하지만 여러분들은 자신의 개인시간에 이 과제를 수행하기도 해야 할 것이다. 나는 여러분들이 탐구과정에 필요한 정보, 훈련, 자료들을 가졌는지 매번 확인할 것이다.

주제탐구를 할 때 필요한 것들은 무엇인가요?

각 항목은 시험 성적에 반영 될 것이다.

1. 인터넷 탐구 노트─수업 시간에 하도록 한다.
2. 성찰 일지─여러분들은 배우는 학습자로서 탐구과정을 탐구일지에 기록해야 한다. 모든 단계별 탐구여정을 기록해야 한다. 탐구했던 단어들이나, 방문했던 웹사이트들, 모았던 정보, 인터뷰를 어떻게 준비했는지, 탐구 계획을 누가 도와줬는지, "하기"를 위해 어떤 것들을 고려해보았는지 등 여러분들의 프로젝트를 할 때마다 했던 모든 일을 여기에 기록한다.
3. 주제탐구 용지─여러분들이 웹서핑을 하며 탐구질문에 대한 답을 이 용지에 기록한다.
4. 프레젠테이션─여러분들은 자신들의 프로젝트를 교실 친구들에게 발표한다.

지금까지 조엘 코치 교사의 실례를 적용해 초등학교 주제통합 교육의 뉴 3Rs 리터러시 코치 교사 수업에서도 소그룹 활동을 통한 학생들의 협조적 읽기, 통합하기 그리고 기록하기를 지원할 수 있다. 이를 위해 학생들의 수준이나 상황에 맞는 조별활동에 따라 주제질의응답 차트를 우리질의응답 차트로 수정 및 보완하여 협업적 그룹 활동을 이끌 수 있다. 뉴 3Rs 리터러시 코치 교사는 탐구활동 과정에서 학생들이 개인별 탐구활동을 좀 더 적극적으로 참여하고, 더 많은 탐구활동 기회를 주기 위해 나의 주제탐구 용지를 활용할 수 있다. 읽기, 탐구하기 그리고 최종 쓰기활동까지 뉴 3Rs 리터러시 탐구활동을 효과적으로 이끌기 위해 개인별 뉴 3Rs 리터러시 탐구활동은 4가지 유형읽기(Read), 보기(Watch), 묻기(Ask), 행하기(Do)으로 구분하여 실행할 수 있다. 이러한 개인별 효과적인 탐구활동을 위해 뉴 3Rs 리터러시 코치 교사는 학생들과 주제탐구 과정을 복습하고, 프로젝트에 대해 설명하고, 탐구활동의 기한을 정하고, 앞으로 추가했으면 좋겠다는 탐구활동에 대한 코치 교사로서의 기대감과 의견을 작성하여 부모에게 편지를 보낸다. 학생들은 코치 교사가 주는 주제탐구 계약서에 사인을 한다.

다음 계약서의 예시에는 뉴 3Rs 리터러시 탐구과정에서 학생들에게 도움을 주는 개인별 탐구활동 리스트를 작성하고 필요한 탐구활동 단계가 제시되어 있다. 실제 조엘 코치 교사가 사용한 주제탐구 계약서를 뉴 3Rs 리터러시 교수학습을 위해 수정한 주제탐구 계약서 형식은 아래와 같다.

주제탐구계약서

이름 :

토픽 :

질문 :

주제탐구 프로젝트를 계획하기 위해 다음 아래의 정보를 채우세요.

1. 나는 "보기"를 위해 다음과 같은 내용을 할 것이다.
 - 그러기 위해선, 다음과 같은 단계를 거쳐야 합니다.

2. 나는 "하기"를 위해 다음과 같은 내용을 할 것이다.
 - 그러기 위해선, 다음과 같은 단계를 거쳐야 합니다.

3. 나는 "묻기"를 위해 다음과 같은 내용을 할 것이다.
 - 그러기 위해선, 다음과 같은 단계를 거쳐야 합니다.

4. 나는 "행하기"를 위해서는 다음과 같은 내용을 할 것이다.
 - 그러기 위해선, 다음과 같은 단계를 거쳐야 합니다.

5. 선생님에게 도움을 청해야 할 것들을 자세하게 리스트를 작성해보아라.

6. 친구들에게 도움을 청해야 할 것들을 작성해보아라.

7. 부모님에게 도움을 청해야 할 것들을 작성해보아라.

이번 프로젝트를 열심히 하여서 받으려는 성적 : _____

학생 사인 : _____

부모님 사인 : _____

뉴 3Rs 리터러시 코치 교사는 탐구활동 동안 찾고자 했던 흥미 있는 정보와 중요한 사실들을 브레인스토밍 하도록 사전탐구 용지를 사용할 수 있다. 다음은 Ken Macrorie1988에서 조엘 교사가 사용했던 사전탐구 용지를 뉴 3Rs 리터러시 탐구활동의 사전탐구 용지로 수정한 내용을 소개한다.

사전 탐구 노트

주제 1 : 선생님이 되기 위해서 가야 하는 최고의 대학교에 관하여...

내가 알고 있는 3가지 사실들 :

1. *원서를 제출해야 한다.*
2. *졸업장을 받는다.*
3. *등록금이 비싸다.*

3가지 이상의 오늘 알게 된 흥미로운 사실들 :

1. *입학 18개월 전에 지원해야 한다.*
2. *학생비자를 3개월 전에 신청해야 한다.*
3. *입학 전에 엄청 많은 시험을 치러야 한다.*

내가 흥미로워 할 만한 충분한 정보인가요? 왜 그러한가요?

네. 대학을 가기 위해서라도 많은 시험을 치러야 하므로 공부를 열심히 한다는 것을 알게 되었으므로.

누구에게 "묻기"를 하였죠?

대학에 다니는 사촌형이 그것에 대한 경험이 있는 사람이다.

"보기"로 무엇을 할 수 있죠?

대학교 홍보 비디오.

"하기"를 위해 무엇을 할 수 있죠?

제 인생에 맞는 대학정보 찾기.

주제 2 : 스포츠를 하러 갈 수 있는 대학교는 어디가 있죠?

내가 이미 알고 있는 3가지 이상 사실들 :

1. *잘하는 좋은 선수여야 한다.*
2. *등록금이 비쌀 것이다.*
3. *원서 제출을 해야 한다.*

오늘 알게 된 3가지 이상의 흥미로운 사실들 :

1. *코치들은 100%를 다줄 수 있는 선수들을 원한다.*
2. *스포츠에 전념하며 열성적이어야 한다.*
3. *엄청난 경쟁이 있을 것이다.*

나를 흥미롭게 할 충분한 정보가 있나요?

네. 월드컵 축구경기 8강에서 승부차기로 이겼을 때.

누구에게 "묻기"를 할 수 있죠?

그 방면에 지식이 있는 사람.

"보기"를 위해 무엇을 할 수 있죠?

NWBA 미국 여자 프로 농구 경기를 YouTube나 온라인, 그리고 여러 다양한 스포츠 채널을 통해 본다.

"하기"를 위해 무엇을 할 수 있죠?

대학을 가기 위해 정보를 많이 찾아본다.

이 같은 사전탐구 용지는 학생들이 사전지식을 축적하고 학생들에게 데이터 수집에 대한 다양한 선택을 주는 '우리 차트'와 비슷한 모델로서 본격적인 탐구활동을 준비하기 위해 아이디어를 모으고 정리할 수 있는 사전탐구활용 용지이다.

뉴 3Rs 리터러시 코치 교사는 역시 학생들을 위한 주제질의응답 차트도 사용할 수 있다. 다음은 Ken Macrorie[1988]에서 조엘 코치 교사가 제공한 주제 차트를 뉴 3Rs 리터러시 탐구활동에 맞춰 수정한 주제질의응답 차트이다.

주제 차트

이름 : 이 현 수

탐구 문제 : 코카콜라가 왜 몸에 안 좋나요?

부가 질문 : 코카콜라가 다른 탄산음료보다 해로운 이유는 무엇인가요?

자료 이름	출처 확인	학생 답
#1 Website	www.nutritionresearchcenter.com	코카콜라를 마신 후 40분 뒤에 카페인 흡수가 완료 된다. 간이 더 많은 양의 설탕을 혈류에 제공하는 결과로 결국 혈압이 상승하게 된다.
#2 Website	—	코카콜라를 마신 후 60분 뒤에 너 안의 경계심이 다 죽는다. 설탕이 계속 공급되기 때문에 가려워지고 게을러질 수 있다.
#3 Website	—	콜라를 마시고 60분 동안, 인산과 칼슘이, 마그네슘과 아연이 아래 쪽 장 안에서 결합하여 기초대사량 촉진을 도와준다.
#4 Website	—	콜라는 이빨에도 좋지 않다. 콜라에는 산이 가득하고, 콜라를 입에 물고 있는 건, 이빨을 부러뜨리고 있는 것이다.

키워드들 : 콜라, 설탕, 분, 나쁜, 후에, 코카콜라

탐구 후 새 질문 : 이런 나쁜 점들을 알고 나서도 왜 콜라를 마실까요?

위의 주제탐구 용지는 학생들이 기록, 인용과 데이터를 정리하도록 도와주는 뉴 리터러시 교수학습 도구이다. 그리고 학생들의 기록, 인용 자료들과 데이터를 잘 조직할 수 있도록 다양한 자료들을 제공해줄 수 있다. 사전 검토, 계약서, 주제탐구 과정의 요약, 수정된 주제질의응답 차트와 더불어 학생들은 탐구질문과 관련된 텍스트에 도움이 될 수 있는 추가 생각들을 작성할

수 있다.

뉴 3Rs 리터러시 탐구학습 동안 학생들은 개개인의 주제탐구에 답을 찾기 위해 다양한 텍스트를 사용하고 그들의 배움의 경험을 비판적으로 평가하고 통합하려고 한다. 이때 뉴 3Rs 리터러시 코치 교사는 학생들에게 찾은 정보가 "단지 흥미로운 것인지, 아니며 흥미로우면서 주제와 관련성이 있는지"를 평가하도록 요구하게 된다.

다음은 Ken Macrorie1988의 조엘 코치 교사가 사용했던 탐구활동 유형을 바탕으로 뉴 3Rs 리터러시 탐구활동 프로젝트에서 학생들이 스스로 관심분야에 대해 탐구활동 각 단계에서 추가적으로 사용할 수 있는 다른 텍스트 예들을 읽기Read, 보기See, 묻기Ask, 행하기Do라는 4가지 탐구활동을 소개한다.

1. 읽기(Read)

뉴 리터러시 탐구활동에 참여한 각 학생은 탐구활동을 위해 적어도 주제관련 3개 이상의 텍스트를 읽는다.

학생	탐구학습 읽기 텍스트
스테파니	Christina Hamlett(2006)에 의한 *Screenwriting for Teens : The 100 Principles of Scriptwriting Every Budding Writer Must Know* 책을 읽는다.
알리사	웹사이트에서 교사가 되는 것에 대한 'Elementary and Secondary Education'을 읽는다. 참고 : http://www.unt.edu/pais/insert/ueduc.html.
조세프	핵무기에 대한 학습을 위해 최근 오바마 대통령의 핵무기 정상회담에 관한 뉴욕타임지 사설 "After the Summit"을 읽는다. 참고 : http://nytimes.com/2020/04/15/opinion/15thu2.html.
수만	십대 임신과 유산 비율과 관한 타임지 잡지 보도를 읽는다.

학생들은 주제질의응답 차트에 자신들이 읽고 찾은 것들을 요약하고 주제에 대한 추가 질문을 만든다.

2. 자세히 보기(See)

뉴 리터러시 탐구활동에 참여한 학생들은 추가적으로 유튜브 비디오, TV 쇼, 메인스트림 영화, 그리고 논문들을 보기도 한다.

학생	추가 디지털 텍스트 자료
칼리	그녀의 질문인 'How can fast food kill you?'에 대한 보다 더 많은 정보를 얻기 위해 논문 "Super Size Me"(Spurlock, 2004)를 자세히 본다.
수만	십대 엄마에 관한 MTV 시리즈, 〈Sixteen and Pregnant〉(Freeman, 2009)를 보았다.
라파엘	Bravo's reality show, 〈Project Runway〉(Holzman, 2004~2008)를 본다.
조쉬	깊은 바다 여행에 관한 소설과 최근 실제상황을 비교하기 위해 〈20,000 Leagues under the Sea〉(Fleisher, 1954)를 본다.

3. 묻기(Ask)

뉴 리터러시 탐구활동에 참여한 학생들도 추가 자료를 얻기 위해 전화, 이메일이나 면대면 인터뷰를 하기도 한다.

학생	인터뷰 활동
씨에라	Tyra Bank(TV 호스트이며 전 모델출신)에 전화해서 심지어 매니저와 이야기를 나누었다.
나탈리	TV 쇼인 〈Ghost Whisperer〉 프로듀서에게 메일을 보내서 쇼의 순서에 대해 물었다.
한열	가장 인기있는 반 친구와 교사, 부모, 친구들과 인터뷰를 한다.

이러한 주제관련 탐구활동에 도움을 줄 수 있는 다양한 사람들과 인터뷰는 학생들이 어른이나 동료들과 상호작용을 하며, 자신의 탐구질문에 대해 열린 답을 찾을 수 있도록 해준다. 인터뷰를 통한 묻기 활동은 뉴 3Rs 리터러시 탐구활동에서 매우 유용한 탐구활동 중 하나이다.

4. 행하기(Do)

뉴 리터러시 학생들은 주제탐구와 관련된 탐구활동에 참여하게 된다.

학생	행동하는 탐구활동
수만	그녀의 삶에 대한 십대 엄마에게 이야기하기 위해 지역 고등학교에서 어린이집을 방문했다.
엘리사	교사를 위한 대학 세미나에 참여한다.
제이미	패션 디자이너가 되는 것에 관심이 있으므로, 수업에서 친구 한명을 위해 여름 수영복을 디자인 한다.
명숙	버릇없는 십대를 위한 청소년 센터를 관찰하고 그들을 위해 지원활동을 구조화한다.

Ken Macrorie1988의 조엘 코치 교사가 진행하는 탐구활동과 비교해 뉴 3Rs 리터러시 코치 교사가 사용한 탐구활동 유형에 약간의 차이가 있을 수 있다. 뉴 3Rs 리터러시 탐구활동에서는 각 단계를 마치고 나면, 학생들은 최종 주제탐구 용지에 요약과 성찰한 점들에 대해 작성하게 된다. 학생들이 최종 나의 주제탐구 용지를 다 쓰고 나면 뉴 3Rs 리터러시 코치 교사는 주제탐구 용지의 각 항목을 어떻게 더 구체화할 것인지, 또는 어떻게 더 멋지게 꾸밀 수 있는지 모델을 보인다. 학생들은 그들 자신의 쓰기에 대해 그룹의 반응과 교사로부터 피드백을 받는다. 최종 본은 타이핑한 후 학생들은 파워포인트, 웹사이트나 디지털 동영상을 사용하여 정식으로 학생들 앞에서 발표하게 한다.

결국 뉴 3Rs 리터러시 문제해결식 탐구학습은 다양한 새로운 학습을 경험하게 한다.

Ken Macrorie1988의 조엘 코치 교사의 탐구학습과 비교할 때, 뉴 3Rs 리터러시 코치 교사나 학생들은 탐구활동 과정에서 주제질의응답 차트와 주제탐구 용지 등 뉴 리터러시 교수학습 도구를 학생들의 수준이나 학습상황 등에 맞도록 수정하여 보다 효과적으로 사용하면서 많은 것을 배우게 된다. 뉴 3Rs 리터러시 교수학습 과정에서 이러한 주제질의응답 차트와 주제탐구 용지 같은 탐구활동 도구를 효과적으로 사용하기 위해서는 뉴 3Rs 리터러시 교수학습의 탐구활동에 관한 다음과 같은 특징들을 반영하여 꾸준히 수정 및 보완되어야 할 필요가 있다.

뉴 3Rs 리터러시 문제해결식 탐구활동은 학습자의 적극적인 참여를 이끈다.

뉴 3Rs 리터러시 교수학습 과정에서 학생들은 가장 먼저 질문을 만들고 탐구과정에 참여한다. 학생들은 먼저 흥미로운 주제를 선정하도록 요구되거나, 아니면 주제통합 학습에서 교과학습 과정에서 교사와 학생들이 논의를 통해 주제가 선정된다. 그리고 학생들이 만든 주제관련 질문에 답을 찾기 위해 다양한 자원을 찾도록 강요된다. 탐구활동을 위한 다양한 유형읽고, 보고, 묻고, 행하는의 텍스트를 사용함으로써 학생들은 독창적인 방식에서 주제에 대해 탐구할 기회를 갖게 된다. 이러한 탐구활동 과정은 학교 교실수업 내에서 이루어지는 학습 성과물을 만들기 위해 학교 밖의 리터러시들을 끌고 들어오기도 한다. 학생들은 자신들이 선정한 주제에 관해 탐구과정에 참여하면서 판단하고 결정하는 감각과 끈기를 얻게 된다.

뉴 3Rs 리터러시 문제해결식 탐구활동 시 교사의 적절한 피드백은 학습자의 탐구적 끈기를 이끈다.

학생들이 탐구활동 중 어려운 문제에 부딪힐 때, 뉴 3Rs 리터러시 코치 교사는 학생들이 문제를 해결하기 위해 다른 길을 찾도록 유도하며, 문제해결을 위한 융통성을 갖도록 끊임없이 피드백을 제공하게 된다. 예를 들어, 십대 임신에 관한 프로젝트를 진행 중이던 수만이는 질문에 답을 찾지 못했다며 좌절할 수 있다. 그때 뉴 3Rs 리터러시 코치 교사는 수만이가 찾은 자료들은 다양한 의견들이고, 누가 어떤 지원을 갖는가에 달라질 수 있는 문제라고 피드백을 한다면 코치 교사의 설명을 듣고 난 후 수만이는 좀 더 깊이 있는 탐구에 도전할 수 있다. 이후 수만이는 10대에 임신한 사람들과 이야기를 하고 싶고 그들의 삶을 이해하고 싶다는 탐구에 열정과 끈기를 보일 것이다. 또 다른 예로 영희는 탐구활동 과정에서 비나 싸이에게 접속하려고 할 때, 수만이와 비슷한 문제에 부딪히게 될 수도 있다. 여섯 번이나 전화를 했고 메시지를 남겨도 연결이 안 된 후 영희는 좌절을 느낄 수 있다. 하지만 코치 교사는 스타를 접촉하는 다른 방법을 찾아보도록 격려해줄 수 있다. 만일 뉴 3Rs 리터러시 교사가 유도질문이나 지원질문으로 "OK, 스타를 접촉할 다른 방법이 없을까?"라는 질문과 피드백을 준다면, 영희는 그들이 출연하는 TV 쇼에 이메일을 보내거나 또는 트위터링Twittering으로 연결을 해본다는 자신의 생각을 제안하는 열정을 보이게 될 것이다. 두 생각 모두 가능성이 있어보이므로, 교사의 긍정적 피드백으로 영희는 다시 희망을 갖고 탐구활동을 이끌게 될 것이다. 수업활동에서 뉴 3Rs 리터러시 코치 교사는 비슷한 장벽을 경험하고 있거나 어려움을 겪고 있는 학생들이 올바른 답을 찾을 수 있도록 문제해결식 탐구활동으로 창의적 소통방식을 찾도록 도와주는 조력자 역할을 하게 될 것이다.

뉴 3Rs 리터러시 문제해결식 탐구활동은 동료와 공동체 의식을 갖게 한다.

탐구과정을 진행하는 동안 친구들의 탐구활동을 보면서 학생 개개인들은 서로 자신들의 탐구학습을 재구축해간다. 탐구활동 각 단계에서 학생들은 비판적 읽기를 하고 생각말하기 같은 협업활동을 통해 논의하고 다양한 텍스트 내용을 간략하게 정리한다. 학생들은 개별적으로 주제탐구 용지를 작성해감에 따라 친구들과 아이디어를 공유하고 서로에게 필요한 자료들을 전해주기도 한다. 주제탐구 용지를 작성할 때 초기에는 학생들이 주제를 많이 바꾸기도 한다. 그리고 친구들에게 새로운 아이디어를 브레인스토밍 하도록 격려해주기도 한다. 뉴 3Rs 리터러시 코치 교사가 특정 학생에게 그의 관점을 좀 바꿔볼 필요가 있다고 제안을 하면, 그룹 학생들은 탐구수업 과정에도 자신들이 하던 활동을 중단하고 친구에게 다른 주제를 제안해주곤 한다.

데이터 수집과정에서도 학생들은 서로 자료를 전달해주기도 하고, 다른 사람의 성공을 축하해주기도 한다. 이러한 협업적 탐구활동에서 학생들은 파트너와 인터뷰한 팁이나 온라인 데이터 수집전략을 위해 파트너를 도와주고 다른 사람과 아이디어를 공유하기도 한다. 교실 벽에 '교수학습 팁'Instructional Tip이라는 수업 차트를 만들어 붙여놓고 서로의 탐구활동을 가이드 해주기도 한다. Ken Macrorie1988의 조엘 코치 교사의 협업적 탐구학습에서도 캘빈이 인터뷰 할 사람을 찾으면서 고군분투하고 있을 때, 나타샤는 캘빈에게 지역병원에서 의사로 일하는 친척의 이름과 전화번호를 주기도 했다. 문제해결식 뉴 3Rs 리터러시 탐구활동에서도 학생들은 공동체의 일부로 서로 협업하면서 탐구학습 프로젝트에 보다 깊이 전념할 수 있게 될 것이다.

▌ 뉴 3Rs 리터러시 문제해결식 탐구활동은 자신의 삶을 변화하는 데도 유용하다.

많은 학생들은 자신의 행동을 변화하기 위해 그들이 배우고 있는 정보를 사용한다. 예를 들어, 코카콜라를 많이 마시는 현수는 음료수를 많이 마시는 경우 미치는 영향에 대한 공부를 하였다. 코치 교사가 그에게 탐구활동을 하면서 무엇을 배웠는가를 물었을 때, '그는 매우 좋았다. 정보에 대해 잘 몰랐던 것 같다. 이제 음료수를 마시기 전에는 꼭 한번 씩 성분을 확인해본다'고 말한다. 동시에 제니퍼는 그녀가 먹는 음식을 바꾸고 싶어 채식주의자에 관한 탐구주제를 택했다. 그리고는 "나는 내가 우유를 좋아하기 때문에 채식주의자가 되길 원치 않은 것이라고 생각했다. 하지만 이제 채식주의자 음식에 대한 재료를 알게 되었다." 그녀의 탐구활동은 우유도 달걀도 안 먹는 엄격한 채식자와 생선과 고기만을 안 먹는 채식주의자의 차이에 관한 구체적인 정보를 제공했다. 그리고 그녀의 가족을 위해 채식위주의 음식을 요리하기 시작했다고 말한다.

뉴 3Rs 리터러시 문제해결식 탐구활동은 시간과 신뢰를 쌓는다.

뉴 3Rs 리터러시 탐구활동을 진행하는 동안 코치 교사는 학생들이 정확한 답을 얻기 위해서는 무엇보다 탐구과정이 중요하다는 점을 강조한다. 일주일에 45분, 12주 동안 학생들은 주제탐구 프로젝트 활동을 진행하였고 과정을 지원하는 교수학습 구조를 만들었다. 뉴 3Rs 리터러시 코치 교사는 학생들의 탐구활동을 위해 단계적 절차를 구조화하여 진행한다.

뉴 3Rs 리터러시 교수학습을 위한 단계적 탐구절차

단계	탐구학습 과정
1단계	질문 만들기(questioning)
2단계	읽기(reading)/보기/묻기/행하기
3단계	통합하기(synthesizing)
4단계	평가하기(evaluating)
5단계	작성하기(taking note)
6단계	조직하기(organizing)
7단계	쓰기(writing)
8단계	출판하기(publishing)

문제해결식 탐구활동 각 단계에서 시간과 신뢰를 지키는 것은 필수적인 사항이다.

뉴 3Rs 리터러시 코치 교사는 학생들에게 미래 학습에 필요할 질문을 만들도록 요구했다. 그런데 만일 질문을 만드는 탐구활동의 첫 과정이 밀어붙이기 식으로 강요되면, 학생들은 유용한 정보를 모으고, 관련 정보를 평가하고, 자신의 삶의 행동으로 연결하도록 이끌기보다는 답을 찾는 빠르고 쉬운 방식을 선택하게 될 것이다. 뉴 3Rs 리터러시 코치 교사는 탐구활동에서는 완성된 탐구문제를 찾도록 예시하는 것이 가장 필수적이며 중요한 일이라는 것을 알아야 한다. 예를 들어, 영희가 비나 싸이가 출연하는 쇼에 어떻게 연결할 것인가에 대해 궁금해 할 때, 뉴 3Rs 리터러시 코치 교사는 그녀의 질문이 너무 제한적이라는 점을 우려할 수도 있다. 하지만 뉴 3Rs 리터러시 코치 교사는 탐구과정에서 실패의 경험도 성공의 경험만큼이나 중요하다고 판단하고 영희가 탐구과제를 혹시 실패를 한다고 해도 중요한 뭔가를 배울 거라고 믿어야 한다. 그러한 신뢰와 믿음으로 지원한다면 결국 영희는 쇼 프로듀서와 접촉을 하고 제목순서와 관련된 이미지들이 각 쇼의 스토리 라인과 상징적인 관련이 있다는 것을 알게 될 것이다. 그리고 영희에게 탐구과제를 진행하도록 믿음을 주었다는 코치 교사로서의 신뢰가 뉴 리터러시 코치 교사에게는 성공적인 예시로 남게 될 것이다. 결국 문제해결식 뉴 3Rs 리터러시 탐구활동은 학생들에게 자신이 흥미로워하는 정보에 대한 기회를 열어주고 학생들이 학습의 주인의식을 갖도록 날개를 달아주는 성공적인 교수학습 활동이 되어야 한다.

학생 주도적 교수학습 과정의 여지를 만드는 것, 질문기반 뉴 리터러시 교수학습을 이끄는 것은 초등학교 리터러시 교육에 새로운 도전이며 미래 초등교육의 모습이다. Ken Macrorie1988에서 코치 교사는 학생들이 그들의 학습을 가족과 친구와 공유하면서 협조적 활동으로 학생들이 즐거움과 환희를 갖게 해준 교수학습 접근의 효과성을 보여준다. 그리고 코치 교사는 다음과 같이 말한다.

> 학생들에게 *I-Charts*과 *the I-Search*를 사용하게 하는 이점은 그들이 보다 공부하는 방법에 강력해지는 것을 볼 수 있게 해준다. 학생들 자신이 학습의 주인이 되어 자신의 학습을 조정하고 끈기와 용기를 갖게 하는 강력한 힘을 준다. 학생들은 학습의 목적을 스스로 찾는다. 그리고 수업에서 교육 코치로서 우리는 무엇을 하고 학생들은 무엇을 하는지에 대한 각자의 역할이 더욱 명확해졌고, 더욱 잘 느끼게 된다.

뉴 3Rs 리터러시 수업에서도 주제질의응답 차트I-Q/S Chart와 주제탐구I-Research 과정에 기술을 통합함으로써, 학생들은 평생학습자가 되기 위해 필요한 스킬을 개발할 수 있게 된다. 그리고 학습자 주도적 교수학습 도구들은 문제해결식 뉴 3Rs 리터러시 탐구학습을 위해서도 충분히 가치 있는 교수학습 도구가 될 것이다.

Ken Macrorie1988에서 코치 교사들이 수업 후 하루 2시간씩 주제 차트Hoffman, 1992: Randall, 1996와 주제탐구 용지Macrorie, 1998 워크숍을 하여 다양한 기획미팅을 해왔듯이 뉴 3Rs 리터러시 코치 교사가 되기 위해서는 이러한 워크숍이 이루어져야 할 필요가 있다. 이러한 뉴 3Rs 리터러시 교사코칭 워크숍의 목적은 교사들이 학생들의 언어능력과 리터러시 능력을 지원할 협력과 질문기반 탐구활동을 설계할 수 있는 유능한 뉴 리터러시 전문코치가 되도록 도와주기 위함이다. 초등학교 주제통합 수업에서 학생들의 학습적 언어능력과 주제기반 교과목 통합학습을 통해 뉴 리터러시 능력을 발전시키는 것은 도전일 수 있다. 하지만 초등학교 교사들이 동료로서 서로 같은 책임감을 가질 때 가능해질 수 있다고 본다. 그리고 주제질의응답 차트와 주제탐구 용지는 학생들이 흥미를 가진 주제에 대해 질문하고, 탐험하고, 경험하고 배우도록 지원해주는 교수학습 도구이며, 학생들이 다양한 텍스트를 읽으면서 사고하고, 통합하고 참여하도록 도와주는 뉴 리터러시 교수학습 도구가 될 것이다.

이러한 뉴 리터러시 교수학습 도구를 사용하여 건강한 배움의 경험을 느끼게 하는 뉴 3Rs

리터러시 탐구활동을 거치고 나면, 학생들은 인쇄 매체 텍스트 읽기를 학습활동의 주변으로 밀려날 가능성이 높아 보인다. 이렇듯 앞으로 초등학교 주제통합 수업에서 인쇄 매체 텍스트가 밀려나는 교수학습 전략에 대비하기 위해 뉴 3Rs 리터러시 코치 교사가 되고자 하는 교사들에게 다양한 디지털 매체 기반 리터러시 텍스트를 교육과정 전반에서 사용하도록 격려할 필요가 있다. 그리고 정보기술과 검색능력이 질문기반 탐구활동에 녹아 있어야 한다New London Group, 2000. Macrorie1998의 조엘 코치 교사의 탐구활동 모델을 초등학교 주제통합 수업의 뉴 리터러시 문제해결식 탐구학습 과정에 적용한 연구가 우리나라 주제통합 학습에서도 꾸준히 이루어지길 기대한다.

Unit 05.
뉴 3Rs 리터러시 소통은 창조하는 wRiting

01. 뉴 3Rs 쓰기 리터러시 교수학습 전략
02. 뉴 3Rs 쓰기 리터러시 교수학습 실제

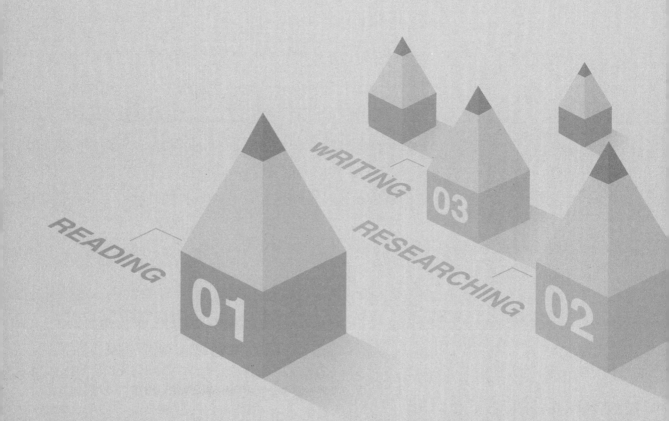

01. 뉴 3Rs 쓰기 리터러시 교수학습 전략

▎묻고 찾는 읽기를 하면 글 쓸거리가 많다.

쓰기 리터러시 활동은 다른 사람들과 정보전달을 목적으로 자신의 생각을 정리하여 전하고 자 하는 메시지를 문자 언어로 표현하는 활동이다. John, et. al.2003은 어휘들 간 관계를 구분하는 도표를 인용하자면 쓰기는 언어기능 측면에서 문자언어기능이며 표현기능에 속한다.

	구두 언어 (Oral Language)		
이해 언어 (Receptive Language)	Listening	Speaking	표현 언어 (Expressive Language)
	Reading	Writing	
	문자 언어 (Written Language)		

이러한 정의에 따라 인쇄 매체 쓰기 리터러시 활동에서나 디지털 매체 쓰기 리터러시 활동에 서 필요한 지식들은 다음과 같은 과정을 통해 사용된다민덕기 외 2인, 2013 수정.

쓰기 과정에서 사용되는 지식

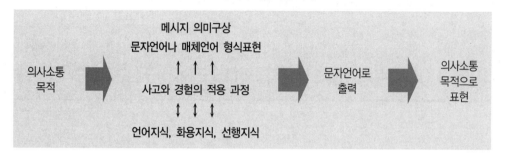

쓰기는 읽기와 같이 의사소통을 목적으로 사용되는 언어기능이다. 하지만 쓰기 리터러시 과정을 읽기 리터러시 과정과 비교하면 다음과 같은 차이가 있다.

읽기 과정	쓰기 과정
1. 문자언어 입력	1. 소통해야 할 목적
2. 문자언어나 매체언어 형식 해독	2. 메시지, 대상 등 의미구상
3. 문자언어나 매체언어 의미 이해	3. 문자언어나 매체언어 형식표현
4. 사고, 경험과 지식(언어, 화용, 선행)의 적용과정	4. 사고, 경험과 지식(언어, 화용, 선행)의 적용과정
5. 의사소통 목적으로 표현	5. 문자언어로 출력
	6. 의사소통 목적에 맞게 표현

쓰기 리터러시는 다른 사람들에게 메시지를 전달하기 위해 자신의 생각을 정리하고 의미를 구상하고, 의사소통 상황을 고려하여 글자·어휘·문장·담화 등의 언어형식과 그림·사진·도표·그래프 등 다른 여러 형식을 사용하여 의미를 표현하는 능력이다. 민덕기 외 2인2013은 쓰기 과정에서도 읽기 리터러시 과정에서처럼 언어지식, 화용지식과 선행지식이 필요하다고 강조한다. 이들은 쓰기 과정이 읽기 과정에 비해 학습자가 직접 메시지 전달을 위해 의미를 구성하고, 이를 언어형식으로 표현해야 하므로 읽기에 비해 쓰기는 위의 3가지 지식 중 언어지식이 더욱 중요할 수 있다고 말한다.

물론 쓰기가 읽기에 비해 표현의 정확성이 더 요구되는 것은 사실이다. 그렇다고 문자언어 기능으로서 음성언어 기능인 듣기와 말하기에 비해, 의미를 구성하고 이를 언어형식으로 표현하는 쓰기가 정확성이 더 요구된다고 말하기는 어렵다. 또한 말하기에 비해 쓰기는 시간적 여유가 더 있다는 차이점 때문에 쓰기가 정확성이 더 필요하다는 이유로 설명하는 점도 바람직하지 않다고 본다. 왜냐하면, 쓰기활동에서 언어표현을 위해 언어지식이 화용지식과 선행지식인 배경지식보다 더 강조된다고 여기기보다는 오히려 이들 3가지 지식들이 동시에 서로 상호 작용될 때 쓰기 리터 러시 활동에서 언어사용의 정확성이 더 증가할 수 있다. 더욱이 디지털 매체에 의존한 쓰기 리터러 시 활동이 인쇄 매체 기반 문자 언어사용 활동과 확연히 다른 상황이라고 보기도 어렵다. 사실 그림이나 도표, 사진 등 매체활용의 범위만 다를 뿐, 자신의 생각을 표현해내는 학습자의 글쓰기에 화용지식과 배경지식이 작용하는 것은 인쇄 매체 쓰기활동과 크게 다르지 않기 마련이다.

초등학교 쓰기 리터러시 학습은 학생들의 언어 및 인지 수준에 따라 문자기반 쓰기활동을 할 수 있지만, 다양한 매체, 예를 들어, 그림이나 사진 등을 활용하여 글쓰기를 할 때도 기초 쓰기 리터러시 능력이 요구된다. 민덕기 외 2인2013은 쓰기 초기단계 활동으로 알파벳 쓰기, 철자 에 맞게 낱말 쓰기, 통사적 규칙에 맞게 문장 쓰기, 구두점 바르게 표기 등 본격적으로 글을 쓰는 데 필요한 기초 리터러시 능력을 강조하고 있다. 디지털 매체 기반 쓰기활동에서도 기초 리터러시 능력이 동시에 상호작용 되지 못하면 다양한 예시문을 제시하고 이를 참고하여 문장을 쓰는 연습 을 하여도 언어사용의 정확성accuracy과 유창성fluency을 기대하기 어렵다. 마찬가지로 언어사용의 자동화automization도 화용지식과 배경지식이 동일하게 언어지식에 적용되어야 정확성이 증가하고 일상생활에서 상황에 맞는 언어사용을 통해 유창성이 길러져 자동화될 수 있다.

쓰기 리터러시 초기단계인 문장쓰기 활동은 처음에는 3단어로 쓰기, 5단어로 쓰기, 7단어로 쓰기 등으로 점차 늘여가면서, 전하고자 하는 메시지를 한 문장 내에서 의미단위 표현들을 연결하 여 작성하는 연습이 필요하다. 무엇보다 단어쓰기보다는 청크 표현으로 문장을 완성하도록 유도 하는 것이 필요하다. 한 문장 쓰기 연습 후에 3문장, 5문장, 7문장으로 확대하여 문장 쓰기 연습을 한 후에는 다양한 글 형식에 익숙하게 단락 글쓰기를 단계적으로 유도할 수 있다. 이때도 언어사 용의 정확성과 유창성을 증가시키는 기초 리터러시 활동에 중점을 두는 쓰기 리터러시 활동이 필요하다. 무엇보다 학생들이 쓰기 활동에 대한 흥미와 자신감을 갖게 하려면 언어지식만을 위한 쓰기활동이 되어서는 안 된다. 실용적인 환경과 학생들의 기억에 있는 배경지식이, 즉 의사소통 상황과 의미와 사회 문화적 상황과 의미가 소리와 글자관계에, 어휘의 형식과 의미에, 문장의 형식과 의미에, 그리고 담화의 형식과 의미 모두에 조화롭게 적용되어야 읽기나 쓰기활동에 있어 언어사용의 정확성, 유창성, 그리고 자동화의 정도가 증가한다고 볼 수 있다. 학생들이 독자적으 로 글쓰기 활동을 하게 되는 경우에도 학생들의 비판적, 융합적, 그리고 창의적 사고를 끌어내기 위해 리터러시 교사는 학습자의 사전 경험이나 화용지식이 학습자의 언어지식과 조화롭게 통합될 수 있도록 기초 리터러시 능력을 강화시켜주는 쓰기 리터러시 활동을 제공해주어야 한다.

교육과학기술부2011는 국어쓰기 능력을 영어쓰기 리터러시 학습의 성취기준과는 다르게 평가하고 있다. 하지만 영어쓰기와 국어쓰기는 글을 쓰는 방법과 전개구조가 다소 다를 뿐 글쓰기에서 기초 리터러시 능력을 강화시켜야 하는 과제는 크게 줄어들지 않는다. 쓰기 리터러시 활동 또한 학생들이 누군가에게 메시지를 전달하기 위해 언어를 사용하고자 사회문화적으로 적절한 언어형식을 구성해야 하는 점에서 언어지식은 물론 화용지식도 중요하게 작용하게 된다. 다시 말해, 언어는 일상생활의 단면을 정확하게 표현할 수 있어야 한다는 전제가 따르기 때문이다. 물론 민덕기 외 2인2013이 제안하듯이, 장기기억 속에 있는 배경지식도 의사소통 목적에 따라 언어의 의미를 구성하고, 언어 형식 표현에 작용하며, 문자 언어 출력과 불가분의 관계가 있음을 강조한다. 그리고 쓰기 리터러시 활동은 다양한 독자의 배경지식이나 언어지식과 화용지식에 대한 수준을 정확하게 파악하기 어려우므로 전하고자 하는 메시지를 정확한 언어로 명확하게 표현할 수 있어야 한다고 강조한다. 이렇듯 정확한 언어로 표현하려면 학습자의 화용지식과 배경지식이 언어지식을 적절히 사용하는 데 도움이 되어야 한다. 하지만 학습자의 사회문화 환경이 다를 경우 학습자의 화용지식과 배경지식에 따라 언어사용이 다르게 나타나기 마련이다. 그래서 영어쓰기와 국어쓰기가 글을 전개하는 방향과 구조가 다르게 나타난다는 점을 무시할 수 없다. 이러한 점들이 쓰기 리터러시 활동에서 학습자의 심리, 사회문화적 환경, 언어지식 같은 기초 리터러시 학습활동을 충실하게 훈련해야 하는 이유이기도 하다.

초등학교 쓰기 리터러시 학습은 읽기학습과 마찬가지로 음성언어로 학습한 내용과 연계하여 문자언어 학습에 대한 부담을 줄이기 위해 단계적 지도가 필요하다.

쓰기 기능 (민덕기 외 2인, 2013)

쓰기학습 단계	쓰기 활동	쓰기 내용
초기 단계	자모나 철자 쓰기, 철자에 맞게 낱말 쓰기, 통사적 규칙에 맞게 문장 쓰기, 구두점 바르게 표기	기초적 글쓰기 기능에 초점 단어나 어휘로 글쓰기
중반 단계	다양한 예시문 제시 후 단계적 문장 쓰기 활동 : 3단어, 5단어, 7단어로 문장쓰기 따라 쓰기, 보고쓰기, 듣고 쓰기, 고쳐 쓰기	문장단위 글쓰기 형식에 초점 한 문장으로 메시지 전달 : 형식, 기능, 의미에 초점 영어문장은 어휘단위 연결 연습이 중요

중후반 단계	단계적 문단 쓰기 활동 : 3문장, 5문장, 7문장으로 다양한 글 형식의 쓰기활동 다양한 장르 예시문 제시 후 베껴 쓰기, 요약하기, 다시쓰기	장르별 글쓰기 연습에 초점 : 형식, 기능, 의미, 사고에 초점 다른 사람 글 요점 파악 글쓰기 연습
후반 단계	다양한 주제 독창적 자유 글쓰기 : 일기문, 보고문, 안부 편지글, 감사글, 초대글, 축하글, 그 외 의견/주장/설득 글 등	비판적 사고가 개입된 글 자기 생각이 반영된 창의적 글쓰기연습에 초점 : 형식, 기능, 의미, 비판적 사고와 창의적 표현력에 초점

　　교육과학기술부2011가 제안한 초등학교 쓰기 리터러시 성취기준을 보면 글자·낱말·구·문장 수준으로 따라 쓰기, 보고 쓰기, 듣고 쓰기 등의 기초적인 쓰기 활동이 강조되어 있다. 민덕기 외 2인2013에 따르면, 초등학교에서 쓰기 리터러시 활동은 학생들에게 초대, 감사, 축하, 안부 같은 일상생활에서 친숙한 장르 글쓰기를 하는 것이 좋다고 한다. 또한 짧은 글이나, 보고 듣고 쓰는 행위는 기존의 예시문을 참고할 수 있기 때문에 학습자의 글쓰기 부담을 줄일 수 있다고 한다. 초등학생들의 어휘수준을 고려해 짧은 예시문을 모방해 쓰는 행위는 필요한 단계이다.

　　영어쓰기 리터러시가 우리말과 달리 소리와 글자관계가 불규칙하다고 해서 영어쓰기 학습의 초기 단계에서 영어의 철자학습에 지나치게 얽매이는 것은 영어학습에 대한 학생들의 흥미를 잃게 만들 수 있다. 학생들이 쓰기활동에 재미를 갖도록 하기 위해서는 일상생활에서 학생들에게 친숙한 장르 글쓰기를 권장하는 것이 중요하다. 철자의 불규칙해서 나타나는 오류는 외국어 학습자에게서 나타나는 자연스러운 중간언어interlanguage 현상이므로 지나친 교정은 피하는 것이 좋다. 반대로 국어의 경우 소리와 글자관계가 규칙적으로 작용한다고 해서 학생들에게 일상생활에서 친숙한 장르 글쓰기를 너무 벗어나서도 안 된다. 물론 국어쓰기 활동에서도 학생들이 흥미를 잃지 않도록 초기 글쓰기 단계에서 철자의 오류를 지나치게 수정하지 않는 것이 좋다Tompkins, 2010, 138: 민덕기 외 2인, 2013 재인용. 국어든 영어든 한글 자모 혹은 영어 알파벳, 낱말이나 어구, 문장, 구두법을 정확하게 사용해 글을 쓰게 하려면 반복해서 큰소리로 읽도록 하여 학생들을 문자와 소리에 장기 노출시키는 읽기 학습과 쓰기 학습을 연계한 학습활동이 이루어지면 더욱 효과적일 수 있다.

　　쓰기 리터러시 능력은 특정대상에게 메시지를 전달하는 소통이라는 쓰기목적을 달성하기 위해 쓰기 과정에 필요한 능력이라고 규정할 수 있다. 다시 말해 쓰기 리터러시 능력은 선험지식을 바탕으로 언어지식과 화용지식에 대한 사전지식을 적절하게 조화하고, 말과 글을 반복적으로 장기 노출시켜야 강화된다. 학습자의 배경지식은 쓰기 리터러시 과정에서 언어지식과 화용지식을 쓰기활동에 적용하는 데 도움을 준다. Skehan1998의 3가지 기능유창성, 정확성, 자동화과 민덕기 외

2인2013의 쓰기 기능을 학습자의 선험적 지식과 배경지식, 즉 스키마schema 개념으로 재구성하면 아래와 같다.

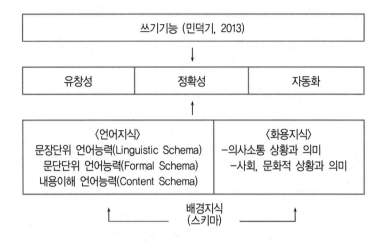

초등학교에서 듣고 말하기가 언어의 기본이라면 쓰기 리터러시는 학생들의 언어능력의 평가일 수 있다. 쓰기 리터러시는 단시간에 가르쳐 지지 않기 때문에 어려서부터 기초 쓰기 리터러시 능력을 가르치는 것이 매우 중요하다. 기초 리터러시 능력으로부터 쓰기 리터러시는 학생들의 언어능력을 다지게 해주며 자신의 생각을 조직하고 재구조화하는 창의적 사고능력을 체계적으로 길러준다. 그래서 쓰기 리터러시 지도를 할 때는 무조건 '오늘 일기를 써봐라'라는 식의 과제는 피하는 것이 좋다. 우리말로도 오늘 한 일에 대해 일기를 쓰려면 주제를 무엇으로 해야 할지, 한참 동안 고민에 빠지게 된다. 하물며 영어로 글을 써야 하는 데 얼마나 많은 준비시간이 필요할 것인가? 첫 문장을 쓰기도 전에 수업 끝나는 종이 칠지도 모른다.

글쓰기를 잘하기 위해서 초등학생들이 갖추어야 할 쓰기 리터러시 지식이 있다.

1) 누구에게 어떤 내용의 메시지를 전하고자 하는지와 같은 주제에 포함된 개념에 대한 지식이다. 이것은 학생들의 사전지식과 관련된 지식이기도 하다. 가장 먼저 누구에게 왜 이 메시지를 전해야 할지에 대한 주제를 정하고, 주제는 글 전체에서 어떤 의미를 가지는지를 정확히 알고 글을 쓸 준비를 하라는 것이다.

2) 독자가 읽어질 내용, 다시 말해 쓸 내용에 대한 지식이다. 주제에 관한 어떤 내용을 전개해 갈 것인가와 어떤 톤이나 글의 형식으로 어떤 줄거리의 이야기를 쓸 것인가를 포함한다. 이 때 교사는 학생들의 글의 내용에 대한 사전지식을 끌어내기 위해 "왜 이 메시지를 전하고자 하는가?" "누구에게 이 메시지를 쓰려고 하는지?" "어떤 메시지를 전하고자 하는지?" "어떻게 또는 어떤 장르나 톤, 그리고 어떤 입장에서 이러한 메시지를 전하고자 하는지?" 등을 수준에 맞게 질문하면서 학생들이 글의 내용에 대해 구체화해가도록 단계적 질문으로 도움을 주는 쓰기 리터러시 교수학습 과정이 되어야 한다.

3) 글을 완성하기 위한 언어 체제적인 면에 관한 지식이다. 각 문장의 정확도를 말할 수도 있고 글의 전개방식에 적절한 연결어가 쓰였는지, 그리고 적절한 어휘와 표현을 사용하고 있는지에 관한 지식을 말한다. 특히 초등학교에서 영어 글쓰기를 하는 경우, 문장의 정확도를 지나치게 강조하면 학생들이 글쓰기에 흥미를 잃을 수 있다. 영어쓰기 리터러시 초기 단계에서는 학생들이 만들어낸 단어나 우리말 어순으로 영어문장을 쓰는 경우를 흔히 볼 수 있다. 글쓰기 활동의 초기에는 의미전달에 초점을 두고 무슨 말을 전하고자 하는지를 묻고 그에 대한 정리를 해가는 것이 글쓰기 활동에 재미를 갖게 해주는 방법이다. 하지만 점차 반복되는 오류들에 대해서는 직접적인 피드백을 주기보다 학생 스스로가 오류를 수정할 수 있도록 유도적 질문으로 이끄는 것이 좋다. 그래도 수정되지 않는 오류는 직접적 피드백을 주어 명확하게 교정을 하도록 이끄는 것이 바람직하다.

4) 구체적으로 글쓰기를 준비하는 적절한 방법에 관한 지식이다. 글을 쓰기 위해 아이디어와 자료를 적절히 구했는지, 초고를 쓰고서 적절한 교정과정을 거쳐 글을 쓸 수 있는 지식을 갖추어야 한다는 것이다. 하지만 뉴 3Rs 리터러시 교수학습 과정을 통한 쓰기 활동을 하는 경우 읽기와 탐구과정을 통해 얻은 지식과 내용을 자신의 생각으로 재창조하는 남다른 창의적 글쓰기가 될 수 있다.

▍기본적인 쓰기 리터러시 교수학습을 위해 교사의 단계별 지원이 필요하다.

1) 초기 쓰기단계에서는 한글 자모 결합 혹은 스펠링하기, 영어의 경우 문장의 첫 문자에 대문자 쓰기, 일반적으로 마침표 등 구두점 찍기, 주제 말하기, 교정하기, 대체 문장 만들기, 문장 베껴 쓰기 등의 쓰기 리터러시 기능에 대한 기초 훈련이 필요하다.

2) 다음 단계로 문장단위 쓰기 리터러시 활동에서는 구조론적 문법에 대한 교수학습이 이루어져야 한다. 이때는 교사는 자신들이 익숙한, 소위 따지기식 문법을 가르치려고 하지 않아야 한다. 초기단계에서는 의미단위 표현들을 통째로 익혀 글쓰기에 사용하도록 하는 것이 효과적이다. 하지만 학년이 올라가면서 쓰기 리터러시 교수학습 과정에서 정확성을 익히기 위해서는 문법을 강조하기보다는 말하고자 하는 메시지를 청크 단위로 문장의 구조감에 맞도록 연결하는 지도가 필요하다. 특히, 영어쓰기는 내용에 따라 청크 표현을 궁금한 순서대로 구슬을 꿰어가듯이 쓰도록 이끌어야 한다. 기초적인 쓰기 리터러시 학습 활동으로는 괄호 채우기, 문장 완성하기, 문장 만들기 등을 통해 실제 사용 가능한 문장 연습이 되도록 하는 것이 중요하다. 그 다음에는 문장 변형하기, 문장 늘이기, 문장 결합하기, 문장 다시 말하기, 아이디어 설명하기, 큰소리로 읽기와 연결된 쓰기 리터러시 활동이 주어지면 효과적이다.

3) 마지막 단계로 단락 쓰기 리터러시 활동에서는 아이디어나 메시지에 대한 구도를 잡고, 문장 쓰기를 확대하여 문단구조에 맞추어 본격적인 쓰기를 유도하는 것이 효과적이다. 초기 문단 쓰기 리터러시 활동으로는 일기 쓰기, 편지 쓰기 등 일상생활 관련 쓰기 리터러시 활동이 학생들의 문단쓰기에 대한 부담을 줄여줄 수 있다. 점차 주제관련 글쓰기나 주제나 문제에 대한 자신의 생각을 반영하는 주장, 보고, 설득, 묘사나 설명글을 글을 쓰도록 단계별 질문이나 지원을 주면서 쓰기 리터러시 교수학습을 이끌어가는 것이 효과적이다. 특히 뉴 쓰기 리터러시 교수학습 과정에서는 비판적 읽기를 통한 융합적 탐구활동을 나의 주제탐구 용지에 작성하게 함으로써 비판적 읽기를 창의적 쓰기로 자연스럽게 연결시킨다.

단락쓰기가 모이면 여러 장르의 글쓰기가 된다. 장르 쓰기에 대해서는 다음 장에서 좀 더 구체적으로 이야기하기로 하고 여기서는 글쓰기 과정에 대해 말하고자 한다.

글쓰기는 결국 글이 전하는 메시지를 통해 비판적 읽기를 융합적 탐구과정을 통해 창의적 쓰기로 이어가는 것이라 할 수 있다. 글쓰기는 독자가 내 말을 읽고 싶게 표현하는 것이라 할 수 있다. 그래서 글쓰기를 할 때 가장 먼저 고려해야 할 것은 내가 쓸 글을 누가 읽을 것이며, 무슨 목적으로 글을 쓰는지에 대한 대상과 목적을 우선 고려하게 해야 한다. 왜냐하면, 글쓰기는 결

글쓰기 과정에 우선 고려해야 할 점	
Why	왜 쓰지?
How	어떻게 쓰지?
to Whom	누구에게 쓰지?
What	뭘 주장/요구하지?

국 누구에게 무슨 말을 어떻게 전달할 것인가의 문제에 대해, 독자에게 이런 말을 오래 기억되도록 이런 방식으로 표현했다는 점을 명확하게 전달하고 있는가에 대한 끊임없는 질문을 가지며 글을 써가는 것이 중요하기 때문이다.

글쓰기 연습에서 가장 강력한 방법은 다양한 장르의 남의 글을 많이 읽어보는 것이 중요하다. 그리고 글 읽기를 통해 작가의 입장에서 왜 썼는지, 어떻게 썼는지, 누구를 대상으로 어떤 주장을 하고 있는지를 생각하며 글의 논리를 작성해보면 글쓰기에 도움이 된다. 글쓰기를 연습하는 또 한 가지 좋은 방법은 남의 글을 간단명료하게 요약해내는 훈련을 하면 글쓰기에 도움이 된다. 그래서 학습자가 글을 요약할 때도 위와 같은 왜, 어떻게, 누구에게 무엇을 말하는지를 간단명료하게 요약하도록 연습하면 글쓰기에 도움이 된다.

글쓰기에서 메시지를 전달하는 방법은 설명하는 글이나 스토리텔링을 하기도 한다. 스토리텔링을 하는 경우는 누가, 무슨 일이, 왜 그런 행위가 나타나, 어떻게 발전하여, 어느 정도 절정에 이르러, 어떻게 마무리 되는가라는 스토리라인을 갖는 것이 좋다. 설명문의 경우는 담화체나 문어체를 통해 은유적 표현, 다른 글을 인용하거나 사례를 들어 독자가 보다 쉽게 글을 이해하도록 하는 것이 좋다. 설명문은 탐구읽기를 하는 과정을 반영하여 글쓰기에 적용해보는 것이 중요하다.

작가의 글쓰기 과정	뉴 3Rs 리터러시 탐구읽기를 쓰기로 연결과정	
무슨 말을 하지?	무슨 말을 하고 있나?	무슨 말이냐면
왜 이런 말을 하지?	왜 그런 말을 하는 거지?	왜 그러냐면
목표와 무슨 관련이 있지?	나와 무슨 상관이 있지?	너에게 이런 상관있으니
그런데, 내 생각은?	그래서 어쩌라는 말이지?	그런데 내 생각은
누구에게 전하지?	그러면 어떻게 해야 하지?	그래서 이것을 해
어떻게 전하지?	그런데 내 말/입장은 뭐지?	그러면 이렇게 해

디지털 정보화 시대에는 누구나 다양한 글을 쓸 수 있다.

디지털 정보화 시대에는 자기만의 독창적인 글을 쓰는 것도 중요하지만, 더 중요한 것은 독창적인 글을 어떻게 표현해낼 것인가가 더욱 중요하다. 넘쳐나는 정보에서 어떻게 하면 남들이 더 찾는 글을 쓸 것인가의 문제가 더 중요한 세상이 된 것이다. 이러한 점에서 어떻게 표현해낼 것인가에 초점을 둔 뉴 리터러시 교육이 조등학교 쓰기교육에서 매우 중요한 요인이다. 디지털 매체를 활용한 뉴 쓰기 리터러시 마지막 단계에서는 디지털 매체에 자신의 독창적인 글을 어떻게 탑재하여 다른 사람들과 소통할 것인가에 대한 고민이 더욱 필요해지고 있다. 최근 뉴 리터러시 쓰기분야에서 끊임없이 주목을 받고 있는 주제는 바로 **어떻게 표현하여 소통하는가**이다. 기술기반 사회에서 소통은 바로 디지털 매체를 통한 디지털 사회의 시민으로서 적극적으로 참여하는 방법인 것이다. 디지털 세상에 참여하는 것은 바로 소통의 방법이며 초등학교 뉴 쓰기 리터러시 교육에서 중요한 요인 중 하나이다. 디지털 세상에 참여하는 것에 대해 우리는 잘못 이해해왔는지도 모른다. 이제라도 교사나 학부모들은 학생들에게 디지털 시대 소통하는 쓰기 표현방법에 대해 올바른 뉴 쓰기 리터러시 교육이 있어야 할 때이다.

초등학교에서 뉴 쓰기 리터러시 교육도 인터넷 기술이 접목된 프로젝트 기반 학습경험을 중시하는 참여교육이 되어야 한다. 초등학교 뉴 쓰기 리터러시 수업의 예로, 매사추세츠 보스턴의 조셉 리 학교의 Marjorie Duby 교사의 5학년 학생들과의 쓰기 리터러시 수업을 들 수 있다참고 : http://lee.boston.k12.ma.us/d4/trav/lroot.html. Marjorie 교사의 쓰기 리터러시 수업에서는 학생들이 인터넷을 여행하면서 읽기를 통한 쓰기 활동을 연결하는 디지털 매체 쓰기 활동을 하고 있다. 그 결과 이 사이트는 많은 교사들이 뉴 쓰기 리터러시 수업에서 인터넷 기반 프로젝트 수업을 할 때 가장 많이 찾는 사이트로 주목을 받는다. 초등학교 저학년에서도 인터넷 기술을 접목한 쓰기 리터러시 수업에 대한 프로그래밍의 가능성을 보여주는 사이트도 있다. 뉴욕의 Susan Silverman 교사가 쓰기 리터러시 수업을 위해 프로그래밍 한 사이트http://www.kids-learn.org/에서는 초등학교 저학년1학년 학생들의 탐구읽기 학습의 결과물을 교사의 사이트에 포스트하게 하여 읽기를 쓰기로 연결하는 교수학습 활동의 예를 보여줌으로써 다른 교사들의 쓰기수업 운영에 도움을 주고 있다.

초등학교 탐구활동 수업이 초등학교 저학년 쓰기수업으로 통합이 가능하다는 점을 보여주기 위해 초등학교 1~2학년을 위한 수업결과를 공유하도록 하는 'Stellaluna's Friends'라는 사이트를 소개한다http://www.sp.uconn.edu/~djleu/newlit.html. 이 사이트에서는 Susan 교사와 학생들이 탐구활동을 통해 만들어낸 결과물의 예시를 보여준다참고 : http://www.kids-learn.org/. Stellaluna's Friends 사이트를 살펴보면, 학생들이 탐구활동 결과물과 피드백을 올리는 공간, 학생들의 학습결과를 묻는 질문과 답, 학생들이 실제 학습 결과를 탑재한 공간, 교사의 피드백이 주어지는 공간 등이 있어 탐구수업시간의 학습활동을 디지털 공간에 탑재하여 세상 사람들과 공유하고 소통하는 협업적 쓰기활동을 위한 시간과 공간을 제공해준다.

02. 뉴 3Rs 쓰기 리터러시 교수학습 실제

나의 주제탐구(I-Research) 글은 뉴 3Rs 쓰기 리터러시 능력을 위해서도 효과적인 학습도구이다.

뉴 3Rs 리터러시 교수학습은 주제관련 질문을 만들고, 이와 관련된 자료를 읽고, 탐구과정을 거치면서 자료에 대한 평가를 하고, 종합하고, 요약해서, 주제탐구 결과에 대한 쓰기로 마무리하는 교수학습 과정을 따른다.

이를 위해 뉴 3Rs 리터러시 교수학습 과정에서는 학생자신이 가장 필요로 한 것이나 더 알고 싶었던 자신의 삶과 관련된 주제를 선택한다. 뉴 3Rs 리터러시 학습도구로도 활용하고 있는 「나의 주제탐구 글쓰기」 "Writing an I-Search Paper"는 2000년도부터 2009년도까지 시리즈로 출판된 Holt, Rinehart and Winston 사의 『언어 요소들』 Elements of Language 이라는 교재의 글쓰기 파트의 일부이다. 이 책은 미국 공립학교가 사용하고 있는 영어교과서로 우리나라의 국어교과서에 해당될 정도로 초등 6학년에서부터 고등학교 3학년까지 7단계의 언어학습과정 모두를 담고 있다. 나의 주제탐구 글쓰기를 통해 학습자는 자신의 탐구활동을 써나가게 된다. 탐구쓰기는 학습자가 자신의 관심사와 관련된 주제를 선정하고 학습자 개인의 관점에서 주제에 대해 쓰기를 하게 된다. 학습자는 '나의 주제탐구' 글쓰기에 포함된 탐구과정에 따라 자신의 탐구내용을 작성해 가는 것이다. 아래 도입한 주제탐구 글쓰기의 내용은 Holt, Rinehart와 Winston 사의 「나의 주제탐구 글쓰기」 부분 pp. 207-237을 초등학교 고학년 뉴 3Rs 리터러시 교수학습 활동에 응용해본 것이다.

'나의 주제탐구 글쓰기'는 전통적인 탐구활동이기보다는 개인적이며 비형식적인 특징을 보이며 다음과 같은 3가지 부분으로 나누어져 있다.

주제탐구 과정	주제탐구 내용

1. 탐구 내용	문제해결식 탐구활동 시작 전에
	1) 주제에 대해 알고 있었던 것,
	2) 알고자 한 것,
	3) 알고자 하는 것에 대한 문제를 만든다.
	4) 알고자 한 것에 대한 문제에 답을 찾기 위해 겪게 된 연구 단계를 독자에게 말한다.
	   – 유용한 정보를 이끌게 한 단계와
	   – 결과를 이끌게 하지 못한 단계 등

2. 배웠던 내용	1) 문제해결식 탐구활동의 결과를 독자에게 제공한다.
	   – 탐구문제에 대해 찾은 답과
	   – 탐구문제에 대해 찾지 못한 답도 제공한다.

3. 연구에 관한 반영	1) 탐구수행을 하면서, 탐구결과를 작성하면서 배웠던 경험에 대해 독자들에게 말하는 단계이다.

나의 주제탐구 글쓰기 과정은 다음과 같다.

1. 탐구주제 찾기

'나의 주제탐구 글쓰기'에서 주제 찾기가 인터넷 정보를 통해 이루어진다는 점에서는 일반적인 탐구활동의 주제탐구활동과 같지만, 학생 자신이 알고자 하는 것을 탐구주제로 선정한다는 점에서는 차이가 있다. 학생 개개인이 탐구하고자 하는 주제를 선정하는 것이 탐구활동에서 매우 중요하다. 하지만 주제에 대해 새로운 아이디어가 떠오르지 않을 때는 어떻게 할 것인가? 뉴 리터러시 코치 교사는 학생들이 특별한 주제에 대해 생각하도록 이끌기 위해 다음과 같은 '아이디어를 이끌어내는 구문'을 사용할 수 있다. 이러한 구문을 사용하여 머릿속에 떠오르는 것들을 괄호 안에 써넣게 한다든지, 문장을 작성하면서 특별한 주제를 생각해낼 수 있도록 도와준다.

> – 나는 항상 _____ 방법을 알고 싶었다.
> – 나는 _____에 대한 도움이 필요하다.

'나의 주제탐구 글쓰기'에서는 항해하고 싶은 것들의 목록을 작성해보는 것이 중요하다. 목록이 작성되면 학습자는 우선순위를 만들어야 한다. 우선순위를 정할 때는 주제통합 교과학습의 주제인 가족, 친구, 학교, 건강, 교육 등과 같은 학생 자신의 삶에 가장 영향을 미칠 수 있는 요인들을 우선순위에 두는 것이 바람직하다. 뉴 3Rs 리터러시 교수학습 과정에서 글쓰기의 시작도 학생 자신이 자신의 삶에서 가장 바라고 필요하고 가장 알고자 하는 주제로 시작하게 하는 것이 중요하다. 예를 들어, 천식으로 결석을 많이 하는 학생은 천식이라는 병에 대해 모든 것을 알고자 할 것이다. 아마 천식이 학생의 학교생활에 많은 영향을 미치기 때문이다. 본장에서는 '천식'이라는 주제로 인터넷 매체 읽기 활동을 통한 뉴 3Rs 쓰기 리터러시 실제를 다루고자 한다.

우선 학습자가 천식에 대해 여러 가지 주제목록을 생각하게 한다. 탐구활동을 통해 천식에 관한 탐구주제를 찾는 일은 '천식'이라는 주제에 대한 범위를 구체화하여 좁혀가는 일이다. 자신과 관련이 있는 천식이란 주제는 자신의 삶에 커다란 영향을 미치기 때문에 천식에 대한 탐구활동 자체를 흥미롭게 이끌 수 있게 된다. 학생들은 자신과 관련 있는 천식이란 주제와 관련된 다양한 정보를 심도 있게 추적하게 될 것이다.

2. 탐구문제 만들기

'나의 주제탐구 글쓰기'에서 탐구문제 만들기는 주제에 대해 초점을 맞추어야 한다. 그리고 주제에 대해 초점을 맞추는 최적의 방법은 바로 탐구문제를 만드는 것이다. 탐구문제는 탐구활동을 통해 찾고자 하는 것을 정확하게 묻는 질문을 만드는 것이다. 하지만 연구문제를 위한 질문을 만들기 전에 뉴 3Rs 리터러시 교사는 다음과 같은 질문에 학생이 스스로 답을 할 수 있도록 학생들에게 질문을 제공할 필요가 있다.

초등학교 뉴 3Rs 리터러시 수업에서 학생들이 주제에 관한 탐구질문을 만들 수 있도록 코치 교사는 사전에 다음과 같은 질문을 제공한다.

코치 교사의 질문	질문 만들기를 위한 학생의 답
주제가 무엇인가요?	내 주제는 천식입니다.
왜 이 주제에 관심이 있나요?	나는 천식이 심해서 학교생활이나 모든 생활에서 적극적이지 못합니다.
탐구활동에서 무엇을 배우고 싶은가요?	나는 나의 적극적인 삶을 방해하는 천식을 고칠 수 있는 방법을 배우고 싶습니다.
탐구문제가 무엇인가요?	내가 적극적인 생활을 할 수 있도록 천식을 고칠 수 있을까?입니다.

일단 탐구문제가 만들어지면, 탐구문제에 대한 좀 더 구체적인 여러 문제들을 만들어보는 것이 필요하다. 뉴 3Rs 리터러시 교사는 학생이 정상적인 생활을 할 수 있도록 천식을 이길 수 있는 방법에 대한 구체적인 질문을 만들어보도록 요구한다.

- 운동이나 다른 육체적인 활동을 하기 위해서는 뭘 할 수 있을까?
- 피해야 하는 음식은 어떤 것들이 있을까?
- 어떠한 환경조건이 천식에 영향을 미칠 수 있는가?
- 동물을 키우는 것이 천식에 어떠한 영향을 미치는가?
- 어떤 종류의 약이 천식을 겪고 있는 사람들에게 도움이 될 수 있을까?
- 천식을 줄일 수 있는 육체적 조건은 어떤 것들이 있을까?

이러한 탐구문제가 만들어진 후 탐구활동을 위한 구체적인 목표가 있어야 한다. 그리고 학생들이 질문과 관련된 정보를 모으고, 천식을 고치는 방법에 관한 주제와 관계없는 정보를 버리도록 한다.

3. 탐구문제 공유하기

'나의 주제탐구 글쓰기'에서 탐구문제 공유하기는 학생들이 그룹 활동으로 다른 사람들과 탐구문제에 대해 논의를 하는 시간을 갖도록 해야 한다. 왜냐하면 그룹 활동을 통해 탐구문제에 대해 개선할 방법이나 정보를 찾는 방법을 논의할 수 있다. 그리고 그룹의 한 학생이 천식을 고칠 수 있는 탐구주제에 대해 이미 잘 알고 있는 학생이 있을 수도 있고, 또는 그 학생이 탐구문제에 집중할 수 있는 최적의 방법을 제안해줄 수도 있기 때문이다.

뉴 3Rs 리터러시 코치 교사는 학습자가 일단 탐구문제에 답을 찾기 시작하면, 매번 수시로 질문을 되짚어보고 질문을 수정할 필요가 있는지 아닌지를 물어보거나, 완전히 다른 탐구문제를 찾아야 하는지를 확인해볼 필요가 있다. 이러한 변화나 수정은 탐구과정에서 자연스럽게 일어나는 일이다.

뉴 3Rs 리터러시 교수학습 모델은 읽기나 탐구활동을 통해 쓰기를 이끌어내는 뉴 리터러시 교수학습 과정을 거치게 된다. 결국 초등학교 주제통합 수업에서 주제에 관한 자신의 삶과 연관된 탐구문제를 만들고 탐구활동을 통해 문제의 답을 찾게 하는 과정과 유사하게 진행할 수 있다. 이러한 전 과정은 뉴 3Rs 리터러시 교수학습의 탐구활동을 주제탐구 글쓰기로 연결한다.

4. 쓰기 목적, 쓰기 대상, 쓰기 톤 정하기

뉴 3Rs 리터러시 교사는 학생들이 탐구문제를 가지고 탐구활동을 통해 문제를 해결하는 전 과정을 주제탐구 글쓰기로 이끌기 위해서 가장 먼저 쓰기목적, 쓰기대상, 쓰기 톤을 결정하도록 질문을 제시하는 일이 중요하다. '나의 주제탐구 글쓰기'의 경우 다음과 같은 질문을 제시하고 있다.

쓰기목적, 쓰기 대상, 쓰기 톤 정하기 질문 (나의 주제탐구 글쓰기, p. 210)

쓰기목적, 대상, 톤 질문	질문의 내용
왜 쓰는가?	• **주제탐구 글쓰기**의 목적은 학생들의 탐구가 독자들의 삶에 영향을 미치고, 앞으로 영향을 미칠 것들에 관해 독자에게 설명하는 것이다.
누가 이 글을 읽는가?	• 독자는 수업을 함께 듣는 친구들이기도 하고, 교사나 학생의 경험을 공유하고 싶은 누군가 일 수 있다. 무엇보다 글을 쓰는 이유는 독자가 학생의 경험을 이해하고 감사해 하길 원하기 때문에 다음과 같은 질문으로 자문해야 한다. • 나는 처음 탐구를 시작할 때 알았던 것보다 더 많은 지식을 작가에게 제공할 것인가? • 나의 연구에 흥미로운 결과를 어떻게 만들 수 있을까? • 탐구질문이 모든 면에서 독자에게 완전한 답을 준다는 점에 대해 어떻게 확신할 수 있을까? • 탐구활동이 독자에게 얼마나 흥미로운지를 독자가 알도록 어떻게 할 것인가?
어떤 목소리 톤으로 글을 쓰는가?	• **주제탐구 글쓰기**는 어떤 다른 탐구보고서보다 더 유용한 정보를 전달하는 쓰기라 할 수 있다. 하지만 아무리 비형식적인 글쓰기라 해도 슬랭이나 비문법적인 글을 쓰지 않아야 한다.

5. 탐구 저널 시작하기

'나의 주제탐구 글쓰기'에서 탐구 저널 쓰기를 위해서는 탐구과정에 관해 매일 기록을 하는 것이 중요하다. 왜냐하면, 탐구내용을 쓸 때 매일 매일의 기록이 매우 유용하게 작용하기 때문이다. 뉴 3Rs 리터러시 코치 교사는 학생들이 매일 매일 그들의 탐구과정을 상세히 기록하는 탐구 저널을 쓰도록 이끄는 것이 바람직하다.

탐구 저널 쓰기를 위한 단계

1) 탐구질문 쓰기

2) 그룹에서 피드백 받기 (탐구질문 공유하기 활동에서)

3) 탐구주제에 관해 이미 아는 것과 배우고 싶은 것들 적기

4) 사전 준비된 탐구계획 세우기

뉴 3Rs 리터러시 코치 교사는 학생들이 매일 매일 탐구 저널을 쓰도록 이끌어야 한다. 학생이 구체적으로 매일 매일 날짜를 기록하면서 그날의 탐구읽기 결과나 찾은 것들, 그리고 탐구읽기

과정에 대한 매일 매일의 반영을 간단히 적게 한다. 이전 탐구과정에 대한 기록이 글쓰기를 시작할 때는 필요 없을 수도 있다. 하지만 잘 쓴 저널은 글의 처음부터 탐구활동 전 과정을 위해 필요한 모든 것을 설명해준다. 다음과 같은 '나의 주제탐구 글쓰기'를 기록함으로써 탐구과정에서 문제해결방식을 수시로 수정, 보완할 수 있다.

탐구읽기 활동 과정에 대한 매일의 기록 예 (나의 주제탐구 글쓰기, p. 210)

날짜	탐구결과와 발견	탐구과정에 관한 생각
2/6	나는 천식에 관한 사이트를 찾았고 천식을 일으키는 정보에 대해 다운로드 함. 천식을 가진 10대 다른 친구의 채팅방 방문함.	지금까지는 잘하고 있는 것 같다. 정보를 얻는 것은 쉽다. 많이 찾을 것 같다.
2/7	나는 담당 의사선생님과 인터뷰를 하고 싶었다. 하지만 할머니 집을 다녀와야 해서 가지 못했다.	담당 의사선생님과 사전 스케줄을 하기가 쉽지 않다. 그리고 시간외에 인터뷰를 해줄지도 의문이다. 그래서 아직 인터뷰 작업을 못하고 있다. 다음에는 진료예약을 해서라도 일찍 도착해서 인터뷰를 해야겠다.
2/8	온라인 그룹멤버에게서 요구했던 정보가 오늘 이메일로 왔다. 천식을 가진 운동선수가 아직 운동을 하는 것에 대한 정보를 많이 가지게 되었다.	오늘은 엄청난 정보를 얻었다. 탐구문제에 대한 답이다. 어떻게 운동을 하는지, 너무 짧은 숨을 쉬지 않아야 한다는 등의 많은 팁을 얻은 날이다. 정말 기쁘다.

뉴 3Rs 리터러시 코치 교사는 학생들이 본격적인 주제탐구 글쓰기를 시작하기 전에 사전쓰기 단계를 정리해보도록 할 필요가 있다.

- 주제 선정하기
- 탐구문제 만들기
- 탐구문제 공유하기
- 쓰기대상, 쓰기목적, 쓰기 톤
- 탐구 저널 시작하기

6. 쓰기를 위한 자료 찾기

'나의 주제탐구 글쓰기'에서처럼 뉴 3Rs 리터러시 코치 교사는 학생들이 탐구활동을 수행할 때, 가장 기본이 되는 중요한 자료와 차선적인 부가자료를 구분하도록 요구해야 한다. 기본이 되는 중요한 자료로는 합법적인 서류, 편지, 일기, 목격자 설명, 설문조사 등이 될 수 있다. 부가적인 자료는 다른 저자들에 의해 쓰인 중요한 자료에 대한 해석된 글일 수 있다. '나의 주제탐구 글쓰기'의 예를 살펴보면, 역사가들에 의해 연구된 일기, 편지, 공식적인 군대기록이나 유명한 장군에 의한 자서전을 쓰기 위해 쓰인 목격자들의 설명은 중요한 우선순위 자료로 다루어질 수 있다. 하지만 장군에 대한 자료를 포함한 역사책에서 모은 자료 등은 부가적 자료로 처리하게 된다. '나의 주제탐구 글쓰기'가 지적하듯이, 뉴 3Rs 리터러시 코치 교사는 학생들이 인터넷이나 학교 도서관뿐 아니라 지역사회 도서관, 대학도서관, 나아가서는 국회도서관에서도 탐구활동에 필요한 자료를 찾도록 유도해야 한다. 또한 웹사이트나 여러 정부기관의 자료들도 점검하도록 이끌어야 한다. 또한 뉴 3Rs 리터러시 코치 교사는 정보를 제공할 수 있는 다양한 지역이나 도서관에 대한 정보를 제공해줄 수 있어야 한다. '나의 주제탐구 글쓰기'를 참고하면 다음과 같다.

도서관 자료 (나의 주제탐구 글쓰기, p. 212)

참고자료	정보나 출처
온·오프 카탈로그	타이틀, 저자, 조제에 관한 정리된 책 어떤 도서관은 오디오나 비디오 자료로 이런 목록을 제공하기도 한다. (비디오테이프, 기록, CDs, 오디오테이프, 필름 등)
정기간행물에 대한 독자의 가이드	잡지나 저널에서의 산문들
필름이나 온라인 데이터베이스	신문 같은 주요 신문 자료들
참고자료 책과 CD-Roms	인쇄 매체나 전자 기록물, 자서전적 자료
비디오/오디오테이프	영화, 서류들, 교육적 테이프, 책의 오디오테이프 등
도서관/미디어 전문가	오디오 비디오 자료로서 참고자료나 출처를 사용하는 데 도움

공동체 자료들 (나의 주제탐구 글쓰기, p. 212)

참고자료	정보나 소스
www. 온라인 서비스	논문, 인터뷰, 자서전, 그림, 비디오, 소리기록, 국회도서관이나 다른 도서관 등에 접근
지역정부 기관	주제, 정책, 지역정부 전문가에 의한 사실과 통계자료들
정부 공무원	선거기록, 최근 법, 정부 전문가들에 대한 기록물들
지역 신문기관	도시나 지역에 관한 흥미 있는 역사적 정보에 대한 사건들
박물관, 역사적 사회	역사적 사건, 과학적 성취, 예술과 예술가의 전시물, 특정 주제에 관한 전문가들 보고서
학교나 대학	도서관에 제공된 인쇄물이나 비인쇄물 등
비디오 가게	교육적 비디오/오디오테이프
병원이나 메디컬 센터	브로슈어, 팸플릿, 의사나 다른 의학 전문가의 자료들

7. 자료 평가하기

'나의 주제탐구 글쓰기'에서 자료 평가하기의 경우, 학생들은 탐구활동에서 찾는 정보의 출처가 믿을 수 있는지를 결정해야 한다. '나의 주제탐구 글쓰기'가 제안하듯이, 뉴 3Rs 리터러시 코치 교사는 학생들이 찾는 정보의 신뢰성을 평가할 수 있도록 가이드가 될 수 있는 질문을 제공해줄 수 있어야 한다.

정보의 신뢰성 판단을 위한 질문들 (나의 주제탐구 글쓰기, p. 213)

질문들	설명
1. 정보가 최신 것인가?	정보가 빠르게 생성되기 때문에 최근 자료를 찾기는 어렵지 않다. 주제관련 정보가 계속적으로 변화하면 가능한 최근 것인지를 확인하는 것이 좋다. 오래된 천식의료에 관한 보고서는 최근 연구를 반영하지 못한다. 그리고 오늘날 의학적 표준에는 옳지 않을 수도 있다.
2. 정보가 사실적으로 보이는가?	자신의 지식에 반한 정보인지, 다른 자료와 반대되는 정보인지를 점검하는 것이 좋다. 두 자료가 일치하지 않으면 정보의 정확성을 위해 제3의 정보를 점검해야 한다.
3. 자료가 객관적이며 논리적인가?	일부 정보는 편견적일 수 있다. 다른 것은 논리성이 부족할 수 있다. 반대 정당의 지도자에게서는 한 정당에 대한 객관적 평가를 기대할 수 없다.

8. 자료에 대해 기록하기

'나의 주제탐구 글쓰기'에서처럼 자료에 대해 기록을 잘 해두려면, 쓰기를 할 때 필요한 중요한 정보의 기록을 갖게 되는 것이다. 뉴 3Rs 리터러시 코치 교사는 학생들이 기록을 할 때, 직접적인 인용이나, 요약, 그렇지 않으면 다시 쓰도록 이끌어야 한다. 각 카드는 오른쪽 상단에 자료 번호와 연결된 번호를 쓰고 기록에서 정보자료를 쉽게 찾을 수 있도록 하게 한다. '나의 주제탐구 글쓰기'를 참고해 정리하면 다음과 같다.

참고자료 정리 및 요약 (나의 주제탐구 글쓰기, p. 214)

질문들	설명
직접인용	자료의 저자가 특별히 뭔가를 말할 때 특히 효과적이고 기억할 수 있는 방식을 가지기 위해서는 인용을 한다. 자료에서 정확하게 인용하고자 하는 지문을 확실히 베껴야 한다. 저작권을 피하기 위해 인용문의 시작과 끝에 인용표시를 명확히 해두게 하는 것이 중요하다.

요약	가장 중요한 지문의 자세한 내용과 중심생각을 포함해야 한다. 이것은 원래 자료보다 짧아 공간을 절약할 수 있다. 요약할 때는 자신의 암호 단어나 문장 구조를 사용하게 할 수도 있다. 대부분의 기록은 요약하는 기록일 수 있다.
다시쓰기	저자의 중심생각만을 작성하는 것이 아니라 저자의 생각을 대부분 포함한다. 요약정리처럼 자신만이 알아보는 단어를 사용할 수도 있다. 읽은 자료를 단순화하기 위한 자신의 지문을 작성하도록 하게 한다.

탐구수업에는 학생들이 자료에 대한 기록을 하는 것이 필요하다. 뉴 3Rs 리터러시 교사는 학생들이 얻게 되는 정보를 빠진 내용이 없이 기록하도록 사용할 수 있는 가이드라인을 제공하는 것이 필요하다.

9. 자신의 논지를 쓰기

'나의 주제탐구 글쓰기'에서 글의 논지는 기록에 대한 중심생각이라 한다. 예를 보면, "적극적인 삶을 이끌 수 있는 천식을 고칠 수 있을까?"라는 탐구문제를 시작하는 작가는 '그렇다'는 답을 탐구활동을 통해 찾게 된다. 그러려면 천식에 관한 요소를 잘 다루어 적극적인 삶을 살 수 있는 점이 정리되어야 할 것이다.

뉴 3Rs 리터러시 코치 교사는 학생들이 이러한 논지를 잡을 수 있도록 탐구과제를 잘 정리할 요인들을 끌어내도록 이끌어야 한다. 또한 이러한 요인들을 탐구결과에 짤막하게 요약할 수 있도록 이끌어야 한다. 다음 예는 그 요약문으로 '나의 주제탐구 글쓰기'를 재인용한 것이다.

나는 의약에 관한 의사의 지시사항을 따름으로써 적극적인 삶을 이끌 수 있도록 천식을 고칠 수 있다. 동물을 피하고, 운동프로그램을 고려함으로써, 그리고 천식 에피소드를 이끌 수 있는 알레르기 효과를 최소화함으로써 적극적인 삶을 이끌 수 있다. (218)

10. 비형식적인 요약을 한다.

'나의 주제탐구 글쓰기'에서 쓰기를 위한 요약은 여행을 위한 지도와 같다. 다시 말하면, 좋은 요약이나 지도는 가이드라인을 주며 사람들이 올바른 방향으로 가도록 이끈다. 또한 요약은 아이디어의 구조를 알려주기도 한다. '나의 주제탐구 글쓰기'는 3가지 영역탐구내용, 탐구결과와 탐구에 관한 반영으로 나누어 이러한 요약활동을 알려준다. 여기서 탐구 저널은 탐구내용을 위해 필요한 정보를 포함한다. 또한 탐구문제의 답인 탐구결과는 자료를 기록한 카드 안에 있게 된다.

비형식 요약은 정보를 정리하는 카드와 탐구 저널 자료를 사용할 수 있다. 뉴 3Rs 리터러시 코치 교사는 '나의 주제탐구 글쓰기'에서처럼 학생들이 비형식적인 요약을 어떻게 구조화할 것인가에 대한 명확한 가이드라인을 제공해야 한다. 다음 예는 '나의 주제탐구 글쓰기'를 요약한 것이다.

나의 탐구 글쓰기 요약 (나의 주제탐구 글쓰기, p. 218-219)

탐구과정	탐구주제에 관한 탐구활동
탐구내용	– 나의 상태에 대한 학습 – 천식에 대해 알았던 것 – 나의 머리를 통해 겪은 질문들 – 탐구문제 : 적극적인 삶을 이끌 수 있도록 천식을 고칠 수 있는가? – 온라인 탐구 – 의사의 인터뷰 – 도서관 탐구 – 논지 설명
탐구결과	– 천식을 고쳐서 적극적인 삶을 이끌 수 있는가? – 약에 관한 의사의 지시를 따른다. – 동물을 피한다. – 호흡근육을 위한 운동프로그램을 지킨다. – 환경요소(먼지, 오염, 날씨)를 최소화한다.
탐구반영	– 보다 나은 계획과 조직을 만든다. – 도움을 요청해야 하므로 부끄러움을 극복하도록 돕는다. – 글쓰기 스킬을 개선한다. – 결론을 이끄는 능력을 개선한다. – 적극적인 삶을 이끌 수 있다는 확신을 준다.

11. 출처를 기록한다.

'나의 주제탐구 글쓰기'는 출처 기록을 매우 중요하게 다룬다. 주제탐구 작성 시 다른 출처에서 얻었던 정보나 사용한 자료를 제시해야 한다. 이처럼 뉴 3Rs 리터러시 코치 교사는 학생들이 글쓰기 과정에서 인용했던 출처를 글의 신뢰를 위해 마지막에 작성하도록 한다.

뉴 3Rs 리터러시 코치 교사는 학생들이 문서화하기 위한 가이드라인을 제시할 필요가 있다. 먼저, 같은 정보를 같은 출처에서 찾을 경우 이 정보는 일반적인 지식으로 간주된다. '나의 주제탐구 글쓰기'의 예를 살펴보면, 마틴 루터 킹 주니어Martin Luther King, Jr.가 1963년 워싱턴에서 "I Have a Dream"이라는 연설을 하였다는 사실이다. 하지만 이는 상식에 속하며, 만약 상식이 아닌 다른 출처에서 얻은 정보는 문서로 정리되어야 한다.

12. 실제 쓰기 (나의 주제탐구 글쓰기, p.222)

쓰기 과정	뉴 리터러시 탐구쓰기 과정 단계별 활동	뉴 리터러시 교수학습에서 단계적 구체적 쓰기 활동내용
1. 탐구내용	독자의 관심을 잡아라.	주제에 관심을 끌어낼 설명으로 시작하라. 주제에 대해 더 많을 것을 찾는 것이 중요하다는 점을 설명하라.
	주제에 대해 이미 알았던 것을 말하라.	주제에 대해 이미 알고 있던 가장 중요한 정보나 생각들을 간단히 언급하라.
	주제에 대해 알고 싶었던 것을 말하고 왜 알고 싶은지를 말하라.	주제에 대해 찾고자 했던 것을 독자가 알도록 탐구를 설명해라.
	연구문제를 설명하라.	연구문제를 설명하기 위해, 설명을 완성할 수 있는 요인들을 덧붙이도록 하라.
	탐구 단계를 되짚어보아라.	탐구활동이 어떤 자료를 통해 시작했고, 나중에 발견했던 것들이 무엇인지를 구분해서 묘사하라. 원래 탐구문제를 바꿀만한 성공요인도 논하라.
2. 탐구결과	탐구에 대한 중요한 성과를 묘사하라.	각 중요한 탐구결과에 대해 적어도 한 단락은 작성하도록 한다. 참고자료로부터 정보에 대한 요약을 하고, 직접 인용이나 단락을 사용해 탐구활동에서 발견한 것들을 활용하라.
	찾게 된 것을 활용하라.	
3. 탐구반영	탐구경험과 그 의미를 설명하라.	탐구경험에서 배운 것을 묘사하라. 경험이나 새로운 지식이 미래에 어떻게 영향을 미칠 것인가를 논의하라. 자신의 글에 대한 주장을 독자에게 상기시켜라.
	논제(thesis)를 재설명하라	

위의 탐구 쓰기도구인 주제탐구 단계에 따라 다음과 같은 글쓰기 틀에 맞게 학생들이 자신의 글을 작성하면 된다.

다음은 문제해결식 뉴 3Rs 리터러시 탐구학습 도구인 '나의 주제탐구 글쓰기'를 활용한 탐구쓰기 틀이다.

탐구 쓰기 틀

_____의 탐구쓰기 모델 1.

제목 : 천식을 가진 삶
내 탐구 이야기는
내 탐구의 결과는
내 탐구는 어떻게 진행되었는가 하면
내가 배우고 경험한 것은
내 탐구에서 내가 전하고자 하는 말은

_____의 탐구쓰기 모델 2.

제목 :
탐구 이야기
탐구 결과
탐구 반영
인용자료

VI. 나가며

뉴 리터러시 교육

나가며

　본 연구는 인터넷 기술의 발달로 인해 급변하는 교육환경에서 초등학교 학생들에게 무엇을 어떻게 교수학습해야 공부를 잘할 수 있는지에 관해 초등학교 교사나 학생, 그리고 학부모들에게 21세기를 대비하는 올바른 뉴 리터러시 공부 방법을 제시한다. 특히 디지털 지식 정보화시대에는 뉴 리터러시 방법으로 공부해야 디지털 기반 학습 환경에서 공부 잘하는 학생이 될 수 있다는 전제를 한다. 동시에 지식 정보화시대에서도 인쇄 매체 기반 전통적인 읽기와 쓰기 리터러시 방법을 무시하고 디지털 매체 읽기를 강조한 뉴 리터러시 능력만으로는 공부 잘하기 힘들다는 점도 강조한다. 디지털 매체 기반의 교육환경에서도 공부를 잘하려면, 전통적인 리터러시 능력에 기초한 디지털 매체 읽기와 쓰기 리터러시 능력을 길러주는 뉴 3Rs 리터러시 공부 방법으로 공부해야 공부 잘하는 학생이 될 수 있다. 이러한 접근은 급변하는 교육환경에서 시대에 맞는 바람직한 뉴 리터러시 교수학습 방법에 대한 길잡이를 제공한다. 교사나 학부모가 이러한 뉴 리터러시 능력을 잘 이끌어주면, 학생들은 21세기에 성공하는 사람으로 성장할 수 있고, 학교에서도 공부 잘하는 학생이 될 수 있다는 점을 본서는 단계적으로 설득하고 있다.

　전통적인 리터러시 교수학습 환경하에서는 누군가에 의해 선택된 인쇄 매체인 책 안의 내용만을 잘 암기하고, 책 안의 내용을 잘 요약하고 정리 잘하는 능력만으로도 공부 잘한다는 말을 들을 수 있었다. 하지만 이제는 이러한 읽기 리터러시 능력만으로는 공부 잘한다는 말을 듣기 어려워졌다. 이제는 다른 사람이 쓴 다양한 매체의 글을 비판적 시각으로 읽어내고, 더 심오한 지식과 연계하며 사고를 확장하여 자신의 독특한 창의적 생각으로 표현해 낼 수 있는 뉴 리터러시 능력을 갖추어야 공부 잘한다는 말을 들을 수 있다. 다시 말해, 남의 글에서 주어진 사실facts에 초점을 둔 읽기가 아니라, 남의 글의 사실에 근거해서 평가하고 통합해서 자신의 창의적 의견 opinions을 만들어내는 뉴 리터러시 능력을 갖추어야 한다는 말이다. 왜냐하면, 디지털 매체 읽기도 결국 읽기 리터러시 활동이므로 디지털 매체 읽기에도 텍스트 기반 기본적인 리터러시 능력이 여전히 도움이 되기 때문이다. 이러한 이유 때문에 세계 OECD 국가들에서 15세 이상 공교육을 마친 학생들이 세계 시민으로 살아가는 데 가장 기본적인 읽기 리터러시 능력에 대한 국제 평가인 PISAThe New Programme for International Student Assessment of the OECD(OECD 국제 학생성취 평가 뉴 프로그램) : '국제학업성취도평가'임.도 학생들의 기본적인 읽기 리터러시 능력뿐 아니라, 새로운 정보를 접근과 확인, 통합과 해석, 성찰과 평가하는 뉴 리터러시 능력을 측정하고 있다. 그리고 이러한 뉴 리터러시 능력에 대한 평가를 위해 PISA 2009년부터는 인쇄 매체 읽기 리터러시뿐 아니라 디지털 매체 읽기 리터러시 능력을 평가하는 추세다. PISA 2015년부터는 점차 디지털 매체 읽기 리터러시 능력 평가로 전환한다는 입장이다. 평가 양상에서도 협력적 문제해결 과정을 통한 사회적 능력까지도 평가한다는 입장이다. 또한 최근 미국 오바마 정부의 교육정책인 CCSS 국가기준에서도 정보기반 논픽션 텍스트 읽기 리터러시와 교과목 리터러시의 연결을 강조한다. 이처럼 오늘날 디지털 지식 정보화 시대에는 디지털 매체를 포함한 다양한 매체 읽기 리터러시 능력을 갖추어야 공부 잘하는 학생이라 인정을 받을 수 있다는 의미가 된다.

그런데 여기서 인쇄 매체 읽기 리터러시 능력과 디지털 매체 읽기 리터러시 능력은 뭐가 다른 가라는 질문이 생긴다. 그리고 인쇄 매체 읽기 리터러시 능력을 갖춘 학생은 뭘 더 추가하면 디지털 매체 읽기 리터러시 능력을 갖추게 되는 것인지에 대한 궁금증이 생긴다. 디지털 매체 읽기 리터러시 능력은 인쇄 매체 읽기 리터러시 능력에 뭔가 하나를 더하면 되는 것이 아니다. 디지털 매체 읽기과정에서는 인쇄 매체 읽기 능력에서 경험하기 어려운 21세기에 필요한 끊임없이 문제를 제기하는 비판적 읽기, 문제해결식 융합적 탐구과정과 창의적 쓰기를 자연스럽게 연결하며 학생들의 건강한 배움의 경험을 이끄는 뉴 리터러시 교수학습 방법과 과정을 이끈다.

지금껏 초등학교 공교육에서 이루어져왔던 전통적인 인쇄 매체 읽기 리터러시 방법만으로는 급변하는 교육환경에서는 더 이상 공부 잘하는 학생으로 키울 수 없다. 디지털 매체 읽기 리터러시 교수학습에서도 기본적인 리터러시 학습활동이 매우 유용하다. 하지만 인쇄 매체 리터러시 교육에는 다음과 같은 약점들이 있기 때문에 초등학교 리터러시 교육에서 디지털 매체 읽기 리터러시 교육이 반드시 병행되어야 할 필요가 있게 된다.

1) 초등학교 인쇄 매체 읽기 리터러시 수업에서는 이미 누군가에 의해 선택된 텍스트_{교과서도} _{포함}가 학생들에게 전달된다. 이 텍스트는 학생들이 좋아하는 주제일 수도 있고, 전혀 관심이 없는 주제일 수도 있다. 그리고 학생들의 흥미나 관심사가 거의 고려되지 않은 일방적으로 제공된 텍스트일 수 있다. 이점은 학생들이 읽고 싶은 동기를 부여하지 못한다. 하지만 디지털 매체 읽기 리터러시를 병행하는 수업이 이루어지는 경우 학생 자신들이 좋아하고 관심 있는 정보를 검색하고 궁금한 점에 대한 답을 찾기 위한 목적으로 디지털 매체 정보 읽기를 하게 되므로 학생들은 읽기 동기와 건강한 배움의 경험을 하게 된다.

2) 인쇄 매체 읽기 리터러시 수업에서는 주로 주어진 텍스트를 해독하거나 텍스트의 내용파악을 위한 질문이나 읽기 활동이 주를 이룬다. 주인공 이름이 무엇인지, 등장인물이 몇 명인지, 글의 장소는 어디 인지 등 텍스트 내용에 대한 사실 찾기와 사실에 근거한 이해를 묻는 질문이 대부분을 차지한다. 그렇지 않으면 사지선다형으로 질문에 해당하는 답을 찾는 이해력 문제를 푸는 정도이다. 혹은 텍스트 내용에 대해 학생들이 궁금해 하는 질문에 대해 교사가 먼저 간단히 설명해 주는 정도이다. 이러한 리터러시 교수학습 방식은 학생들이 사고할 기회를 거의 갖지 못하게 한다. 더욱이 학생들의 사고능력을 저해하는 교수학습 활동이 되기도 한다. 뿐만 아니라 궁금한 점이 있어도 교사의 지식수준에서 설명해 주기 때문에 학생들이 거의 주목할 수도, 집중할 수도, 경험할 수도 없는 흘러가는 지식이 되기도 한다. 교사가 아는 내용인 경우는 다행이지만, 교사도 모르는 사항인 경우는 궁금한 사항에 대해 알 기회조차도 놓치는 교육이 되고 만다. 결국 이러한 지식은 기억에 오래 남는 지식, 그리고 나중에 써먹을 수 있는 지식이 되지 못한다. 반면에 디지털 매체 읽기 리터러시 교수학습 활동은 먼저 학생 자신들이 관심 있고 흥미 있는 주제관련 문제를 갖고 디지털 세상을 즐기며 누가, 무엇을, 어떤 근거로 쓴 글인지를 이해하는 데 도움이 된다. 학생들은 기초 리터러시 기술과 전략으로 읽기 리터러시 활동을 수행하면서도 디지털 기반의 뉴 읽기 리터러시 교수학습활동에서 또 다른 기술과 전략사용을 병행하게 된다.

3) 초등학교 인쇄 매체 리터러시 교수학습은 읽고, 내용 점검, 그리고 내용에 대한 확인과정의 읽기 리터러시 교수학습이 주를 이룬다고 볼 수 있다. 쓰기 리터러시 활동은 읽기 내용 일부를 베껴 쓰거나 내용의 일부에 대해 자신의 일상과 관련된 내용을 적어보게 하는 수준이다. 읽기 내용과 연계한 쓰기 활동은 그나마 다행이지만 때때로 읽기 내용과 전혀 상관없는 일기 쓰기나 편지 쓰기 활동으로 읽기와 독립된 쓰기 리터러시 활동이 이루어지

는 경우도 많다. 반면에 디지털 매체 쓰기 리터러시는 디지털 매체 읽기 과정에서 경험한 탐험과정에 대해 글로 표현하는 활동이 된다. 무엇보다 디지털 매체를 활용하면서 탐구활동과정에서 경험한 자신의 탐구 이야기를 자신의 스타일로 다양하게 표현해낼 수 있는 기회를 가질 수 있다.

초등학교 인쇄 매체 리터러시 교수학습 환경, 상황이나 조건에서는 교사의 의지나 열정이 있어도 학생 주도적 경험학습이나 문제해결 방식을 시도하기가 쉽지 않다. 그리고 이 학습은 학생들의 비판적 사고, 문제해결을 위한 융합적 탐구나 창의적 표현학습을 운영하는 데 상당히 인위적일 수밖에 없는 한계가 있다. 그 결과 교사들은 수월성 교육으로 인위적이고 물리적인 수준별 수업을 하는 경우가 많다. 하지만 교육환경 조건 때문에 인위적으로 이루어진 수준별 수업은 학생들의 자아형성 시기에 학교성적에 따라 사실상 공부 잘한 사람과 공부 못한 사람이라는 등급을 나누는 수업운영이 될 수 있다. 이러한 잘못된 수준별 수업은 학생들을 등급화하여 평생 주홍글씨를 달아 주는 격이 되고 있다.

위와 같은 이유 때문에 학생들의 다양성을 인정하고, 학생들의 흥미나 능력에 따른 수준별 수업운영을 통해 학생들이 글로벌 사회의 건강한 시민으로 성장시키기 위해 필요한 비판적 사고력, 융합적 탐구력과 창의적 소통능력을 길러주려면 창의·융합적 인재로 양성하기 위한 뉴 리터러시 교수학습 방법이 필요하다. 이를 위해 디지털 정보화시대 초등학교 리터러시 수업은 미래형 리터러시 교육이 필요하고, 기초 리터러시에 기반을 둔 뉴 리터러시 교수학습 모형개발이 더욱 절실해지고 있다. 왜냐하면 이제는 전통적 리터러시 교육만으로는 부족하기 때문이다. 특히 아이들이 살아가야 할 21세기는 전통적인 리터러시 스킬에 기반을 두고 비판적 사고로 지식을 재생산해내는 문제해결력과 창의적 능력을 길러주는 뉴 리터러시 능력을 요구하고 있기 때문이다.

뉴 리터러시는 세상에 끊임없이 계속 나타나고 빠르게 변화하는 정보와 정보기술을 성공적으로 활용하기 위해 필요한 기술, 전략, 통찰을 수반하는 학습활동을 의미한다. 뉴 리터러시에 대한 보다 정교한 정의를 말하기는 어렵다. 왜냐하면 뉴 리터러시의 특징은 정보나 소통을 위해 꾸준히 변화하고, 끊임없이 등장하는 새로운 기술에 적응해야 하는 특징이 있기 때문이다. 이러한 빠른 변화는 우리가 뉴 리터러시를 완전히 평가할 수 있는 것보다 훨씬 더 빠르게 진행된다. 끊임없이 변화하는 리터러시 기술은 우리가 새로운 리터러시 기술을 어떻게 접근하고 배우게 되는지를 아이들에게 전달해줘야 하는 뉴 리터러시 교육의 중요한 항목이다. 따라서 변화하는 기술을 배워야 하는 뉴 리터러시 능력은 리터러시 기술 자체를 배우는 것이라기보다, 일상생활과 연계된 사회적 능력을 수반한다. 그리고 학생들을 21세기 건강한 시민으로 성장시키기 위해 교사나 학부모는 이 같은 문제해결 방식의 뉴 리터러시 능력을 갖추도록 도와야 할 의무와 책임을 갖는다.

뉴 리터러시가 무엇이고 뉴 리터러시의 발달을 어떻게 지원할 것인지에 대한 시대적 요구가 있다. 그리고 이러한 뉴 리터러시의 새로운 형식에 대해 훨씬 많이 배워야 하는 필요가 주어졌다. 특히 정보통신기술의 급속한 발달로 초등학교 리터러시 교육환경에서 뉴 리터러시 교육은 이미 중요한 부분이 되어 있다. 우리가 해야 할 일은 이러한 변화에 대해 아이들이 그들의 미래를 대비하도록 우리는 무엇을 어떻게 준비시켜주어야 하는지를 결정하는 것이다.

이러한 필요에 따라 본서는 초등학교 뉴 리터러시 교수학습을 위해 개발된 뉴 3Rs 리터러시 교수학습 방법을 구체화하고, 이를 통해 인쇄 매체 읽기 리터러시 교수학습 방법과 학교 교과목 수업운영의 한계를 극복하는 데 집중하였다. 동시에 학생들의 리터러시 학습에 대한 동기를 부여하고, 학생들의 흥미와 수준에 맞는 뉴 리터러시 교수학습 방법을 개발하였다. 현실적으로는 비판적 사고력과 고차원적 문제해결 능력, 다양한 매체 정보를 넘나들며 질문에 답을 찾기 위해 정보를 통합하는 융합적 탐구능력, 그리고 창의적 표현력을 자연스럽게 경험하게 해주는 문제해결식 뉴 리터러시 교수학습 모델을 제공하였다.

뉴 3Rs 리터러시 교수학습은 디지털 지식 정보화 교육환경에서 다음과 같은 문제해결 방식의 뉴 리터러시 교수학습 과정을 따른다.

1) 학생들은 교과목 학습 과정에서 개개인이 궁금한 점이나 흥미로운 주제에 대해 인터넷 정보를 탐색하면서 인터넷 매체 읽기 리터러시 세상에 자연스럽게 빠지게 된다. 특히 인터넷 세상을 항해하는 목적이 학습자 자신이 궁금해 하는 주제나 문제점에 대한 답을 찾기 위함이므로 기초 읽기 리터러시 능력을 활용해 더 넓은 세상으로 항해할 충분한 동기부여가 된다.

2) 학생 개개인이 관심 있는 주제나 궁금한 점, 그리고 문제점에 대해 답을 찾는 읽기를 하면서 인터넷 세상을 항해한다. 이때 어떤 검색 엔진을 사용해야 할지 등 디지털 매체 리터러시를 자연스럽게 터득한다. 그리고 찾고자 하는 자료를 모으고, 목적에 맞는 올바른 자료인지를 평가하는 과정에서 비판적 사고를 경험한다. 또한 모아진 자료를 주제별·분야별·관심별로 분류하고, 다시 종합하는 고차원적 사고과정을 거친다.

3) 정리된 자료들을 자신의 생각을 넣어 남과 다른 창조적 글로 표현하는 작업을 하면서 뒤집어보고, 다르게 생각하는 창의적 사고력이 길러진다. 예를 들어, 디지털 매체 쓰기

리터러시는 자신의 창의적 생각을 소셜 네트워크나 블로그에 글로 탑재하여 학생들을 세상에 적극적으로 참여시킨다. 블로그에 자신의 글을 올리는 것은 주제별로 글을 분류하고 관리하는 능력뿐 아니라, 자신의 의견에 대해 다른 학생들의 의견을 공유하며 협업하는 소통능력을 길러준다.

뉴 3Rs 리터러시 교수학습 모델은 인쇄 매체 리터러시와 디지털 매체 리터러시 교수학습을 접목하는 우리나라 초등학교 주제통합 수업에 적합한 교수학습 방법으로서 학생들이 자신의 관심사에 대해 온·오프라인 세상에서 다양한 매체 읽기 교수학습 활동에 적극적으로 참여하게 해준다. 이러한 교수학습 활동을 통해 학생들은 보다 더 깊고 폭넓은 지식을 얻기 위해, 끊임없이 질문을 끌어내는 비판적 읽기를 하고, 다양한 정보를 넘나들며 다양한 지식을 융합하는 탐구과정을 거쳐, 자신의 생각을 창의적으로 표현하여 소통하는 쓰기과정을 통해 문제해결식 뉴 리터러시 학습에 적극적으로 참여하며 건강한 배움을 경험한다.

본서는 초등학교에서 이루어지는 주제 통합교과 학습을 위한 효과적인 교수학습 모델로서 인쇄 매체 읽기 리터러시 교수학습에 디지털 매체 읽기 리터러시 교수학습 방법을 통합하여 학생들의 비판적 사고력, 융합적 탐구력과 창의적 표현력을 자연스럽게 증진시키고자 하는 데 목적이 있다. 특히 우리나라 초등학교 주제통합 수업에 적합한 뉴 리터러시 교수학습 모형을 제공하여 초등학교 교실 수업현장 교사들에게 실질적인 도움을 제공하는 데 목적을 두고 있다. 이를 위해 본서는 읽고 쓰는 기초 리터러시 능력과 비판적 사고력, 융합적 탐구력과 창의적 표현력을 길러주는 뉴 리터러시 능력을 초등학교 주제통합 수업의 교수학습 과정에서 자연스럽게 녹아내려는 노력을 시도하였다. 그리고 우리나라 초등학교 주제통합 리터러시 교육에 대한 미래형 교수학습 모델로서 독창적인 문제해결식 뉴 3Rs 리터러시 교수학습 모형을 소개하였다. 또한 이 모형은 인쇄 매체 기반의 기초 읽기 리터러시 능력과 디지털 매체 읽기 리터러시 능력을 동시에 기를 수 있는 방법을 뉴 3Rs 리터러시 교수학습 방법으로 풀어냈다는 점에서 큰 의미가 있다. 뉴 3Rs 리터러시 교수학습 방법은 인쇄 매체 읽기 리터러시 능력과 디지털 매체 읽기 리터러시 능력을 통합하여 초등학교 언어학습과 주제통합 교과목 수업을 자연스럽게 연결하는 읽고 탐구하고 쓰는 교수학습 과정을 운영한다. 특히 뉴 3Rs 리터러시 교수학습 방법은 질문을 통한 문제해결식 교수학습 전략을 교수학습 과정에 녹여내어 초등학교 주제통합 교과수업에서 창의·융합적 인재양성을 길러낼 수 있는 구체적이고 실용적인 차세대 뉴 리터러시 교수학습 모형이라 할 수 있다.

결과로서 뉴 3Rs 리터러시 교수학습 모델은 초등학교 주제통합 수업을 효과적으로 이끌고자

기꺼이 뉴 리터러시 코치를 자처하시는 전국 초등학교 교사나 집에서 초등학생들의 읽기 리터러시 교육을 지도하시는 뉴 리터러시 학습코치가 되고자하는 학부모들에게 유용한 지침서가 될 거라는 기대감을 가져본다. 특히 디지털 지식 정보화 사회에 살고 있는 모든 초보교사나 초보 엄마들에게는 필독서가 될 것이라 믿는다. 무엇보다 뉴 리터러시 코치가 이끄는 뉴 3Rs 리터러시 교수학습 모델을 통해 주제통합 수업에서 공부한 학생들 모두가 질문을 만드는 비판적 읽기능력, 다양한 정보를 넘나들며 융합하는 탐구능력, 자신의 생각을 담아내는 창의적 표현력을 갖춘 창의·융합적 인재로 성장할 거라는 믿음으로 본서를 바친다.

기대효과

글로벌 시대 국가 경쟁력 강화에 적합한 창의·융합적 인재양성을 위한 대안으로 초등학교 주제통합 수업에서 활용 가능한 뉴 리터러시 교수학습 모형개발과 그에 따른 교사의 역할을 제시하는 본서는 기존의 이론을 발전시키고 관련 학문분야의 연구 활성화에 기여할 것으로 기대된다. 본서는 디지털 읽기를 통한 주제통합 교육, 창의·융합적 인재교육, 디지털 독해능력 및 리터러시 분야에 많은 후속 연구를 파생하고, 학문적 담론을 활성화 할 수 있을 것으로 보인다. 또한 본서의 성과는 학문 후속세대의 연구역량을 높이는 데도 기여할 수 있을 것으로 보인다. 결과로서 본서는 언어학습과 내용학습을 통합하는 여러 유형의 교육적 접근에도 환류될 가능성이 높다고 보인다.

본서에서 제안하는 뉴 3Rs 리터러시는 다양한 미디어를 활용하면서 다양한 디지털화된 정보를 읽고 자신의 비판적 관점에서 해석하고 자기의 목적에 맞는 정보를 취사선택하고 가공하여 자기의 언어로 재창출해내는 디지털 시대의 리터러시 능력을 가리킨다고 할 수 있다. 사실 초등교육의 모든 과정은 리터러시 학습활동의 과정이라 할 수 있겠다. 그러기 위해 본서는 초등교육에서 뉴 3Rs 리터러시의 의미와 역할이 새롭게 정의되고, 그 가치는 지속적으로 교수학습 환경과 교실 수업에서 활용될 것이라 기대된다. 무엇보다 본서의 기대효과로는 창의·융합적 인재양성STEAM을 위한 문제해결식 뉴 3Rs 리터러시 교수학습 모형 및 교사 역할에서 본서의 존재의 의미와 효과성을 찾을 수 있을 것이라 본다.

본서가 제안한 초등학교 교과서 주제통합 교육을 위한 뉴 3Rs 리터러시 모델은 초등학교 교실 수업현장에서 각 과목을 어떻게 가르쳐야 하는지에 대한 전략과 기법을 제공하고 있다. 때문에 미래 지향적인 창의·융합적 인재 육성을 위한 초등학교 교육과정과 교과목 리터러시 교수학습 모델을 찾고, 미래 글로벌 인재를 육성하려는 초등교육 기관에서는 본서의 내용과 성과에서 상당한 의미를 찾을 수 있을 것이다. 이를 위해서는 학교 교육철학 및 행정적 지원, 교육청과 연계, 교사 수업, 그리고 뉴 리터러시를 지도하는 뉴 리터러시 전문코치 양성이 매우 중요하다. 왜냐하면 뉴 리터러시 코칭에 대한 지식을 갖추었을 때 비로소 뉴 리터러시 교육이 중심이 되어야 할 초등학교 교육과정 목표를 이끌어 갈 '초등학교 전문교사'라고 칭할 수 있기 때문이다. 따라서 초등학교 모든 교사가 뉴 리터러시 코치 자격을 갖추는 데 필요하고, 초등학교 교육과정에 대한 뉴 리터러시 코칭전문가를 양성하는 초등교사 연수를 위해서도 본서는 효과적인 자료가 될 것이다.

또한 본서는 전 세계 교육정책이나 동향에 기반을 두고 초등학교 주제통합 학습에서 문제해결식 뉴 리터러시 교수학습 모형과 교사의 역할에 대한 제안을 포함한다. 이러한 점에서 본서는 목적에 타당한 제안을 제공하여 초등학교 학생들의 미래 리터러시 교육에 대해 고민하시는 초등학교 초보교사나 부모님들에게도 유용한 지침서가 될 것이라 여긴다. 그리고 본서가 초등학교 주제통합 교실수업이 더 이상 혼란이 없도록 도와주는 실제적인 교수학습 지침서를 제공하는 점에서 유의미한 자료라고 보인다. 본서에서 제안한 문제해결식 뉴 리터러시 교수학습 모형이 초등학교 주제통합 교실수업현장에서 언어교육과 교과목 교육의 융합을 이끌어내는 한층 더 유익한 교수학습 모델이 되기 위해서, 본서는 초등학교 교실 수업현장에서 실제 적용하여 나타난 학습성과에 대한 검증결과를 제시하여야 할 과제를 남긴다. 따라서 본서는 뉴 3Rs 리터러시 교수학습 모형을 실제 초등학교 고학년 주제통합 교실수업에 적용하여 학생들의 뉴 리터러시 학습 성과와 교수학습 방법과 전략에 대한 교사와 학부모의 반응을 추후연구로 이끌 것이다. 본서에서 제시하는 뉴 3Rs 리터러시 교수학습 모델을 초등학교 고학년 주제통합 학습뿐 아니라 다양한 수준의 학생들, 또한 중 고등학생들에게도 적용한 성공사례를 이끌어내려면, 이에 대한 현장교사들의 지속적인 노력과 연구가 기대된다. 그리고 본서를 기점으로 자녀나 학생들의 뉴 리터러시 교육방법에 대해 고민하는 초등학교 초보교사나 초보 엄마들에게 뉴 리터러시 교육코칭은 미래형 뉴 리터러시 학습을 위한 내비게이션이 되리라 본다.

[부록] PISA 2012 성취기준

1. TICA 기초 스킬 (국면 1) 체크 리스트

수업의 대부분의 학생 및 모든 그룹이 다음과 같은 내용을 할 수 있다.

컴퓨터 기초	제 언
❑ 컴퓨터 켜기 · 끄기	
❑ 마우스와 트랙패드 사용하기	
❑ 컴퓨터 사용에 대한 수업 규칙과 학교 내부 규정 따르기	
❑ 아이콘과 시작 메뉴(PC)를 사용하여 파일 및 프로그램 열기	
❑ 각 파일 공간에서 로그인 및 로그아웃 하기	
❑ 폴더 및 파일 새로 만들고 열기	
❑ 워드 프로세서 실행하기	
❑ 워드 프로세서에서 파일 열기	
❑ 한 단어를 워드 프로세서 파일에 타입하고 입력하기	
❑ 텍스트 내용 복사하기	
❑ 텍스트 내용 자르기	
❑ 텍스트 내용 붙여넣기	
❑ 텍스트 지우기	
❑ 워드 프로세서 파일을 다른 이름으로 저장하기	
❑ 새 창 열기	
❑ 새 탭 열기	
웹 검색 기초	
❑ 검색 엔진 하나의 주소를 찾아 열기	
❑ 검색 엔진의 적합한 란에 키워드를 타이핑하기	
❑ 주소 창에 주소를 타이핑하여 입력하기	
❑ 새로 고침 버튼 사용하기	
❑ '뒤로'와 '앞으로' 버튼 사용하기	
❑ 간단한 키워드 단어들을 검색 엔진에 검색하기	

일반적인 내비게이션 기초	
❑ 창을 최소화·최대화 하기	
❑ 애플리케이션을 열고 닫기	
❑ 창들을 앞으로 가져왔다 뒤로 보냈다 하기	
이메일 기초	
❑ 이메일 프로그램을 찾고 열기	
❑ 이메일 메시지에 문서 파일 첨부하기	
❑ 이메일 메시지를 작성하고, 수정하고, 보내기	
❑ 메시지들을 받고 회신하기	

이 스킬과 전략은 국면 1을 하는 동안 교수학습을 이끈다. 하지만 이것들로 수업을 제한할 의도는 아니다. 새로운 스킬과 전략이 각 수업에서 나타날 수 있다. 교사는 해마다 필요한 추가 스킬과 전략에 반응해야 한다.

	성 향	내 수업의 증거 및 제언
❑	**고집** 어려워 질 때이거나 계획이 성공적이지 않을 때, 계속 노력하려는 의지를 뒷받침한다.	
❑	**유연성** 목표를 이루기 위해 여러 계획을 세우게 하였고, 온라인으로 더 낫게, 더 획기적으로 일하는 방법을 찾도록 지원했다.	
❑	**협력** 온라인에서 작업할 때, 나는 정기적으로 학생들이 도움을 찾도록, 또 다른 사람들에게 도움을 주도록 북돋았다.	
❑	**비판적 태도** 나는 학생들이 온라인 정보에 대한 건강한 의구심을 품게 하며, 꾸준히 출처, 신뢰도, 태도, 정확도에 대해 궁금해 하도록 이끌었다.	
❑	**되돌아보기** 나는 학생들이 온라인 리터러시를 배우는 과정에서 자기 점검을 할 수 있도록 북돋았다.	

* 출처 :
   http://www.google.co.kr/url?sa=t&rct=j&q=&esrc=s&frm=1&source=web&cd=1&ved=0CCwQFjAA&url=http%3A%2F%2Fwww.newliteracies.uconn.edu%2Fiesproject%2Fdocuments%2FTICA_Basic_Skills_Checklist.doc&ei=OxzuUquxKMLElAXO44GgBQ&usg=AFQjCNFxFCDUKJPRyIjaiehAGl_wPeCcAw&sig2=U2928t_zmO9yiRlptuzE1Q&bvm=bv.60444564,d.dGI&cad=rjt (2 Feb. 2014).

교사는 성향에 대한 평가를 할 것이다. 특히 교사는 교수학습 동안 포함되는 이 사항들을 확실히 하기 위해 학생들을 점검하게 된다. 학생이 특정 성향을 가지고 있거나 특이한 특성을 꾸준히 보인다면 평가하기 어렵기 때문이다.

2. TICA 기초 스킬 (국면 2) 체크 리스트

수업에서 대부분의 학생들과 모든 그룹은 다음과 같은 내용을 할 줄 알고 있다.

질문을 만들고 이해하기	수업 증거와 코멘트
선생님의 질문	
☐ 처음에 이해를 돕기 위한 다음과 내용의 질문을 사용하자.	
☐ 이해하는 과정을 확인하기 위해 다음과 같은 내용의 질문을 사용하자.	
학생들의 질문	
☐ 흥미, 독자, 목적, 조사 여부의 질 등을 따져 보았을 때, 좋은 질문이 무엇인가?	
☐ 정보검색을 위한 확실한 토픽과 집중된 질문들인가?	
☐ 질문이 적절하다 싶을 땐, 다음과 같은 문항을 따져보며 다시 수정하였는가?	
정보 찾기	**수업 증거와 코멘트**
검색 엔진과 검색결과 페이지를 사용하여 정보 찾기	
☐ 하나 이상의 검색 엔진을 찾아보자.	
☐ 검색 창이 있는 브라우저 검색 창에 키워드들을 사용해보자.	
☐ 다음의 여러 가지 검색 엔진 검색 방법들을 키워드들을 사용하여 사용해보자.	
☐ 검색 창에 키워드와 구절들을 복사/붙여넣기를 사용해서 검색해보자.	
☐ 검색 결과를 꼼꼼히 읽어보고, 가장 유용한 자료가 무엇인지 다음과 같은 방법으로 결정해보자.	
☐ 처음 검색 결과가 좋지 않다면 다양한 검색 엔진 방법 중 하나를 선택해서 유용한 자료를 찾아보자.	
☐ 사이트를 북마크 해놓고 나중에 다시 그 사이트를 방문해보자.	
☐ 이미지, 비디오, 다른 미디어 검색을 위해 특별화 된 검색 엔진을 사용해보자.	
웹사이트 안에서 정보 찾기	
☐ 사이트가 잠재적으로 유용한지, 그래서 더 꼼꼼하게 읽어봐야 되는지 빠르게 결정하자.	
☐ 필요한 정보가 있는지 한 사이트를 더욱 꼼꼼하게 읽어보자.	
☐ 링크들을 통한 정보가 얼마나 정확한지 예상해보고, 정보의 위치에 대하여 적합하게 선택하자.	

☐ 목차 등을 사용하여, 웹페이지의 정리된 내용을 사용해서 정보의 위치를 찾아보자.	
☐ 어떤 사이트를 떠나왔을 때, 어떻게 그 전 사이트로 돌아가는지 대해 알아보자.	
☐ 처음 사이트를 놔둔 채, 새로운 두 번째 브라우저 창으로 정보를 찾도록 여는 방법을 알아보자.	
☐ 사이트에서 정보를 찾을 때, 처음 검색 엔진을 어떻게 사용하는지 알아보자.	
비판적 정보 평가	**수업 증거와 코멘트**
편견과 태도	
☐ 모든 웹사이트는 의제, 관점, 그리고 편견이 존재한다는 것을 직접 확인하자.	
☐ 편견이 확실하게 보이는 주어진 웹사이트의 편견을 설명해보자.	
☐ 새로운 중요한 사이트를 방문했을 때마다 웹사이트의 저자를 확인하자.	
☐ 사이트 저자의 정보를 이용해 어떤 편견이 사이트에 존재할지 예상해보자.	
신뢰도	
☐ 여러 자료를 탐구하여서 정보의 신뢰성에 대한 비교, 대조해보자.	
☐ 신뢰성에 영향이 있을 만한 여러 표시들을 적어보자.	
☐ 위키백과가 믿을 만하지만 완벽하지 않은 정보 포털 사이트라는 것을 이해하자.	
☐ 웹사이트의 전체적 목적이 무엇인지 알아보자(재미, 교육, 광고, 설득, 정보교환, 사회적 정보, 등).	
☐ 웹사이트의 종류에 대해 알아보자(블로그, 포럼, 광고, 정보, 상업, 정부, 등). 그리고 이 정보를 신뢰성에 비추어 사용하자.	
정보 종합	**수업 증거와 코멘트**
☐ 산문, 오디오, 이미지, 비디오, 표, 그래프와 같이 여러 미디어 자료를 종합하자.	
☐ 관련 있는 정보를 관련 없는 정보에서 분류해보자.	
☐ 획기적으로 정보를 정리해보자.	
☐ 온라인, 오프라인에서의 여러 정보를 활용하자.	
소통 정보	**수업 증거와 코멘트**
☐ 메시지들은 어떤 식으로든 다른 사람들에게 영향을 미칠 것이라는 점을 이해하자.	
☐ 워드 프로세서, 철자 체커, 사전, 유의어 사전, 개요, pdf, 엑셀, 콘셉트 매핑 소프트웨어 등처럼 온라인과 오프라인의 글쓰기/글수정 프로그램을 사용하자.	
☐ 다음과 같은 많은 여러 인터넷 소통 프로그램들을 사용하자.	
☐ 독자들을, 독자들과의 관계를, 독자, 목적, 미디어와 메시지들의 관계를 고려하자.	
☐ 멀티미디어 자료를 메시지에 어떻게 포함시킬지에 대한 방법을 알아보자.	
☐ 제목, 부제목과 같은 아웃라인으로 정리된 정보로 소통하자.	

* 출처 :

http://www.google.co.kr/url?sa=t&rct=j&q=&esrc=s&frm=1&source=web&cd=1&ved=0CCoQFjAA&url=http%3A%2
F%2Fwww.newliteracies.uconn.edu%2Fiesproject%2Fdocuments%2FTICA_Phase_II_Checklist.doc&ei=GR3uUp-SOo
zUkgWb6oHYBQ&usg=AFQjCNH9LJGg3DVqN5fi7ScdPwBbFXa2Dg&sig2=Ekare_JpY_jrzGJlYWvOiw&bvm=bv.6
0444564,d.dGI&cad=rjt (2 Feb. 2014).

These skills and strategies inform and guide instruction during Phase Two but they are not intended to limit instruction.
New skill and strategy needs will emerge within each classroom. Each teacher must respond to (and document) those
additional skill and strategy needs during the year.

이 스킬과 전략은 또한 국면 1을 하는 동안 교수학습을 이끈다. 이 또한 수업을 제한할 의도
는 아니다. 새로운 스킬과 전략이 각 수업에서 나타날 수 있기 때문에 교사는 해마다 필요한 추가
스킬과 전략에 반응할 수 있어야 한다.

[참고문헌]

교육과학기술부. (2010). 창의인재와 선진과학기술로 여는 미래 대한민국. 2011년 업무보고. 교육과학기술부.

교육과학기술부. (2011). 영어과교육과정. 교육과학기술부.

교육과학기술부, 한국교육평가원. (2011). 대한민국, OECD PISA 2009 디지털 읽기 소양 평가(DRA)에서 1위. 보도자료 (2011.6.29).

교육과학기술부. (2011). 초·중등학교 교과내용 개편, 이렇게 추진된다. 교육과학기술부 보도자료 (2011.1.24).

김경희, 권석일, 김선희, 김지영, 진여울. (2007). TIMSS 2003결과에 따른 우리나라 중학생의 수학·과학 성취도 특성. 한국교육과정평가원 연구보고 RRE 2007-2-2.

김경희, 김수진, 김미영, 김남희, 김선희, 강민경, 박효희, 정송. (2009). OECD 학업성취도 국제비교 연구 (PISA 2009) 본검사 시행보고서. 한국교육과정평가원 연구보고 RRE-2009-7-1.

김경희, 시기자, 김미영, 옥현진, 임해미, 김선희, 정송, 정지영, 박희재. (2010). OECD 학업성취도 국제비교 연구 (PISA 2009) 결과 보고서. 한국교육과정평가원 연구보고 RRE 2010-4-2.

김남희. (2009). 읽기 능력 평가의 현황과 과제. 독서연구, 22, 159-186.

김남희. (2012). PISA 읽기 소양과 21세기 국어 능력. 국어교육연구, 138, 41-71.

김영식. (2007). 과학, 인문학, 그리고 대학: 과학과 인문학을 아우르는 학문 이야기. 생각의나무.

김영식. (2009). 교육의 틀을 바꿔야 대한민국이 산다. 매일경제신문사.

김익현 역. (2010). 글쓰기의 공간: 제이 데이비드 볼터(Jay David Bolter) 저. 커뮤니케이션북스, 서울.

김지숙. (2009). 몰입교육에서 영어사용을 위한 대립균형 교수학습 전략 모형 연구: 미출간 박사 학위논문. 중앙대학교 대학원, 서울.

김혜숙, 진성희. (2006). 미국 ETS의 ICT 리터러시 평가 현황 및 시사점. 한국교육학술정보원 연구보고 RM 4.

도미향. (2011). 복지와 코칭. 한국코칭학회 춘계학술대회 및 사례발표회. 남서울대학교 아동복지회관 5층.

문용린, 최인수. (2010). 창의인성교육 활성화 방안 연구. 정책연구 2009-019. 한국과학 창의재단.

민덕기, 이승민, 심규남. (2013). *초등영어 수업방법의 원리와 실제*. 한빛문화사, 서울.

백윤수, 박현주, 김영민, 노석구, 박종윤, 이주연, 정진수, 최유현, 한혜숙. (2011). 우리나라 융합인재교육 (STEAM)의 방향. *학습자중심교과교육연구, 11* (4), 149-171.

백윤수 외. (2012). 융합인재교육 실행방향 정립을 위한 기초연구. 교육과학기술부, 한국창의재단.

신명희, 류태호, 곽선혜. (2013). 소셜미디어시대의 e-러닝을 위한 미디어 리터러시 교육 현황과 발전방안. *사이버사회문화, 4* (1).

양병현. (2009). *미국의 리터러시 코칭*. ㈜대교, 서울.

옥현진. (2012). 우리나라 학생들의 PISA 2009 읽기 영역답지 반응 특성에 기초한 교육 개선 방안. *우리나라 학생들의 OECD PISA 답지 반응 특성에 기초한 교육 개선 방안* (pp. 48-94). 한국교육과정평가원 연구자료 ORM 2012-84.

이대영. (2010). 21세기 교육환경변화와 예술교육의 필요성. *The Science Times*, 2010.06.10. <http://contentskorea.or.kr/2198>.

이소희. (2008). 부모교육에서의 코칭접근의 효과성 제고를 위한 탐색적 연구. *한국부모교육학회, 5* (1), 50-21.

이 준, 손윤선, 이영애, 서유경, 김성은. (2002). 일반 국민 ICT 활용 능력 기준의 표준화 및 교육과정 상세화 연구. 한국교육학술정보원 연구보고 CR 2002-3.

조성미. (2012). 유아의 놀이성 및 정서능력과 사회적 유능성 간의 관계. 석사학위논문. 경원대학교 교육대학원.

조석희, 박성인, 김명숙. (2006a). 중학교 수월성 교육 정책의 효율적 추진 방안. 한국교육개발원 연구보고 RR2006-3.

조지민, 김수진, 이상하, 김미영, 옥현진, 임혜미. (2011b). 2011년 국제 학업성취도 평가 연구 (PISA/TIMSS) : PISA2009 결과에 기반한 읽기 영역 성취특성 비교. 한국교육과정평가원 연구보고 RRE 2011-4-3.

조지민, 옥현진, 이상하, 임효진, 차성현, 김동원, 임재근, 손수경. (2013). 국제 학업성취도 평가 경과에 기반한 교육정책 개선 방안. 한국교육과정평가원 연구보고 CRE 2012-1.

존 휘트모어. (2007). *성과향상을 위한 코칭 리더십*. 김영순 역. 김영사.

한국정보화진흥원. (2010.08). 공공부문의 성공적인 소셜미디어 도입 및 활용전략. CIO REPORT 24.

한국콘텐츠진흥원. (2013). 미디어 리터러시(Literacy) 국내외 동향 및 정책방향. *코카포커스, 67* (1), 1-27.

Alfassi, M. (1998). Reading for meaning: The efficacy of reciprocal teaching in fostering reading comprehension in high school students in remedial reading classes. *American Educational Research Journal, 35*, 309-332.

Allington, R., & Cunningham, P. (2007). *Schools that work: Where all children read and write*. Boston: Allyn & Bacon.

Anders, P. L., and Guzzetti, B. (2005). *Literacy instruction in the content areas*. Hillsdale, NJ: Lawrence Erlbaum Associates.

Assaf, L. C., Ash, G. E., and Saunders, Jane, with Joël Johnson. (2011). Renewing Two Seminal Literacy Practices: I-Charts and I-Search. *Voices from the Middle, 18* (4), 31-42.

Ballenger, B. (2008). *The curious researcher: A guide to writing research papers*. New York: Longman.

Bean, R. (2007). The promise and potential of literacy coaching. Retrieved 5 Dec. 2013 from <http://www.pacoaching.org/files/Research%20Findings/\bean_coaching_annenber_doc.pdf>.

Bean, R. & Isler, W. (2008). The school board wants to know: Why literacy coaching? Retrieved 5 Dec. 2013 from <http://www.literacycoachingonline.org>.

Bearne, E. & Wolstencroft, H. (2007). *Visual approaches to teaching writing*. London: Paul Chapman Publishing.

Bermstein, Mark. (1998). Pattern of Hypertext. Eastgate System Inc. Printable Version. Reprinted from proceedings of Hypertext 98. Frank Shipman, Elli Mylonas, and Kaj Groenback (eds). ACM, New York.

Berry, J. (2011). The novice teacher's experience in sensemaking and socialization. Paper presented at the Texas Association of Teacher Educators Summer Conference, Austin, TX.

BEYOND PISA 2015: A LONGER-TERM STRATEGY OF PISA <http://www.oecd.org/pisa/pisaproducts/Longer-term-strategy-of-PISA.pdf>.

Borzekowski, D., Fobil, J., & Asante, K. (2006). Online access by adolescents in Accra: Ghanaian teens' use of the Internet for health information. *Developmental Psychology, 42,* 450-458. Retrieved December 1, 2006 from <http://www.apa.org/journals/releases/dev423450.pdf>.

Bromley, K. (2010). Picture a world without pens, pencils, and paper: The unanticipated future of reading and writing. *Journal of College Reading and Learning, 41* (1), 97-108.

Brown, A. L., & Palincsar, A. S. (1989). Guided, cooperative learning and individual knowledge acquisition. In L. B. Resnick (Ed.), *Knowing, learning, and instruction: Essays in honor of Robert Glaser* (pp. 393-451). Hillsdale, NJ: Erlbaum.

Campbell, S. (2010). *Growing patterns: Fibonacci numbers in nature*. Honesdale, PA: Boyds Mill Press.

Cassidy, J., & Cassidy, D. (2009). What's hot, what's not for 2010. *Reading Today, 27* (1), 8-9.

Cassidy, J., Ortlieb, E., & Shettel, J. (2010). What's hot for 2011. *Reading Today, 28* (1), 6-8.

Cassidy, J. & Loveless, D. (2011). Taking our pulse in a time of uncertainty: Results of the 2012 what's hot, what's not literacy survey. *Reading Today, 29* (2), 16-21.

Castek, J. (2008). *How do 4th and 5th grade students acquire the new literacies of onlinereading comprehension? Exploring the contexts that facilitate learning.* Ph.D. diss., University of Connecticut, Storrs, CT. Retrieved 15 Sept. 2013 from <http://books.google.co.kr/books?id=IpY3 SqLjVNYC&pg=PP3&lpg=PP3&dq=castek+2008+how+do+4th+and+5th&source=bl&ots=7Cj8 ADtlyi&sig=VZGtwFN3LcJbvmJGWetWDFmQ_JU&hl=en&sa=X&ei=Y-PtUrfGAsGMkAWI0o GYBg&ved=0CCQQ6AEwAA#v=onepage&q=castek%202008%20how%20do%204th%20and% 205th&f=false>.

Cochran-Smith, M. (2005). The new teacher education: For better or for worse? *Educational Researcher, 34* (7), 3-17.

Coiro, J. (2007). *Exploring changes to reading comprehension on the internet: Paradoxes and possibilities for diverse adolescent readers.* Unpublished doctoral dissertation. University of Connecticut, Storrs. Available online at <http://www.newliteracies.uconn.edu/coirodissertation/>.

Coiro, J. (2011). Talking About Reading as Thinking: Modeling the Hidden Complexities of Online Reading Comprehension. *Theory Into Practice, 50* (2), 107-115.

Coiro, J. (2012). Digital literacies: Understanding dispositions toward reading on the Internet. *Journal of Adolescent and Adult Literacy, 55* (7), 645-48.

Coiro, J. (2012). The new literacies of online reading comprehension: Future directions. *The Educational Forum, 76* (4), 412-417. Retrieved 20 Nov. 2013 from <https://www.academia.edu/ 2121787/Coiro_J._2012_._Future_directions_for_research_and_practice_in_the_new_literacies_of _online_reading_comprehension._The_Educational_Forum_76_4_412-417>.

Coiro, J., and Castek, J. (2010). Assessment frameworks for teaching and learning English language arts in a digital age. In D. Lapp and D. Fisher (eds), *Handbook of research on teaching the English language arts,* 3rd ed. (pp. 314-321). New York: Routledge. Retrived 25 Nov. 2013 from <https://www.academia.edu/237632/Castek_J._and_Coiro_J._2010_._Measuring_online_reading_ comprehension_in_open_networked_spaces_Challenges_concerns_and_choices._Posted_presente d_at_the_annual_meeting_of_the_American_Education_Research_Association_in_Denver_CO>.

Coiro, J., Castek, J., and Guzniczak, L. (2011). Uncovering online reading comprehension precesses: Two adolescents reading independently and collaboratively on the Internet. In R. Jimenez, V. Risko, M. Hundley, and D.W. Rowe (eds), *60th yearbook of the Literacy Research Association* (pp. 354-369). Oak Creek, WI: National Reading Conference. Retrieved 22 Nov. 2013 from <https://www.academia.edu/2121734/Coiro_J._Castek_J._and_Guzniczak_L._2011_._Uncovering _online_reading_comprehension_processes_Two_adolescents_reading_independently_and_collab

oratively_on_the_Internet._Sixtieth_Yearbook_of_the_Literacy_Research_Association_354-369>.

Coiro, J. and Dobler, E. (2007). Exploring the online comprehension strategies used by sixth-grade skilled readers to search for and locate information on the Internet. *Reading Research Quarterly, 42*, 214-257.

Coiro, J., Knobel, M., Lankshear, C., and Leu, D. J. (Eds.). (2008). *Handbook of research on new literacies*. Mahwah, NJ: Lawrence Erlbaum.

Common Core State Standards Initiative: Preparing America's students for college and career. Retrieved 13 Oct. 2013 from <http://www.corestandards.org/assets/CCSSI_ELA%20Standards.pdf>.

Common Core State Standards Initiative. (2010). *Common Core State Standards for the English Language Arts & Literacy.* Retrieved 11 Apr. 2012 from <http://www.corestandards.org>.

Coyle, D., Hood, P., & Marsh, D. (2010). CLIL: Content and Language Integrated Learning, Cambridge: Cambridge University Press.

Creswell, J. W. (2003). Research design: Qualitative, quantitative and mixed methods approaches (2nd Ed.). Thousand Oaks, CA: Sage.

Damico, J., & Riddle, R. (2006). Exploring freedom and leaving a legacy: Enacting new literacies with digital texts in the elementary classroom. *Language Arts, 84*, 34-44.

Darling-Hammond, L., & Richardson, N. (2009). Teacher learning: What matters?. *Educational Leadership*, 46-53.

de Argaez, E. (2006). *Internet world stats news, 14.* Retrieved 27 Jan. 2014 from <http://www.internet worldstats.com/pr/edi014.htm#3>.

De Corte, E., Vershaffel, L., & Van de Ven, A. (2001). Improving reading comprehension strategies in upper primary school children: A design experiment. *British Journal of Educational Psychology, 71*, 531-559.

DeSchryver, M. (2011). Knowledge synthesis in a connected world: How eight advanced learners used the Web to learn about ill-structured topics. Paper presented at the annual conference of the Literacy Research Association, Nov. 30-Dec. 3, Jacksonville, FL.

Dewey, J. (1910). *How we think*. Boston: D.C. Heath.

Drew, J., Darling, E. S., Shiffman, D., Côté, I. M. (2013). The role of Twitter in the life cycle of a scientific publication. *Ideas in Ecology and Evolution, 6*, 32-43.

Dressman, M., O'Brien, D., Rogers, T., Ivey, G., Wilder, P., Alvermann, D.; et al. (2006). Problematizing adolescent literacies: Four instances, multiple perspectives. In J.V. Hoffman, D.L. Schallert, C.M. Fairbanks, J. Worthy, & B. Maloch (Eds.), *Fifty-fifth yearbook of the National Reading Conference* (pp. 141-154). Oak Creek, WI: National Reading Conference.

Dwyer, B. (2010). Scaffolding Internet reading: A study of a disadvantaged school communityin Ireland. Ph.D. diss., University of Nottingham, Nottingham, United Kingdom.

Feiman-Nemser, S. (2003). What new teachers need to learn. *Educational Leadership, 60* (8), 25-30.

Fleischer, R. (Director). (1954). 20,000 leagues under the sea. USA: Walt Disney Pictures.

Follansbee, S., Hughes, B., Pisha, B., & Stahl, S. (1997). Can online communications improve student performance? ERS Spectrum. *Journal of Research and Information, 15* (1), 15-26.

Freedman, M. (Producer & Director). (2009). *Sixteen and pregnant.* USA: MTV.

Fisher, D. and Frey, N. (2007). Implementing a Schoolwide Literacy Framework: Improving Achievement in an Urban Elementary School. *The Reading Teacher, 61,* 32-45.

Fung, I.,Y., Wilkinson, I., Moore, D. W. (2003). L1-assisted reciprocal teaching to improve ESL students' comprehension of English expository text. *Learning and Instruction, 13,* 1-31.

Gardner, H. (1983). *Frames of mind.* New York: Basic Books.

Garet, M. S., Porter, A. C., Desimone, L., Birman, B. F., and Yoon, K. S. (2001). What makes professional development effective? Results from a national sample of teachers. *American Educational Research Journal, 38* (4), 915-45.

Gee, J. and Hayes, E. (2012). *Language and Learning in the Digital Age.* London and New York: Routledge.

Gilbert, L. S., Martin, E. P., & Andrews, S. P. (in progess). New teacher support: What do they want?

Goodman, J. (1987). Factors in becoming a pro-active elementary school teacher: A preliminary study of selected novices. *Journal of Education for Teaching, 13* (3), 207-229.

Greenhow, C., Robelia, B., and Hughes, J. (2009). Web 2.0 and classroom research: What path should we take now? *Educational Researcher, 38* (4), 246-259.

Guinee, K., Eagleton, M. B., and Hall, T. E. (2003). Adolescents' Internet search strategies: Drawing upon familiar cognitive paradigms when accessing electronic information sources. *Journal of Educational Computing Research, 29* (3), 363-374.

Hamlett, Christina. (2006). Screenwriting for Teens: The 100 Principles of Screenwriting Every Budding Writer Must Know.

Harmer, Jeremy. (2004). *How to Teach Writing.* Essex: Pearson Education.

Harvey, S., & Daniels, H. (2009). *Comprehension and collaboration: Inquiry circles in action.* Portsmouth, NH: Heinemann.

Harvey, S., & Goudvis, A. (2007). *Strategies that work.* (2nd ed.). Portland, ME: Stenhouse Publishers.

Hennessy, S. (2006). Integrating technology into teaching and learning of school science: a situated perspective on pedagogical issues in research. *Studies on Science Education, 42,* 1-50.

Henry, Laurie A. (2006). Exploring new literacies pedagogy and online reading comprehension among adolescents and their teachers: Issues of social equity or social exclusion?. Retrieved 28 Jan. 2014 from <http://www.newliteracies.uconn.edu/lahenry/proposal_HENRY.pdf>.

Henry, L. A. (2007). *Exploring new literacies pedagogy and online reading comprehension among middle school students and teachers: Issues of social equity or social exclusion?* Unpublished doctoral dissertation, University of Connecticut, Storrs, Connecticut.

Hoffman, J. V. (1992). Critical reading/thinking across the curriculum: Using I-charts to support learning. *Language Arts, 69*, 121-127.

Holt, Rinehart and Winston. (2009). Writing an I-Search Paper. *Elements of Language* (pp. 207-237). Retrieved 10 Oct. 2013 from <http://faculty.nwacc.edu/tmcginn/English%201013.htm>.

Holzman, E. (Creator). (2004-2008). *Project runway*. Burbank, CA: Bravo Television.

Hudson, Richard A. (2007). *Language networks: The new Word Grammar*. Oxford: Oxford University Press.

Hyland, K. (2004). *Genre and second language writing*. Ann Arbor, MI: University of Michigan Press.

International Reading Association. (2010). *Standards for reading professional −revised 2010*. Newark, DE: Author.

International Reading Association (IRA). (2004a). *The role and qualifications of the reading coach in the United States* (Position statement). Newark, DE: Author. Available: http://www.reading.org/downloads/positions/ps1065_reading_coach.pdf.

International Reading Association (IRA). (2004b). *Standards for reading professionals − Revised 2003*. Newark, DE: Author. Available: http://www.reading.org/resources/issues/reports/professional_standards.html.

International Reading Association (IRA) & National Council of Teachers of English (NCTE). (1996). *Standards for the English language arts*. Newark, DE; Urbana, IL: Authors.

Janetzki, Drew. (2013). Management 2013 Literacy−Charlestown East Public School. Retrieved 5 Jan. 2014 from <http://www.charlestoe-p.schools.nsw.edu.au/documents/4579449/4589422/Management%20plan%202013%20Literacy.pdf>.

Jewitt, C. (2003). Computer-mediated learning: The multimodal construction of Mathematical entities on screen. In C. Jewitt & C. Kress (Eds.), *Multimodal literacy* (pp. 34-55). New York: Peter Lang.

Johnson, A. D., Martin, A., Brooks-Gunn, J., & Petrill, S. A. (2008). Order in the house! Associations among household chaos, the home literacy environment, maternal reading ability, and children's early reading. *Merrill-Palmer Quarterly, 54* (4), 445-472.

Johnson, D. W., Johnson, R. T., & Stanne, M. B. (2000). *Cooperative learning methods: A meta-analysis*. Minneapolis, MN: University of Minnesota. Retrieved January 24, 2010 from <http://www.co-operation.org/pages/cl-methods.html>.

Johnson, S, M., & Kardos, S. E. (2003). The schools that teachers choose. *Educational Leadership, 60* (8), 20-24.

Joyce, B., & Calhoun, E. (2010). *Models of professional development*. Thousand Oaks, CA: Corwin Press.

Kaiser Family Foundation. (2005). *Generation M: Media in the lives of 8-18 year-olds*. Retrieved Sep. 15, 2007 from <http://www.kff.org/entmedia/7251.cfm>.

Kajder, S. B. (2004). Enter here: Personal narrative and digital storytelling. *English Journal, 93* (3), 64-68.

Kalantzis, M. and Cope, B. (2011). The Work of Writing in the Age of Its Digital Reproducibility. In S. S. Abrams and J. Rowsell (Eds.), *Rethinking Identity and Literacy Education in the 21st Century*, vol. 110: 1. New York: Teachers College Press.

Kingsley, T. (2011). Integrating new literacy instruction to support online reading com-prehension: An examination of online literacy performance in 5th grade classrooms. Ph.D. diss., Ball State University, Muncie, IN.

Kist, W. (2007). Basement new literacies: Dialogue with a first-year teacher. *English Journal, 97* (1), 43-48.

Knight, P. T., & Yorke, M. (2006). Learning & Employability, Embedding employability into the curriculum. York: Higher Education Academy.

Knobel, M., & Lankshear, Colin. (Eds). (2007). *A New Literacies Sampler* (New Literacies and Digital Epistemologies). New York: Peter Lang Publishing, Inc.

Kozol, Jonathan. (2007). *Letter to a Young Teacher*. New York: Random House LLC.

Kristo, J. V., & Bamford, R. A. (2004). *Nonfiction in focus*. New York, NY: Scholastic.

Lankshear, C., & Knobel, M. (2011). *Chapter 7 on social learning from New Literacy; Everyday practices and social learning*. New York: Open University Press, 209-230.

Lave, Jean. (1989). *Cognition in practice: Mind, mathematics and culture in everyday life*. Cambridge: Cambridge UP.

Leu, D. J., McVerry, J. G., O'Byrne, I., Zawilinski, L., & Everret-Cacaporda, H. (2010). Developing Internet Reciprocal Teaching: An intervention designed to teach the new literacies of online reading comprehension. In J. Kulikowich (Chair), *Reading for understanding: Where we were, where we are, where we need to be*. A paper presented at the Annual American Educational

Research Association.

Leu, D. J. (2007a, May). *What happened when we weren't looking? How reading comprehension has changed and what we need to do about it.* Paper presented to the International Reading Association's Research Conference, Toronto, Ontario, Canada.

Leu, D. J. (2007b, April). The new literacies of online reading comprehension: Preparing all students for their reading. Presentation to Pearson Education's Instructional Leadership Council, San Diego, CA. Retrieved April 2, 2010 from <http://www.newliteracies.uconn.edu/events.html>.

Leu, D. J., Jr., Leu, D. D. & Coiro, J. (2004). *Teaching with the Internet: New literacies for new times* (4th ed.). Norwood, MA: Christopher-Gordon.

Leu, D. J., Coiro, J., Castek, J., Hartman, D. K., Henry, L. A. and Reinking, D. (2005). Research on Instruction and Assessment in the New Literacies of Online Reading. In Cathy Collins Block, Sherri Parris, and Peter Afflerback (Eds.), *Comprehension instruction: Research-based best practices*. New York: Guilford Press.

Leu, D. J., Reinking, D., Carter, A., Castek, J., Coiro, J., Henry, L. A., Malloy, J., Robbins, K., Rogers, A., Zawilinski, L. (April 9, 2007). Defining online reading comprehension: Using think aloud verbal protocols to refine a preliminary model of Internet reading comprehension processes. Paper presented at The American Educational Research Association. Chicago, IL Available: http://docs.google.com/Doc?id=dcbjhrtq_10djqrhz.

Leu, D. J., Coiro, J., Castek, J., Henry, L. A., Hartman, D. K., and Reinking, D. (2008). Researchon instruction and assessment in the new literacies of online reading comprehension. In C. C. Block, S. Parris, and P. Afflerbach (Eds.), *Comprehension instruction: Research-based best practices* (pp. 321-46). New York: Guilford Press.

Leu, D. J., Coiro, J., Castek, J., Henry, L. A., and Kinzer, C. K. (2013). New literacies: A dual-level theory of the changing nature of literacy, instruction, and assessment. In R.B. Ruddell & D. Alvermann (Eds.), *Theoretical Models and Processes of Reading,* Sixth Ed. Newark, DE: IRA

Leu, D. J., Coiro, J., Kinzer, C. K., and Cammack, D. W. (2004). Toward a theory of new literacies emerging from the Internet and other information and communication technologies. In R. B. Ruddell & N. J. Unrau (Eds.), *Theoretical models and processes of reading* (5th ed., pp. 570-1613). Newark, DE: International Reading Association.

Leu, D. J., O'Byrne, W. I., Zawilinski, L., McVerry, J. G., and Everett-Cacopardo, H. (2009). Expanding the new literacies conversation. *Educational Researcher, 38,* 264-269.

Leu, D. J. and Reinking, D. (2005). Developing Internet Comprehension Strategies Among Adolescent Students At Risk to Become Dropouts. U. S. Department of Education, Institute of Education Sciences

Research Grant. Retrieved June 20, 2006 from <http://www.newliteracies.uconn.edu/ies.html>.

Leu, D. J., and Reinking, D. (2010). *Teaching Internet comprehension to adolescents: IES final performance report*. Washington, DC: U.S. Department of Education.

Lewis, M. (1997a). *Implementing the lexical approach: Putting theory into practice*. Hove, England: Language Teaching Publications.

Lewis, M. (1997b). Pedagogical implications of the lexical approach. In J. Coady &T. Huckin (Eds.), *Second language vocabulary acquisition: A rationale for pedagogy* (pp. 255-270). Cambridge: Cambridge University Press.

Lindberg, I. and Hakansson, Gisela. (1988). *What's the question? Investigating questions in second language classrooms*. John Benjamins Publishing Co.

Lockwood, M. (2013). *Reconstruction and Prediction of Variations in the Open Solar Magnetic Flux and Interplanetary Conditions*. Reading, UK: University of Reading.

Lowry, L. (1993). *The giver*. New York: Bantam Books.

Lyster, R. (2006). Predictability in French gender attribution: A corpus analysis. *Journal of French Language Studies, 16*, 69-92.

Lyster, R. (2007). *Learning and teaching languages through content: A counterbalanced approach*. Amsterdam/Philadelphia: John Benjamins.

Lyster, R., & Ranta, L. (1997). Corrective feedback and learner uptake: Negotiation of form on communicative classrooms. *Studies in Second Language Acquisition, 19*, 37-66.

Macrorie, K. (1998). *The I-search paper*. Portsmouth, NH: Heinemann.

Malloy, J. A., and Gambrell, L. B. (2007). Approaching the unavoidable: Literacy instruction and the Internet. *The Reading Teacher, 59* (5), 482-484.

Markauskaite, L. (2007*)*. Exploring the structure of trainee teachers' ICT literacy: The main components of, and relationships between, general cognitive and technical capabilities. *Education Technology Research Development, 55*, 547-572.

Masterman, L. (1985). *Teaching the Media*. London: Comedia.

Matteucci, N., O'Mahony, M., Robinson, C. and Zwick, T. (2005). Productivity, workplace performance and ICT: industry and firm-level evidence for Europe and the US. *Scottish Journal of Political Economy, 52*, 359-386.

McKenzie, G. (1979). Data charts: A crutch for helping students organize reports. *Language Arts, 56*, 784-788.

Ellen Moir, Dara Barlin, Janet Gless, and Jan Miles. (2010). *New Teacher Mentoring: Hopes and Promise for Improving Teacher Effectiveness*. Harvard Education Publishing Group.

Moon, J. (2000). *Children Learning English.* Oxford: Oxford University Press.

Morrow, L. M. (1983). Home and school correlates of early interest in literature. *Journal of Educational Research, 76,* 221-230.

Myrberg, E., & Rosen, M. (2009). Direct and indirect effects of parents' education on reading achievement among third graders in Sweden. *British Journal of Educational Psychology, 79* (4), 695-711.

Nagy, E. (2009). Multi-platform Mackenzie Blue arrives. *Publishers Weekly, 14,* 45-61.

Nassaji, H. and Wells, G. (2000). What's the use of triadic dialogue? An investigation of teacher-student interaction. *Applied Linguistics, 21* (3), 376-406.

Nation, P. (2000). *Teaching ESL/EFL reading and writing.* New York: Routledge, Taylor & Francis.

The New Literacies Research Team at the University of Connecticut. (2007). Thinking about our future as researchers: New literacies, new challenges, and new opportunities. In F. Falk-Ross, M. Foote, P. Linder, M. B. Sampson, S. Szabo (Eds.), *The twenty-eighth yearbook of the College Reading Association.* Logan. UT: College Reading Association.

New London Group. (2000). A pedagogy of multiliteracies: Designing social futures. In B. Cope & M. Kalantzis (Eds.), *Multiliteracies: Literacy learning and the design of social futures* (pp. 9-37). New York: Routledge.

No Child Left Behind Act of 2001, Pub.L.No.107-110,115 Stat. 1435. (2002). Retrieved 12 Oct. 2013 from <http://www2.ed.gov/policy/elsec/leg/esea02/107-110.pdf>.

Nunan, D. (1992). *Research Methods in Language Learning.* Cambridge: Cambridge University Press.

Nunan, D. (1993). Task-based syllabus design: selecting, grading and sequencing tasks. In In G. Crookes & S. M. Gass (Eds.), *Tasks in a Pedagogical Context* (pp. 55-66). Cleveland, UK: Multilingual Matters.

O'Byrne, W. I., and McVerry, J. G. (2009). Measuring the dispositions of online reading comprehension: A preliminary validation study. In K. Leander, J. Laughter, C. S. Keyes, and National Reading Conference (Eds.), *58th Yearbook of the National Reading Conference* (pp. 362-75). Oak Creek, WI: National Reading Conference.

OECD. (2009). PISA 2009 Assessment Framework－key competencies in reading, mathematics and science.

OECD. (2010). *PISA 2009 results: What students know and can do －Student performance in reading, mathematics and science* (Volume I).

OECD. (2011). PISA 2009 Results: Students On Line - Digital technologies and performance, Vol.Ⅵ.

OECD. (2011a). *Material preparation MS 2012.*

OECD. (2011b). *National Item Analysis Report Guide.*

OECD. (2011c). *PISA 2012 Main survey item proposals —cognitive components.*

OECD. (2011d). *PISA 2012 Main survey test design and options.*

Ofcom. (2004). Ofcom's strategy and for the promotion of media literacy.

Ogle, D. M. (1986). The know, want to know, learn strategy. In K. D. Murth (Ed.), *Children's comprehension of text: Research into practice* (pp. 205-223). Newark, DE: International Reading Association.

Olness, R. (2007). *Using literature to enhance content area instruction: A Guide for K-5 Teachers.* Newark, DE: International Reading Association.

Palincsar, A. S. & Brown, A. L. (1984). Reciprocal teaching of comprehension-fostering and comprehension-monitoring activities. *Cognition and Instruction, 1,* 117-175.

Pew Internet and American Life Project. (2001). *The Internet and education: Findings of the Pew Internet & American Life Project.* Retrieved October 15, 2002 from <http://www.pewinternet.org/reports>.

Pike, K., & Mumper, J. (2004). *Making nonfiction and other information texts come alive.*

Pikulski, J. and Templeton, Shane. (2003). *Teaching and Developing Vocabulary: Key to Long-Term Reading Success.* Houghton Mifflin.

Prensky, M. (2005). Social Impact Games. Retrieved November 22, 2013 from <http://www.socialimpactgames.com/index.php>.

Putnam, R. T., and Borko, H. (2000). What do new views of knowledge and thinking haveto say about research on teacher learning? *Educational Researcher, 29* (1), 4-15.

Rainie, L., Zickuhr, K., Purcell, K., Madden, M., and Brenner, J. (2012, April 4). The rise of e-reading. *Pew Internet and American Life Project.* Retrieved 12 Sep. 2013 from <http://libraries.pewinternet.org/2012/04/04/the-rise-of-e-reading/>.

Randall, S. (1996). Information charts: A strategy for organizing student research. *Journal of Adolescent and Adult Literacy, 39,* 536-542.

Ranker, J. (2010). The interactive potential of multiple media: A new look at inquiry projects. *Voices from the Middle, 17* (3), 36-41.

Reed, W. M., Ayersman, D. J., & Liu, M. (1995a). The effect of hypermedia instruction on stages of concern of students with varying authoring language and hypermedia prior experience. *Journal of Research on Computing in Education, 27* (3), 324-342.

Reed, W. M., Ayersman, D. J., & Liu, M. (1995). The effects of three different hypermedia courses on students' attitudes. *Computers in Human Behavior, 11* (3/4), 495-510.

Reinking, D. (in press). Beyond the laboratory and the lens: New metaphors for literacy research. 60th Yearbook of the Literacy Research Association. Milwaukee, WI.

Reinking, D. (2001). Topics in computer-based reading and writing. In J. Many (Ed.), *Handbook of instructional practices for literacy teacher-educators: Examples and reflections from the teaching lives of literacy scholars* (pp. 301-307). Mahwah, NJ: Erlbaum.

Reinking, D., & Carter, A. (2007). Accommodating digital literacies within conceptions of literacy instruction. In B. Guzzetti (Ed.), *Literacy for a new century: Volume 2* (pp. 139-158). Westport, CT: Praeger.

Rhoades, E. B. (2009). Can Web 2.0 improve our collaboration? (TECHNOLOGY USAGE IN THE CLASSROOM). *Techniques, 84* (1), p. 24. Retrieved 24 Nov. 2013 from <http://www.wfs.org/content/futurist/march-april-2012-vol-46-no-2/three-rs-four-cs-radically-redesigning-k-12-education>.

Rosenshine, B., & Meister, C. (1994). Reciprocal teaching: A review of the research. *Review of Educational Research, 64,* 479-530.

Routman, R. (2003). *Reading essentials*. Portsmouth, NH: Heinemann.

Robertson, Kristina. (2009). Reading 101 for English Language Learners. Retrieved 25 Oct. 2013 from <http://www.colorincolorado.org/article/33830/>.

Robertson, Kristina. (2009). Five Things Teachers Can Do to Improve Learning for ELLs in the New Year. Retrieved 25 Oct. 2013 from <http://www.colorincolorado.org/article/29590/>.

Robertson, Kristina. (2009). Reader's Theater: Oral Language Enrichment and Literacy Development for ELLs. Retrieved 25 Oct. 2013 from <http://www.colorincolorado.org/article/30104/>.

Sanchez, C. A., Wiley, J., and Goldman, S. R. (2006). *Teaching students to evaluate source reliability during internet research tasks.* Paper presented at the 7th International Conference of the Learning Sciences, Bloomington, IN.

Schacter, J., & Fagnano, C. (1999). Does computer technology improve student learning and achievement? How, when, and under what conditions? *Journal of Educational Computing Research, 20* (4), 329-343.

Skehan, P. (1998). *A Cognitive Approach to Language Learning.* Oxford: Oxford University Press.

Short, K., & Harste, J. (with Burke, C.). (1996). *Creating classrooms for authors and inquirers* (2nd ed.). Portsmouth, NH: Heinemann.

Sinclair, J. and Coulthard, M. (1975). *Towards an Analysis of Discourse.* Oxford: Oxford University Press.

Smithsonian Magazine (2010, November). Advertisements.

Solomon, G. & Schrum, L. (2007). *Web 2.0: New Tools, New Schools.* Washington, DC: ISTE.

Sperber, D. (2002). *The future of writing.* Retrieved 15 Nov. 2013 from <http://www.dan.sperber.com /future_of_writing.html>.

Spurlock, M. (Director and Producer). (2004). *Super size me* [Documentary]. New York: Kathbur.

Stansbury, K., & Zimmerman, J. (2000). *Lifelines to the classroom: Designing support for beginning teachers.* (West Ed Knowledge Brief). San Francisco: West Ed.

Stowell, S. (1986). *Leadership and Coaching.* Dissertation. University of Utah.

Taboada, A., & Guthrie, J. T. (2006). Contributions of student questioning and prior knowledge to construction of knowledge from reading information text. *Journal of Literacy Research, 38,* 1-35.

Tardif, Danielle. (1999). InfoRepere: un programme de formation documentaire et l'importance de la collaboration. *Documentation et bibliotheques, 45* (3), 117-121.

Tompkins, Gail E. (2010). *Literacy for the 21st century: a balanced approach.* Boston: Pearson Education.

Trachtenberg, J. A., & Vascellaro, J. E. (2008). Google deal likely to give digital books broader use. *Wall Street Journal,* p. B1.

Trelease, J. (2006). *The read-aloud handbook.* (5th ed.). New York: Penguin Books.

U.S. Congress. House of Representatives. (2008). The Higher Education Opportunity Act of 2008. 110th Cong. 103 U.S.C. § 42.

U.S. Department of Education. (1985). *Becoming a nation of readers: A compendium of research on reading and academic achievement.* Washington, D.C.: U.S. Department of Education.

U.S. Department of Commerce: National Telecommunications and Information Administration. (2002). *A nation online: How Americans are expanding their use of the Internet.* Washington, D.C.: Author.

U.S. Department of Education. (2006). The Condition of Education 2006. Washington, D.C.: U.S. Department of Education.

Usher, W., & Skinner, J. (2008). Health websites and reliability components. *ACHPER Healthy lifestyles Journal, 55*(4), 29-34.

van Ark, B., Inklaar, R., and McGucking, R. H. (2003). ICT productivity in Europe and the United States, Where do the differences come from? *CESifo Economic Studies, 49, 295-318.*

Voogt, J., Westbroek, H., Handelzalts, A., Walraven, A., McKenney, S., Pieters, J., and deVries, J. (2011). Teacher learning in collaborative curriculum design. *Teaching and Teacher Education, 27* (8): 1235-44.

Wallace, C. (1992) *Reading.* Oxford: Oxford University Press.

Walraven, A., Saskia, B. G., and Boshuizen, H. P. (2009). How Students Evaluate Information and Sources When Searching the World Wide Web for Information. *Computers & Education, 52* (1), 234-46.

Watkins, Chris. (2005). *Classrooms as Learning Communities: What's in it for Schools?*. London & New York: Routledge.

Wiebe, G. (2008). Democracy is not a given. *History Tech*. Retrieved 22 Oct. 2013 from <http://historytech.wordpress.com/2008/05/01/democracy-is-not-a-given/>.

Weigel, D. J., Martin, S. S., & Bennett, K. K. (2010). Pathways to literacy: Connections between family assets and preschool children's emergent literacy skills. *Journal of Early Childhood Research, 8*, 5-22.

Wood, C., Pillinger, C., & Jackson, E. (2010). Understanding the nature and impact of young readers' literacy interactions with talking books and during adult reading support. *Computers & Education, 54* (1), 190-198.

Zhang, S. and Duke, N. K. (2008). Strategies for Internet reading with different reading purposes: A descriptive study of twelve good Internet readers. *Journal of Literacy Research, 40* (1), 128-162.

Zickuhr, K. and Smith, A. (2012). Digital Differences. Retrieved 15 Oct. 2013 from Pew Internet and American Life, <http://pewinternet.org/Reports/2012/Digital-differences.aspx>.

그 외 참고자료

http://www.gallaudet.edu/Documents/Academic/CLAST/TIP/writing%20an%20I-search%20paper.pdf.

http://www.ncte.org/library/NCTEFiles/Resources/Journals/VM/0184-may2011/VM0184Renewing.pdf.

http://atc21s.org/wp-content/uploads/2013/06/ePedagogy_UoM_June_2013_dist.pdf.

http://www.k12center.org/rsc/pdf/Coming_Together_April_2012_Final.PDF.

http://en.wikipedia.org/wiki/Race_to_the_Top.

http://www.parcconline.org/sites/parcc/files/PARCCFAQ_9-18-2013.pdf.

http://www.smarterbalanced.org/resources-events/faqs/.

http://www.projectaero.org/aero_standards/ELA/AERO-ELA-Framework.pdf.

| 지은이 김지숙

현재 상지대학교에서 한국연구재단의 연구교수로 재직하고 있으며, 가천대학교에서 외래 교수로 강의하고 있다. 대학졸업 후 영어교사로 공교육 일선에서 일하였으며, 이때 학생들의 효과적인 교수학습 활동을 위해 교육매체의 필요성을 느끼게 되었다. 이후 미국 네바다 주립대학교(University of Nevada, Reno)의 초등교육학 석사과정에서 교육매체 기반 리터러시 교육에 관심을 가졌다. 졸업 후 오랜 기간 ㈜JC인터랩 언어교육 연구소에서 수석연구원과 원장으로 재임하며 우리나라 교육현장에 적합한 영어 리터러시 교육 프로그램에 관심을 갖고 교실수업용 컴퓨터 프로그램과 다양한 영어교육 관련 교재를 개발해왔다. 특히 교실수업에서 실제 적용 가능한 효과적인 교수학습 방법을 위해 교사교육에도 치중하였다. 하지만 교육현장의 영어 리터러시 수업이 언어학습 자체에 초점을 두었던 현실에 한계를 느끼고 중앙대학교 박사과정에서 내용중심교육(CBI) 및 내용과 언어의 통합교육(CLIL)의 교수학습 전략을 연구하였다. 이때 초등학교 현장에서 교과목 중심의 영어 이머전(몰입) 교육 디렉터 및 리터러시 전문코치로 재직하며 우리나라 초등학교 교과과정에 맞춘 소위 BIPS(Balanced Immersion Programs & Systems)라는 독창적인 영어 이머전 교육과정과 영어 리터러시 교수학습 방법을 연구 개발하였고 이의 성공적인 성과를 이루어 냈다. 이후 ㈜능률교육 영어교육 연구소장을 역임하며 영어교육에 대한 이론과 교육현장의 실제를 연결하는 영어 리터러시 교육 프로그램 개발과 교수학습 방법을 수립하는 데 기여하였다.

대표 저서로는 『유비쿼터스시대 이젠 교육도 경영이다』(공저)와 『초등영어몰입교육 : CBI와 CLIL 기반 영어 상용화 학습활동』(공저) 외 영어교육 관련 실용서가 다수 있으며, 논문으로는 「조기 영어몰입수업에서 업테이크와 지연된 학업성취도와의 상호관계성 연구」, 「영어 몰입수업의 담화유형과 학생 오류 연구 : 대립균형 교수학습활동의 적용」, 「수준별 조기영어 몰입수업에서 형태초점 교수전략 효과연구」, 「몰입식 초등영어교육에서 교정피드백과 업테이크 상호관련성 연구」 등이 있다.

뉴 리터러시 교육

초판1쇄 발행일 2014년 7월 4일

지은이 김지숙
발행인 이성모
발행처 도서출판 동인
주 소 서울특별시 종로구 혜화로3길 5 아남주상복합아파트 118호
등 록 제1-1599호
TEL   (02) 765-7145 / FAX (02) 765-7165
E-mail dongin60@chol.com
ISBN   978-89-5506-597-8
정가   40,000원